ROMAN JAKOBSON

QUESTIONS DE POÉTIQUE

DEUXIÈME ÉDITION
REVUE ET CORRIGÉE
PAR L'AUTEUR

ÉDITIONS DU SEUIL
27, rue Jacob, Paris VIe

DU MÊME AUTEUR

TRADUIT EN FRANÇAIS

Langage enfantin et aphasie
éd. de Minuit

Essais de linguistique générale
éd. de Minuit

Essais de linguistique générale II
éd. de Minuit

Huit questions de poétique
éd. du Seuil (coll. « Points »)

Six leçons sur le son et le sens
éd. de Minuit

Certains chapitres de ce volume ont été écrits
avec la collaboration de

PETR BOGATYREV, BORIS CAZACU, LAWRENCE JONES, CLAUDE LÉVI-STRAUSS, LUCIANA STEGAGNO-PICCHIO, JURI TYNIANOV ET PAOLO VALESIO

Les textes qui n'ont pas été écrits directement
en français sont traduits par

JEAN-PAUL COLIN, ANDRÉ COMBES, MARGUERITE DERRIDA, JEAN-CLAUDE DUPORT, MARIE-ODILE ET JEAN PIERRE FAYE, ANDRÉ JARRY, MICHÈLE LACOSTE, JEAN-JACQUES NATTIEZ, JEAN PARIS, LÉON ROBEL, NICOLAS RUWET, TZVETAN TODOROV ET HAROLD WEYDT

Ce volume est publié sous la direction de

TZVETAN TODOROV

CE LIVRE
EST PUBLIÉ DANS LA COLLECTION
POÉTIQUE
DIRIGÉE PAR GÉRARD GENETTE
ET TZVETAN TODOROV

ISBN 2.02.002042.4

Avertissement

Le présent recueil est composé de textes écrits pendant plus d'un demi-siècle, le plus ancien *(La nouvelle poésie russe)* datant de 1919, le plus récent *(« Si nostre vie »)*, de 1972.

Le recueil se divise en deux parties. La première suit l'ordre chronologique d'écriture ; à l'exception du dernier, tous les textes s'échelonnent entre 1919 et 1937. Nous avons inclus ici tous les écrits de Jakobson portant sur la théorie de la littérature (écrite ou orale) ou de l'art (peinture, musique, cinéma), et un certain nombre d'études consacrées à des auteurs particuliers (Pouchkine, Khlebnikov, Maïakovski, Pasternak).

La seconde partie est organisée de manière systématique autour d'un thème : poésie de la grammaire. Quatre études théoriques (auxquelles il faut joindre « Linguistique et poétique », publié dans les *Essais de linguistique générale* de Jakobson), puis dix poèmes analysés à la lumière de la méthode proposée, disposés selon l'ordre chronologique de leurs auteurs. Le plus ancien de ces textes date de 1961, le plus récent de 1972. Nous avons retenu pour cette partie, parmi les nombreuses études de Jakobson, tous les textes théoriques; tous ceux qui traitent de poèmes écrits dans une des langues romanes (français, italien, portugais, roumain); et deux autres exemples (analyses de Shakespeare et Brecht). Pour une liste complète des publications de Jakobson, on se référera à Roman Jakobson, *A Bibliography of his writings* (La Haye - Paris, 1971).

Tous les textes ici réunis, à l'exception du « Postscriptum », ont déjà été publiés ailleurs; on trouvera la référence de la première publication en note du titre de chaque étude. Nous tenons à remercier tous les éditeurs ou rédacteurs de volumes où figurent ces études de nous avoir autorisé à les publier ici.

Certains de ces textes ont été écrits directement en français; dans tous les autres cas, le nom du traducteur figure à la fin de l'article. Pour unifier la terminologie française, nous avons modifié parfois les traductions existantes. L'alphabet cyrillique est transcrit selon les conventions internationales, sauf pour les noms propres, lorsque ceux-ci apparaissent dans le corps même du texte.

Toutes les notes appelées par des chiffres appartiennent à l'auteur; toutes celles appelées par une lettre (ainsi que les mots entre crochets dans le texte) sont du traducteur ou de l'éditeur. Pour ne pas surcharger le livre de notes historiques, nous avons constitué, en fin de volume, un petit glossaire des noms propres, qui permet l'identification d'un certain nombre de personnages historiques peu connus du lecteur français.

Tzvetan Todorov

1

Fragments de « La nouvelle poésie russe »

Esquisse première : Vélimir Khlebnikov[a]

I

[...] Lorsqu'on traite des phénomènes linguistiques du passé, on évite difficilement une vision schématique et en quelque sorte mécanique. Non seulement le profane mais le philologue lui-même comprend mieux la conversation familière d'aujourd'hui que la langue du Stoglav[b]. De même, les vers de Pouchkine nous sont, *en tant que fait poétique*, moins compréhensibles, moins intelligibles que ceux de Maïakovski ou de Khlebnikov.

Nous percevons tout trait du langage poétique actuel en relation nécessaire avec trois ordres : la tradition poétique présente, le langage quotidien [*prakticheskij*] d'aujourd'hui, et la tendance poétique qui préside à cette manifestation particulière.

Voici comment Khlebnikov caractérise ce dernier moment : « Lorsque je remarquais comme pâlissaient soudain les anciens vers, lorsque le futur en eux caché devenait un aujourd'hui, j'ai compris que la patrie de la création est le futur. C'est de là que souffle le vent envoyé par les dieux du mot. »

Si donc nous nous intéressons aux poètes du passé, ces trois ordres doivent être rétablis, ce qu'on ne réussit que partiellement et avec peine.

En leur temps, les vers de Pouchkine étaient, selon l'expression d'une revue contemporaine, « un phénomène dans l'histoire de la langue et de la versification russes», et, à cette époque, le critique ne se penchait pas encore sur la « sagesse de Pouchkine », mais se demandait : « Comment se fait-il que ces beaux vers aient un sens? Comment se fait-il qu'ils n'agissent pas seulement sur notre ouïe? »

Aujourd'hui Pouchkine est un objet familier, un puits de philosophie

a. *Novejshaja russkaja poezija. Nabrosok pervyj. Viktor Khlebnikov* (Prague, 1921), 68 p. Le choix des fragments est dû à Tzvetan Todorov. Les passages omis sont signalés par [...].

b. *Stoglav* (litt. « aux cent chapitres ») : recueil comportant les décisions du Concile du même nom, réuni en 1551.

domestique. Les vers de Pouchkine sont acceptés pour tels sans preuves, ils sont pétrifiés et sont devenus l'objet d'un culte. Ce n'est pas un hasard si l'année passée des spécialistes de Pouchkine comme Lerner et Chtchegolev se sont laissé prendre en considérant les imitations habiles d'un jeune poète comme une œuvre authentique du maître. Aujourd'hui on tire des vers à la Pouchkine aussi facilement que de faux billets : ils n'ont pas de valeur intrinsèque et ne peuvent servir que comme substituts de pièces sonnantes et trébuchantes.

Nous avons tendance à parler de la légèreté, de l'imperceptibilité de la technique comme une caractéristique de Pouchkine, ce qui n'est qu'une erreur de perspective. Le vers de Pouchkine est pour nous un cliché; on en conclut naturellement qu'il est simple. Il en allait tout autrement pour les contemporains de Pouchkine. Regardez leurs réactions, écoutez Pouchkine lui-même. Par exemple l'ïambe à cinq pieds sans césure est pour nous fluide et facile. Pouchkine, lui, le *sentait*, c'est-à-dire qu'il le sentait comme une forme difficile, comme une désorganisation de la forme antérieure.

> Pour tout vous avouer, dans la ligne à cinq pieds,
> J'aime la césure au deuxième pied.
> Sinon le vers est tantôt dans les fosses et tantôt sur des bosses,
> Et bien qu'étendu maintenant sur un canapé,
> Il me semble toujours que, dans une course cahotante,
> On galope dans une charrette sur des pâturages gelés.

La forme existe tant qu'il nous est difficile de la percevoir, tant que nous sentons la résistance de la matière, tant que nous hésitons : est-ce prose ou vers, tant qu'on a « mal aux mâchoires », comme le général Ermolov à la lecture des vers de Griboïedov, selon le témoignage de Pouchkine lui-même.

Cependant, même aujourd'hui la science ne se préoccupe que des poètes morts, et si elle touche sporadiquement aux vivants, ce ne sont que les éteints, ceux qui ont déjà gagné à la loterie littéraire. Ce qui est devenu truisme dans la science du langage quotidien reste hérésie dans celle du langage poétique, qui, de manière générale, s'est maintenue jusqu'à présent à l'arrière-garde de la linguistique.

Les spécialistes de la poésie du passé imposent habituellement à ce passé leurs habitudes esthétiques, y projettent les méthodes courantes de production poétique. De là vient l'inconsistance scientifique des théories rythmiques des modernistes qui ont inscrit et lu dans Pouchkine la déformation actuelle du vers syllabotonique. C'est du point de vue du présent que l'on examine — pire même, que l'on apprécie — le passé; or une poétique scientifique n'est possible qu'à condition qu'elle renonce à toute appréciation : ne serait-il pas absurde qu'un linguiste jugeât, dans l'exercice de sa profession, des mérites comparés des adverbes? La théorie du langage poétique ne pourra se développer que si on traite la poésie comme un fait social, que si l'on crée une sorte de dialectologie poétique.

Du point de vue de cette dernière, Pouchkine est le centre de la culture poétique d'un certain moment, avec une certaine zone d'influence. De ce point de vue, on peut subdiviser les dialectes poétiques d'une zone qui tendent vers le centre culturel d'une autre, à la manière des dialectes du langage quotidien, en : dialectes *transitoires*, qui ont emprunté au centre d'attraction une série de configurations; dialectes *semi-transitoires*, qui ont emprunté au centre d'attraction certaines visées [*ustanovki*] poétiques; et dialectes *mixtes* qui adoptent des traits ou des procédés étrangers isolés. Enfin, il faut tenir compte de l'existence de dialectes archaïsants, dont le centre d'attraction appartient au passé. [...]

II

[...] Dans la poésie des futuristes italiens, ce sont les nouveaux faits, les nouveaux concepts qui provoquent la rénovation des moyens, la rénovation de la forme artistique; c'est ainsi que naît par exemple *parole in libertã*. C'est une réforme dans le domaine du reportage, non dans celui du langage poétique. [...]

Le mobile décisif de l'innovation reste le désir de communiquer les nouveaux faits du monde physique et psychique.

Le futurisme russe a mis en avant un principe tout autre.

« Puisqu'il y a une nouvelle forme, il y a aussi un contenu nouveau, la forme détermine ainsi le contenu.

Notre création verbale jette sur tout une lumière nouvelle.

Ce ne sont pas les nouveaux objets de la création qui décident de sa véritable nouveauté.

La nouvelle lumière, jetée sur le vieux monde, peut produire le jeu le plus fantasque » (Kroutchenykh dans le recueil *les Trois*).

Ici on prend clairement conscience du but poétique, et ce sont précisément les futuristes russes qui ont fondé la poésie du « mot autonome [*samovitoe*], à valeur autonome [a] » en tant que matériau dénudé *canonique*. Et on ne sera plus surpris de voir que les longs

a. Le mot *samovitoe* est un néologisme. Pour la doctrine explicite de Khlebnikov, cf. « Livre des préceptes », *Poétique*, I (1970), 1-2.

poèmes de Khlebnikov concernent tantôt le cœur de l'âge de pierre, tantôt la guerre russo-japonaise, tantôt les temps du prince Vladimir, ou la campagne d'Asparoukh [a], tantôt l'avenir universel. [...]

Selon la formulation du professeur Chtcherba, dans la pensée verbale quotidienne « la conscience ne distingue pas les sensations reçues et le résultat de l'assimilation comme deux moments séparés dans le temps, autrement dit nous ne sommes pas conscients de la différence entre les sensations objectivement données et le résultat de cette perception ».

Dans les langages émotionnel et poétique, les représentations verbales (phonétiques et sémantiques) attirent sur elles une attention plus grande, le lien entre l'aspect sonore et la signification se resserre. Pour cette raison, le langage devient plus révolutionnaire, puisque les associations habituelles de contiguïté [*smezhnost'*] passent à l'arrière-plan. Voir par exemple la vie riche en changements phonétiques et morphologiques des mots-appellations, par conséquent des noms propres des personnes en général.

Mais là s'arrête la parenté du langage émotionnel avec le langage poétique. Si dans le premier l'affect commande la masse verbale, si précisément « la vapeur de l'agitation fait exploser, dans son impétuosité, la cheminée de la période syntaxique [b] », la poésie, qui n'est rien d'autre qu'un *énoncé visant à l'expression*, est dirigée, pour ainsi dire, par des lois immanentes. La fonction communicative, propre à la fois au langage quotidien et au langage émotionnel, est réduite ici au minimum. La poésie est indifférente à l'égard de l'objet de l'énoncé, de même que la prose pratique, ou plus exactement objective *(sachliche)*, est indifférente, mais dans le sens inverse, à l'égard, disons, du rythme (ainsi que le disait déjà Saran [c]).

Bien sûr, la poésie peut utiliser les méthodes voisines du langage émotionnel dans ses propres buts, et une telle utilisation caractérise particulièrement les étapes initiales dans le développement de telle ou telle école poétique, par exemple du romantisme. Mais ce ne sont pas les *Affektträger*, selon la terminologie de Sperber [d], les interjections, les mots interjetés du reportage hystérique que décrètent les futuristes italiens, qui forment le langage poétique.

a. Le grand prince de Kiev Vladimir Sviatoslavovitch a régné entre 978 et 1015. Asparoukh (ou Isperikh) est le fondateur de l'État bulgare et a vécu approximativement de 646 à 700.

b. Extrait d'un manifeste de Marinetti, le chef de file du futurisme italien.

c. Allusion à l'ouvrage de Franz Saran, *Deutsche Verslehre* (Munich, 1907).

d. Allusion à l'ouvrage de Hans Sperber, *Über den Affekt als Ursache der Sprachveränderung* (Halle, 1914).

Si les arts plastiques sont une mise en forme du matériau visuel à valeur autonome, si la musique est la mise en forme du matériau sonore à valeur autonome, et la chorégraphie, du matériau gestuel à valeur autonome, alors la poésie est la mise en forme du mot à valeur autonome, du mot « autonome », comme dit Khlebnikov.

La poésie c'est le langage dans sa fonction esthétique.

Ainsi, l'objet de la science de la littérature n'est pas la littérature mais la littérarité, c'est-à-dire ce qui fait d'une œuvre donnée une œuvre littéraire. Pourtant, jusqu'à maintenant, les historiens de la littérature ressemblaient plutôt à cette police qui, se proposant d'arrêter quelqu'un, saisirait à tout hasard tout ce qu'elle trouverait dans la maison, de même que les gens qui passent dans la rue. Ainsi les historiens de la littérature se servaient de tout : vie personnelle, psychologie, politique, philosophie. Au lieu d'une science de la littérature, on créait un conglomérat de recherches artisanales, comme si l'on oubliait que ces objets reviennent aux sciences correspondantes : l'histoire de la philosophie, l'histoire de la culture, la psychologie, etc., et que ces dernières peuvent parfaitement utiliser les monuments littéraires comme des documents défectueux, de deuxième ordre. Si les études littéraires veulent devenir science, elles doivent reconnaître le *procédé* comme leur « personnage » unique. Ensuite la question fondamentale est celle de l'application, de la justification du procédé.

Le monde de l'émotion, les troubles de l'âme forment une des applications, plus exactement, une des justifications les plus habituelles du langage poétique, c'est le fourre-tout où l'on entasse ce qui ne peut être justifié, appliqué en pratique, ce qui ne peut être rationalisé.

Lorsque Maïakovski dit :

> Je vous ouvrirai avec des mots simples comme un mugissement
> Vos âmes nouvelles qui hurlent comme les arcs des réverbères...

le fait poétique est dans « mots simples comme un mugissement », alors que l'âme est un fait secondaire, accessoire, surajouté.

On caractérise constamment les romantiques comme les premiers explorateurs de l'univers mental, comme les bardes des expériences intérieures. Cependant les contemporains pensaient le romantisme uniquement comme une rénovation formelle, comme une destruction des unités classiques. Or le témoignage des contemporains est seul probant. [...]

Chez Khlebnikov : « Il y a un gourmand, un gros bedon qui aime percer avec une broche les âmes humaines précisément, il jouit légèrement du grésillement et du craquement, ou en voyant les gouttes brillantes qui tombent dans le feu, qui glissent vers le bas, et ce gros bedon est la ville. »

Qu'est-ce : une contradiction logique?

Mais laissons les autres imputer au poète les pensées énoncées dans ses œuvres! Faire assumer au poète la responsabilité des idées et des sentiments est aussi absurde que l'était le comportement du public médiéval qui rouait de coups l'acteur jouant Judas; que d'accuser Pouchkine d'avoir tué Lenski [a].

Pourquoi le poète serait-il davantage responsable du duel des pensées que du duel des épées ou des pistolets?

Il faut remarquer ici que dans l'œuvre littéraire nous manions essentiellement, non la pensée, mais les faits verbaux. Le moment n'est pas encore venu de s'arrêter sur cette grande et difficile question. Je donnerai seulement, à titre d'illustration, quelques exemples de parallélisme formel que n'accompagne aucun parallélisme sémantique. [...]

« Le marchand demande au marin : comment est mort ton père ? — Péri en mer. — Et le grand-père? — De même. — Comment oses-tu alors partir en mer? — Et comment est mort ton père? — Dans son lit. — Et le grand-père? — De même. — Comment oses-tu alors te coucher dans ton lit? » *(Conte moral)*.

Ces exemples se caractérisent avant tout par le fait que les formes de cas identiques prennent des significations différentes. Ainsi dans la dernière histoire « en mer » a, outre la signification locative de « dans son lit », une nuance causale, ce qui n'empêche pas de fonder la morale sur l'identité formelle.

Ainsi les théorisations des poètes révèlent souvent des inconsistances logiques, car elles représentent une transposition illégitime d'une opération poétique en science ou en philosophie : la marche logique a été remplacée par une tresse verbale. [...]

On vient de caractériser la métamorphose comme la réalisation d'une construction verbale; habituellement, cette réalisation consiste à projeter dans le temps le parallélisme inversé (plus particulièrement l'antithèse). Si le parallélisme négatif rejette la série métaphorique au nom de la série littérale, le parallélisme inversé nie la série littérale au nom de la série métaphorique.

La poésie érotique, entre autres, est riche en exemples de parallélisme inversé. [...]

Supposons qu'on nous présente une image réelle, la tête, et que sa métaphore soit le tonneau. Le parallélisme négatif sera : « Ce n'est pas

a. Lenski est un personnage du roman en vers de Pouchkine *Eugène Onéguine*. Il est tué en duel par Onéguine.

un tonneau mais une tête ». Le parallélisme rendu logique (la comparaison) : « cette tête est comme un tonneau ». Parallélisme inversé : « ce n'est pas une tête mais un tonneau ». Et enfin, la projection du parallélisme inversé dans le temps (la métamorphose) : « la tête est devenue un tonneau » (« cette tête n'est plus une tête mais un tonneau »). [...]

L'effacement de la frontière entre sens concret et sens transposé est un phénomène propre au langage poétique. La poésie manie souvent des images concrètes comme si c'étaient des figures verbales (procédé de concrétisation inversée) : c'est le cas des calembours. [...]

Le symbolisme comme école poétique est fondé sur la conversion des images de la réalité en tropes, sur leur métaphorisation.

L'idée de l'espace comme une convention picturale et du temps idéographique, s'infiltre dans la science de l'art. Mais le problème du temps et de l'espace comme formes du langage poétique est encore étranger à la science. La violence que le langage exerce sur l'espace littéraire est particulièrement nette dans le cas des descriptions, lorsque les parties coexistant dans l'espace sont disposées en une succession temporelle. A la suite de quoi Lessing va jusqu'à écarter la poésie descriptive ou encore fait passer dans les choses la violence purement linguistique, en motivant la succession temporelle narrative par une succession temporelle réelle, c'est-à-dire en décrivant l'objet à mesure que celui-ci apparaît, l'habit, à mesure qu'on le met, etc.

Quant au temps littéraire, c'est le procédé de déplacement temporel qui offre à la recherche un champ particulièrement vaste. J'ai cité déjà les mots du critique : « Byron a commencé à raconter à partir du milieu de l'incident, ou de sa fin. » Voir par exemple *la Mort d'Ivan Ilitch* où le dénouement est donné avant le récit. Voir *Oblomov* où le déplacement temporel est justifié par le rêve du héros, etc. Il existe une classe particulière de lecteurs qui imposent ce procédé à toute œuvre littéraire, en commençant par lire le dénouement. Comme expérience de laboratoire, on trouve le déplacement temporel chez Edgar Poe, dans *le Corbeau*, qui a été inversé seulement après avoir été achevé.

Chez Khlebnikov le déplacement temporel est dénudé, c'est-à-dire immotivé. [...]

Certaines œuvres de Khlebnikov sont écrites suivant la méthode d'enfilage libre de motifs variés. Tel est *le Diablotin*, tels sont *les Enfants de la loutre* [a]. (Les motifs librement enfilés ne découlent pas l'un de l'autre par nécessité logique mais se combinent selon le prin-

a. Cf. la traduction française de ces poèmes dans : Vélimir Khlebnikov, *Choix de poèmes*, traduit du russe par Luda Schnitzer (Honfleur, 1967).

cipe de la ressemblance ou du contraste formels; cf. *le Décaméron*, où les nouvelles d'un jour sont réunies par la même exigence à l'égard du sujet.) Ce procédé est consacré par son ancienneté séculaire, mais chez Khlebnikov il est dénudé : le fil justificatif manque. [...]

III

La langue parlée a servi de matériau pour une grande partie des œuvres de Khlebnikov. Mallarmé disait aussi qu'il servait au bourgeois les mots que celui-ci lit tous les jours dans son journal, mais qu'il les servait dans une combinaison déroutante.

L'inconnu surgit et frappe uniquement sur le fond du connu. Il arrive un moment où le langage poétique traditionnel se fige, cesse d'être senti, commence a être vécu comme un rite, comme un texte canonique, dont les erreurs mêmes paraissent sacrées. Le langage de la poésie se couvre de patine, ni les tropes ni les licences poétiques ne disent plus rien à l'esprit. [...]

La forme se saisit du matériau, le matériau est entièrement recouvert par la forme, elle devient un stéréotype et meurt. L'arrivée d'un matériau nouveau, d'éléments frais du langage quotidien devient nécessaire si l'on veut que les constructions poétiques irrationnelles réjouissent, effraient et touchent de nouveau. [...]

Nous parlons de l'union harmonieuse des mots chez Pouchkine, alors que les contemporains trouvaient qu'ils hurlaient à cause des combinaisons inattendues dans lesquelles ils entraient.

L'extinction de la forme esthétique n'est pas propre à la seule poésie. [...]

D'où la conclusion naturelle qu'on ne peut regarder un tableau qu'au musée, une fois recouvert par la moisissure des siècles. D'où naturellement l'exigence de figer le langage des poètes du passé, d'imposer leur vocabulaire, syntaxe et sémantique comme norme.

La poésie se sert de « mots inhabituels ». En particulier, est inhabituelle la « glosse » (Aristote). On rapporte ici les archaïsmes, les barbarismes, les provincialismes. Mais les symbolistes oublient ce qui était clair pour Aristote : « un même nom peut être aussi bien une glosse qu'un mot de l'usage courant, mais non chez les mêmes personnes. » Ils oublient que la glosse de Pouchkine n'est plus glosse dans le langage poétique actuel, mais stéréotype. Ainsi Viatcheslav Ivanov finit par recommander aux jeunes poètes d'utiliser de préférence le vocabulaire de Pouchkine : si le mot se trouve chez Pouchkine, c'est un critère suffisant de sa poéticité. [...]

IV

La syntaxe de Khlebnikov (remarques isolées).

[...] *Pechkovski* : La verbalité est la forme fondamentale de notre pensée linguistique. Le prédicat-verbe est la partie la plus importante de la phrase et de notre discours en général.

Souvent l'absence de verbes est une tendance caractéristique du langage poétique. [...]

V

Épithètes. [...]

Une fonction fréquente de l'épithète est d'indiquer simplement que la forme syntaxique d'adjectif qualitatif est présente; autrement dit, il s'agit d'une dénudation de l'adjectif qualitatif. Chez Pouchkine et ses contemporains, cette fonction était remplie, d'une part, selon la juste remarque de O. M. Brik, par des « épithètes indifférentes » (du type « pure beauté », « admirable tête » ou même « un tel roi », « une telle année »); d'autre part, par des épithètes extérieures qui n'ont, selon l'expression d'un contemporain de Pouchkine, « aucun rapport perceptible avec les noms qu'ils qualifient », par des épithètes que ce critique propose d'appeler « noms accolatifs » (*Athénée*, 1828, « Eugène Onéguine », article de V.). C'est ce dernier type d'épithètes qui caractérise aussi Khlebnikov. [...]

Comparaisons. Le problème de la comparaison poétique chez Khlebnikov est extrêmement complexe. Je me contenterai ici de poser quelques jalons.

Qu'est-ce qu'une comparaison poétique? En laissant de côté sa fonction symétrique, on peut caractériser la comparaison comme l'un des moyens d'introduire dans la tournure poétique une série d'éléments qui ne sont pas amenés par la marche logique de la narration.

Chez Khlebnikov, les comparaisons ne sont presque jamais justifiées par une impression réelle de ressemblance entre les objets, mais apparaissent en fonction de la composition.

En utilisant la formulation imagée de Khlebnikov, à savoir qu'il y a des mots qui permettent de voir, des mots-yeux, et des mots-mains, qui permettent de faire, on dira : Khlebnikov pratique précisément les comparaisons-mains.

Chez Khlebnikov les juxtapositions se contaminent.

« Comme une voile noire la mer blanche des prunelles féroces traversaient en biais les yeux. Les terribles yeux blancs se levaient vers les sourcils en tête de mort, pendue par les cheveux » *(Esir)*.

(Les images sont contaminées : la couleur, le blanc par le noir; la ligne, la mer par la voile.) [...]

VI

Cette visée de l'expression, de la masse verbale, que je qualifie de moment unique et essentiel de la poésie, touche non seulement aux combinaisons de mots, mais aussi à la forme du mot. L'association mécanique par contiguïté entre le son et le sens se réalise d'autant plus rapidement qu'elle est plus habituelle. D'où le caractère conservateur du langage quotidien. La forme du mot meurt rapidement.

En poésie, le rôle de l'association mécanique est réduit au minimum, alors que la dissociation des éléments verbaux acquiert un intérêt exceptionnel. Les éléments dissociés forment facilement des combinaisons nouvelles. Les affixes morts s'animent. [...]

La poésie connaît le jeu des suffixes depuis longtemps, mais ce n'est que dans la nouvelle poésie, et en particulier chez Khlebnikov, que celui-ci devient un procédé conscient et légitime. [...]

L'économie des mots est étrangère à la poésie à moins qu'elle ne soit exigée par un objet esthétique spécifique. Le néologisme enrichit la poésie sous trois rapports :

1. Il crée une tache euphonique éclatante alors que les vieux mots vieillissent aussi phonétiquement, effacés par l'usage fréquent, et surtout, parce qu'on ne perçoit qu'en partie leur constitution phonique.

2. On cesse facilement d'être conscient de la forme des mots dans le langage quotidien, celle-ci meurt, se pétrifie, alors qu'on est obligé de percevoir la forme du néologisme poétique, qui nous est donnée, pour ainsi dire, *in statu nascendi.*

3. A un moment donné, le sens d'un mot est plus ou moins statique, alors que le sens du néologisme est déterminé, dans une large mesure, par le contexte; de surcroît, il oblige le lecteur à une pensée étymologique. De manière générale, l'étymologie joue toujours un grand rôle en poésie; on distinguera deux types de cas :

a) rénovation du sens. Voir par exemple *tuchnye tuchi (les nuages gros*, étym. *nuageux)* chez Derjavine. On peut obtenir une telle rénovation non seulement par la juxtaposition de mots ayant même racine, mais aussi en employant le mot dans son premier sens alors qu'on n'utilise couramment que le sens figuré. [...]

b) étymologie poétique. Parallèle à l'étymologie populaire du langage quotidien. [...] La majorité des calembours, des jeux de mots est construite sur l'étymologie poétique. [...]

Les exemples ici énumérés de déformation sémantique et phonétique du mot poétique se voient pour ainsi dire à l'œil nu; mais en fait chaque mot du langage poétique est déformé par rapport au langage quotidien — aussi bien phonétiquement que sémantiquement.

L'absence possible de tout objet désigné est une propriété importante du néologisme poétique. La loi de l'étymologie poétique fonctionne, la forme verbale, interne et externe, est vécue, mais ce que Husserl appelle *dinglicher Bezug* est absent. (Dans une certaine mesure aucun mot poétique n'a d'objet. Ce à quoi pensait le poète français qui disait que la fleur poétique est *l'absente de tous bouquets*.)

VII

Le langage poétique connaît un procédé élémentaire : le rapprochement de deux unités.

Les variantes sémantiques de ce procédé sont : le parallélisme, la comparaison (cas particulier du parallélisme), la métamorphose (parallélisme projeté dans le temps), la métaphore (parallélisme réduit à un point).

Les variantes euphoniques de ce procédé de juxtaposition sont : la rime, l'assonance et l'allitération (ou répétition des séries de sons).

Il existe des vers qui se caractérisent essentiellement par un recours privilégié à l'euphonie. Est-ce un recours aux sons?

Si oui, il s'agit alors d'une variété de la musique vocale — musique vocale inférieure.

L'euphonie ne repose pas sur des sons mais sur des phonèmes, c'est-à-dire des représentations auditives capables de s'associer avec des représentations sémantiques.

On ne perçoit la forme d'un mot à moins qu'elle ne se répète dans le système linguistique. La forme isolée meurt; de même la combinaison de sons dans un poème (une sorte de système linguistique *in statu nascendi*) devient une « image phonique » (terme de Brik) : on ne la perçoit qu'à la suite de la répétition.

Dans la poésie contemporaine, les consonnes sont l'objet d'une attention exceptionnelle. Souvent, l'étymologie poétique éclaire de telle sorte les répétitions sonores (surtout du type AB, ABC, etc.) que la représentation sémantique principale se trouve liée aux complexes répétés de consonnes, alors que les voyelles distinctives deviennent comme une flexion au radical, introduisant une signification formelle, soit flexionnelle soit dérivée. [...]

VIII

Les mots s'émancipent partiellement de leur sens par le jeu des synonymes, c'est-à-dire que le nouveau mot n'apporte pas un sens nouveau; d'un autre côté, une nouvelle différenciation des nuances sémantiques devient possible. [...]

Le phénomène inverse, c'est le jeu des homonymes, fondé, de même que celui des synonymes, sur la non-coïncidence de l'unité significative et du mot; il est analogue à la couleur qui dépasse le tracé du dessin en peinture. [...]

Le procédé favori des poètes contemporains est d'utiliser le mot simultanément dans son sens littéral et métaphorique. [...]

Étant personnifiés, les noms du genre féminin deviennent des personnes du sexe féminin, alors que les noms masculins et neutres deviennent des personnes du sexe masculin. Ainsi un Russe qui s'imagine les jours de la semaine sous forme de personnes voit le lundi et le dimanche comme des hommes, le mercredi, comme une femme [a]. Curieusement Répine restait perplexe : pourquoi Stuck a-t-il représenté le péché *(die Sünde)* en femme? [...]

En général, les mots étrangers sont très employés en poésie, car leur constitution phonique surprend, alors que leur sens reste en sourdine. [...]

IX

[...] Dénuder la rime, c'est émanciper sa puissance sonore du lien sémantique. De ce point de vue, on peut établir les étapes suivantes dans l'histoire de la poésie russe (bien qu'à tout moment, toutes les étapes puissent êtres présentes, en quelque sorte sur la périphérie de la poésie).

1. Les mots qui riment sont avant tout liés, juxtaposés du point de vue sémantique.

a. *Ponedel'nik*, lundi, est en russe un nom masculin, *voskresenie*, dimanche, neutre, *sreda*, mercredi, est féminin.

2. Les mots qui riment ne sont pas liés entre eux par un rapport sémantique, mais sont réunis par leur importance sur le plan de la signification, par une sorte d'accent sémantique.

3. Des mots extérieurs au propos essentiel, à l'intérêt de la narration, des mots inessentiels sur le plan sémantique (tels les épithètes) sont artificiellement promus au rang de porteurs de rimes.

4. Des mots qui sont logiquement presque extérieurs au texte, qui sont attirés *ad hoc*, riment entre eux. De cette manière apparaît la valeur euphonique de la rime.

Sous une forme dissimulée, ce sont précisément les rimes entre les mots attirés *ad hoc* qui caractérisent la poésie de manière générale.

Richet [a] : « La rime provoque le poème. L'esprit fonctionne par calembours. » [...]

On peut observer le même phénomène sur une série de procédés propres à la poésie de Khlebnikov : c'est la mise en sourdine de la signification et la valeur autonome de la construction euphonique. Un seul pas nous sépare ici du langage arbitraire.

« Mon premier rapport à l'égard du mot, dit Khlebnikov, c'est : trouver la pierre merveilleuse qui permet la transformation des mots slaves l'un en l'autre, sans rompre le cercle des racines; fondre librement les mots slaves. C'est le mot autonome hors de la vie pratique et des besoins quotidiens. Mon deuxième rapport à l'égard du mot : voyant que les racines ne sont que des fantômes derrière lesquels se dressent les cordes de l'alphabet, trouver l'unité de toutes les langues du monde, formée par les entités de l'alphabet. C'est la voie vers le langage transmental universel. »

Cette création arbitraire de mots peut être formellement reliée à la langue russe. [...]

Le deuxième type de création arbitraire de mots ne cherche à entrer dans aucun rapport de coordination avec le langage quotidien présent. (Cependant, puisque ce dernier existe, puisque la tradition phonétique est présente, on ne saurait comparer le discours transmental aux onomatopées prélinguistiques, pas plus qu'on ne saurait le faire pour un Européen dénudé d'aujourd'hui et un troglodyte nu.) C'est le cas des glossolalies dans les sectes, que leurs créateurs croient être des langues étrangères. Khlebnikov justifie les créations transmentales par le langage des oiseaux *(Mudrost' au bagne)*, le langage des singes *(Ka)*, le langage des démons *(Nuit de Galicie*, où Khlebnikov exploite largement les charmes russes). [...]

a. Allusion à l'ouvrage de Charles Richet, *Essai de psychologie générale* (Paris, 1887).

On a vu, sur une série d'exemples, que le mot chez Khlebnikov perd sa visée de l'objet, ensuite sa forme interne, enfin même la forme externe. On peut maintes fois observer, dans l'histoire de la poésie de tous les temps et de tous les pays, que pour les poètes, selon l'expression de Trédiakovski, « seul importe le son ». Le langage poétique tend, à la limite, vers le mot phonétique, plus exactement (puisque la visée en question est présente), euphonique, vers le discours transmental.

Cependant Khlebnikov écrit de cette limite même : « Pendant que je les écrivais, les mots d'Ekhnaten mourant : mantch, mantch, — avaient sur moi un effet insupportable. Et maintenant, je ne les sens plus. Pourquoi — je ne le sais moi-même. »

Moscou, mai 1919.

Traduit du russe par
TZVETAN TODOROV

Futurisme [a]

C'est seulement au XXe siècle que la peinture rompt de manière conséquente avec les tendances du réalisme naïf. Au XIXe siècle le tableau doit transmettre la perception, le peintre est l'esclave de la routine, il ignore consciemment l'expérience quotidienne et scientifique. Comme si notre connaissance de l'objet était une chose, et le contenu immédiat des images des objets, une tout autre chose, indépendante. Comme si nous connaissions l'objet d'un seul côté, d'un seul point de vue, comme si voyant le front nous oubliions que la nuque existe aussi, comme si la nuque était l'autre face de la lune, inconnue et invisible. De même que dans les vieux romans où l'on ne nous révèle les événements que dans la mesure où le héros en prend connaissance. L'ancienne peinture connaît, à vrai dire, des tentatives pour redoubler le point de vue sur l'objet, justifiées par le reflet du paysage ou du corps dans l'eau ou bien dans un miroir. Voir aussi ce procédé de l'ancienne peinture russe qui consiste à représenter le martyre deux ou trois fois dans un seul tableau, à des moments contigus de l'action. Cependant, seul le cubisme a canonisé la pluralité des points de vue. La peinture du passé réalisait la déformation en petites doses, par exemple on tolérait l'hyperbole, ou alors on justifiait la déformation par ses objectifs humoristiques (la caricature), ornementaux (la teratologie) ou enfin par les propriétés de la nature même, ainsi le clair-obscur. Libérée des motivations justificatives par les actes de Cézanne, la déformation deviendra canonique avec le cubisme.

S'appuyant sur l'expérience scientifique, les impressionnistes avaient déjà décomposé la couleur en ses constituants. La couleur avait cessé d'obéir à la perception de la nature représentée. Apparaissent des taches colorées, voire des combinaisons chromatiques qui ne copient rien, qui ne sont pas imposées au tableau de l'extérieur. La domination créatrice de la couleur produit inévitablement la prise de cons-

a. « Futurizm », *Iskusstvo*, 7, 2.8.1919.

cience de la loi suivante : toute inflexion de la forme se double d'une modification de la couleur, toute modification de la couleur engendre une forme (formule de Gleizes et Metzinger [a]).

C'est Stumpf, semble-t-il, l'un des pionniers de la nouvelle psychologie, qui a promu cette loi dans la science, parlant de la corrélation entre couleur et forme spatiale colorée : la qualité participe à la transformation de l'étendue. En transformant l'étendue, on transforme la qualité. La qualité et l'étendue sont par nature inséparables et ne peuvent pas se présenter à la conscience indépendamment l'une de l'autre. Ce lien nécessaire s'oppose au lien empirique de deux parties, qui n'est pas de nature obligatoire : ainsi pour la tête et le tronc. On peut s'imaginer de telles parties séparément.

La visée de la nature obligeait le peintre de lier précisément de telles parties, que l'on peut en fait désunir; alors qu'on ne prenait pas conscience de la détermination mutuelle entre forme et couleur. Inversement : la visée de l'expression picturale a fait prendre conscience de la nécessité de ce dernier rapport, alors qu'on découpe librement l'objet (l'école dite divisionniste). L'attention du peintre se concentre sur la ligne et la surface, qui ne peuvent imiter exclusivement les limites naturelles; le cubiste découpe consciemment la nature par des surfaces, il introduit des lignes arbitraires.

La peinture s'émancipe de la recherche d'une illusion élémentaire, ce qui provoque l'exploitation intense des différents champs de l'expression picturale. Les corrélations de volume, l'asymétrie constructive, la dissonance de couleurs, la facture émergent dans la conscience du peintre.

Les résultats de cette prise de conscience :

1. La canonisation d'une série de procédés, ce qui permet au fond de parler du cubisme comme d'une école.

2. La dénudation du procédé. Ainsi la facture dont on a pris conscience n'a plus besoin d'aucune justification, elle devient autonome, elle exige de nouvelles méthodes de formation, de nouveaux matériaux. On colle sur le tableau des morceaux de papier, on verse du sable. Enfin on se sert du carton, du bois, du fer-blanc, etc.

Le futurisme n'introduit presque aucun procédé pictural nouveau; il utilise largement les méthodes cubistes. Ce n'est pas une nouvelle école picturale mais plutôt une nouvelle esthétique. C'est l'approche même du tableau, de la peinture, de l'art qui change. Le futurisme produit des tableaux-mots d'ordre, des démonstrations picturales.

a. A. Gleizes et J. Metzinger, *Du cubisme* (Paris, 1912 ; nouv. éd. 1947), p. 58.

Il ne connaît pas de canons établis, cristallisés. Le futurisme est aux antipodes du classicisme.

Hors de l'intention (terme de la psychologie), hors du style (terme de l'histoire de l'art), il n'y a pas de représentation de l'objet. La tendance du XIXe siècle est de voir comme on voyait avant, comme il est admis — de voir selon Raphaël ou selon Botticelli. On projette le présent dans le passé, on impose le passé au futur. Selon le précepte célèbre : « Grâce à Dieu, voilà une journée de passée. Avec l'aide de Dieu, que demain soit pareil. »

Quel autre art, sinon l'art pictural, pouvait incarner avec un tel succès cette tendance fondamentale : fixer le moment du mouvement, décomposer le mouvement en une série d'éléments statiques séparés. Mais la perception statique est une fiction. En fait, « tout se meut, tout se transforme rapidement. Un profil n'est jamais immobile devant nous, il apparaît et disparaît sans cesse. Étant donné la stabilité de l'image dans la rétine, les objets se multiplient, se déforment, se poursuivent, comme les vibrations rapides dans l'espace parcouru. Voici pourquoi les chevaux en course n'ont pas quatre jambes mais vingt, et leurs mouvements sont triangulaires » *(Manifeste des peintres futuristes)*.

La perception statique, unilatérale, isolée est une survivance picturale, semblable en cela aux muses, dieux et lyres classiques. Mais nous ne tirons pas d'arquebuses et ne roulons pas en carrosses. Le nouvel art a renoncé aux formes statiques, il a renoncé au dernier fétiche du statisme : la beauté. Il n'y a pas d'absolu en peinture. Ce qui était vérité pour les peintres d'hier est un mensonge aujourd'hui, nous dit le manifeste futuriste.

L'élimination du statisme, l'expulsion de l'absolu : voici la tendance essentielle des temps nouveaux, la question d'actualité brûlante. La philosophie négative et les tanks, l'expérience scientifique et les soviets, le principe de relativité et le cri « A bas ! » des futuristes détruisent les cloisons de la vieille culture. L'unité des fronts est étonnante.

« A l'époque actuelle, nous disent les physiciens, nous vivons de nouveau une transformation de l'ancien édifice scientifique, mais une transformation comme l'histoire des sciences n'en connaît pas. Ce n'est pas encore tout. On détruit des vérités qui n'ont jamais été énoncées par personne, qu'on n'a pas affirmées parce qu'elles paraissaient évidentes, et parce que tous les utilisaient inconsciemment, en les mettant à la base de toutes sortes de raisonnements. » Un trait particulièrement caractéristique de la nouvelle doctrine est le nombre de paradoxes inouïs que comportent les conclusions même les plus simples : elles contredisent visiblement ce qu'on appelle le « bon sens ».

Les dernières propriétés de la substance disparaissent du monde physique. « Comment s'imagine-t-on le temps? Comme une chose ininterrompue, s'écoulant régulièrement, à une vitesse toujours et partout identique. Un même temps passe dans le monde entier; il n'y a pas et, visiblement, il ne peut y avoir deux temps qui, à des points différents de l'univers, se dérouleraient avec des vitesses différentes. Nos représentations de la simultanéité de deux événements, de l' " avant " et de l' " après ", y sont étroitement reliées : ces trois images élémentaires, accessibles à un enfant, ont le même sens, quels qu'en soient les agents et le lieu. La notion de temps comporte pour nous un absolu, un élément qu'on ne peut mettre en corrélation avec rien. La nouvelle doctrine nie la nature absolue du temps et partant, l'existence d'un temps universel. Chacun des systèmes en mouvement possède son temps propre, la vitesse d'écoulement du temps n'y est pas la même. »

Existe-t-il un repos absolu, ne serait-ce que sous la forme d'une notion abstraite, sans existence réelle dans la nature? Il s'ensuit du principe de relativité qu'il n'existe pas de repos absolu.

Le temps se mêle à toutes les dimensions spatiales. « Nous ne pouvons pas déterminer la forme géométrique d'un corps en mouvement par rapport à nous. Nous déterminons toujours sa forme cinétique. Ainsi nos dimensions spatiales se situent en fait non dans un espace à trois, mais dans un espace à quatre dimensions. »

« Ces images doivent produire, dans le champ de la pensée philosophique, un renversement plus grand que celui, opéré par Copernic, qui déplaçait la terre du centre de l'univers... N'est-ce pas la puissance des sciences naturelles que nous ressentons lorsqu'elles nous obligent à passer du fait empirique incontestable — l'impossibilité de définir le mouvement absolu de la terre — aux questions de psychologie? Le philosophe contemporain s'exclame, embarrassé : Au-delà de la vérité et de l'illusion. »

« Les nouvelles découvertes nous donnent un nombre suffisant de modèles pour la construction du monde, mais ceux-ci rompent son architecture familière et ne peuvent entrer que dans un style nouveau, qui, par ses lignes libres, laisse loin derrière lui non seulement l'image de l'ancien monde extérieur, mais aussi les formes fondamentales de notre pensée » (Le professeur Khvol'son, *Princip otnositel'nosti* [Le principe de relativité]; le professeur Oumov, *Kharakternye cherty i zadachi sovremennoj estestvenno-nauchnoj mysli* [Traits et objectifs spécifiques de la pensée contemporaine en sciences naturelles]).

Les tendances principales de la pensée collectiviste : destruction du fétichisme abstrait, destruction des restes du statisme (Bogdanov,

Nauka ob obshchestvennom soznanii [La science de la conscience sociale]).

Ainsi les lignes conductrices du moment sont visibles dans tous les domaines de la culture.

Si les cubistes, suivant le précepte de Cézanne, construisaient le tableau en partant des volumes les plus simples : le cube, le cône, la sphère, donnant en quelque sorte à la peinture ses éléments premiers, les futuristes, à la recherche de formes cinétiques, introduisent dans le tableau le cône courbe, le cylindre courbe, ils mettent en contact les pointes des cônes, ils figurent des ellipsoïdes courbes, etc., en un mot, ils détruisent les limites des volumes (cf. le manifeste de Carra).

Répétées, les perceptions deviennent de plus en plus mécaniques; les objets ne sont plus perçus mais acceptés de confiance. La peinture s'oppose à l'automatisme de la perception, elle attire l'attention sur l'objet. Mais, vieillies, les formes artistiques sont également acceptées de confiance. Le cubisme et le futurisme utilisent largement le procédé de la perception-rendue-difficile, auquel correspond en poésie la construction en paliers, mise à jour par les théoriciens contemporains.

De ce que, l'objet étant véritablement transsubstantié, l'œil le plus averti éprouve quelque peine à le découvrir, il résulte un grand charme. Le tableau ne se livrant que lentement semble toujours attendre qu'on l'interroge. Sur ce point laissons Léonard de Vinci défendre le cubisme :

« Nous connaissons clairement, dit Léonard, que la vue, par rapides observations, découvre en un point une infinité de formes; néanmoins, elle ne comprend qu'une chose parfois. Posons le cas, toi, lecteur, tu verras d'un coup d'œil cette page écrite et jugeras aussitôt qu'elle est pleine de lettres variées, mais tu ne connaîtras pas du même coup quelles sont ces lettres ni ce qu'elles veulent dire. Il te faudra aller d'un mot à l'autre et vers par vers si tu veux avoir la connaissance de ces lettres — comme pour monter au sommet d'un édifice il te faudra monter marche par marche, sinon tu ne parviendras pas à ce sommet » (cité par Gleizes et Metzinger [a]). Un cas particulier de la reconnaissance difficile en peinture (c'est-à-dire des constructions du genre : c'est un lion, non un chien) : ce sont des énigmes qui nous mènent délibérément sur une fausse piste; cf. aussi la fausse reconnaissance dans la poétique classique. Ou le parallélisme négatif de la poésie épique slave.

Aristote : « On regarde la représentation avec plaisir parce que, la fixant, on est amené à reconnaître et à raisonner. Qu'est-ce que c'est? Si le regardant n'a jamais vu auparavant l'objet représenté, alors la

a. *Op. cit.*, p. 64-65. Le paragraphe précédent est également une reprise du même texte, p. 64.

représentation lui apportera du plaisir non par la reproduction de l'objet, mais par l'élaboration, ou par la couleur, ou par une autre raison semblable. » Autrement dit, Aristote comprenait déjà : à côté de la peinture qui désigne la perception de la nature existe une peinture qui désigne directement notre perception chromatique et spatiale (car il est indifférent, au fond, que l'objet soit inconnu ou qu'il ait simplement quitté le tableau).

Lorsque le critique, voyant des tableaux semblables, reste perplexe : mais qu'est-ce que cela veut dire, je ne comprends pas (que voudrait-il vraiment comprendre ?), il ressemble au métaphysicien de la fable : on veut le tirer de la fosse, et il questionne : qu'est-ce qu'une corde ? Pour parler brièvement : il ne connaît pas la perception à valeur autonome. À l'or il préfère les billets de banque comme des œuvres plus littéraires (plus sensées).

Traduit du russe par
TZVETAN TODOROV

Du réalisme en art[a]

Il n'y a pas longtemps encore, l'histoire de l'art, en particulier l'histoire de la littérature, n'était pas une science, mais une *causerie*[b]. Elle suivait toutes les lois de la *causerie*. Elle passait allégrement d'un thème à l'autre et le flot lyrique de paroles sur le raffinement de la forme faisait place aux anecdotes puisées dans la vie de l'artiste; les truismes psychologiques alternaient avec les problèmes relatifs au fond philosophique de l'œuvre et à ceux du milieu social en question. C'est un travail si facile et si rémunérateur que de parler de la vie, de l'époque à partir des œuvres littéraires! Il est plus facile et plus rémunérateur de copier un plâtre que de dessiner un corps vivant. La *causerie* ne connaît pas de terminologie précise. Au contraire, la variété des termes, les mots équivoques qui sont prétexte à des jeux de mots, ce sont là des qualités qui apportent souvent du charme à la conversation. De même l'histoire de l'art ne connaissait pas de terminologie scientifique, elle utilisait les mots du langage courant, sans les faire passer au crible de la critique, sans les délimiter avec précision, sans tenir compte de leur polysémie. Par exemple, les historiens de la littérature confondaient impudemment l'idéalisme comme désignation d'une conception philosophique du monde, avec l'idéalisme pris comme désintéressement, insoumission à des motifs purement matériels. Quant à la confusion portant sur le terme « forme », révélée brillamment dans les ouvrages de grammaire générale d'Anton Marty, elle est encore plus désespérante. Mais c'est le terme « réalisme » qui fut particulièrement malchanceux à cet égard. L'emploi désordonné de ce mot au contenu extrêmement vague a suscité de fatales conséquences.

Qu'est-ce que le réalisme pour le théoricien de l'art? C'est un courant artistique qui s'est posé comme but de reproduire la réalité le plus

a. « O khudozhestvennom realizme ». Publié en traduction tchèque dans *Červen*, IV (1921) p. 300-304. Nous suivons ici l'original russe reproduit dans L. Matejka (ed.), *Readings in Russian Poeties* (Michigan Slavic Materials, 2), 2e éd. corrigée (Ann Arbor, 1971), p. 19-28.

b. En français dans le texte.

fidèlement possible et qui aspire au maximum de vraisemblance. Nous déclarons réalistes les œuvres qui nous paraissent vraisemblables, qui reflètent la réalité au plus près. Et déjà l'ambiguïté saute aux yeux :

1. Il s'agit d'une aspiration, d'une tendance, c'est-à-dire qu'on appelle réaliste l'œuvre que l'auteur en question a projetée comme vraisemblable (signification A).

2. On appelle réaliste l'œuvre que celui qui la juge perçoit comme vraisemblable (signification B).

Dans le premier cas, nous sommes obligés de juger d'une manière immanente; dans le deuxième, c'est mon impression qui est le critère décisif. L'histoire de l'art confond désespérément ces deux significations du terme « réalisme ». Mon point de vue individuel, particulier, reçoit une valeur objective et absolument authentique. On réduit subrepticement le problème du réalisme ou de l'irréalisme de telle ou telle œuvre d'art à celui de mon rapport avec elle. On substitue imperceptiblement la signification B à la signification A.

Les classiques, les sentimentalistes, en partie les romantiques, même les « réalistes » du XIXe siècle, dans une large mesure les décadents, et enfin les futuristes, les expressionnistes, etc., ont souvent affirmé avec insistance que la fidélité à la réalité, le maximum de vraisemblance, en un mot le réalisme, est le principe fondamental de leur programme esthétique. Au XIXe siècle, ce mot d'ordre a donné son nom à un courant artistique. Ce sont essentiellement les épigones de ce courant qui ont créé l'histoire actuelle de l'art, et surtout de la littérature. C'est pourquoi on nous présente un cas particulier, un certain courant artistique comme la réalisation parfaite de la tendance en question; pour estimer le degré de réalisme des écoles artistiques antérieures et postérieures, on les compare à ce réalisme du XIXe siècle. Ainsi on accomplit subrepticement une nouvelle identification, on introduit une troisième signification du mot « réalisme » (signification C), à savoir la somme des traits caractéristiques d'une école artistique du XIXe siècle. En d'autres mots, l'historien de la littérature considère que les œuvres les plus vraisemblables sont les œuvres réalistes du siècle dernier.

Analysons la notion de vraisemblance artistique. Si en peinture, dans les arts figuratifs, on peut encore avoir l'illusion d'une fidélité objective et absolue à la réalité, la question de vraisemblance « naturelle » (suivant la terminologie de Platon) d'une expression verbale, d'une description littéraire, est évidemment dépourvue de sens. Peut-on poser la question du degré de vraisemblance de telle ou telle sorte de trope poétique? Peut-on dire que telle métaphore ou métonymie est objectivement plus réaliste que telle autre? Même en peinture, le réalisme est conventionnel, pour ainsi dire figuratif. Les méthodes de projection de l'espace à trois dimensions sur une surface, la couleur, l'abstraction, la simplification de l'objet reproduit, le choix des traits représentés sont conventionnels. Il faut apprendre le langage pictural conventionnel pour voir le tableau, de même qu'on ne peut pas saisir les paroles sans connaître la langue. Le caractère conventionnel, traditionnel de la présentation picturale détermine dans une large mesure l'acte même de perception visuelle. Au fur et à mesure que se fixe la tradition, l'image picturale devient un idéogramme, une formule que nous lions immédiatement à l'objet suivant une association de contiguïté. La reconnaissance se produit instantanément. L'idéogramme doit être déformé. Le peintre novateur doit voir dans l'objet ce qu'hier encore on ne voyait pas, il doit imposer à la perception une nouvelle forme. On présente l'objet par un raccourci inhabituel. Ainsi Kramskoï, un des fondateurs de l'école dite réaliste dans la peinture russe, raconte dans ses mémoires comment il a cherché à déformer au maximum la composition académique, et ce « désordre » est motivé par un rapprochement vers la réalité. C'est une motivation caractéristique pour le *Sturm und Drang* des nouvelles écoles artistiques, c'est-à-dire une motivation pour la déformation des idéogrammes.

La langue courante connaît nombre d'euphémismes, de formules de politesse, de paroles à mots couverts, d'allusions, de tournures conventionnelles. Lorsque nous demandons au discours d'être franc, naturel, expressif, nous rejetons les accessoires qui sont de mise dans un salon, nous appelons les objets par leur propre nom, et ces appellations ont une résonance neuve; nous disons dans ce cas : *c'est le mot* [a]. Mais dans l'usage habituel le nom ne fait plus qu'un avec l'objet désigné, et nous sommes inversement obligés d'avoir recours à la métaphore, à l'allusion, à la tournure indirecte, si nous voulons obtenir une appellation expressive. Celle-ci sonne de manière plus sensible, plus *démonstrative*. En d'autres termes, lorsque nous cherchons le mot juste qui nous montrerait l'objet, nous choisissons un mot tiré de loin et qui nous est inhabituel, au moins dans ce contexte, un mot violé. Ce mot inattendu peut être aussi bien l'appellation figurée que l'appellation propre : il faut savoir laquelle des deux est en usage. Nous en avons mille exemples, surtout dans l'histoire du vocabulaire obscène. Appeler l'acte par son propre nom, c'est mordant, mais dans un milieu habitué aux mots grossiers, le trope, l'euphémisme agira d'une manière plus forte et plus convaincante. C'est le cas du mot des hussards russes : « utiliser » *(utilizirovat')*. C'est pourquoi les termes étrangers sont plus insultants,

a. En français dans le texte.

et on s'en sert volontiers à ces fins. C'est pourquoi une épithète invraisemblable, *hollandais* ou *morse*, attachée par tel locuteur russe grossier au nom d'un objet n'ayant aucun rapport ni avec les morses, ni avec la Hollande, décuple la force du terme. C'est pourquoi le moujik, plutôt que de mentionner comme d'habitude l'accouplement avec la mère (dans les fameuses formules injurieuses), préfère l'image fantastique de l'accouplement avec l'âme, en le renforçant de plus par un parallélisme négatif *(tvoju dushu ne mat')* [ton âme, non ta mère].

Tel est aussi le réalisme révolutionnaire en littérature. Les mots qu'hier nous employions dans un récit, aujourd'hui ne disent plus rien. On caractérise alors l'objet par des traits qu'hier nous considérions comme les moins caractéristiques, les moins dignes d'être retenus, les traits qu'on ne remarquait pas. « Il aime s'arrêter sur l'inessentiel » : c'est le jugement classique que porte la critique conservatrice de tous temps sur le novateur contemporain. Je laisse l'amateur choisir lui-même les citations convenables chez les critiques contemporains de Pouchkine, Gogol, Tolstoï, André Biély, etc. Les adeptes de la nouvelle école considèrent les traits inessentiels comme une caractéristique plus réelle que celle dont usait la tradition figée précédente. D'autres, les plus conservateurs, continuent toujours à modeler leur perception suivant les anciens canons; c'est pourquoi ils sentent la déformation accomplie par la nouvelle école comme un refus de la vraisemblance, comme une déviation du réalisme; ils continuent à soigner les vieux canons comme les seuls qui soient réalistes. Donc, puisque nous avons parlé plus haut de la signification A du terme réalisme, c'est-à-dire de la tendance vers une vraisemblance artistique, nous voyons que cette définition laisse la place à une ambiguïté :

A_1 : la tendance à déformer les canons artistiques en cours, interprétée comme un rapprochement vers la réalité;

A_2 : la tendance conservatrice à l'intérieur d'une tradition artistique, interprétée comme une fidélité à la réalité.

La signification B présuppose mon estimation subjective du phénomène artistique en cause comme fidèle à la réalité; donc, en substituant les résultats obtenus, nous trouvons :

Signification B_1, c'est-à-dire : Je suis un révolutionnaire par rapport aux habitudes artistiques en cours et je perçois leur déformation comme un rapprochement vers la réalité.

Signification B_2, c'est-à-dire : Je suis un conservateur et je perçois la déformation des habitudes artistiques en cours comme une dénaturation de la réalité.

Dans ce dernier cas, on peut appeler réalistes uniquement les faits artistiques qui, pour moi, ne contredisent pas les habitudes artistiques en cours; mais puisque de mon point de vue les plus réalistes sont mes propres habitudes (la tradition à laquelle j'appartiens), et puisque ces dernières ne sont réalisées qu'en partie dans le cadre des autres traditions, même si elles ne les contredisent pas, je ne trouverai dans ces autres traditions qu'un réalisme partiel, embryonnaire, non développé ou décadent, en même temps que je déclarerai comme le seul réalisme authentique celui dans l'esprit duquel je suis élevé. Inversement, dans le cas B_1, j'ai la même attitude envers les formules contredisant les habitudes artistiques en cours, inacceptables pour moi, qu'envers celles qui, dans le cas B_2, ne contredisent pas lesdites habitudes. Dans ce cas, je peux facilement attribuer la tendance réaliste (dans le sens A_1 du mot) aux formes qui ne sont pas du tout projetées comme telles. Ainsi, on interprète souvent les primitifs du point de vue B_1. On relevait tout de suite leur insoumission à nos canons, alors qu'on ne tenait pas compte de leur traditionalisme, de leur fidélité à leur propre canon (on interprétait A_2 comme A_1). De la même manière, on perçoit et interprète comme poétiques des écrits qui n'ont pas été destinés à l'être. Témoin le jugement de Gogol qui attribuait des qualités poétiques à l'inventaire des objets précieux ayant appartenu aux tsars de Moscou, la remarque de Novalis sur le caractère poétique de l'alphabet, la déclaration du futuriste Kroutchenykh sur l'impression poétique laissée par un compte de blanchisserie, ou celle du poète Khlebnikov selon laquelle la coquille altère parfois poétiquement le mot.

Le contenu concret de A_1, A_2, B_1 et B_2 est tout à fait relatif. Ainsi l'expert contemporain découvrira du réalisme chez Delacroix mais non chez Delaroche, chez le Greco et André Roublev mais non chez Guido Reni, dans l'image de la femme scythe mais non dans celle du Laocoon. Un disciple de l'académisme du siècle dernier aurait eu un jugement exactement contraire. Celui qui sent la vraisemblance chez Racine n'en trouve pas chez Shakespeare, et inversement.

Deuxième moitié du XIXe siècle. En Russie, un groupe de peintres lutte pour le réalisme (première phase de C, c'est-à-dire un cas particulier de A_1). Un d'entre eux, Répine, peint un tableau, « Ivan le Terrible tuant son fils ». Les compagnons de lutte de Répine approuvent la toile comme étant réaliste (C, cas particulier de B_1). Inversement, le maître de Répine à l'Académie s'indigne contre l'irréalisme du tableau; il décrit en détail toutes les dénaturations de la vraisemblance en les confrontant avec le canon académique qui, pour lui, est le seul valable (c'est-à-dire du point de vue B_2). Mais voici que la tradition académique est morte, le canon des « réalistes » Ambulants [a] est absorbé, il devient un fait social. De nouvelles tendances surgissent en peinture, un nouveau *Sturm und Drang* se déclenche; soit, en langage de manifestes, on cherche une nouvelle vérité. C'est pourquoi il est naturel que pour le peintre contemporain le tableau de Répine soit artificiel, invraisemblable (du point de vue B_1), et seul le conservateur honorant les « préceptes réalistes » se force à le regarder avec les yeux de Répine (deuxième phase de C, c'est-à-dire un cas particulier de B_2). A son tour, Répine ne voit dans les œuvres de Degas et Cézanne que grimaceries et dénaturations (du point de vue B_2). Ces exemples rendent évidente toute la relativité de la notion de « réalisme »; pourtant les historiens de l'art qui, comme nous l'avons déjà dit, appartiennent pour la plupart aux épigones du « réalisme » (à la deuxième phase de C), mettent arbitrairement le signe d'égalité entre C et B_2, bien qu'en fait C ne soit qu'un cas particulier de B. Comme nous le savons, on substitue imperceptiblement la signification B à la signification A et on ne saisit pas la différence de principe entre A_1 et A_2; on prend conscience de la destruction des idéogrammes uniquement comme un moyen d'en créer de nouveaux; naturellement, le conservateur ne perçoit pas la valeur esthétique autonome de la déformation. Ainsi sous l'apparence de A (plus précisément de A_2), les historiens de l'art font en fait appel à C. C'est pourquoi, lorsque l'historien de la littérature déclare par exemple que « le réalisme est propre à la littérature russe », ce jugement équivaut à l'aphorisme « l'âge de vingt ans est propre à l'homme ».

Puisqu'il existe une tradition qui dit que le réalisme c'est C, les nouveaux artistes réalistes (au sens A_1 de ce terme) sont obligés de se déclarer néoréalistes, réalistes au sens supérieur de ce mot, naturalistes, d'établir une distinction entre le réalisme approximatif, illusoire (C) et celui qui est à leur avis l'authentique (c'est-à-dire le leur). « Je suis un réaliste, mais au sens supérieur de ce mot », déclarait déjà Dostoïevski. A leur tour, les symbolistes, les futuristes italiens et russes, les expressionnistes allemands, etc., ont répété presque la même phrase. Parfois ces néoréalistes identifient entièrement leur plate-forme esthétique avec le réalisme en général; c'est pourquoi ils se voient obligés d'exclure du réalisme les représentants de C. Ainsi la critique posthume nous a fait douter du réalisme de Gogol, Dostoïevski, Tolstoï, Tourguéniev, Ostrovski.

a. En russe *Peredvizhniki* : Les Ambulants (société de peintres en Russie au XIXe et au XXe siècle).

De plus, les historiens de l'art (et en particulier de la littérature) caractérisent ce C d'une manière vague et approximative : il ne faut pas oublier qu'ils sont des épigones. Une analyse plus serrée substituera sans doute à C une série de caractéristiques au contenu plus précis, elle découvrirait que certains procédés que nous rapportons à la légère à C sont loin de caractériser tous les représentants de l'école dite réaliste, et qu'inversement on peut également découvrir ces procédés en dehors d'elle.

Nous avons déjà indiqué que caractériser un personnage par des traits inessentiels est propre au réalisme progressif. Il y a un procédé de caractérisation que nombre de représentants de l'école C (en Russie, l'école dite de Gogol) ont cultivé et que pour cette raison on identifie incorrectement avec C en général; c'est épaissir le récit à l'aide d'images choisies par contiguïté, c'est-à-dire suivant la voie entre le terme propre et la métonymie ou la synecdoque. Cet « épaississement » soit se réalise hors de l'intrigue, soit même il l'élimine. Prenons l'exemple simple de deux suicides décrits en littérature, celui de la pauvre Liza [a] et celui d'Anna Karénine. Décrivant le suicide d'Anna, Tolstoï s'étend plus particulièrement sur son sac à main. Ce trait inessentiel n'aurait eu aucun sens pour Karamzine, bien que son récit apparaisse comme une chaîne de traits inessentiels, si on le compare au roman d'aventures du XVIIIe siècle. Dans ce roman, si le héros fait une rencontre, c'est toujours avec celui dont il a besoin, ou du moins celui dont l'intrigue a besoin. Alors que chez Gogol, chez Dostoïevski, chez Tolstoï, le héros rencontrera d'abord obligatoirement quelqu'un de tout à fait inutile à la fable, et leur conversation n'apportera rien à celle-ci. Puisqu'on déclare souvent que ce procédé est propre au réalisme, désignons-le par D, répétant que nous trouvons souvent D dans C.

On pose un problème au petit garçon : « L'oiseau s'est envolé de sa cage. La distance entre la cage et la forêt étant donnée, combien de temps a-t-il fallu pour atteindre la forêt, s'il parcourt tant de mètres à la minute? » Le garçon demande : « Et la cage, elle était de quelle couleur? » Ce garçon est un représentant typique des réalistes au sens D du mot.

Ou encore l'anecdote du genre « devinette arménienne » : « Qu'est-ce qui est vert et pendu dans le salon? — Eh bien, c'est un hareng. — Pourquoi dans le salon? — Parce qu'il n'y avait pas de place à la cuisine. — Pourquoi vert? — On l'a peint. — Mais pourquoi? — Pour que ce soit plus difficile à deviner. » Ce désir de rendre la devi-

a. *La Pauvre Liza*, roman de Karamzine.

nette plus difficile, cette tendance à ralentir la reconnaissance, a pour conséquence d'accentuer le nouveau trait, l'épithète originale. Dostoïevski écrivait qu'en art, les exagérations sont inévitables; pour montrer l'objet, il faut déformer son apparence précédente, le colorer comme on colore les préparations pour les observer au microscope. Vous donnez à l'objet une couleur différente et vous pensez : il est devenu plus sensible, plus visible, plus réel (A_1). Le cubiste a multiplié l'objet sur le tableau, il l'a montré de plusieurs points de vue, il l'a rendu plus palpable. C'est un procédé pictural. Mais il y a encore la possibilité de motiver, de justifier ce procédé dans le tableau même : par exemple, l'objet est répété parce qu'il se reflète dans un miroir. Il en est exactement de même en littérature. Le hareng est vert parce qu'on l'a peint : l'épithète ahurissante est fondée dans la réalité, le trope devient motif épique. L'auteur trouvera toujours une réponse à la question « Pourquoi l'a-t-on peint? », mais il n'y a qu'une seule réponse juste : « Pour que ce soit plus difficile à deviner. » Ainsi on peut imposer à l'objet un terme impropre, ou bien le présenter comme un aspect particulier de cet objet. Le parallélisme négatif rejette la métaphore au nom du terme propre. « Je ne suis pas un arbre, je suis une femme », dit la jeune fille dans un poème du poète tchèque Šràmek. On peut justifier cette construction littéraire, on peut développer ce trait stylistique en élément du sujet. « Certains disaient : ce sont des traces d'hermine; d'autres objectaient : non, ce ne sont pas des traces d'hermine, c'est Tchourila Plenkovitch qui est passée par là. » Le parallélisme négatif inverse rejette le terme propre pour affirmer la métaphore. (Dans le poème cité de Šràmek, la jeune fille dit : « Je ne suis pas une femme, je suis un arbre. » Dans la pièce d'un autre poète tchèque, Čapek : « Qu'est-ce que c'est? — Un mouchoir. — Ce n'est pas un mouchoir. C'est une belle femme appuyée près de la fenêtre. Elle porte un habit blanc et elle rêve à l'amour... ».)

Dans les contes érotiques russes, on présente souvent l'image de l'accouplement en termes de parallélisme inverse. Il en est de même dans les chansons de noces, à la seule différence qu'ici la construction métaphorique n'est habituellement pas justifiée, alors que dans les contes ces métaphores sont motivées : c'est une manière de séduire la fille, utilisée par le héros malin; ou bien on explique les métaphores désignant l'accouplement comme l'interprétation donnée par des animaux à un acte humain qui leur reste incompréhensible. Parfois on appelle réalisme la motivation conséquente, la justification des constructions poétiques. Ainsi le romancier tchèque Čapek-Chód, avec une pointe de malice, appelle « chapitre réaliste » le premier chapitre de son livre *le Slave le plus occidental*, où il motive la fantaisie « romantique » à l'aide du délire provoqué par le typhus.

Désignons par E ce réalisme, c'est-à-dire l'exigence d'une motivation conséquente, la justification des procédés poétiques. On confond souvent ce E avec C, B, etc. Dans la mesure où les théoriciens et les historiens de l'art (et surtout de la littérature) ne distinguent pas les différentes notions dissimulées dans le terme « réalisme », ils le traitent comme un fourre-tout infiniment extensible : on peut y cacher n'importe quoi.

On peut nous répliquer : ce n'est pas n'importe quoi. Personne ne qualifiera de « réalistes » les contes fantastiques d'Hoffmann. Donc le mot « réalisme » a quand même une certaine signification, on peut trouver le facteur commun.

Je réponds : personne ne désignera le scarabée à l'aide du mot *vers*, mais cela ne signifie pas que le mot *vers* n'a qu'un seul sens [a]. On ne peut pas identifier impunément les différentes significations du mot « réalisme », pas plus qu'il n'est possible de confondre le vers qui rampe avec celui qu'on récite, sans passer pour un insensé. Il est vrai que la première confusion est plus facile, puisque les différentes notions que nous trouvons derrière le terme *bière* sont nettement délimitées [b], alors qu'on peut imaginer des faits dont on dira simultanément qu'ils sont « réalistes » au sens C, B, A_1, etc. du mot. Néanmoins, il n'est pas pensable de confondre C, B, A_1, etc. Il existe peut-être des palais où les enfants qui jouent au prince et à la princesse le sont vraiment. Sans doute, il existe des jules dont le prénom est Jules. Ceci ne nous permet pas de qualifier chaque Jules de jules, ni de tirer des conclusions sur les jeux de palais. Cette règle fondamentale est d'une évidence qui touche à la bêtise; néanmoins ceux qui, en art, parlent du réalisme, contreviennent sans cesse à son commandement.

Traduit du russe par
TZVETAN TODOROV

a. En russe : *kosa* (faux et chevelure).
b. En russe : *kljuch* (source et clef).

Principes de versification[a]

[...] Qu'est-ce que l'esprit de la langue? Les manuels scolaires russes lorsqu'ils parlent de la réforme de Lomonosov, expliquent que la versification syllabique est étrangère à l'esprit de la langue russe et ne peut convenir à la poésie russe pour cette raison que la liberté de l'accent exige le vers tonique. Inversement Verrier écrit à propos du vers indo-européen : « Primitivement il y avait une versification syllabique. Comme l'accent n'était pas fixe, la versification ne pouvait être accentuelle, mais uniquement quantitative. » Le soi-disant « esprit de la langue » (appliqué à la rythmique) se révèle souvent à l'épreuve n'être qu'une somme d'habitudes rythmiques propres à tel individu ou à telle école poétique. A la théorie de l'adéquation absolue du vers à l'esprit de la langue, de la non-résistance de la forme au matériau, nous opposons la théorie de la violence organisée exercée par la forme poétique sur la langue. (« Ce n'est pas la langue qui est maîtresse du poète, mais le poète qui est maître de la langue » selon la formule du professeur Brandt.) La forme tient compte du matériau auquel elle a affaire, mais ne peut être donnée tout entière dans ce matériau (ne peut en être tout entière déduite, coïncider avec). Král, dans sa polémique contre Durdik, théoricien tchèque fort connu dans le domaine de l'esthétique, affirme que les vers corrects, même s'ils sont écrits à la suite comme de la prose, seront immanquablement lus — et cela, même par un homme simple — comme des vers — et cela, même s'il n'a pas conscience que ce sont des vers[1]. Král oublie que si le Monsieur Jourdain de Molière pouvait ne pas soupçonner qu'il parlait en prose, il devait malgré tout nécessairement prendre conscience des vers, les percevoir et éprouver en tant que tels; bien sûr, il peut n'avoir pas le moindre soupçon d'aucune terminologie prosodique, mais dans la mesure où, mis en présence de vers, il ne les perçoit

1. *Listy filologické*, 1896, p. 255 (cité dorénavant *LF*).

a. *O Cheshskom stikhe preimushchestvenno v sopostavlenii s russkim* (Berlin-Moscou, 1923), 120 p. Le choix des fragments est dû à Tzvetan Todorov. Les passages omis sont signalés par [...]. Notre titre est le sous-titre du livre original.

pas comme un phénomène appartenant à un système linguistique tout à fait différent, les vers en tant que vers (respectivement leurs éléments) n'existent tout simplement pas pour lui. J'ai déjà formulé ailleurs ma définition de la poésie, comme énoncé dans lequel l'accent est mis sur l'expression (« la nouvelle poésie russe », chapitre II).

Peut-être, après tout, Marty a-t-il raison, autrement dit personne ne doute plus désormais du fait que la langue de la poésie *natur- (das heisst hier zweck-) gemäss* doit être distincte de la langue de la prose (*Untersuchungen zur Grundlegung der allgemeinen Grammatik und Sprachphilosophie*, Halle 1908, p. 25). Mais si le fait de l'autonomie des lois de la langue poétique est effectivement reconnu, il reste à étudier en quoi consiste cette autonomie; aussi la notion de langue poétique reste à délimiter. C'est ainsi que pour toute une série de théoriciens de l'école de Potebnia, nature imagée (métaphorique) égale nature poétique, c'est-à-dire que la différence fonctionnelle entre les deux types d'images (pratiques et poétiques) n'est pas saisie. Exactement de la même manière, la différence essentielle entre phonétique de la langue pratique et phonétique de la langue poétique est formulée de manière erronée. Ainsi, même un des représentants de la nouvelle tendance en poétique, le linguiste de Pétrograd Jakubinski, est enclin (ou en tout cas était enclin en 1916) à parler de l'absence de dissimilation des liquides dans la langue poétique en opposition à ce qu'on constate dans la langue pratique (*Recueils sur la théorie du langage poétique*, n° 2) alors qu'il serait juste de dire que la dissimilation des liquides est possible aussi bien dans la langue poétique que dans la langue pratique, mais dans cette dernière elle est conditionnée, tandis que dans la première elle est pour ainsi dire finalisée, autrement dit ce sont là essentiellement deux phénomènes différents. Dans mon article sur « La nouvelle poésie russe », j'entendais souligner cette différence fondamentale entre la phonétique de la langue pratique et celle de la langue poétique en utilisant deux termes différents : phonétique et euphonie. Mais puisque ce dernier terme entraîne des malentendus, en provoquant des associations incorrectes (par exemple, Kroutchenykh dans son livre *les Transmentalistes*, Moscou, 1922, met dans ce terme l'idée d'agrément sonore) je préfère n'en plus faire du tout usage.

Saran oppose justement à l'accent mis sur la forme phonique *(Schallform)* et qui est caractéristique de la poésie, l'indifférence de la prose à l'égard de sa forme phonique. Il a raison d'affirmer que le rythme n'existe que dans la poésie [1]. En d'autres termes, en parlant de rythme prosaïque et de rythme poétique, nous commettrions une

1. *Deutsche Verslehre* (Munich, 1907), § 2 (cité dorénavant *DV*).

équivoque. Si même le rythme poétique peut utiliser à ses fins la périodicité des ondes expiratoires qui existe dans telle langue, il reste indispensable de se bien rappeler qu'entre cette périodicité et le rythme de la poésie, la différence est énorme. Verrier caractérise de la manière suivante le « rythme » du pas : « chacun de nous assimile une amplitude déterminée au nom de l'économie de l'énergie, afin de ne plus avoir sous ce rapport à faire d'efforts de volonté ni à tendre son attention. Pour la même raison, chacun assimile exactement de la même manière une intensité et une vitesse définies contrôlées par le sentiment dynamique » (id., t. II, § 27). C'est par les mêmes causes qu'est conditionné aussi ce qu'on appelle rythme de la prose, le rythme de la langue pratique. C'est ainsi que le rythme dynamique de la langue pratique est un processus d'automatisation de l'expiration, durant le discours. Inversement, le rythme poétique est un des moyens de tirer la parole hors de son état d'automatisme. C'est la prémisse à l'accent porté sur le temps de la parole, du sentiment temporel (Zeiterlebnis) d'après la terminologie des psychologues allemands [1].

Le fait que le discours est découpé en segments subjectivement égaux, l'inertie rythmique, qui à un signal défini, nous fait attendre sa répétition à un moment défini, la répétition même de ce signal qui détache le son signalé par rapport aux autres, tout cela est absent de la langue pratique, le temps n'y est pas éprouvé.

Le signal rythmique (*le temps marqué* selon la terminologie de Verrier) est réalisé soit à l'aide de l'accent dynamique, (d'un *accent de force* selon la terminologie de Van Ginneken), soit d'un accent musical, soit enfin d'un *accent temporel* (Van Ginneken). Le *temps marqué* est perçu par nous, en raison de sa périodicité, comme un temps fort, mais le temps faible (dans l'alternance rythmique) peut, lui aussi, être réalisé par un accent qui objectivement n'est pas moins fort. Le facteur décisif n'est pas la force, mais la périodicité. C'est ainsi que, dans le vers chinois, les temps forts sont réalisés par une alternance régulière d'intonations d'un type défini. Dans les syllabes faibles, l'intonation est indifférente, c'est-à-dire qu'il n'y a pas périodicité [2].

1. J'emprunte ce terme ainsi que les termes et concepts psychologiques ultérieurs au livre du Dr Vittorio Benussi, *Psychologie der Zeitauffassung* (Heidelberg, 1913). C'est Van Ginneken qui a attiré l'attention des linguistes sur l'importance de ce livre pour eux *(Indogermanisches Jahrbuch)*.

2. Eu égard aux informations inexactes que donnent sur la métrique chinoise les manuels courants (par exemple : la *Science du vers* de Brioussov), j'emprunterai ici à l'ouvrage de V. Grube, *Geschichte der chinesischen Literatur* (Leipzig, 1902) quelques faits concernant le vers chinois. Dans les vers de 7 syllabes, les syllabes impaires peuvent avoir n'importe quel ton (c'est au poète qu'appartient

Ainsi donc, la périodicité même des accents d'un type défini opposée au caractère non organisé des accents qui réalisent les temps faibles, pédalise les syllabes qui, elles, sont organisées sous le rapport de l'intonation, les fait subjectivement fortissimes. Mieux que cela, si même objectivement la syllabe qui réalise le temps fort se détache par rapport à celle qui réalise le temps faible, dans la parole rythmique, la première sera subjectivement *encore* renforcée, la seconde, à l'inverse, sera encore plus affaiblie; autrement dit le rapport sera inéluctablement outré.

Ainsi le temps poétique est typiquement une Erwartungszeit, un temps d'attente; c'est-à-dire qu'à l'issue d'un intervalle défini nous attendons un signal défini. Ce temps, imposé à la parole, la transforme subjectivement. L'exagération, que nous avons analysée, des rapports entre une syllabe réalisant un temps fort et une syllabe réalisant un temps faible est un échantillon de la violence qui est faite aux éléments de la langue, lorsqu'ils sont transformés en éléments rythmo-génétiques. Verrier caractérise de la façon suivante les « violences » objectives de ce type : la poésie impose une régularité au rythme de la langue parlée en le rapprochant de l'isochronisme absolu. Elle simplifie les rapports de quantité entre syllabes, elle ralentit le rythme pour donner plus de force aux effets rythmiques et allonge les syllabes, ou plutôt les voyelles, pour mieux mettre en valeur leur timbre. Elle simplifie et rend régulière l'intonation (t. I, § 141 [1]).

---

le choix). Par contre, les tons des syllabes paires doivent alterner de la manière suivante : si la seconde syllabe a un ton égal, la quatrième doit avoir un ton inégal; le sixième est égal de nouveau et inversement, de plus il faut aussi que le second et le troisième vers, le quatrième et le cinquième, le sixième et le septième aient un ton identique dans les syllabes paires correspondantes. L'alternance des tons du huitième vers répond à celle du premier. Grube donne un exemple de schéma métrique de l'heptasyllabe chinois dans lequel les tons arbitraires sont désignés par 0, les tons égaux par —, et les tons inégaux par ∞.

0 ∞ 0 — 0 ∞ 0
0 — 0 ∞ 0 — 0
0 — 0 ∞ 0 — 0
0 ∞ 0 — 0 ∞ 0
0 ∞ 0 — 0 ∞ 0
0 — 0 ∞ 0 — 0
0 — 0 ∞ 0 — 0
0 ∞ 0 — 0 ∞ 0

Par la disposition des temps forts, ce vers correspond au trimètre ïambique.

1. On trouve un certain nombre d'observations intéressantes sur la différence objective de la langue de la poésie française quant à la quantité, à l'intonation et la force, des mêmes syntagmes prononcés comme de la prose, dans l'ouvrage riche en matériaux bruts de Grammont, *Le Vers français*, 2e éd. (Paris, 1913),

Outre ces violences (Type A) il faut encore distinguer :

B) La non-concordance entre l'inertie rythmique et la répartition réelle des éléments de la langue qui sont pris comme rythmo-génétiques :

1. Au temps fort de la langue des vers correspond une syllabe atone. C'est par exemple ce qu'on appelle « demi-accent » du ïambe russe : *bogopodóbnaja carévna, potréskivajut ogonjóchki.* On a ici le facteur de l'attente déçue, dont la possibilité même suffit à provoquer le renforcement subjectif de ce que la science du vers dans l'Allemagne contemporaine, désigne comme *Gegenwartszeit* (voir Benussi, *Psychologie der Zeitauffassung*).

2. Au temps faible de la langue de la poésie correspond une syllabe accentuée.

C) Toute une série d'éléments de la langue ne sont pas en rapport *direct* avec l'inertie rythmique.

Avant d'entamer l'analyse de ces deux dernières variétés de résistance du matériau à la forme (B2 et C), nous devons proposer un important correctif à la méthode selon laquelle est décrit le matériau même (de la prosodie). Jusqu'à présent il existait trois types fondamentaux de prosodie :

1. La prosodie *graphico-logique* qui opère, selon l'expression de Saran, avec des définitions en papier et correspond parfaitement par son type même à la grammaire préscientifique *(Altgrammatik)* c'est-à-dire tient tout aussi peu compte de la phonétique et de la perspective historique, impose à la langue contemporaine des catégories gréco-latines qui lui sont étrangères, établit, au lieu de lois empiriques, des règles dogmatiques. Une pareille prosodie devait naturellement dépérir à la suite de l'ancienne grammaire scolaire; ces derniers temps, elle a été soumise à la critique rigoureuse des rythmologues des nouvelles tendances : Minor, l'école de Sievers (voir par exemple Saran *DV*, § 25, « Schriftbild und Metrum »), Verrier; aussi ne vais-je pas m'y arrêter ici [1].

2. La prosodie *cinétique* (ou motrice) *objective* a été à son tour soumise à une critique d'une sévérité parfaitement justifiée par Saran, Verrier et alii et il n'y a pas lieu de secouer encore la poussière de certaines des propositions de cette doctrine en voie de désuétude. Je

---

p. 100-102. Ces observations montrent magnifiquement la complète inanité des affirmations de Král selon qui le vers se prononcerait exactement comme de la prose (voir par exemple *LF*, 1896, p. 11-12).

1. J'ai analysé en détail un exemple typique de ce genre de prosodie dans mon article sur « La versologie de Brioussov et la science du vers » (*Nauchnye Izvestija*, II (1922).

m'en tiendrai à un bref résumé des récusations que l'on a émises contre elle : la prosodie cinétique substitue une explication (l'hypothèse motrice) à la description précise des observations acoustiques elles-mêmes. Elle ne distingue pas l'accent de ses facteurs, ne tient aucun compte du fait que temps objectif et temps subjectif diffèrent profondément et que le rythme poétique relève du temps subjectif [1]. La durée objective des pieds, dit Verrier, peut différer de leur durée subjective et seule cette dernière joue un rôle dans le rythme [2]. La prosodie cinétique est dans une large mesure sortie de l'équivoque courante qui fait que l'on parle de rythme de la langue pratique. Cette néfaste équivoque qui fait oublier, répétons-le, que si le rythme de la langue pratique est un phénomène découlant du temps objectif, le rythme poétique, lui, est un phénomène d'un tout autre ordre, il segmente le discours, réalise le temps subjectif; c'est, d'après la terminologie des psychologues contemporains, une *Gestaltqualität.*

Sous beaucoup de rapports Král est un représentant caractéristique de cette prosodie cinétique et la référence à la « mesure objective des sons et des syllabes » lui semble un argument décisif dans les discussions prosodiques. Il est vrai que dans ses travaux se font également sentir des survivances de la prosodie graphico-logique.

3. *La prosodie acoustique.* Sievers et son école, Verrier. Le ρυθμιζόμενον réel est, dans leur conception, le son perçu par l'auditeur. Les acoustèmes sont confrontés avec les données de la physiologie des sons de la parole (tout particulièrement avec les résultats expérimentaux), mais, en même temps, il est tenu compte du fait qu'ils ne sont pas des éléments formateurs du rythme, mais uniquement des facteurs de ces éléments. La déclaration suivante de Saran est caractéristique de toute la tendance : « Si le théoricien du vers ne fait pas de stylistique, il doit adopter par rapport au vers l'attitude d'un étranger qui écoute des vers sans en comprendre le sens. » De même Verrier : « Pour la métrique, le vers est exclusivement une série phonique. Seul le son l'intéresse, non le sens. » Verrier conseille de soumettre à l'analyse des vers une langue totalement inconnue (t. I, p. IX). Un tel point de vue conduit à deux conséquences néfastes :

1. L'absence de distinction entre éléments significatifs et non significatifs dans la phrase.
2. L'exclusion du concept de mot de la rythmique.

1. Voir Benussi, chap. I *(Die einfachsten Beziehungen zwischen subjektiver und objektiver Zeit).*

2. *Essai sur les principes de la métrique anglaise*, 3 vol. (Paris, 1909-1910), t. III, § 2. On trouvera des exemples concrets illustrant cette divergence entre temps subjectif et objectif du vers dans Verrier, t. II, § 58.

Les représentants de la tendance acoustique ne tiennent pas compte du fait que la perception acoustique abstraite n'est pas moins fictive que les schémas sur papier de la métrique graphique. Étant une réaction contre la linguistique logique qui négligeait les données physiques et contre son caractère téléologogique, la nouvelle tendance, apparue au moment où l'engouement pour l'empirisme battait son plein, où la psychologie s'efforçait de déduire entièrement les phénomènes du monde des représentations des perceptions externes *(Empfidungsmomente)*, est tombée dans l'excès inverse et a oublié la fonction du langage. Pas un seul concitoyen de telle poésie donnée ne peut percevoir sa forme phonique et en particulier son rythme comme l'étranger mis en avant par Saran. Et d'ailleurs, cet étranger lui-même est fictif et pour lui non plus il n'y aurait pas de perception purement acoustique, il appréhenderait le langage qui lui est étranger sous l'angle de vue de son propre système phonologique, avec ses propres habitudes phonologiques : il transphonologiserait pour ainsi dire ce langage [1]. Si même, lorsque nous prononçons des syllabes dépourvues de sens, nous leur imposons, comme le démontre Van Ginneken, nos propres habitudes linguistiques, il est bien naturel qu'à l'égard d'une langue étrangère aussi, notre comportement soit accompagné de ces mêmes habitudes et que ce soit par comparaison avec elles que nous jugions des faits différents de cette langue, et qu'en plus, nous soyons portés à tenir ce jugement pour objectif. C'est ainsi qu'un Français pour qui est habituel le rythme ascendant de la parole, perçoit, comme le fait Verrier, le rythme ascendant comme accéléré par rapport à la lenteur d'un rythme descendant (t. I, § 188, 190), tandis qu'un expérimentateur allemand voit dans un mouvement rythmique objectivement descendant une contraction subjective, dans un mouvement objectivement ascendant un ralentissement subjectif (Benussi, *op. cit.*, p. 129). Pour un chercheur tchèque, le iambe est mélancolique (A. Vyskočil, « O krystalisaci Màchovy metafory », *Časopis Musea Království Českého*, 1916, p. 55), alors que Verrier oppose la vivacité et la gaieté du rythme ascendant à la tendresse et à la tristesse du descendant.

Pour se convaincre à quel point la méthode acoustique subjective est illusoire, il suffit de se souvenir qu'un Serbe distingue aisément des différences musicales dans l'accent de mot du russe, tandis qu'un Russe, non seulement ne les entend pas dans son propre langage, mais

1. Par système phonologique, j'entends la même chose que les linguistes français contemporains, à savoir « une collection d'idées de sons » (voir Sechehaye, *Programme et Méthodes de la linguistique théorique* (Paris, 1908), p. 151).

apprend difficilement à les entendre en serbe. C'est qu'en serbe, les différences musicales sont un élément phonologique; constituent, selon la définition de Passy *un élément significatif*; sont déterminées intérieurement selon Jespersen; sont étymologiques d'après Broch; tandis qu'en russe c'est là un fait extra-grammatical, ou, comme dit Passy, *sans aucune valeur distinctive*, déterminé extérieurement (Jespersen), phonétique (Broch). Nous devons opposer à la prosodie (resp. à la rythmique) cinétique et acoustique, la prosodie (resp. la rythmique) phonologique.

Examinons sous l'angle de vue de la phonologie les éléments prosodiques fondamentaux : l'accent dynamique, l'intonation du mot (l'accent musical) et la quantité (l'accent de durée). Du point de vue de la physiologie des sons du langage, l'accent russe aussi bien que le serbe sont des accents musicaux expiratoires. Dans la langue serbe, les différences musicales d'accent sont un élément significatif. C'est pourquoi, tout naturellement, la différence entre accentuées et atones se ramène dans le système phonologique serbe à une différence de hauteur. En russe, où les différences musicales dans l'accent lui-même sont déterminées extérieurement, l'élément phonologique n'est pas le caractère musical de l'accent, mais bien son caractère expiratoire (la pression). Objectivement, l'accent russe, par rapport aux atones, se distingue par la force de l'expiration, la hauteur et la longueur. Sous l'effet de la cadence (de la pause mélodique) les syllabes atones se trouvent plus hautes que la syllabe accentuée (exemple : *vídish'*? = tu vois?). Pour ce qui est de la longueur, les voyelles atones sont normalement, dans la prononciation russe littéraire, plus brèves qu'une voyelle accentuée; mais dans le discours affectif, emphatique, les rapports quantitatifs peuvent être enfreints et, en particulier, la longueur d'une voyelle prétonique peut excéder celle de la voyelle accentuée. Dans les dialogues de la littérature qui s'attache à décrire la vie courante, nous trouverions un grand nombre d'exemples tels que « *paazhálsta* » [pour *pazhálujstə* = je vous en prie, s'il vous plaît]. Le décalage inverse de l'accent dynamique dans le discours émotionnel russe est extrêmement limité. En général, il se ramène à la dislocation du mot en deux temps. C'est ce qu'on a avec le vocatif : 'Ma-'nja! (='Ma-'rion!) ou chez Pouchkine dans la xe strophe de la « Maison à Kolomna » : slu'shaj! ('slu-'shaj) (=é-coute!). Les mots subordonnés dans les syntagmes fortement liés ont normalement en russe, au lieu d'un accent dynamique, une simple élévation de ton, comme celle qu'on peut constater dans la syllabe *be* du groupe *belyj dom* (= la maison blanche) (la remarque en a été faite par Korch dans ses fragments, encore inédits, sur la « Chrestomatie » de Košutić, rendus publics par D. N. Ouchakov à la réunion du Cercle linguistique de Moscou du 13 avril 1921).

Ainsi donc, le mot peut perdre son accent dynamique, ou bien encore, une syllabe atone peut prendre un accent d'une force égale à celle d'une syllabe accentuée, mais il est impossible qu'une syllabe accentuée transfère son accent dynamique à une syllabe atone, autrement dit la représentation de l'accent de mot est *indissolublement* liée à la pression la plus forte. Le fait que cette représentation est liée précisément à la pression est probablement dû dans une large mesure à l'influence de l'accent dynamique de syntagme qui fait partie du système phonologique. Comme il découle de ce qui précède, ceux qui parlent d'accent musical serbe et d'accent dynamique russe se placent (le plus souvent inconsciemment) à un point de vue phonologique.

L'accent de mot russe est un exemple rare d'accent dynamique entrant dans le système phonologique (c'est également ce qu'on a en grec moderne et en bulgare). En nous fondant sur les témoignages de l'accentologie comparée nous pouvons établir la loi suivante :
L'accent dynamique de mot n'est possible en tant qu'élément phonologique que dans la mesure où il est accompagné de rapports de quantité extra-grammaticaux.

C'est parfaitement compréhensible puisque nous distinguons bien plus faiblement à l'ouïe les différences de force que les différences de quantité (cf. Saran, *DV.*, p. 293).

De la loi précédente en découle une seconde :
Si, dans le système phonologique d'une langue quelconque, à la suite de changements phonétiques, apparaît la coexistence de deux éléments indépendants : l'accent dynamique de mot et la quantité, l'un de ces éléments est exclu du système phonologique [1].

[...] A côté des phénomènes phoniques entrant dans le système phonologique de telle langue, c'est-à-dire à côté des éléments significatifs dont le changement peut entraîner un changement de sens, il y a également dans toute langue une série d'éléments « non significatifs », extra-grammaticaux. Dans la mesure où nous avons devant nous de la parole où un mot n'est que terme, numéro d'un objet; dans la mesure où nous avons ce que Bühler appelle *Darstellungsaussage* (énoncé de représentation) — un message qui n'a en vue que la pure signification —, les éléments extra-grammaticaux ne doivent en rien compliquer l'association par contiguïté entre la composante

1. Par accent (resp. quantité) du mot j'entends l'accent (resp. la quantité) du mot qui détache une syllabe (ou des syllabes) du mot par rapport aux autres syllabes du même mot.

phonologique de la parole et le sens. Aussi les éléments non significatifs dans ce type de parole sont-ils normalisés de manière définie, ils constituent une pure forme phonique. Mais dans la mesure où l'on n'a pas tendance à l'arbitraire *absolu* du côté phonique et où ce dernier attire particulièrement l'attention, soit dans le but de transmettre par les sons une certaine impression, c'est-à-dire pour constituer une métaphore phonique, soit que les sons par eux-mêmes intéressent pour telle ou telle raison le locuteur, les éléments extra-grammaticaux s'écartent de la norme que nous avons caractérisée, ils sont déformés. C'est ainsi que dans le langage émotionnel français, l'accent (fait extra-grammatical dans la langue française) est reporté au début du mot (voir Bally, *Traité de stylistique française*, § 177, Heidelberg, 1921).

On observe une organisation particulière des éléments extra-grammaticaux dans la langue poétique, suivant ses lois propres. De même façon, exactement, la tendance à l'aristocratisation de la langue, à l'isolement de classe ou de groupe dans la phonétique, conduit à une mutation des éléments extra-grammaticaux. Ainsi, le français ne connaît pas de variantes de *r*, différant par le point d'articulation, en tant qu'éléments phonologiques distinctifs, ou phonèmes. L'aristocratie, au temps de Louis XV, remplace le *r* dental « normal » par un *r* vélaire affecté. Les demoiselles pragoises, selon l'observation du professeur Frinta, prononcent dans leur langage maniéré les consonnes sonores tchèques à l'allemande. Olaf Broch émet l'hypothèse que la labio-vélarisation se manifeste avec une force particulière dans le langage quelque peu minaudier ou marqué de coquetterie des jeunes dames russes [1], et dans la palatalisation russe interviennent, à son avis, des facteurs tels que l'émotion et le style. A l'heure actuelle, la mode n'entraîne-t-elle pas elle aussi, demande Broch, une très forte assibilation, rapprochant de plus en plus *t* de *s*? (§ 187). Les éléments phonologiques ne peuvent être soumis à déformation que dans la mesure où le locuteur porte peu d'intérêt à la signification de son message : par exemple dans les exclamations, où les aspects intellectuels sont totalement absorbés par le contenu affectif (cf. Bally, *op*, *cit*., § 260), dans les glossolalies extatiques (cf. le recueil *Poetika*, p. 22 à 24), ou dans la poésie à sémantique estompée (cf. ma brochure sur « La nouvelle poésie russe »).

Notre tendance est de lier à toute mutation des éléments phonologiques un changement de sens. Ainsi lorsqu'on a, dans une langue, deux doublets accentuels d'un même mot (j'entends ici l'accent comme

1. *Ocherk fiziologii slavjanskoj rechi*, § 195.

élément *phonologique* que ce soient des doublets d'origine dialectale ou que l'un d'eux soit de formation nouvelle par analogie et l'autre un archaïsme phonétique), ces doublets tendent à se différencier sémantiquement. Par exemple : zima = frigus; zíma = hiems; baba = vetula, bába = avia [1].

Une tendance analogue est indiquée par Sigurd Agrel en ce qui concerne la langue russe : « Nul ne songerait à nier, dit le professeur Agrel dans son livre *Remarques sur les variations d'accent dans le verbe russe* (Stockholm, 1917), que la plupart des Russes ont incontestablement tendance à attacher des nuances de signification différentes aux variantes dans certains mots possédant une accentuation double et quelquefois même triple » (§ 3). Tous les exemples produits par Agrel ne sont pas convaincants, loin s'en faut, mais la tendance à lier aux différences de place de l'accent dynamique des différences sémasiologiques est indubitable. Cf. chez Agrel : krestjanin 'kosit seno [le paysan *fauche* le foin] / ego pravyj glaz ko'sit [il *louche* de l'œil droit]; kapusta 'saditsja [on *plante* les choux] / chelovek sa'ditsja [l'homme *s'assied*]; ona ro'dila trudno [elle avait *des accouchements difficiles*] / ona na dnjah rodi'la [elle a accouché il y a quelques jours]. En plus des exemples d'Agrel, nous en proposerons encore un : ' chinit shtany [il *rapièce* ses pantalons] / chi'nit dopros [il *procède* à un interrogatoire]. Le terme même d'« éléments extra-grammaticaux » indique que ces éléments sont définis par une marque négative, et par conséquent ne peuvent être examinés avant que ne soit établie la sphère des éléments phonologiques; c'est-à-dire : est impossible « l'emboîtement de l'étude du langage organisé, dans celle du milieu extra-grammatical », proposé par Sechehaye. Sechehaye considère lui-même que « les faits de l'ordre qui emboîte peuvent être pensés seuls, mais que la réciproque n'est pas vraie ». Il sera donc plus exact de parler de « l'emboîtement de l'étude des éléments extragrammaticaux dans celle du langage organisé ». Sechehaye ne distingue pas, en l'occurrence, les éléments extra-grammaticaux des pré-grammaticaux, alors que les limites des premiers sont prédéterminées par la sphère des éléments phonologiques, ce que l'on ne saurait dire des seconds. Enfin, quel que soit le rapport génétique entre éléments extra-grammaticaux et grammaticaux, du point de vue de la linguistique statique, cela doit être indifférent. L'utilisation des éléments extra-grammaticaux par le langage émotionnel n'est pas déterminée par on ne sait quelle nature de l'expressivité, attribuée parfois dans les ouvrages de linguistique à ces éléments, mais par le fait que ces

1. J. Gebauer, *Historická mluvnice jazyka českého*, 3 vol., t. I, § 510.

éléments ne sont pas utilisés grammaticalement dans cette langue. Ainsi les éléments extra-grammaticaux ont un caractère local, national, traditionnel, dans la même mesure que le système phonologique, et leur sphère est conditionnée par celle des éléments phonologiques de cette langue. C'est la raison pour laquelle un étranger interprète à tout instant comme des moyens expressifs les éléments phonologiques d'une langue qui n'est pas la sienne, et inversement.

C'est ainsi que le langage tchèque normal produisait sur moi, par défaut d'habitude, une impression de sermon, visant à convaincre à toute force de quelque chose, à « mettre dans la tête » quelque chose avec insistance : car les Tchèques ne réduisent pas les syllabes dépourvues d'accent dynamique, et — du point de vue du russe — ils donnent l'impression d'accentuer les atones, de donner du poids à chaque syllabe, de parler avec insistance. La longueur étymologique tchèque produisait naturellement un effet d'emphase. La longueur des consonnes initiales du tchèque me semblait un allongement rhétorique : en russe l'accent allonge principalement les voyelles, en tchèque au contraire l'accent provoque uniquement l'allongement des consonnes, parce que les voyelles ont des différences de quantité immuables (en tant que différences phonologiques), et aussi par suite de l'absence de différence phonologique quantitative pour les consonnes. Le langage des Pragoises me donnait l'impression, ainsi qu'à d'autres Russes que j'ai interrogés, d'être plaintif en raison des longues pauses quantitatives (on eût dit des pleureuses). Bref, les différences quantitatives, phonologiques pour un Tchèque, sont perçues par un Russe comme extra-grammaticales, expressives. D'ailleurs les mouvements mélodiques du tchèque produisent, eux aussi, une impression émotionnelle sur les Russes. C'est ainsi qu'une question tchèque banale, à intonation ascendante-descendante typique, me frappait immanquablement au début, car elle s'associait pour moi à une interrogation russe étonnée, perplexe, voire indignée (analogue à l'intonation ukrainienne dans « l'interrogation de caractère désappointé et menaçant » relevée par Broch, § 268). Inversement, le langage russe paisible fait parfois aux Tchèques l'effet d'être ému ou narquois, effet dû à la distribution brutale de l'expiration qui, en raison de l'absence d'alternance, doit produire sur un Tchèque une impression de désorganisation. Le langage émotionnel tchèque est si profondément différent du russe qu'il paraît à un Russe, aussi bien dans la vie que sur la scène, quelque chose d'extraordinairement artificiel, maniéré, voire pathologique. [...]

Ainsi donc, nous voyons d'après l'exposé précédent que traitant de la violence faite par la forme poétique à la langue, nous ne pouvons négliger la question de la délimitation des éléments phonologiques et extra-grammaticaux du langage. La prosodie, c'est-à-dire la discipline qui, d'après la définition de Verrier, étudie les sons du langage du point de vue des traits qui jouent un rôle dans la versification de cette langue, doit, conformément à ce qui a été dit plus haut, distinguer :

1. La base phonologique du rythme.
2. Les éléments d'accompagnement extra-grammaticaux.
3. Les éléments phonologiques autonomes, plus exactement les éléments phonologiques qui ne sont pas, dans la langue poétique envisagée, un facteur de l'inertie rythmique. Ces derniers éléments sont souvent désignés dans la science comme éléments rythmiquement indifférents, mais cela n'est pas exact : leur présence est inéluctablement ressentie. Ils peuvent tantôt s'opposer, tantôt se soumettre partiellement à l'inertie rythmique, mais quoi qu'il en soit, la pensée linguistique établit entre eux et l'inertie rythmique une certaine corrélation. On ne saurait parler d'indépendance de ces éléments, mais seulement d'autonomie. Examinons à titre d'exemple plusieurs systèmes de versification du point de vue de cette classification :

SEGMENT RYTHMIQUE	BASE PHONOLOGIQUE DU RYTHME	ÉLÉMENTS EXTRA-GRAMMATICAUX D'ACCOMPAGNEMENT	ÉLÉMENTS PHONOLOGIQUES AUTONOMES
Tchèque	frontière de mot	accent dynamique	quantité
Russe	accent dynamique	quantité	frontière de mot
Grec ancien	quantité	— — — — — — —	frontière de mot accent musical
Chinois	accent musical	accent dynamique	— — — — — — —

Ainsi donc, seul, le mouvement rythmique du vers tchèque est donné, phonologiquement, alors que les *temps marqués*, eux, ne sont pas fondés phonologiquement; autrement dit le *temps marqué* est réalisé par un fait que la conscience linguistique ne détache pas.

Inversement la quantité phonologique du tchèque ne sert ni à caractériser le temps fort ni à mesurer la longueur des segments rythmiques [1].

[...] L'idée émise par Jungman et développée par Saran est très féconde : la poésie prend comme matériaux à transformer des éléments du langage émotionnel dans une bien plus large mesure, selon toute apparence, que des éléments d'énoncés tendant comme limite au terme logique, d'énoncés qui mettent l'accent principal sur l'objet du discours (type qui jusqu'à présent n'a reçu ni désignation ni définition convenables [2]).

[...] Hors la violence il n'est pas de poésie, et c'est pourquoi les arguments du poète contemporain Innokenti Aksenov contre les violences du vers russe syllabo-toniques — tout comme les arguments

1. La division courante de la versification en tonique, syllabique et métrique est peu productive et inexacte. On ne respecte pas l'unité du critère de classification. Alors que l'on entend par principe tonique un certain type de réalisation du temps fort, le « syllabisme » ne désigne que la mesure de durée du vers ou du segment rythmique; le vers syllabique peut être en même temps métrique (védique) ou tonique, un tel vers syllabo-tonique peut avoir des segments syllabiques (le vers russe du XIXe siècle), et peut n'en pas avoir (le vers russe littéraire avant Lomonosov, le vers des scaldes, partiellement le vers anglais). Le vers russe et le tchèque se retrouvent, d'après cette classification courante, dans la même catégorie, alors que même le vers de Jung :

Bouře mlhou nebe kryje

qui restitue assez exactement, semblerait-il, le vers de Pouchkine

Burja mgloju nebo kroet

en diffère en réalité profondément. Premièrement, les rapports de quantité sont différents dans les deux vers :

tchèque : — ∪ ∪ — ∪ ∪ ∪ ∪
russe : — ∪ — ∪ — ∪ — ∪

Deuxièmement, alors que dans le vers russe le phrasé constant 00/00/00/00 est ressenti comme une coïncidence *épisodique* des frontières de mots, normalement autonomes, avec l'inertie rythmique, la frontière de mot en tchèque est le facteur fondamental de formation du rythme et le vers de Jung cité ici est canonique de ce point de vue.

2. Le langage poétique, de même que le langage émotionnel, utilise largement les moyens extra-grammaticaux. La poésie peut utiliser (comme je l'ai indiqué dans ma brochure sur « La nouvelle poésie russe ») les méthodes émotionnelles, mais à ses propres fins. Cette ressemblance entre les deux systèmes linguistiques et cette utilisation, par le langage poétique, des moyens habituels au langage émotionnel conduisent bien souvent à identifier l'un à l'autre. Une telle assimilation est erronée, car elle ne tient pas compte de la différence *fonctionnelle*, qui est radicale, entre les deux systèmes. « L'expressivité potentielle des phonèmes », dont parle Grammont, se manifeste dans le langage poétique, mais ce n'est qu'un *cas particulier*, tout comme ce que l'on appelle « harmonie imitative ». La totale impuissance méthodologique qui caractérisait, jusqu'à ces derniers temps, la science des structures phoniques dans le langage poétique, contraignait les chercheurs à avoir recours, pour les expliquer, à la théorie de l'harmonie imitative, ou à évoquer une certaine liaison émotionnelle entre les sons et le bagage d'idées

de Trédjakovski contre les violences que faisait le vers syllabique à la langue russe — sont tout à fait fondés comme procès-verbal des violences, mais n'ont qu'une valeur toute relative comme acte d'accusation. Ce sont des déclarations d'écoles poétiques nouvellement apparues et qui rejettent les violences de l'école précédente pour leur en opposer d'autres qui leur sont propres.

[...] Un mouvement poétique dirigé contre certaines violences prosodiques, conduit inéluctablement à d'autres violences prosodiques. La réglementation de l'alternance des longues et des brèves dans le vers quantitatif tchèque, de même que la réglementation des accentuées et des atones dans le vers russe « syllabo-tonique », est imposée à la langue, mais on ne peut échapper à ce genre de contraintes qu'en ayant recours à d'autres violences. Nous sommes généralement enclins à ne considérer comme contraintes que celles qui n'entrent pas dans notre propre tradition. Pour un Européen, c'est une violence faite à la nature que le pied artificiellement transformé d'une Chinoise, que le tatouage d'un Peau-Rouge, que la barbe teinte au hénin d'un Persan; en revanche ces derniers voient une violence dans les corsets, les habits à queue, le fait de se raser la barbe, la manucure. Verrier raconte l'histoire de cette Allemande qui ayant entendu pour la première fois le mot de *fromage* déclara d'une manière caractéristique : *Käse ist doch viel natürlicher*. C'est exactement de la même façon que les paysans d'un village considèrent les différences dialectales d'un village voisin comme une déformation, une corruption du langage, sauf si pour une quelconque raison ils éprouvent de la vénération pour les porteurs de ce parler local. En d'autres termes, nous ne remarquons pas les éléments de violence dans notre propre violence et sommes portés à voir dans ce qui ne nous est pas habituel de la contrainte, même là où il n'y en a pas. Les časoměrníci et les přizvučníci [a] s'accu-

---

dans l'œuvre poétique (voir la deuxième partie du livre de Grammont sur « les sons considérés comme moyens d'expression »). Mais la musique ne se réduit pas à la musique à programme, la phonétique poétique ne se réduit pas à la phonétique poétique à programme. On voit avec une netteté particulière, dans l'exemple des moyens poétiques canoniques, de la rime par exemple, qu'il est impossible de réduire la phonétique poétique à la seule restitution, par les sons, des idées et des émotions. La structure phonique n'est pas toujours une structure d'harmonie imitative, et une structure d'harmonie imitative n'utilise pas toujours les méthodes du langage émotionnel, etc.

En empruntant, par exemple, le déplacement d'accent au langage émotionnel, le poète n'est pas contraint dans chaque cas, comme le voudrait Saran, à conserver les justifications émotionnelles de ce déplacement; de même que Pouchkine, lorsqu'il emprunte le nom de son héros, Eugène Onéguine, à l'enseigne d'un tailleur de la petite ville de Torjok, n'était pas obligé de lui conserver la figure du tailleur.

a. Tchèque : partisans de la poésie métrique et de la poésie tonique.

saient réciproquement de violer la langue de leur patrie et souvent se convainquaient les uns les autres de violences effectives, mais il ne remarquaient pas en même temps que le fait même de la violence était inévitable pour les uns aussi bien que pour les autres. Le recours à ce qui serait naturel dans une langue, appuyé d'illustrations historiques, est toujours une arme à deux tranchants. C'est ainsi, par exemple, que Trédiakovski démontrait au début de son activité littéraire la nécessité de la rime, mais, à la fin, la rejetait comme quelque chose d'artificiel; et dans les deux cas il se référait à la poésie populaire russe pour prouver qu'il avait raison. Apparaît naturel à un tenant d'une école poétique ce qui fait partie, si je puis m'exprimer ainsi, de son attirail euphonique. Les conventions traditionnelles sont tenues pour naturelles. Le brillant philologue qu'est Jungman comprenait admirablement que la question de la « difficulté » de tel ou tel système de versification se ramène à celle de *l'habitude* qu'on en a (« pouhý zvyk »)[a 1]. La victoire remportée par la versification « tonique » sur la versification quantitative chez les Tchèques ne s'explique pas tant par le caractère plus naturel de la première que par une tradition plus obsédante.

Je pense que la versification ne peut jamais être entièrement déduite de la langue en question. Si la versification est l'inconnue x, et que l'on nous donne seulement les éléments prosodiques de la langue, nous obtiendrons une équation indéfinie, c'est-à-dire plusieurs valeurs possibles de x. Le choix historique de telle ou telle solution, dans la série des solutions imaginables, s'explique par des phénomènes situés en dehors des limites propres à la phonétique de la langue en question : l'existence d'une tradition esthétique, l'attitude de tel courant poétique à l'égard de cette tradition, et les influences culturelles. Pour éviter tout malentendu, je dois souligner que ce serait, évidemment, une erreur de considérer que la relation entre langue et versification est arbitraire. Le nombre de solutions possibles de l'équation est bien entendu limité (la forme fait violence au matériau, mais il y a des limites au-delà desquelles cette violence est intolérable). D'un autre côté, il est important de comprendre qu'il y a plusieurs solutions et non pas nécessairement une seule. Parmi ces solutions possibles certaines font violence au langage plus que d'autres.

Traduit du russe par
LÉON ROBEL

1. Cf. Král, *LF*, 1894, p. 30.

a. Tchèque : simple question d'habitude.

Problèmes des études littéraires et linguistiques[a]

1. Les problèmes actuels de la science littéraire et linguistique en Russie demandent à être posés sur une base théorique nette ; ils exigent que l'on se sépare résolument des assemblages mécaniques de plus en plus fréquents qui ajoutent la méthodologie nouvelle aux vieilles méthodes désuètes, qui introduisent en douce le psychologisme naïf et autres vieilleries sous l'emballage d'une terminologie nouvelle.

Il faut se séparer de l'éclectisme académique (Jirmounski et al.), du « formalisme » scolastique qui remplace l'analyse par l'introduction d'une nouvelle terminologie et par la classification des phénomènes ; il faut éviter une nouvelle transformation de la science systématique de la littérature et du langage en genres épisodiques et anecdotiques.

2. L'histoire de la littérature (ou de l'art) est intimement liée aux autres séries historiques ; chacune de ces séries comporte un faisceau complexe de lois structurales qui lui sont propres. Il est impossible d'établir entre la série littéraire et les autres séries une corrélation rigoureuse sans avoir préalablement éclairé ces lois.

3. On ne saura comprendre l'évolution littéraire tant que le problème évolutif reste masqué par des problèmes de la genèse qui interviennent épisodiquement et en dehors du système, que cette genèse soit littéraire (les « influences ») ou extra-littéraire. On ne peut introduire dans la sphère de l'investigation scientifique les matériaux utilisés en littérature, qu'ils soient littéraires ou extra-littéraires, qu'à condition de les considérer à un point de vue fonctionnel.

4. Jusque récemment, pour la linguistique comme pour l'histoire littéraire, l'opposition tranchée entre aspect synchronique (statique) et aspect diachronique était une hypothèse de travail féconde puis-

a. « Problemy izuchenija literatury i jazyka », *Novyj Lef*, 1928, 12, p. 36-37. Écrit en collaboration avec J. Tynianov. Nous suivons le texte russe publié dans L. Matejka (éd.), *Readings in Russian Poetics* (Michigan Slavic Materials, 2), 2e éd. corrigée (Ann Arbor, 1971), p. 219-220.

qu'elle a mis en évidence le caractère systématique de la langue (ou de la littérature) à chaque période particulière de sa vie. Aujourd'hui les acquisitions de la conception synchronique nous obligent à réexaminer également les principes de la diachronie. La science diachronique abandonne à son tour la notion d'agglomération mécanique des phénomènes, que la science synchronique a remplacée par la notion de système, de structure. L'histoire du système est à son tour un système. Le synchronisme pur apparaît maintenant comme une illusion : chaque système synchronique contient son passé et son avenir qui sont ses éléments structuraux inhérents — *a*) l'archaïsme comme fait de style; l'arrière-fond linguistique et littéraire que l'on sent comme un style dépassé, désuet; *b*) les tendances novatrices dans la langue et en littérature, senties comme une innovation du système.

La dichotomie de la synchronie et de la diachronie opposait la notion de système à celle d'évolution; elle perd son importance de principe puisque nous reconnaissons que chaque système apparaît obligatoirement comme une évolution et que, d'autre part, l'évolution possède inévitablement un caractère systématique.

5. La notion de système synchronique littéraire ne coïncide pas avec la notion naïve d'époque, puisque celui-ci est constitué non seulement par des œuvres d'art proches dans le temps, mais aussi par des œuvres attirées dans l'orbite du système et venant de littératures étrangères ou d'époques antérieures. Il ne suffit pas de cataloguer indifféremment les phénomènes coexistants; ce qui importe, c'est leur signification hiérarchique pour une époque donnée.

6. L'établissement de deux notions différentes — *parole* et *langue* [a] — et l'analyse de leur rapport (école de Genève) furent extrêmement féconds pour la linguistique. Appliquer ces deux catégories (la norme existante et les énoncés individuels) à la littérature et étudier leur rapport, c'est un problème que l'on doit examiner à fond. Ici encore, on ne peut pas considérer l'énoncé individuel sans le rapporter au complexe existant de normes (le chercheur qui isole ces deux notions déforme inévitablement le système de valeurs esthétiques, et perd la possibilité d'établir ses lois immanentes).

7. L'analyse des lois structurales de la langue et de la littérature, ainsi que de leur évolution, nous amène immanquablement à établir une série limitée de types structuraux qui existent réellement (ou, dans la diachronie, de types d'évolution des structures).

8. La mise en évidence des lois immanentes à l'histoire de la littérature (ou de la langue) permet de caractériser chaque substitution

a. En français dans le texte.

effective de systèmes littéraires (ou linguistiques), mais elle n'explique pas le rythme de l'évolution, ni la direction que celle-ci choisit lorsqu'on est en présence de plusieurs voies évolutives théoriquement possibles. Les lois immanentes à l'évolution littéraire (ou linguistique) ne nous donnent qu'une équation indéterminée qui admet plusieurs solutions, en nombre limité certes, mais pas obligatoirement de solution unique. On ne peut résoudre le problème concret de choix d'une direction ou même d'une dominante, sans analyser la corrélation de la série littéraire avec les autres séries historiques. Cette corrélation (le système des systèmes) a ses lois structurales propres qu'on doit étudier. Considérer la corrélation des systèmes sans tenir compte des lois immanentes à chaque système est une démarche néfaste du point de vue méthodologique.

Traduit du russe par
TZVETAN TODOROV

Le folklore, forme spécifique de création[a]

Les aberrations naïvement réalistes qui sont la marque particulière de la pensée théorique pendant la seconde moitié du XIXe siècle ont été dépassées déjà par les tendances modernes de la réflexion scientifique. Mais il reste un domaine à part : celui des sciences humaines dont les représentants sont à ce point accaparés par l'accumulation de matériaux et par des tâches concrètes spécifiques qu'ils n'inclinent nullement à la révision de leurs bases philosophiques et s'en tiennent, de ce fait, à des principes théoriques périmés. C'est là seulement que s'est poursuivie, voire même intensifiée, encore au début de notre siècle, l'extension du réalisme naïf.

Même si la vision du monde propre au réalisme naïf est parfaitement étrangère aux chercheurs modernes (tout au moins là où elle n'est pas devenue un catéchisme, un dogme intangible), il n'en existe pas moins, dans les différents domaines de l'étude de la société, toute une série de formulations découlant immédiatement des bases philosophiques de la science pendant la seconde moitié du XIXe siècle. C'est un fatras introduit frauduleusement, un résidu qui entrave le développement de la science.

Produit typique du réalisme naïf : la thèse fort répandue des néogrammairiens, selon laquelle la langue individuelle est la seule et unique langue réelle. Poussée jusqu'à l'épigramme, cette thèse affirme qu'en fin de compte seule la langue d'une personne donnée, à un moment donné, représente une réalité véritable, tandis que tout le reste n'est qu'abstraction théorico-scientifique. Or rien n'est plus éloigné des efforts récents de la linguistique que précisément cette thèse, devenue l'un des piliers de la doctrine des néogrammairiens.

A côté de l'acte individuel, particulier, de parler — la *parole*[b] selon

a. « Die Folklore als eine besondere Form des Schaffens », *Donum Natalicium Schrijnen*, (Nimègue-Utrecht, 1929), p. 900-913. Écrit en collaboration avec Petr Bogatyrev.

b. En français dans le texte.

la terminologie de F. de Saussure — la linguistique identifie aussi la *langue* [a], c'est-à-dire « un ensemble de conventions nécessaires adoptées par le corps social pour permettre l'exercice de cette faculté [du langage] chez les individus ». A ce système traditionnel et interpersonnel, tel ou tel locuteur peut apporter des modifications personnelles, mais qui sont des entorses individuelles à la *langue* et ne peuvent être interprétées que par rapport à elle. Elles deviennent faits de *langue* après que la communauté, qui en est le support, les a sanctionnées et acceptées comme universellement valables. C'est là que réside la différence entre les modifications du langage d'une part dans les erreurs individuelles (lapsus), et, d'autre part, dans les produits de la fantaisie individuelle, de l'état passionnel ou des pulsions esthétiques de l'individu qui parle.

Si nous nous penchons sur la question de la « conception » de telle ou telle innovation du langage, nous pouvons admettre le cas où les modifications se produisent à la suite d'une sorte de socialisation, de généralisation des erreurs individuelles (lapsus), des états passionnels ou des déformations esthétiques du langage. Des modifications du langage peuvent survenir aussi d'une autre manière; elles apparaissent alors comme la conséquence inévitable, régulière, de modifications ayant eu lieu précédemment, et elles se réalisent directement dans la *langue* (ce que les biologistes appellent nomogenèse). Mais quelle que soit la nature des conditions dans lesquelles se modifie le langage, nous ne pouvons parler de la « naissance » d'une forme nouvelle en tant que telle qu'à partir du moment où elle existe comme fait social, c'est-à-dire où la communauté linguistique se l'est appropriée.

Passons maintenant du domaine de la linguistique à celui du folklore : nous y rencontrons des phénomènes analogues. L'existence d'une œuvre folklorique ne commence qu'après son acceptation par une communauté déterminée, et il n'en existe que ce que la communauté s'est approprié.

Supposons qu'un membre d'une communauté ait composé une œuvre personnelle. Si cette œuvre orale se révélait, pour une raison ou une autre, inacceptable pour la communauté, si tous les autres membres de la communauté ne se l'appropriaient pas, elle serait vouée à disparaître. Seule, la transcription fortuite d'un compilateur peut la sauver, en la faisant passer du domaine de la poésie orale à celui de la littérature.

Poète français des années soixante du siècle dernier, le comte de

a. En français dans le texte.

Lautréamont est le type même du *poète maudit* [a], c'est-à-dire rejeté, passé sous silence, non reconnu par les contemporains. Il fit paraître un petit livre, auquel on ne prêta aucune attention et qui ne connut pas la moindre diffusion; il en fut de même pour ses autres œuvres, demeurées inédites. La mort le surprit à vingt-quatre ans. Des décennies s'écoulent; en littérature apparaît le mouvement surréaliste, qui à maints égards est à l'unisson de la poésie de Lautréamont. Lautréamont est réhabilité, on édite ses œuvres, on le célèbre comme un maître et son audience s'accroît. Or, que serait-il advenu de Lautréamont s'il n'avait composé que des œuvres de poésie orale? A sa mort, elles auraient disparu sans laisser de traces.

Nous avons cité ici le cas extrême où des œuvres tout entières sont rejetées. Mais il arrive que les contemporains ne rejettent que quelques traits, certaines particularités formelles, certains motifs, ou qu'ils ne les acceptent pas. Le milieu élague alors l'œuvre à sa guise, et tout ce qu'il a refusé perd toute existence folklorique, tout usage courant, et dépérit.

Chez Gontcharov, une héroïne essaie, avant de lire un roman, d'en connaître le dénouement. Supposons qu'à une époque donnée le lecteur anonyme procède ainsi. Il peut aussi, par exemple, laisser de côté toutes les descriptions de paysages qu'il ressent comme un accessoire pesant et ennuyeux. Un roman peut être défiguré de quelque façon que ce soit par le lecteur, il peut aller par sa composition à l'encontre des exigences de l'école du moment, ou y satisfaire sous une forme très incomplète : il conserve intacte, cependant, son existence potentielle; une autre époque réhabilitera éventuellement les traits jadis rejetés. Mais transposons ces faits dans le domaine du folklore : supposons que la communauté réclame que le dénouement soit révélé à l'avance, et nous verrons que tout récit folklorique s'appropriera nécessairement le type de composition qui nous heurte dans *la Mort d'Ivan Ilitch* de Tolstoï, où le dénouement précède le récit. Lorsque les descriptions de paysages déplaisent à la communauté, elles sont rayées du répertoire folklorique, etc. Bref, dans le folklore ne subsistent que les formes ayant pour la communauté donnée un caractère fonctionnel. Et il va de soi que l'une des fonctions de la forme peut en relayer une autre. Mais dès qu'une forme cesse d'être fonctionnelle, elle dépérit dans le folklore, alors qu'elle conserve dans une œuvre littéraire son existence potentielle.

Autre exemple tiré de l'histoire littéraire : ceux que l'on appelle les « éternels compagnons », les écrivains qui, au cours des siècles, furent

a. En français dans le texte.

interprétés différemment par diverses tendances. Maintes particularités de ces écrivains qui passèrent chez leurs contemporains pour étranges, incompréhensibles, superflues, indésirables, se valorisent à une époque postérieure, s'actualisent soudain et deviennent des facteurs productifs de littérature. Que serait-il advenu par exemple en poésie orale des créations hardies et « intempestives », sur le plan de la langue, de Leskov, devenues, après plusieurs décennies, facteur productif — avec Remizov et les prosateurs russes qui suivirent? Le milieu où vivait Leskov aurait purgé ses œuvres de sa stylistique saugrenue. Bref, l'idée même de tradition littéraire se distingue radicalement de celle de tradition folklorique. Dans le domaine du folklore, la possibilité de réactualisation des faits poétiques est considérablement plus restreinte. Quand sont morts les porteurs d'une certaine tradition poétique, celle-ci ne peut plus être ranimée, alors qu'en littérature des phénomènes vieux d'un siècle, ou même de plusieurs, renaissent et redeviennent productifs [1].

Tout ce qui précède montre que l'existence d'une œuvre folklorique suppose un groupe qui l'accepte et la sanctionne. Lorsque l'on étudie le folklore, il convient de ne jamais perdre de vue l'idée capitale de *censure préventive de la communauté*. Nous employons à dessein le terme de « préventive », car lorsque l'on considère un fait folklorique, il ne s'agit pas des étapes de sa biographie antérieures à la naissance, ni de la « conception », ni de la vie embryonnaire, mais de la « naissance » du fait folklorique et de sa destinée ultérieure.

Les folkloristes, les Slaves en particulier, qui disposent peut-être du matériau folklorique le plus vivant et le plus riche d'Europe, défendent souvent cette thèse : il n'y a pas de différence fondamentale entre poésie orale et littérature, et nous avons à faire, dans les deux cas, à des produits indubitables de la création individuelle. Cette thèse s'est fait jour sous l'influence du réalisme naïf : la création collective ne nous est pas donnée comme un fait d'expérience concrète; aussi serait-il nécessaire de supposer un créateur individuel, un initiateur. Un néogrammairien typique, en linguistique et en science du folklore, Vsevolod Miller, s'exprime ainsi à propos des thèmes folkloriques : « Par qui ont-ils été inventés? Création collective de la foule? Mais ceci est encore une fiction, car l'expérience humaine n'a jamais encore observé semblable création. » Ici s'exprime sans nul doute

1. Remarquons en passant que non seulement la tradition, mais aussi l'existence simultanée de formes de style comme recherches différentes à l'intérieur du même milieu, sont considérablement plus réduites dans le domaine du folklore; c'est-à-dire qu'à la diversité des formes stylistiques correspond le plus souvent dans le folklore la diversité des genres.

l'influence de notre environnement quotidien. Ce n'est pas la création orale, mais la littérature, qui est pour nous la forme courante, la plus familière, de création, et nos conceptions habituelles se trouvent projetées de manière égocentrique dans le domaine du folklore. L'heure de la naissance d'une œuvre littéraire passe pour être l'instant où elle a été couchée sur le papier par l'auteur. Par analogie, l'instant où l'œuvre orale est objectivée pour la première fois, c'est-à-dire produite par l'auteur, est considéré comme l'heure de sa naissance; en réalité, l'œuvre ne devient fait folklorique qu'à l'instant où la communauté l'accepte. Ceux qui défendent la thèse du caractère individuel de la création folklorique ont tendance à remplacer le concept de « collectif » par celui d' « anonymat ». Ainsi peut-on lire dans un recueil célèbre de poésies orales russes : « Il est clair qu'à propos d'un chant rituel, ignorer qui a créé le rite, composé le premier chant, n'est pas en contradiction avec l'idée de création individuelle; cela prouve seulement que le rite est si ancien que nous ne pouvons déterminer ni l'auteur, ni les circonstances d'apparition du chant le plus ancien et associé le plus étroitement au rite; qu'en outre il est apparu dans un milieu où la personnalité de l'auteur n'avait éveillé nul intérêt. Ainsi s'explique que ne se soit pas perpétué non plus son souvenir. L'idée de création « collective » n'a donc rien à voir dans ce cas » (M. Speranski). On a oublié ici qu'il ne peut y avoir rite sans une sanction de la communauté, que ceci est une *contradictio in adjecto*, et que — même si à l'origine de tel ou tel rite il y a eu expression individuelle — le chemin qui la sépare du rite est aussi long que celui qui mène de la modification individuelle du langage à la mutation grammaticale.

Ce que nous avons dit de l'origine du rite (ou d'une œuvre de poésie orale) peut s'appliquer aussi à l'évolution du rite (ou à l'évolution folklorique en général). La linguistique opère une distinction entre la transformation de la norme du langage et le fait qu'un individu s'en écarte. Or cette distinction qui a non seulement une importance quantitative, mais qualitative, est encore presque totalement étrangère à la science du folklore.

L'une des caractéristiques essentielles permettant de différencier folklore et littérature tient à l'idée même d'œuvre d'art.

Dans le folklore, la relation entre l'œuvre d'art et son objectivation, c'est-à-dire les variantes de cette œuvre d'art interprétée par différentes personnes, est en tous points analogue à la relation entre *langue* et *parole*. Comme la *langue*, l'œuvre folklorique est extra-personnelle et n'a qu'une existence potentielle; ce n'est qu'un assemblage complexe de certaines normes, de certaines impulsions, un canevas de la tradition du moment qu'animent les interprètes par les enjolivures de la création individuelle comme le font les producteurs de la *parole* par rapport à la *langue* [1]. Dans la mesure où ces innovations individuelles dans la *langue* (ou dans le folklore) répondent aux exigences de la communauté et anticipent sur l'évolution régulière de la *langue* (ou du folklore), elles sont intégrées et deviennent faits de *langue* (ou éléments de l'œuvre folklorique).

L'œuvre littéraire est objectivée; elle existe concrètement, indépendamment du lecteur, et chaque lecteur se tourne immédiatement vers l'œuvre. Ce n'est pas le chemin de l'œuvre folklorique d'interprète à interprète, mais de l'œuvre à l'interprète. Une interprétation antérieure peut entrer, certes, en ligne de compte, mais elle n'est que l'un des éléments qui permettent la réception de l'œuvre, et non sa source unique comme dans le folklore. Le rôle d'un interprète d'œuvres folkloriques ne doit être assimilé ni à celui du lecteur, ni à celui du récitateur d'œuvres littéraires, ni non plus à celui de leurs auteurs.

Par rapport à l'interprète de folklore, les œuvres représentent un fait de *langue*, c'est-à-dire extra-personnel, donné indépendamment de l'interprète, quoique supportant une certaine déformation et l'introduction d'une manière nouvelle, poétique ou banale. Pour l'auteur d'une œuvre littéraire, elle apparaît comme un fait de *parole*; elle n'est pas donnée *a priori*, mais soumise à une réalisation individuelle. Seul est donné un assemblage d'œuvres d'art provisoirement efficaces; sur l'arrière-plan qu'elles constituent — arrière-plan de leurs accessoires formels — la nouvelle œuvre d'art, qui s'approprie certaines formes, en modifie d'autres et rejette tout le reste, doit se créer, puis trouver audience.

Différence essentielle entre folklore et littérature : l'un se rapporte spécifiquement à la *langue*, l'autre, à la *parole*. Si l'on se réfère à la définition fort pertinente du folklore par Potebnia, le poète lui-même n'a aucune raison ici de considérer son œuvre comme sienne, les œuvres d'autres poètes de la même veine comme étrangères. On l'a dit plus haut, le rôle de la censure exercée par la communauté est différent en littérature et dans le folklore. Ici, la censure est impérative et constitue la condition indispensable à la naissance d'œuvres artistiques. L'écrivain tient plus ou moins compte des exigences du milieu, mais de quelque manière qu'il s'y conforme, la fusion indissoluble de la censure et de l'œuvre, caractéristique du folklore, est absente. Une œuvre littéraire n'est pas déterminée à l'avance par la censure, elle

1. Il ne faut pas perdre de vue — fait remarquer [le folkloriste slovène] M. Murko — que les chanteurs folkloriques ne déclament pas à notre manière un texte figé, mais créent sans cesse, jusqu'à un certain point.

ne peut en découler totalement, elle n'entrevoit qu'approximativement — de façon à la fois exacte et inexacte — ses exigences; elle ne tient pas le moindre compte de nombreux désirs de la communauté. En économie politique, ce que l'on appelle « production suivant les débouchés » évoque le rapport entre la littérature et le consommateur, tandis que le folklore serait plutôt la « production sur commande ».

Le désaccord entre les exigences du milieu et une œuvre littéraire peut être la conséquence d'une erreur; il peut provenir d'une intention délibérée de l'auteur soucieux de modifier les exigences du milieu et de le rééduquer sur le plan littéraire. Une telle tentative de l'auteur pour influer sur la demande est susceptible de rester vaine. La censure ne cède pas; entre les normes qu'elle pose et l'œuvre naît une antinomie. On a tendance à se représenter les « auteurs folkloriques » sur le modèle du « poète littéraire », mais cette transposition est inexacte. Contrairement au « poète littéraire », le « poète folklorique » — selon la remarque fort pertinente d'Anitchkov — ne crée pas de « milieu nouveau », et toute volonté de modifier le milieu lui est radicalement étrangère : le pouvoir absolu de la censure préventive fait avorter tout conflit entre l'œuvre et la censure, crée un type particulier de participants à la création poétique et contraint la personnalité à abandonner toute tentative pour dominer la censure.

Le folklore, expression de la création individuelle : la tendance à effacer la frontière entre l'histoire littéraire et le folklore atteint ici son apogée. Mais nous croyons, d'après ce qui précède, que cette thèse doit être soumise à sérieuse révision. Cela reviendra-t-il à réhabiliter la conception romantique, violemment attaquée par les partisans de la doctrine que nous venons d'évoquer? Sans doute, la distinction que faisaient les théoriciens romantiques entre poésie orale et littérature renfermait-elle toute une série de remarques pertinentes, et les Romantiques avaient raison de souligner le caractère collectif de la poésie orale et de la comparer au langage. Mais à côté de ces thèses valables, il y avait dans la conception romantique toutes sortes d'affirmations qui ne résistent pas à la critique scientifique contemporaine.

D'abord, les romantiques surestimaient l'autonomie et la spontanéité du folklore; il fallut attendre les travaux des générations postérieures de savants pour qu'apparaisse l'importance, dans le folklore, de ce que l'ethnographie allemande moderne appelle les « valeurs culturelles déchues ». Reconnaître la place importante et parfois même exclusive qu'occupent ces « valeurs culturelles déchues » dans le répertoire populaire équivaut peut-être à restreindre de manière fondamentale le rôle de la création collective dans le folklore. Or il n'en est rien. Les œuvres empruntées par la poésie populaire aux couches supérieures de la société peuvent être les produits typiques de l'initiative personnelle et de la création individuelle. Mais l'interrogation sur les sources de l'œuvre folklorique se situe au-delà des limites de la science du folklore. Toute interrogation sur les sources hétérogènes ne relève de l'interprétation scientifique que si on les examine du point de vue du système auquel elles ont été intégrées : dans le cas qui nous intéresse, celui du folklore. Pour la science du folklore, ni la naissance, ni l'existence des sources — qui se situent hors du folklore — ne sont essentielles, mais bien le fait d'emprunter, le choix et la modification du matériau emprunté. De ce point de vue, la thèse bien connue : « le peuple ne produit pas, il reproduit », ne vaut plus, car nous ne sommes pas habilités à tracer une frontière infranchissable entre production et reproduction et à dire que celle-ci est en quelque sorte inférieure. Reproduction ne signifie pas réception passive et, en ce sens, il n'y a entre Molière, adaptateur de pièces anciennes, et le peuple qui, selon Naumann, « éreinte un chant », aucune différence fondamentale. La transformation d'une œuvre relevant de l'art « monumental » en œuvre « primitive » est aussi un acte de création. La création se manifeste ici aussi bien dans le choix des œuvres reçues que dans la façon de les agencer afin de satisfaire d'autres habitudes et d'autres exigences. Les formes littéraires existantes deviennent, après leur passage dans le folklore, un matériau soumis à modification. Avec, à l'arrière-plan, un autre environnement poétique, une autre tradition et un rapport différent avec les valeurs artistiques, l'œuvre reçoit une interprétation nouvelle; et tel accessoire formel qui semble, à première vue, avoir été préservé lors de l'emprunt, ne peut être considéré comme identique au modèle : dans ces formes d'art, selon l'expression du chercheur russe Tynianov, s'opère une commutation de fonctions. Du point de vue fonctionnel, sans lequel la compréhension des faits artistiques est impossible, l'œuvre d'art extérieure au folklore et la même œuvre d'art adoptée par le folklore sont deux faits d'essence différente.

Le poème de Pouchkine *le Hussard* est un exemple caractéristique de la manière dont les formes artistiques qui passent du folklore à la littérature et, inversement, de la littérature au folklore, changent de fonction [1]. Le récit typiquement folklorique de la rencontre d'un homme du peuple avec le monde de l'au-delà (la description de la

1. Cf. P. Bogatyrev, « Stikhotvorenie Pushkina " Gusar' ", ego istochniki i ego vlijanie na narodnuju slovesnost' », *Ocherki po poètike Pushkina* (Berlin, 1923) p. 147-195.

méchanceté diabolique constituant le centre du récit) a été transformé par Pouchkine : le poète affine la psychologie des personnages actifs et donne à leurs actions une motivation psychologique dans une série de tableaux de genre. Le héros principal — le hussard — et la superstition populaire sont dépeints par Pouchkine avec une touche d'humour. Le conte utilisé par Pouchkine est populaire; dans la version du poète, en revanche, le ton populaire est un procédé. Il est pour ainsi dire signalé. L'expression naïve du conteur populaire est, pour Pouchkine, un élément piquant pour une forme versifiée. Le poème de Pouchkine retourna au folklore et fut repris dans certaines variantes de la pièce la plus appréciée du théâtre populaire russe, *le Tsar Maximilien.* Il sert ici, à côté d'autres œuvres empruntées à la littérature, à étoffer l'épisode intercalé; il fait partie des numéros du divertissement bariolé que joue le héros de l'épisode, le hussard. La jactance fanfaronne du hussard est aussi bien dans l'esprit de l'art des bateleurs que la représentation des agissements du Diable. Mais il va sans dire que l'humour de Pouchkine, qui tend à l'ironie romantique, n'a pas grand-chose de commun avec la farce de bateleurs qu'est *le Tsar Maximilien* et qui s'est approprié le poème. Même dans les variantes où le poème de Pouchkine a été relativement peu modifié, il est compris de façon très spéciale par un public nourri de folklore — surtout lorsque le jouent des acteurs du théâtre populaire. Dans les autres variantes, ce changement de fonction se réalise dans la forme même : le langage dialogué, propre au poème de Pouchkine, se laisse aisément transposer en vers folkloriques parlés, et il ne subsiste plus du poème que le thème, schématisé, dépouillé de motivations, sur lequel se greffe toute une série de pitreries et de jeux de mots.

Littérature et poésie orale peuvent, certes, avoir des destins intimement liés, leur influence réciproque peut avoir été quotidienne et intense, le folklore peut avoir eu affaire si souvent soit-il avec le matériau littéraire et, inversement, la littérature avec le matériau folklorique : nous n'avons pas pour autant la moindre raison d'effacer la frontière essentielle entre poésie orale et littérature au nom de la généalogie.

Autre erreur considérable des Romantiques lorsqu'ils définissaient le folklore — outre le fait d'en affirmer le caractère spontané : la thèse suivant laquelle seul un peuple ignorant la division en classes, sorte de personnalité collective avec *une* âme, *une* idéologie, communauté sans la moindre expression individuelle de l'activité humaine, pouvait être l'auteur du folklore et l'acteur de la création collective. Nous retrouvons, de nos jours, cette relation indissoluble entre la création collective et une « communauté culturelle primitive » chez

Naumann et ceux de son école, qui rejoignent sur bien des points les Romantiques. « Ici, l'individualisme n'existe pas encore. On ne doit pas craindre de chercher des comparaisons dans le règne animal : il nous offre les parallèles les plus proches. L'art populaire authentique est un art collectif, mais de la façon dont les nids des hirondelles, les cellules des abeilles, les coquilles des escargots sont des produits d'un art collectif authentique » (H. Naumann, *Primitive Gemeinschaftskultur*, p. 190). « Tous sont saisis d'un seul mouvement », écrit aussi Naumann à propos des porteurs de la civilisation communautaire, « tous sont animés des mêmes intentions et des mêmes pensées » (*ibid.*, p. 151). Cette conception renferme aussi un danger inhérent au fait de déduire directement d'une manifestation sociale une mentalité, ainsi, par exemple, des particularités d'une forme linguistique celles de la pensée. (Le danger d'une telle identification a été excellemment montré dans ce cas par Anton Marty.) Il en va de même en ethnographie : la domination sans partage de la mentalité collectiviste n'est nullement la condition indispensable de la création collective, bien qu'une telle mentalité fournisse un terrain particulièrement favorable à la réalisation la plus parfaite de la création collective. Celle-ci n'est aucunement étrangère à une civilisation imprégnée d'individualisme. Il suffit de penser aux anecdotes qui se propagent dans les milieux cultivés actuels, aux bruits et aux potins, à la superstition et à la formation de mythes, aux usages sociaux et à la mode. Du reste, les ethnographes russes qui ont étudié les villages du district de Moscou pourraient eux aussi dire beaucoup de choses sur la relation qui existe entre un répertoire folklorique riche et vivant et une grande différenciation sociale, économique, idéologique, voire même morale, de la paysannerie.

L'existence d'une poésie orale (ou d'une littérature) a une explication non seulement psychologique mais aussi, pour une grande part, fonctionnelle. Comparons par exemple l'existence simultanée de la poésie orale et de la littérature dans les milieux cultivés russes des XVIe et XVIIe siècles. La littérature remplissait ici certaines fonctions culturelles, la poésie orale, les autres. En milieu citadin, c'est naturellement la littérature qui l'emporte sur le folklore, la « production suivant les débouchés » sur la « production sur commande »; mais la poésie individuelle comme fait social est aussi étrangère au village *conservateur* que la production « suivant les débouchés ».

Accepter la thèse : le folklore est une extériorisation de la création collective, met la science du folklore en face d'une série de tâches pratiques. Il est hors de doute qu'avoir transposé les méthodes et la terminologie acquises en traitant l'histoire littéraire dans le domaine de la science du folklore a souvent desservi l'analyse des formes de l'art folklorique. On a en particulier sous-estimé la différence importante qui existe entre un texte littéraire et la transcription d'une œuvre folklorique. Transcrire cette œuvre la déforme nécessairement et la fait passer dans une catégorie différente.

Il serait ambigu de parler de formes identiques selon qu'il est question de folklore ou de littérature. Ainsi, par exemple, le terme de « vers » qui, à première vue, semble avoir la même signification en littérature et dans le folklore, recouvre en fait deux choses radicalement différentes sur le plan fonctionnel. Analyste subtil du *style oral rythmique* [a], Marcel Jousse considère cette différence comme si importante qu'il réserve l'emploi des termes de « vers » et de « poésie » à la littérature, alors qu'il utilise pour la création orale les dénominations respectives de « schème rythmique » et de « style oral », afin d'éviter que ne soit introduit dans ces termes, à la lecture, le contenu littéraire habituel. Il montre magistralement la fonction mnémotechnique de tels « schèmes rythmiques ». Voici comment Jousse interprète le style oral rythmique dans un « milieu de récitateurs encore spontanés [a] » : « L'on peut imaginer une langue dont les deux ou trois cents phrases rimées, les quatre ou cinq cents schèmes rythmiques types seraient fixés pour toujours, transmis sans modification par la tradition orale : l'invention personnelle consisterait dès lors, prenant ces schèmes rythmiques pour modèles, à créer à leur image, avec les clichés propositionnels comme balancements, d'autres schèmes rythmiques de forme pareille, ayant même rythme, même structure (...) et, dans la mesure du possible, même contenu [1]. » Ici se trouve défini clairement le rapport entre tradition orale et improvisation, entre *langue* et *parole* en poésie orale. Le vers, la strophe et les structures de composition encore plus compliquées sont, dans le folklore, un support puissant de la tradition (ce qui est en rapport étroit avec la conclusion précédente) et un procédé efficace de la technique d'improvisation [2].

La typologie des formes folkloriques doit être effectuée indépendamment de celle des formes littéraires. L'un des problèmes les plus actuels de la linguistique est d'établir une typologie phonologique

1. *Études de psychologie linguistique* (Paris, 1925), p. 108 [il s'agit en fait d'une citation des *Hain teny merinas* de Jean Paulhan (Paris, 1913), p. 52-53].

2. G. Gesemann donne des indications intéressantes sur les particularités spécifiques de cette technique d'improvisation dans son étude « Kompositions schema und heroisch-epische Stilisierung », in *Studien zur südslawischen Volksepik* (Reichenberg, 1926).

a. En français dans le texte.

et morphologique. On s'aperçoit déjà qu'il existe des lois générales de structure que ne transgressent pas les langues; il se révèle que la diversité des structures phonologiques et morphologiques est réduite et peut se ramener à un nombre relativement faible de types fondamentaux. Ceci découle du fait que la diversité des formes de création collective est limitée. La *parole* autorise une plus grande variété de modifications que la *langue*. On peut confronter avec ces constatations de la linguistique comparée la diversité de sujets qui caractérise la littérature et la liste restreinte des sujets de contes dans le folklore. Ce caractère restreint ne s'explique ni par la communauté de sources, ni par celle du psychisme ou les circonstances extérieures. Des sujets analogues apparaissent en raison des mêmes lois générales de composition poétique. Ces lois sont, tout comme les lois des structures de la langue, plus uniformes au plan de la création collective qu'à celui de la création individuelle.

La tâche la plus urgente de la science synchronique du folklore est de caractériser le système des formes artistiques constituant le répertoire actuel d'une communauté définie — village, district, unité ethnique. Ce faisant, il faut tenir compte, entre autres choses, du rapport réciproque des formes à l'intérieur du système, de leur hiérarchie, de la distinction entre les formes productives et celles qui ont perdu leur capacité productive. Par le répertoire folklorique se distinguent non seulement des groupes ethnographiques et géographiques, mais aussi des groupes qui se caractérisent par le sexe (folklore masculin et féminin), l'âge (enfants, jeunesse, vieillards), la profession (bergers, pêcheurs, soldats, brigands, etc.). Dans la mesure où les groupes professionnels produisent eux-mêmes le folklore, ces cycles folkloriques peuvent se comparer aux langages de métiers. Or il y a des répertoires folkloriques qui appartiennent certes à un certain groupe professionnel, mais sont destinés à des consommateurs en dehors du groupe. La production de poésie orale est, dans ce cas, l'une des marques professionnelles distinctives du groupe. C'est ainsi par exemple que dans une grande partie de la Russie les poèmes religieux sont interprétés presque exclusivement par les *kaliki perekhozhie* — mendiants errants groupés en confréries spéciales. La récitation des poèmes religieux est une des sources principales de leur revenu. Entre un tel exemple de séparation complète du producteur et du consommateur, et le cas extrême, inverse, où presque toute la communauté est en même temps productrice et consommatrice (proverbes, anecdotes, couplets, certains genres de chants rituels ou non rituels), il existe toute une variété de types intermédiaires. Dans un certain milieu apparaît un groupe de personnes douées, faisant de la production d'un type de folklore défini (par exemple, de contes) plus ou moins son monopole. Ce ne sont pas là des professionnels, et la production poétique ne constitue pas leur occupation principale, une source de leur revenu; ce sont plutôt des dilettantes qui exercent la poésie à leurs heures de loisir. On ne peut constater ici aucune identité complète entre le producteur et le consommateur; mais il n'y a pas non plus de séparation complète. La limite est flottante. Il y a des gens qui sont plus ou moins des conteurs et, en même temps pourtant des auditeurs; le créateur-dilettante devient facilement consommateur, et vice versa.

La création poétique orale demeure, même dans le cas d'une séparation entre producteurs et consommateurs, collective, à cela près que le collectif prend ici des traits spécifiques. Il représente une communauté de producteurs et la « censure préventive » est ici plus dégagée du consommateur que dans le cas de l'identité entre créateur et consommateur, où la censure tient compte à égalité des intérêts de la production et de la consommation.

Dans un seul cas, la poésie orale, par essence même, sort du cadre du folklore et cesse d'être une création collective : lorsqu'une communauté fortement soudée de professionnels, possédant une tradition solide, se comporte envers certaines productions poétiques avec une telle piété qu'elle s'efforce par tous les moyens de les conserver sans la moindre modification. Toute une série d'exemples historiques montre que cela est plus ou moins possible. C'est ainsi qu'à travers les siècles furent transmis par des prêtres des hymnes védiques — de bouche à oreille, « en paniers », selon la terminologie bouddhique. Tous les efforts tendaient à ce que les textes ne fussent pas déformés; ce qui fut le cas, quelques innovations insignifiantes mises à part. Là où le rôle de la communauté ne consiste qu'en la préservation d'une œuvre poétique élevée au rang de canon intangible, il n'y a plus de censure créatrice, ni d'improvisation, ni de création collective.

Comme pendant aux formes limites de la poésie orale, on peut évoquer aussi la littérature. L'activité des auteurs anonymes et des copistes du Moyen Age, sans qu'elle sortît du domaine de la littérature, possède, par exemple, certains caractères par lesquels elle se rapproche en partie de la poésie orale : le copiste traitait assez souvent l'œuvre qu'il copiait à la façon d'un matériau parmi d'autres, susceptible d'être remanié. Mais quel que soit le nombre des phénomènes intermédiaires qui se situent à la limite de la création individuelle et de la crétation collective, nous ne suivrons pas, cependant l'exemple de ce sophiste à la piètre réputation qui se torturait pour savoir combien de grains de sable il faudrait ôter du tas pour qu'il cessât d'être un tas. Entre deux domaines culturels voisins quelconques, il y a toujours des zones frontalières et intermédiaires. Ce qui ne nous autorise nullement à nier l'existence de deux domaines distincts et le caractère fécond de leur séparation.

Si jadis le rapprochement de la science du folklore et de l'histoire littéraire a permis d'éclaircir toute une série de questions d'ordre génétique, la séparation des deux disciplines et le rétablissement de l'autonomie de la science folklorique faciliteront probablement le fait d'expliquer les fonctions du folklore et de révéler ses principes structuraux et ses particularités.

Traduit de l'allemand par
JEAN-CLAUDE DUPORT

La génération qui a gaspillé ses poètes[a]

Tués :
et peu m'importe
si c'est par moi ou par lui qu'ils ont été tués.

MAÏAKOVSKI

Le vers de Maïakovski. Ses images. Son œuvre lyrique. J'en ai parlé jadis. J'ai publié des ébauches là-dessus. Je revenais sans cesse à l'idée d'une monographie. Sujet particulièrement tentant, parce que le verbe de Maïakovski est qualitativement différent de tout ce que fut le vers russe avant lui, et, malgré tous les liens génétiques que l'on peut établir, la structure de sa poésie est profondément originale et révolutionnaire. Mais comment parler de la poésie de Maïakovski maintenant, alors que la dominante n'est pas le rythme, mais la mort du poète, alors que (j'utilise la terminologie poétique de Maïakovski) « la peine cruelle » ne veut pas se transformer en « douleur claire et consciente »! Au cours d'une de nos rencontres, Maïakovski, selon son habitude, m'avait lu ses derniers vers. La comparaison s'imposait à moi avec ce qu'il devait écrire, avec les possibilités créatrices du poète qu'il était : c'est bon, dis-je, mais moins bon que du Maïakovski. Et maintenant, ces possibilités créatrices sont effacées, il n'y a plus rien à comparer à ces strophes inimitables, ces mots, « les derniers vers de Maïakovski », prennent soudain une signification tragique. La tristesse de l'absence masque l'absent. C'est plus douloureux maintenant, mais plus facile de parler non pas de ce qu'on a perdu, mais plutôt de la perte et des perdants.

Les perdants, c'est notre génération. Approximativement, ceux qui ont maintenant entre trente et quarante-cinq ans. Ceux qui en entrant dans les années de la révolution, avaient déjà une forme, n'étaient plus de l'argile sans visage, mais n'étaient pas encore ossifiés, étaient encore capables de ressentir et de se transformer, encore capables de comprendre ce qui les entourait non pas dans sa statique, mais dans son devenir.

a. « O pokolenii rastrativshem svoikh poètov », *Smert' Vladimira Majakovskogo* (Berlin, 1931), p. 7-45.

On a écrit plus d'une fois que le premier amour poétique de cette génération fut Alexandre Blok. Velimir Khlebnikov nous a donné une poésie épique nouvelle, les premières œuvres véritablement épiques après des dizaines d'années de marasme. Même ses courts poèmes donnent l'impression d'être des fragments d'épopée, et Khlebnikov les insérait sans peine dans ses poèmes narratifs. Il était épique malgré le caractère anti-épique de notre temps, et c'est là une des raisons de son peu de succès auprès des consommateurs moyens. D'autres poètes ont rapproché sa poésie des lecteurs, puisé dans Khlebnikov, répandu cet « océan verbal » dans des torrents lyriques. A l'inverse de Khlebnikov, Maïakovski incarne en lui l'élément lyrique de cette génération. Les « vastes toiles épiques » lui sont profondément étrangères et inacceptables. Même lorsqu'il tente d'écrire « l'Iliade sanglante de la révolution », « l'Odyssée des années de famine », ce n'est pas une épopée qui se fait, mais un poème héroïque et lyrique d'un diapason immense, « crié à pleine voix ». Il y eut un moment où prenait fin la poésie du symbolisme et où l'on ne savait pas encore, des deux nouveaux courants opposés, l'acméisme et le futurisme, lequel l'emporterait dans les cœurs. Khlebnikov et Maïakovski ont donné son leitmotiv à l'art littéraire de notre temps. Le nom de Goumilev marque une voie latérale de la nouvelle poésie russe — un harmonique caractéristique. Si pour Khlebnikov et Maïakovski « la patrie de la création est l'avenir, d'où souffle le vent des dieux du verbe », Essenine est le regard lyrique en arrière, son vers et sa poésie montrent la lassitude d'une génération.

Tous ces noms définissent la nouvelle poésie d'après 1910. Si brillants que soient les vers d'Asseïev ou de Selvinski, leur lumière est réfléchie; ils ne déterminent pas, mais reflètent l'époque, leur grandeur est dérivée. Les livres de Pasternak, de Mandelstam, sont peut-être remarquables, mais c'est de la poésie de chambre qui n'allumera pas une création nouvelle, des mots qui ne mettront pas en mouvement, ne réduiront pas en cendres les cœurs des générations, ne feront pas une trouée dans le présent [1].

Exécution de Goumilev (1886-1921), longue agonie spirituelle, tortures physiques insupportables, mort de Blok (1880-1921), privations cruelles et mort dans des souffrances inhumaines de Khlebnikov (1885-1922), suicides prémédités de Essenine (1895-1925) et de Maïakovski (1894-1930). C'est ainsi que les années 20 de ce siècle ont

1. En disant poésie de chambre, nous ne voulons rien dire de péjoratif. La poésie de Baratynski par exemple, ou celle d'Innokenti Annenski, était de la poésie de chambre.

vu mourir, à l'âge de trente à quarante ans, les inspirateurs d'une génération, et pour chacun d'eux, la conscience d'une fin irrémédiable, avec sa lenteur et sa précision, fut intolérable. Ceux qui ont été tués ou se sont tués, mais aussi Blok et Khlebnikov, cloués dans leur lit par la maladie, sont effectivement morts. Dans les mémoires de Zamiatine : « C'est nous qui sommes tous coupables... Je me souviens que je n'y ai pas tenu et que j'ai téléphoné à Gorki : Blok est mort, nous sommes tous impardonnables, nous tous. » V. Chklovski, dans ses souvenirs sur Khlebnikov : « Pardonne-nous, pour toi et pour tous les autres que nous tuerons... L'État ne répond pas de la mort des gens; au temps du Christ, il ne comprenait pas l'araméen, et d'une manière générale, il n'a jamais compris l'humain. Les soldats romains qui transperçaient les mains du Christ n'étaient pas plus coupables que les clous. Mais ça fait quand même très mal à ceux qu'on crucifie [1]. »

Le poète Blok s'est tu, a péri bien avant l'homme, mais les plus jeunes faisaient encore des vers à leur mort (« Où que je meure, je mourrai en chantant »). Khlebnikov savait qu'il était en train de mourir, il se décomposait vivant, demandait des fleurs pour ne pas sentir la puanteur : il écrivit jusqu'à la fin. La veille de son suicide, Essenine composait des vers magistraux sur sa mort prochaine. Des vers sont dispersés dans la lettre d'adieux de Maïakovski, dont chaque ligne est d'un écrivain professionnel. Deux nuits le séparent encore de la mort, des discussions pratiques sur le quotidien de la littérature auront lieu dans l'intervalle, et dans la lettre, ceci : « S'il vous plaît, ne faites pas de potins, le défunt détestait ça. » C'est une vieille exigence de Maïakovski : « le poète doit presser le temps ». Et le voilà qui regarde les dernières lignes qu'il aura écrites avant sa mort avec les yeux du lecteur d'après-demain. Cette lettre dans chacun de ces motifs et la mort elle-même de Maïakovski sont si étroitement entrelacées avec sa poésie qu'on ne peut les lire que dans son contexte.

1. Khlebnikov lui-même raconte sa mort comme un suicide :

> Comment? Zanguezi est mort!
> Ce n'est pas tout, il s'est égorgé avec un rasoir.
> Quelle triste nouvelle!
> Quel sinistre bruit!
>
> Il a laissé une courte note :
> « Rasoir, prends-la, ma gorge! »
> Le large jonc de fer
> A coupé le flot de sa vie, il n'est plus...

L'œuvre poétique de Maïakovski, depuis les premiers vers dans la *Gifle au goût public* [a] jusqu'aux dernières lignes, est une et indivisible. Développement dialectique d'un thème unique. Unité singulière d'une symbolique. Un symbole lancé une fois comme une allusion se déploie ailleurs, se présente dans un raccourci différent. Parfois, le poète souligne expressément ce lien dans ses vers, renvoie à des œuvres plus anciennes (par exemple, dans le poème *De ceci*, il renvoie à *l'Homme*, et dans celui-ci, aux premiers poèmes lyriques). Une image interprétée primitivement de manière humoristique se présente ensuite avec une autre coloration, ou au contraire, un motif développé pathétiquement réapparaît sous un aspect parodique. Il ne s'agit pas d'une profanation de la foi passée, mais de deux plans d'une même symbolique, le tragique et le comique, comme dans le théâtre du Moyen Age. L'effort constant vers un même but dirige les symboles. « Nous tonnerons un nouveau mythe à travers le monde. »

La mythologie de Maïakovski?

Le premier recueil de ses poèmes s'appelle *Moi*. Vladimir Maïakovski n'est pas seulement le héros de sa première pièce de théâtre, mais aussi le titre de cette tragédie; c'est également le titre de la dernière collection de ses œuvres. L'auteur dédie ces vers « A moi que j'aime ». Lorsque Maïakovski travaillait à son poème *l'Homme*, il disait : « Je veux montrer simplement l'homme, l'homme en général, mais pas des abstractions à la Andréiev, un authentique Ivan, qui remue les bras et mange de la soupe aux choux, un Ivan qu'on sent immédiatement. » Mais Maïakovski ne sent immédiatement que lui-même. L'article de Trotski sur Maïakovski (un article intelligent, a noté le poète) dit très justement ceci : « Pour élever l'homme, il l'érige en Maïakovski. Comme le Grec était anthropomorphiste et voyait naïvement à son image les forces de la nature, notre poète, Maïakomorphiste, peuple de lui-même les places, les rues et les champs de la révolution. » Même lorsque, dans un poème, le rôle du héros est tenu par une masse de 150 millions d'hommes, celle-ci se transforme en un Ivan unique et collectif, preux des contes, qui prend à son tour les traits bien connus du moi du poète. Dans les brouillons du poème, ce moi perce encore plus nettement [1].

D'une façon générale, le moi du poète n'est ni épuisé, ni englobé,

1. Nom nouveau / échappe-toi / vole / dans l'espace de notre demeure le monde / ciel bas / millénaire / disparais la croupe bleue. / C'est Moi. / Moi, Moi / Moi / Moi / Moi / Moi / assainisateur inspiré de la terre...

a. Recueil futuriste paru en 1912.

par la réalité empirique. Maïakovski passe dans une de ses « âmes innombrables ». « L'esprit inexorable de la révolte éternelle », l'esprit irresponsable sans nom propre ni patronyme, « des temps futurs, simplement, un homme », viennent se revêtir de ses muscles. « Et je sens que mon moi est pour moi trop petit. Quelqu'un veut obstinément s'échapper de moi. » L'angoisse, l'étouffement derrière une limite posée, la volonté de surmonter les barrières statiques, c'est là un thème dont Maïakovski joue sans cesse les variations. Aucune tanière au monde ne peut contenir le poète et la horde déchaînée de ses désirs. « Parqué dans l'enclos de la terre, des jours je traîne le joug. » « Elle m'a mis aux fers, cette terre maudite. » La tristesse et l'ennui de Pierre le Grand — « prisonnier enchaîné dans sa propre ville ». Les provinces pareilles à du bétail écorché « sortant des zones fixées par les gouverneurs ».

La grille du blocus se transforme dans les vers de Maïakovski en prison à l'échelle du monde, détruite par l'élan cosmique « au-delà des abîmes irisés du couchant ». L'appel révolutionnaire du poète s'adresse à tous ceux « qui étouffent et n'en peuvent plus », « qui ont pleuré parce que le nœud des midis les serre ». Le moi du poète est un bélier qui cogne le Futur interdit, c'est la volonté « lancée au-delà de l'ultime limite » d'une incarnation du Futur, d'une plénitude absolue de l'existence : « il faut arracher la joie aux jours à venir ».

A l'élan créateur vers un avenir transformé s'oppose une tendance à la stabilité d'un présent immuable qui se couvre de vieilleries routinières, d'une vie qui se fige selon des modèles étroits et rigides. Cet élément se nomme *byt*, le rite de l'existence quotidienne. Il est curieux de voir que dans la langue et la littérature russes, ce mot et ceux qui en dérivent jouent un rôle considérable — du russe, il est même passé au zyriène — mais que dans les langues européennes, il n'existe pas de notion correspondante, probablement parce que, dans la conscience collective européenne, rien ne s'oppose aux formes et aux normes stables de la vie qui puisse les exclure. La révolte de l'individu contre les principes routiniers de la vie sociale suppose leur existence. La véritable antithèse de l'existence quotidienne est un affaissement des normes immédiatement sensible à ceux qui partagent cette existence. En Russie, ce sentiment de l'instabilité des bases, non comme déduction historique, mais comme expérience immédiate, est connu de tous temps. Au temps de Tchaadaïev déjà, l'atmosphère de « stagnation mortelle » s'accompagne d'un sentiment de fragilité et d'inconstance. « Tout s'écoule, tout passe... Dans nos maisons, nous sommes comme de passage, dans nos familles nous avons l'air d'étrangers, dans les villes nous ressemblons à des nomades. » Ou bien, chez Maïakovski :

... lois
notions
croyances
amas granitique des capitales
et rousseur immobile du soleil lui-même
tout semble devenu un peu fluide
un peu rampant
un peu liquéfié.

Mais ces déplacements, cet « écoulement de la chambre » du poète, tout cela n'est qu' « à peine perceptible, ou alors seulement avec le petit bout de l'âme, une espèce de souffle ». Le statisme continue à régner. C'est depuis toujours l'ennemi du poète, qui ne se lasse pas de revenir à ce thème. « L'existence quotidienne sans le moindre mouvement. » « Elle reste toujours là des siècles comme avant. On ne la bat pas et elle ne bouge pas, la jument de l'existence quotidienne. » « La graisse envahit les fentes de l'existence quotidienne et se fige, paisible et large. » « Le marais de l'existence s'est empli de vase, s'est couvert des lentilles d'eau du quotidien. » « La petite existence toute vieille, toute vieille, couverte de moisissure. » « L'existence se coule dans toutes les fentes. » « Faites chanter l'existence bafouillante! » « Mettez la question de l'existence quotidienne à l'ordre du jour. »

L'automne
l'hiver
le printemps
l'été
éveillé
endormi
je n'accepte pas
je hais tout
cela.
Tout
ce qui en nous
est enfoncé par un passé d'esclaves
tout
ce qui en essaim de mesquineries
s'installait
s'est déposé de
quotidien
même dans notre
régime au drapeau rouge.

C'est seulement dans le poème *De ceci* que l'empoignade désespérée du poète avec la platitude quotidienne est montrée à découvert, que celle-ci n'est pas personnifiée; il frappe directement le quotidien livide à coup de mots, et celui-ci répond en visant le révolté « de tous les fusils, de toutes les batteries, de chaque mauser et de chaque browning ». Dans les autres textes de Maïakovski, le quotidien est représenté par un personnage, mais qui, selon la remarque de l'auteur lui-même, n'est pas un être vivant, mais une tendance animée. La définition de cet ennemi est, dans le poème *l'Homme*, d'une généralité limite : « Maître de Tout, mon rival, mon ennemi indomptable. » Cet ennemi peut être concrétisé, localisé, on peut l'appeler, par exemple, Wilson, l'installer à Chicago et esquisser son portrait dans la langue hyperbolique des contes. Mais suit alors « une petite remarque » : « Les peintres font les portraits des Wilson, des Lloyd-George, des Clemenceau — gueules moustachues, gueules sans moustaches — mais en vain : tout cela, c'est la même chose. » L'ennemi est une image universelle, et forces de la nature, hommes, substances métaphysiques, n'en sont que les apparences, les masques épisodiques : « Le même homme chauve mène, invisible, maître à danser principal, le cancan terrestre. Une fois sous l'aspect d'une idée, une fois quelque chose comme un diable, une autre fois rayonnant comme le bon Dieu qui apparaît de derrière un nuage. » S'il nous prenait l'idée de traduire la mythologie de Maïakovski dans la langue de la philosophie spéculative, ce qui correspondrait le plus précisément à cette hostilité serait l'antinomie du « moi » et du « non-moi ». On ne saurait trouver de nom plus adéquat pour l'ennemi.

De la même façon que le moi créateur du poète n'est pas recouvert par son moi empirique, celui-ci, inversement, n'est pas recouvert par celui-là. Au milieu du défilé sans visages des gens de connaissance entortillés dans une toile d'araignée

> dans l'un d'eux
> j'ai reconnu
>   — ressemblant comme un jumeau —
> moi-même
>   c'est moi
>   même.

Ce double effrayant, ce moi lié à la platitude quotidienne, c'est le propriétaire-consommateur, que Khlebnikov oppose à l'inventeur. Son pathos, c'est la stabilisation et l'individualisme : « Le coin est à moi, l'entreprise est à moi, et le petit portrait sur le mur, c'est également moi. » Le spectre d'un ordre du monde immuable — de l'existence quotidienne universelle installée dans ses quartiers — accable le poète. « Sourd, l'univers dort. »

Les révolutions secouent le corps des empires,
le troupeau humain change de bouviers,
mais toi,
sans couronne souverain des cœurs,
pas une révolte ne te touche!

A cette puissance écrasante doit s'opposer un soulèvement sans précédents, pour lequel il n'existe pas encore de nom. « La révolution dépouille le tsar de son titre de tsar. La révolution jette la faim des foules sur les boulangeries. Mais toi, quel nom te donnerai-je? » Les termes de la lutte des classes ne sont que des analogies conventionnelles, des symboles approximatifs, un plan parmi d'autres, *pars pro toto*. Le poète, « de combats qui n'ont pas été ayant vu les péripéties », réinterprète la terminologie habituelle. Dans les ébauches pour *150 000 000*, on trouve les définitions caractéristiques suivantes : « Être bourgeois, ce n'est pas avoir un capital et jeter les pièces d'or par les fenêtres. C'est le talon des cadavres sur la gorge des jeunes gens, c'est la bouche bâillonnée par des boules de graisse. Être prolétaire, cela ne veut pas dire être noir de charbon, être celui qui fait tourner les usines. Être prolétaire, c'est aimer l'avenir qui fait sauter la boue des sous-sols — croyez-moi. »

On a remarqué plus d'une fois le lien qui a toujours uni la poésie de Maïakovski au thème de la révolution. Mais on n'a pas prêté attention à une autre conjonction de motifs dans son œuvre, celle de la révolution et de la perte du poète. On y trouve déjà des allusions dans la *Tragédie*, et par la suite, le caractère non fortuit de cette conjonction devient « évident jusqu'à l'hallucination ». Pour l'armée des héros, pour les volontaires condamnés, il n'est pas de merci! Le poète est la victime expiatoire sacrifiée au nom de la véritable résurrection universelle à venir (c'est le sujet de *Guerre et Paix*). Lorsqu'une certaine année viendra couronnée d'épines par la révolution, « j'arracherai pour vous mon âme, l'écraserai pour qu'elle soit large! — et sanglante, vous la donnerai, comme un drapeau » (sujet du *Nuage*). Dans les vers des années révolutionnaires, on trouve ce même thème traité au passé. Le poète, mobilisé par la révolution, a « mis le pied sur la gorge de sa propre chanson » (ces vers sont parmi les derniers qui furent publiés du vivant de Maïakovski : ils s'adressent à ses camarades-descendants et sont écrits dans la claire conscience de sa fin prochaine). Dans le poème *De ceci*, le poète est détruit par l'existence quotidienne : « La guerre était terminée... Il n'y avait plus, sur le Kremlin, que des lambeaux du poète qui brillaient dans le vent comme un petit drapeau rouge. » Ce motif répète sans ambiguïté les images du *Nuage*.

Le poète cherche à saisir le futur dans son oreille insatiable, mais il ne lui est pas donné d'entrer dans la terre promise. Les visions d'avenir appartiennent aux pages les plus chargées de Maïakovski. « Pas de platitude quotidienne » *(le Prolétaire volant)*. « Un jour se leva, tel que les contes d'Andersen se traînaient comme des chiots à ses pieds. » « Tu ne comprendras pas si c'est l'air, si c'est une fleur, si c'est un oiseau ! Ça chante, ça sent bon, et c'est coloré, en même temps. » « Appelez-nous Abel ou bien Caïn, cela ne fait pour nous aucune différence. L'avenir a commencé. » Pour Maïakovski, l'avenir est une synthèse dialectique. La levée de toutes les contradictions trouve son expression dans l'image bouffonne du Christ jouant aux dames avec Caïn, dans le mythe d'un univers pénétré d'amour, dans la thèse suivante : « La Commune est un endroit d'où les fonctionnaires auront disparu, et où il y aura beaucoup de vers et de chants. » La désunion actuelle, la contradiction entre la construction technique et la poésie, est « une affaire très délicate; — la place du poète dans un régime ouvrier » est pour Maïakovski un des problèmes les plus aigus. « Qui a besoin, disait-il, d'une littérature qui occupe son coin particulier? Ou bien elle occupera tout le journal tous les jours, à chaque page, ou bien elle est tout à fait inutile. Au diable une littérature qu'on présente comme un dessert » (*Souvenirs* de D. Lébédev).

Les discussions sur l'inutilité et la mort de la poésie ont toujours éveillé l'ironie de Maïakovski (en elles-mêmes, disait-il, les discussions sont absurdes, mais elles sont utiles à la révolutionnarisation de l'art). Dans son poème *la Cinquième Internationale*, auquel Maïakovski avait travaillé longtemps et sérieusement, mais sans parvenir à l'achever, il avait l'intention de poser avec netteté la question de l'art de l'avenir. La fable projetée est la suivante : la première étape de la révolution — la transformation sociale du monde — est achevée. L'humanité s'ennuie. La platitude quotidienne a survécu. Il faut passer à un acte nouveau, à de nouvelles secousses mondiales — une « révolution de l'esprit » dirigée par la Cinquième ou Centième Internationale au nom d'une nouvelle manière de vivre, d'un art nouveau, d'une science nouvelle. L'introduction publiée de ce poème est un ordre du jour pour supprimer les beautés du vers, introduire dans la poésie la brièveté et la précision des formules mathématiques et la logique la plus irréfutable. Un exemple de composition poétique est donné, sous la forme d'un problème de logique. Lorsque je lui exprimai mon scepticisme au sujet de ce programme poétique, de ce sermon en vers contre le vers, Maïakovski eut un sourire et me dit : « Est-ce que tu as remarqué que la solution de mon problème logique est obscure? »

L'antinomie entre le rationnel et l'irrationnel est le sujet d'un poème remarquable, *A la maison.* C'est un rêve de fusion des deux éléments, une certaine rationalisation de l'irrationnel :

Je sens que je suis
une usine
soviétique,
produisant du bonheur.
Je ne veux pas
qu'on me cueille
comme des fleurettes dans une clairière
après les peines d'une journée de travail.
....
Je veux
que pareil au super salaire des spécialistes
l'amour
soit dispensé aux cœurs.
Je veux
que le travail terminé
le comité d'usine
ferme ma bouche
à clef.
Je veux
qu'on assimile la plume
à la baïonnette.
Qu'avec la fonte
et la production de l'acier
le travail des vers
fasse l'objet
des rapports de Staline
devant le Politbureau:
« C'est comme ça, dirait-il,
et comme ça...
Et nous sommes montés
des terriers ouvriers
jusqu'aux plus hautes cimes :
Dans l'Union
des Républiques
la compréhension des vers
est supérieure
à la norme d'avant-guerre... »

Le thème de l'affirmation de l'irrationnel se présente chez Maïakovski sous des aspects différents. Chacune de ces images émerge à plusieurs reprises dans son œuvre. Les étoiles (« Mais si on allume les étoiles, c'est que quelqu'un en a besoin! »). L'extravagance du printemps (« En ce qui concerne le pain, c'est clair, et en ce qui concerne la paix aussi. Mais en ce qui concerne cette question cardinale, le printemps, il faut à tout prix la régler »). Le cœur, qui transforme « en été les hivers, l'eau en vin » (« C'est mon cœur que j'ai hissé comme un drapeau, miracle inouï du XXe siècle »). Et la réponse de l'ennemi : « Si le cœur est tout, alors pourquoi, pourquoi t'ai-je amassé, cher argent? Comment osent-ils chanter? Qui leur en a donné le droit? Qui a permis aux jours de s'enjuilletter? Enfermez le ciel dans les fils télégraphiques! Garrottez la terre avec les rues! ») Mais le thème irrationnel fondamental est chez Maïakovski l'amour. Il se venge cruellement de ceux qui ont osé l'oublier, il disperse comme un orage les gens et les affaires, il écarte tout le reste. Et de la même manière que la poésie, en même temps inséparable de la vie actuelle et en désaccord avec elle, il est incrusté « entre les services, les revenus, etc. ». L'amour est écrasé par le quotidien.

> Tout-puissant, tu as inventé une paire de bras,
> tu as fait
> que chacun ait une tête, —
> pourquoi n'as-tu pas fait
> qu'on puisse sans souffrances
> embrasser, embrasser, embrasser?!

Barrer l'irrationnel? Et Maïakovski dessine un tableau violemment satirique : d'un côté, l'ennui somnolent des confidences — le profit tiré des coopératives, le mal fait par la boisson, l'enseignement politique élémentaire de Berdnikov, « les endroits vides s'appellent des trous »; de l'autre côté, un voyou déchaîné à l'échelle planétaire (le poème *Un type*). Accent satirique sur une antinomie dialectique.

Rationalisation de la production, culture technique, industrialisation planifiée, oui, si derrière ces constructions « l'œil entrouvert de l'avenir brille du véritable amour humain », non, si cette édification est un accrochage de rapaces dont l'enjeu est aujourd'hui. Dans une telle orientation, la technique la plus grandiose se transforme dans « l'appareil le plus perfectionné du provincialisme et du commérage à l'échelle mondiale » *(Ma découverte de l'Amérique)*. C'est ce provincialisme planétaire qui imprègne la vie en l'an 1970 dans *la Punaise* : organisation aussi rationnelle que possible, sans violence, sans condensations superflues d'énergie, sans rêves. La transformation sociale du monde est accomplie, mais la révolution de l'esprit est encore à faire. C'est un pamphlet paisible contre les héritiers spirituels des tristes juges qui, dans une satire antérieure de Maïakovski « sans qu'on sache en vue de quoi et pour quelle raison, firent pression sur le Pérou ». Ces personnages de *la Punaise* ont beaucoup de ressemblances avec les *Nous* de Zamiatine, mais chez Maïakovski, l'antithèse elle-même de cette communauté rationnelle utopique, la révolte au nom du caprice irrationnel, de l'alcool et du bonheur personnel non contrôlé, est tournée en ridicule sans aucune indulgence, alors que Zamiatine l'idéalise.

La foi de Maïakovski est inébranlable, selon laquelle derrière des montagnes de peine, derrière la multiplication sédimentée des révolutions, il y a « un véritable paradis terrestre », la seule solution possible à toutes les contradictions. L'existence quotidienne n'est qu'un succédané de la synthèse à venir, elle n'efface pas les contradictions, elle se contente de les dissimuler. Le poète refuse la substitution du compromis, de la réconciliation mécanique des contraires, à la dialectique. Les cibles des sarcasmes féroces de Maïakovski sont le conciliateur *(Mystère-Bouffe)*, et derrière la galerie pittoresque des bureaucrates-accordeurs dépeints dans les tracts de propagande, Pobédonossikov, glavnatchpoups [glavny nachalnik po upravleniju soglasovaniem] ou directeur principal de la gestion de la conciliation *(les Bains)*. Barrières sur le chemin du futur, telle est la fonction essentielle de ces « êtres artificiels ». La machine du temps les recrachera inévitablement.

L'illusion criminelle, c'est de faire passer le seul problème essentiel de la « vie miraculeuse » du monde, par la cuisine du bonheur personnel. Ne nous réjouissons pas trop vite. Le thème des premiers tableaux de *la Punaise* est la fatigue devant l'emphase belliqueuse, l'alignement au garde-à-vous, les métaphores des tranchées. « Nous y voilà, les tranchées. Nous ne sommes plus en 19. Les gens ont envie de vivre pour eux-mêmes. » Action familiale. « Les roses fleuriront et seront parfumées pendant une période donnée. » « L'élégante conclusion du chemin semé de luttes de notre camarade. » Oleg Baïane, servant de la beauté, s'exprime ainsi : « Nous avons réussi à concilier et à coordonner les contradictions de classe et les autres; un homme armé d'un œil marxiste ne peut pas ne pas voir là, comme dans une goutte d'eau pour ainsi dire, le bonheur futur de l'humanité, appelé populairement socialisme » (auparavant, dans un passage lyrique, on avait ceci : « Il est couché dans un lit moelleux, la main de la table de chevet lui présente des fruits, du vin »). Chaque vers de Maïakovski est rempli d'une haine infinie pour ces chercheurs de repos et de confort. C'est à eux que répond l'ajusteur de *la Punaise* : « Poussons ensemble, tous ensemble. Mais nous ne sortirons pas de ce trou de tranchée avec un drapeau blanc. » *De ceci* développe le même motif sur le plan du drame intérieur. Le poète lui-même prie pour que vienne l'amour sauveur : « Confisque mon supplice, abolis-le. » Et Maïakovski répond :

Laisse.
Pas besoin
de mots
de prières.
A quoi bon
toi
seul
tu réussirais?!
J'attends
pour donner à toute la terre privée d'amour
en même temps
pour donner à toute
la masse humaine
du monde entier.
Je suis là depuis sept ans
je peux rester deux cents ans
cloué
à attendre cela.
Des années sur un pont
sous le mépris
sous les rires
rédempteur de l'amour terrestre
je dois rester là
je reste pour tous
je pleurerai pour tous
je paierai pour tous...

Mais Maïakovski le sait bien : il pourrait vieillir quatre fois, ayant quatre fois rajeuni, cela ne reviendrait qu'à quadrupler la torture, qu'à multiplier l'horreur devant l'absurdité quotidienne et les fêtes humaines prématurées. De toute façon, il ne vivrait pas assez longtemps pour voir le déploiement universel de l'absolue plénitude de l'être ; de toute façon, le résultat final était inévitable : « Je n'ai pas vécu ma part de vie sur terre, je n'ai pas aimé ma part d'amour. » Son sort était la mort expiatoire avant d'avoir connu la joie.

Pour chacun il y a une balle
pour chacun, un couteau.
Quand viendra mon tour?
A quoi dois-je m'attendre?

A cette question, Maïakovski répond avec assurance. Malgré toute l'emphase que les futuristes russes mettent à s'écarter des « généraux que sont les classiques », le sang des traditions littéraires russes coule dans leurs veines. Ce n'est pas par hasard que le slogan tactique de Maïakovski, formulé par bravade, « Et pourquoi Pouchkine n'est-il pas attaqué? », se transforme en adresse élégiaque au même Alexandre Serguéiévitch : « Bientôt moi aussi je mourrai et je serai muet. Après la mort, on nous posera presque côte à côte. » Les rêves d'avenir de Maïakovski, répétant l'utopie de Versilov [a], son hymne à l'humanité, le combat qu'il mène, « treizième apôtre », contre Dieu, son refus éthique de Dieu, tout cela est bien plus proche du passé de la littérature russe que de l'athéisme officiel de service. Ce n'est pas non plus au cathéchisme de Yaroslavski [b] qu'est liée la foi de Maïakovski dans l'immortalité individuelle. Sa vision de la résurrection future des morts dans leur chair converge avec la mystique matérialiste de Fédorov.

Au printemps 1920, je rentrais à Moscou murée par le blocus. Je rapportais de nouveaux livres parus en Europe, des informations sur le travail scientifique de l'Occident. Maïakovski me fit répéter plusieurs fois mon récit confus sur la théorie générale de la relativité et les discussions qu'elle suscitait à cette époque. La libération de l'énergie, la problématique du temps, la question de savoir s'il n'existe pas de vitesse dépassant celle de la lumière, par le retour en arrière dans le temps, tout cela le passionnait. Je l'avais rarement vu aussi attentif et fasciné. « Et tu ne penses pas, me demanda-t-il tout à coup, qu'on conquerra ainsi l'immortalité? » Je le regardai, stupéfait, marmonnai quelque chose d'incrédule. Avec l'opiniâtreté hypnotisante que connaissent certainement tous ceux qui l'ont approché d'assez près, Maïakovski se mit à mouvoir ses pommettes : « Moi, je suis absolument convaincu que la mort n'existera plus. On ressuscitera les morts. Je vais trouver un physicien qui m'expliquera point par point le livre d'Einstein. Ce n'est pas possible, comme ça, que je ne comprenne pas. Ce physicien, je lui procurerai une ration académique. » A cet instant un Maïakovski complètement autre était apparu devant moi : l'exigence d'une victoire sur la mort le possédait tout entier. Il raconta là-dessus qu'il travaillait à un poème, « la Quatrième Internationale » (il l'intitula plus tard *la Cinquième Internationale*), et qu'on y parlait de tout cela. « Einstein fera partie de cette Internationale. Ce sera beaucoup plus important que les *150 000 000.* » Maïakovski était obsédé à cette époque par l'idée d'envoyer à Einstein un télégramme de compliments — à la science de l'avenir, de la part de l'art de l'avenir. Par la suite, nous ne sommes jamais revenus à ces thèmes dans nos conversations. Le poème *la Cinquième Internationale* est resté inachevé.

a. Personnage de *l'Adolescent* de Dostoïevski.
b. Chef de file de la propagande athéiste en U.R.S.S.

Mais voici l'épilogue du poème *De ceci* : « Je vois, je vois clairement, dans tous les détails... Inaccessible au pourrissement et à la chute en poussière — resplendissant s'élève à travers les siècles l'atelier des résurrections humaines. Requête au nom de   (Prière, camarade chimiste, de remplir les blancs vous-même!) »

Je n'ai pas le moindre doute là-dessus : il ne s'agit pas du tout ici, pour Maïakovski, d'un titre littéraire, mais d'une véritable requête, pleinement raisonnée, adressée à un paisible chimiste au front large du XXXe siècle.

> Ressuscite-moi
> Ne serait-ce que
> parce que je suis
> poète
> que je t'ai attendu
> que j'ai rejeté l'absurdité du quotidien.
> Ressuscite-moi
> ne serait-ce que pour cela!
> Ressuscite-moi —
> je veux vivre mon compte de vie!

On trouve le même Institut futur des résurrections humaines dans *la Punaise*, sur le plan de la comédie. Ce motif devient de plus en plus insistant dans les derniers textes de Maïakovski. Thème du drame *les Bains* : « Venant de l'avenir apparaît sur la machine du temps une femme phosphorescente, mandatée pour choisir les meilleurs et les transporter dans un siècle futur : Au premier signal nous sommes emportés en avant, déchirant le temps caduc... Le temps dans son vol balayera et tranchera le ballast alourdi de vieilleries, le ballast dévasté par l'incrédulité. » Une fois de plus, la foi est le gage de la résurrection. Les hommes du futur doivent transformer non seulement ce qui est devant eux, mais aussi le passé. « Il est temps de briser la barrière à coups de pieds... Comme nous l'avons écrit, tel sera le monde et mercredi, et hier et maintenant et toujours, et demain et plus tard dans les siècles des siècles » *(150 000 000)*. Les vers à la mémoire de Lénine sont chiffrés, mais parlent de la même chose :

> Et la mort
> ne doit pas
> le toucher,
> il fait partie
> du budget de l'avenir!
> Les jeunes gens
> écoutent
> ces strophes sur la mort
> et leur cœur entend : immortalité.

Dans les textes plus anciens de Maïakovski, l'immortalité physique personnelle se réalise malgré l'expérience scientifique. « Étudiants! Ce sont des blagues, tout ce que nous savons et apprenons! Physique, chimie et astronomie — sottises » *(l'Apothéose de Maïakovski)*. A cette époque, la science est pour lui l'art vain d'extraire une racine carrée par seconde, la collection inhumaine des débris pétrifiés de l'avant-dernier été. Et le satirique *Hymne au savant* ne s'est transformé en hymne véritable, enthousiaste, qu'au moment où Maïakovski a vu, dans « le cerveau futuriste d'Einstein », dans la physique et la chimie de l'avenir, les instruments miraculeux de la résurrection humaine. « La Volga du temps humain, dans laquelle nous jetait notre naissance comme du bois de flottage, nous jetait barboter et flotter dans le courant, — cette Volga se soumet à nous désormais. J'obligerai le temps à s'arrêter et se précipiter dans n'importe quelle direction et à n'importe quelle vitesse. Les hommes pourront sortir des jours comme les passagers descendent des tramways ou des autobus... Tu peux transformer en ouragan les longues années traînantes du malheur, rentrer la tête dans les épaules, et au-dessus de toi, sans te blesser ni te chercher querelle, l'obus du soleil passera cent fois par minute et mettra fin aux jours sombres. » (Nous trouvons là chez Maïakovski les mots mêmes de Khlebnikov.)

Mais quelles que soient les voies de l'immortalité, son image dans la mythologie poétique de Maïakovski reste inchangée : il n'y a pas pour lui de résurrection sans incarnation, sans chair, l'immortalité ne peut avoir lieu dans un au-delà, elle est inséparable de la terre. « Je suis pour le cœur, et où est le cœur de ceux qui n'ont pas de corps?... Il regarda fixement par terre... Troupeau sans corps, qui ne fait que poursuivre la tristesse! » *(l'Homme)*. « C'est ici sur la terre que nous voulons vivre — pas plus haut ni plus bas — nous voulons tous ces sapins, ces maisons, ces chevaux et ces herbes » *(Mystère-Bouffe)*. « De mon cœur tout entier — en toute cette vie — en ce monde — j'ai cru, je crois » *(De ceci)*. Le terrestre éternel, c'est là le rêve de Maïakovski. Ce thème de la terre s'oppose violemment à toute espèce d'abstraction supraterrestre désincarnée; il se présente chez Maïakovski et Khlebnikov dans une incarnation dense et physiologique (parfois, il ne s'agit même pas de corps, mais de viande); son expression limite est le culte sincère de la bête et de sa sagesse animale.

« Les os ensevelis se lèvent et sortent des tertres funéraires, se recouvrent de viande » *(Guerre et Paix)* : ce n'est pas seulement la réalisation littéraire d'un schème burlesque. Cet avenir qui ressuscite les hommes du présent, ce n'est pas seulement un procédé poétique, pas seulement l'entrelacement bizarre des deux plans d'une narration. C'est le mythe le plus secret de Maïakovski.

A cet amour sans défaillance d'un avenir faiseur de miracles, Maïakovski joint l'hostilité à l'égard des jeunes enfants, ce qui, à première vue, n'est guère compatible avec ce futurisme fanatique. Mais en fait, le thème obsédant de la haine du père, le « complexe des parents », s'accorde chez Dostoïevski avec la vénération des ancêtres et le respect de la tradition; dans le monde spirituel de Maïakovski, la foi abstraite dans la transformation future du monde s'unit de la même manière, infailliblement, à la haine pour la mauvaise éternité du lendemain concret prolongeant aujourd'hui (« tous les calendriers se ressemblent! »), à une hostilité constante pour ce « petit amour de mère poule » qui reproduit sans cesse le prosaïque et le quotidien. Maïakovski pouvait prendre en considération, abstraitement, la mission créatrice des « gosses du collectif » dans la lutte sans fin contre l'ancien, mais il avait un mouvement convulsif lorsqu'un enfant en chair et en os entrait dans la pièce où il se trouvait. Dans un enfant concret, Maïakovski ne reconnaît pas son mythe de l'avenir. Il ne s'agit pour lui que d'une ramification nouvelle de l'ennemi aux cent visages. C'est pour cela qu'Aristide et Thémistocle [a], béatement sentimentaux, ont trouvé un prolongement digne d'eux dans les personnages enfantins grotesques d'un remarquable scénario de film, *Comment allez-vous*, dont Maïakovski est l'auteur [1]. Et son poème de jeunesse, *Quelques mots sur moi-même*, commence par ce vers « j'aime regarder mourir les enfants ». Ailleurs, l'infanticide est érigé en thème cosmique : « Soleil! Mon père! Prends-moi en pitié, toi au moins, et ne me torture pas! C'est par toi que fut versé mon sang, il coule comme un sentier dans la vallée. » Le « complexe de l'enfant » passe de nouveau dans *Guerre et Paix*, baigné de la même lumière solaire, motif séculaire et en même temps personnel :

> Vous entendez —
> le soleil lance ses premiers rayons,
> sans savoir encore
> où
> il va passer, son travail fini, —
> c'est moi,
> Maïakovski,
> qui ai porté
> aux pieds de l'idole
> un enfant décapité.

1. Le fils est à quatre pattes avec le petit chien. « Mon petit sien, il est dlisciliné, il ne fait pas pipi quand il veut, mais quand moi ze veux. » La mère est en extase « Mon Toto est délicieux, n'est-ce pas? C'est un enfant bien au-dessus de son âge. »

a. Les enfants de Manilov, dans *les Ames mortes* de Gogol.

Le lien entre le thème de l'infanticide et celui du suicide est évident : ce sont deux manières différentes de priver le présent de succession, d' « interrompre le temps caduc ».

A la foi dans une victoire possible sur le temps et sa marche continue, se rattache la doctrine de Maïakovski concernant le poète. La poésie n'est pas une superstructure mécanique qui s'ajoute à l'édifice achevé de l'existence quotidienne (ce n'est pas par hasard que Maïakovski était si étroitement lié aux critiques littéraires formalistes); un poète authentique « ne vient pas paître l'herbe de l'existence quotidienne, il n'a pas le museau appuyé par terre »; « les faibles piétinent sur place et attendent que l'événement soit passé pour le refléter, les puissants courent devant, assez loin pour tirer derrière soi le temps qu'ils ont saisi ». Le poète devançant et pressant le temps est une image constante chez Maïakovski. N'est-ce pas l'image véritable de Maïakovski lui-même? Khlebnikov et Maïakovski ont prédit la révolution avec une grande précision (jusqu'à sa date comprise) — c'est un détail, mais qui a son importance. Il me semble que jamais, le sort de l'écrivain ne fut dévoilé dans ce qu'il dit avec une franchise aussi impitoyable qu'aujourd'hui. Il brûle de connaître sa vie d'avance et apprend à la connaître dans son roman. Le théurgiste Blok et le marxiste Maïakovski voient avec la même évidence qu'une force élémentaire et inexplicable dicte ses vers au poète. « D'où vient ce rythme-grondement fondamental, je n'en sais rien. » Nous ne savons même pas où il existe : « hors de moi ou seulement en moi, en moi plutôt ». Le poète ressent la contrainte de ses propres vers, et ses contemporains, la nécessité du chemin de sa vie. Existe-t-il aujourd'hui quelqu'un qui ne sente pas que les livres d'un poète sont un scénario selon lequel celui-ci joue le film de sa vie? A côté du personnage principal, d'autres rôles sont également distribués, mais pour lesquels les acteurs sont engagés au cours de l'action, immédiatement, selon les besoins de l'intrigue, qui est prédéterminée jusque dans les détails du dénouement.

Le motif du suicide, complètement étranger à la thématique des futuristes ou du LEF, réapparaît sans cesse dans l'œuvre de Maïakovski, depuis ses premiers textes, où des fous se pendent dans leur lutte inégale contre le quotidien de l'existence (le chef d'orchestre, l'homme aux deux baisers), jusqu'au scénario intitulé *Comment allez-vous*, où l'annonce, lue dans un journal, du suicide d'une jeune fille remplit le poète d'horreur. Parlant d'un Komsomol qui s'était brûlé la cervelle, Maïakovski ajoute : « Comme il me ressemble! C'est épouvantable. » Il fait un essayage de toutes les variantes du suicide : « Réjouissez-vous! Il se punit lui-même... La roue de la locomotive m'embrassera le cou... Courir jusqu'au canal et mettre la tête entre les dents de l'eau...

Et mon cœur brûle d'envie pour le coup de feu, et ma gorge rêve du rasoir... L'eau m'attire, la pente m'entraîne sur les toits... Pharmacien, donne de quoi sans douleur lâcher mon âme dans l'espace... »

Résumé de l'autobiographie poétique de Maïakovski (ou si on veut, montage en fondu-enchaîné): L'âme du poète cultive la douleur inouïe de la génération actuelle. N'est-ce pas pour cela que ses vers sont remplis de haine pour les forteresses de l'existence quotidienne, et que ses mots portent « les lettres des siècles à venir »? Mais, « citoyen inspecteur des finances, parole d'honneur, c'est des mots qui entrent dans le kopek du poète ». Image de Maïakovski, depuis toujours : « J'irai à travers la ville, mon âme, sur les lances des maisons, laissant un lambeau après l'autre. » A chaque pas se fait plus aiguë la conscience de l'inutilité du combat singulier contre l'existence quotidienne. Le fer des supplices a imprimé sa marque. Aucune possibilité de victoire avant terme. Le poète est condamné à « l'exil du présent ».

> Maman!...
> Dites à mes sœurs, à Lioudia et à Olia,
> Il ne sait plus où aller.

Ce motif perd son caractère littéraire. D'abord, il passe des vers à la prose. « Je ne sais pas où aller » (remarque en marge de *De ceci*). De la prose dans la vie : « Maman, mes sœurs et mes camarades, pardonnez-moi, — ce n'est pas un moyen (je ne le conseille pas aux autres), mais je n'ai pas d'issue » (dans la lettre d'adieux de Maïakovski).

Il était prêt depuis longtemps. Quinze ans auparavant, il écrivait dans le prologue à un recueil de ses vers :

> Je me demande de plus en plus souvent
> s'il ne vaut pas mieux mettre
> le point d'une balle à la fin de soi.
> Aujourd'hui
> à tout hasard
> je donnerai un concert d'adieux.

Le thème du suicide devient sans cesse plus obsédant. C'est à lui que sont consacrés les poèmes les plus tendus de Maïakovski — *l'Homme* (1916) et *De ceci* (1923). Chacun de ces textes est le chant sinistre de la platitude de l'existence triomphant sur le poète; le leitmotiv en est : « la barque de l'amour s'est brisée sur l'existence quotidienne » (ce vers fait partie de la lettre d'adieux). Le premier poème est une description détaillée du suicide de Maïakovski. Dans le second, on sent déjà nettement le caractère non-littéraire de ce thème. C'est de la littérature factuelle. De nouveau passent, mais d'une manière encore plus angoissante, les images du premier poème, les étapes de l'être désignées avec précision : la « demi-mort » dans le tourbillon de l'horreur quotidienne, et la « dernière mort », « du plomb dans le cœur! qu'il n'y ait même pas un frisson! » Le thème du suicide s'est à ce point rapproché qu'aucune esquisse n'en est plus possible (« à quoi bon énumérer nos douleurs mutuelles, nos malheurs et nos offenses »), il faut des exorcismes, des tracts accusateurs, pour en ralentir la marche. *De ceci* déjà ouvre ce long cycle conjuratoire : « Je ne donnerai pas la joie de voir que vidé de ma charge je me tais. » « Je devrais vivre et vivre encore, emporté à travers les années »... Les vers à Serguéï Essenine sont le point culminant de ce cycle. Paralyser l'effet des vers écrits par Essenine avant sa mort — tel est selon Maïakovski l'objectif mûrement pesé de son poème. Mais lorsqu'on le lit maintenant, il paraît encore plus funèbre que les derniers vers de Essenine. Ceux-ci établissent l'égalité de la vie et de la mort, tandis qu'à ce jour, le seul argument de Maïakovski en faveur de la vie est qu'elle est plus difficile que la mort. C'est une propagande aussi problématique que certains vers antérieurs proclamant que seule l'incroyance à l'égard de l'outre-tombe retient devant le revolver, aussi problématique que son « demeurez dans le bonheur » en guise d'adieu.

Mais après la mort de Maïakovski, les auteurs des nécrologies affirment, à qui mieux mieux : « On pouvait tout attendre de Maïakovski, excepté qu'il mette fin à sa vie. N'importe qui, se disait-on, mais pas Maïakovski » (E. Adamovitch). « Relier à cette physionomie l'idée du suicide est presque impossible » (A. Lounatcharski). « Sa mort ne s'accorde pas avec ses traits de poète totalement dévoué à la révolution » (B. Malkine). « Sa mort s'accorde à toute sa vie aussi peu que la motive toute son œuvre » (article de la rédaction de la *Pravda*). « Une telle mort ne s'accorde en rien avec le Maïakovski que nous connaissons » (A. Khalatov). « Ça ne lui va pas. Nous ne connaissions donc pas Maïakovski, nous tous? » (M. Koltsov). « Bien entendu, il ne donnait pas la moindre raison d'imaginer une telle fin » (Piotr Pilski). « Je ne comprends pas. Que lui manquait-il? » (Demian Biedny).

Est-il possible que tous ces gens de plume aient à ce point oublié, ou si mal compris, « toute l'œuvre de Maïakovski »? Ou la certitude générale que tout cela n'était effectivement que fabriqué, inventé, était-elle si forte? La science de la littérature s'élève contre les déductions immédiates, directes, entre la poésie et la biographie du poète. Mais il ne faut nullement en conclure à une absence totale de lien entre la vie de l'artiste et son art. Un tel antibiographisme serait le lieu commun inversé du biographisme le plus vulgaire. A-t-on vraiment oublié l'admiration de Maïakovski devant « le véritable sacrifice, le martyre » de son maître Khlebnikov? « La biographie de Khlebnikov est l'égale de ses brillantes constructions verbales. Sa biographie est un exemple pour les poètes et un reproche pour les brasseurs d'affaires de la poésie. » C'est Maïakovski qui a écrit que les vêtements du poète, les conversations qu'il a chez lui avec sa femme, doivent eux-mêmes être déterminés par l'ensemble de sa production poétique. Il comprenait avec netteté la grande efficacité pratique de la jointure entre la biographie et la poésie. Après les derniers vers écrits par Essenine, dit Maïakovski, sa mort devenait un fait littéraire. « Tout à coup, on s'est rendu clairement compte du nombre des hésitants que ce vers puissant, je dis bien ce vers, allait conduire à la corde et au revolver. » Abordant l'autobiographie, Maïakovski note que les faits de la vie du poète ne sont intéressants « que s'il s'y dépose des mots ». Mais qui oserait affirmer qu'il ne s'est pas déposé des mots dans le suicide de Maïakovski? Ne pas potiner, commandait le poète avant sa mort. Mais ceux qui séparent avec insistance sa mort « strictement personnelle » de sa biographie littéraire créent une atmosphère de commérage personnel et de mauvais aloi : avec des silences significatifs.

C'est un fait historique, ceux qui l'entouraient ne croyaient pas aux monologues lyriques de Maïakovski, « ils écoutaient, en souriant, un histrion célèbre ». On prenait pour sa physionomie authentique des masques habituels : d'abord la pose du fat (« C'est bien, lorsque l'âme s'enveloppe dans un veston jaune devant les inspections »), puis les façons d'un journaliste professionnel plein d'ardeur. « C'est bien, jeté entre les dents de l'échafaud, de crier : Buvez le cacao Van-Houtten! » avait écrit Maïakovski. Et lorsque le poète, réalisant son slogan, hurlait sur tous les tons « bois de la double étiquette dorée! », « vous qui pensez à votre bonheur, souscrivez vite à l'emprunt à lots! », les auditeurs et les lecteurs voyaient la réclame, voyaient la propagande, mais ne remarquaient pas les dents de l'échafaud. Il est plus facile de croire, apparemment, à l'effet bienfaisant de l'emprunt à lots et à la qualité remarquable des tétines du Mosselprom, qu'à une limite du désespoir humain, qu'au martyre et à la demi-mort d'un poète. Le poème *De ceci* est le gémissement continu le plus désolé depuis des siècles, mais Moscou ne croit pas aux larmes; le public applaudissait et sifflait le tour d'adresse artistique suivant, les plus nouvelles « absurdités admirables », et lorsqu'à la place du jus d'airelles de truquage il a vu couler du vrai sang visqueux, il s'est étonné : c'est incompréhensible! ça ne s'accorde pas au reste!

Maïakovski lui-même (autodéfense du poète!) contribuait parfois volontiers à maintenir l'erreur.
Conversation de 1927. *Moi :* La somme des émotions possibles est mesurée. On pouvait prévoir l'usure prématurée de notre génération. Mais les symptômes se multiplient tellement vite. Prenons Asséiev : qu'est-ce qui nous arrive, qu'est-ce qui nous arrive, est-ce possible que nous soyons déjuvénilisés! Chklovski chantant son propre office des morts! *Maïakovski* : C'est complètement absurde! Tout est encore devant moi. Si je pensais que ce que j'ai fait de mieux est du passé, ce serait la fin. (Je rappelle à Maïakovski des vers qu'il a écrits peu de temps auparavant)

Je suis né,
    j'ai grandi,
        on m'a nourri au biberon, —
j'ai vécu,
    travaillé,
        commencé à vieillir...
Et voici ma vie qui passera
    comme sont passées
les Açores.

Maïakovski : C'est creux! C'est une chute formelle! Une image et rien de plus. On peut en faire tant qu'on veut, de pareilles. Le poème « A la maison » se terminait comme cela :

Je veux être compris par mon pays,
mais si je ne suis pas compris, eh bien,
je traverserai ma patrie en passant de côté
comme une pluie oblique d'été.

Mais Brik m'a dit — barre ça, le ton ne convient pas. Alors j'ai barré.

Le formalisme rigide du credo littéraire des futuristes russes conduisit inéluctablement leur poésie à l'antithèse du formalisme, au « cri brut » venu du cœur, à la sincérité sans pudeur. Le formalisme mettait entre guillemets le monologue lyrique, maquillait le « moi » poétique sous un pseudonyme. L'angoisse est atroce lorsqu'on découvre tout à coup la transparence du pseudonyme et que les fantômes de l'art, effaçant les frontières, émigrent dans la vie, comme la jeune fille d'un vieux scénario de Maïakovski, enlevée d'un film par un peintre fou.

Vers la fin de sa vie, l'ode et la satire de Maïakovski cachaient complètement aux yeux du public son élégie, que le poète identifiait d'ailleurs à la poésie lyrique en général. L'Occident ne soupçonnait même pas ce nerf essentiel de son œuvre poétique. L'Occident ne connaissait que le « tambour de la révolution d'Octobre ». Cette victoire du tract de propagande peut s'expliquer de plusieurs manières et sur d'autres plans également. Du point de vue de l'art, les vers de *De ceci* étaient une « répétition du passé » condensée et amenée, à la perfection. En 1923, Maïakovski était arrivé au bout du chemin de la poésie élégiaque. Ses vers journalistiques étaient des provisions poétiques, des expériences pour la fabrication d'un matériau nouveau, pour l'élaboration de genres inconnus. Aux remarques sceptiques que je fis sur ces vers, Maïakovski me répondit : « Plus tard, tu les comprendras aussi. » Et lorsque suivirent les pièces, *la Punaise* et *les Bains*, je compris effectivement que les vers des dernières années représentaient un énorme travail de laboratoire sur le mot et le thème, que ce travail avait été magistralement utilisé dans les premières tentatives sur le terrain de la prose théâtrale, et qu'il renfermait d'inépuisables possibilités de développement.

Enfin, du point de vue du montage social, les vers journalistiques de Maïakovski sont un passage de l'impétueuse attaque frontale à l'exténuant combat de position. La platitude quotidienne s'émiette en une foule de détails qui brisent le cœur. Il ne s'agit même plus de « vilenie avec un visage véritable et caractéristique », mais de « petite bassesse triviale et mesquine ». On n'arrête pas sa poussée avec des jugements élevés — « dans l'ensemble et en général », des thèses sur le communisme, des procédés poétiques abstraits. « Il faut voir les armées ennemies, diriger le tir. » Il faut battre « l'essaim des mesquineries » de l'existence quotidienne avec « des riens pratiques », sans regretter que le combat se soit rapetissé. Découvrir des procédés pour décrire « des riens pouvant devenir un pas bien calculé vers l'avenir », c'est ainsi que Maïakovski comprend la commande sociale immédiate destinée au poète.

Si la réduction de Maïakovski au seul plan de la propagande est abusive, les commentaires unilatéraux sur la mort du poète sont en outre plats et troubles.

« Les données préliminaires de l'enquête ont montré que le suicide fut provoqué par des motifs d'ordre strictement personnels. » A cela Maïakovski a répondu lui-même dans son autobiographie : « Selon des motifs personnels sur l'existence générale. »

« Il ne faut pas soumettre à ses sautes d'humeur personnelles les intérêts d'une grande œuvre », telle est la leçon que Bela Kun fait au défunt. Mais Maïakovski avait d'avance répondu :

Dans ce thème
personnel
petit
chanté dix fois plutôt
qu'une
j'ai tourné, écureuil poétique,
et je veux tourner encore.
Ce thème
maintenant
est une prière chez Bouddha
il aiguise le couteau du nègre contre ses maîtres.
N'y aurait-il sur Mars
qu'un seul être à cœur humain
lui aussi
maintenant
grince pour dire
la même chose.

De ceci

Le feuilletoniste Koltsov se précipite pour donner son explication : « Maïakovski en avait par-dessus la tête de ses soucis pratiques, et de groupe, et littéraires, et politiques. Celui qui a tiré, c'est quelqu'un d'autre, de fortuit, qui a dominé pour un temps le psychisme affaibli du poète militant et révolutionnaire. Encombrement momentané des circonstances. » Et de nouveau, la réponse ancienne de Maïakovski revient à la mémoire :

C'est mauvais, le rêve.
Et c'est vain de rêver,
il faut porter l'ennui du service.
Mais il arrive
que la vie
montre un autre profil
et on comprend
les grandes choses
à travers une sottise.

« Nous condamnons l'acte absurde, injustifié, de Maïakovski. C'est une mort stupide et lâche. Nous ne pouvons pas nous abstenir de protester contre son départ de la vie, son incompréhensible fin. » Tels sont les verdicts officiels (celui du Soviet de Moscou, et d'autres). Ces oraisons funèbres, Maïakovski les avait déjà parodiées dans *la Punaise :* « Zoïa Beriozkina s'est tuée! — Ah, ils vont la couvrir d'injures maintenant, dans la cellule communiste »... Le professeur de la future commune mondiale : « Qu'est-ce que c'est que le suicide?...

Vous avez tiré contre vous-même?... Par maladresse? — Non, par amour. — Quelle sottise... L'amour doit pousser à construire des ponts et à engendrer des enfants... Alors que vous... Oui! Oui! Oui! »

La réalité répète souvent, avec une fidélité angoissante, certaines phrases parodiques de Maïakovski. « Je n'ai pas le temps de me promener en barque », fanfaronne Pobédonossikov, le personnage comique principal des *Bains*, qui a pris un certain nombre de ses traits à Anatole Vassilitch[a] : « Ces petites distractions sont destinées aux secrétaires de tous ordres. Vogue, ma gondole! Moi, je n'ai pas une gondole, mais le vaisseau de l'État. » Répétant docilement son double de comédie, Lounatcharski, au cours du meeting à la mémoire de Maïakovski, s'empresse d'expliquer que les vers d'adieu sur la barque de l'amour brisée « sonnent tristement ». « Nous savons que ce n'est pas dans la barque de l'amour qu'il voguait sur nos mers impétueuses, — il était capitaine d'un grand vaisseau social. » Le souci de se désolidariser de la tragédie « strictement personnelle » de Maïakovski cède parfois à la parodie délibérée. Les journaux publient une résolution des écrivains d'Orekhovo-Zouievo, qui « donnent à l'opinion soviétique l'assurance qu'ils n'oublieront jamais le conseil du défunt de ne pas suivre son exemple ».

Il est étrange que les qualificatifs de « fortuit, privé », etc., soient cette fois-ci maniés par ceux qui d'ordinaire prêchent un déterminisme rigoureux, exigent des explications sociologiques. Comment peut-on parler d'un épisode privé, alors qu'en l'espace de quelques années, toute la fleur de la poésie russe fut balayée?

Lorsque dans le poème de Maïakovski chaque pays s'avance vers l'homme du futur avec ses présents les meilleurs, la Russie apporte la poésie. « De quelles voix la puissance s'est plus harmonieusement tressée dans le chant! » L'Occident s'enthousiasme pour l'art russe : l'icône et le film, le ballet classique et les nouvelles recherches théâtrales, le roman d'hier et la musique d'aujourd'hui. Mais le plus grand peut-être des arts russes, la poésie, n'est pas encore devenue véritablement un article d'exportation. Elle est trop intimement et indissolublement liée à la langue russe pour supporter les épreuves de la traduction. La poésie russe a connu deux époques de brillant épanouissement : le début du XIXe siècle et le début du nôtre. La première fois aussi, l'épilogue en fut la disparition massive et prématurée des grands poètes. Pour bien ressentir ce que signifient les chiffres suivants, il suffit d'imaginer l'atteinte que subirait ce qu'ont laissé Schiller, Hoffmann, Heine, et surtout Gœthe, s'ils avaient disparu

a. Lounatcharski.

de la scène entre trente et quarante ans. Ryléiev est exécuté à 31 ans. Batiouchkov devient fou à 36 ans. Venevitinov meurt à 22, Delvig à 32 ans. Griboïedov est tué à 34 ans, Pouchkine à 37 ans, Lermontov à 26 ans. Leur mort fut définie plus d'une fois comme une forme de suicide. Maïakovski lui-même comparait son combat singulier contre la platitude quotidienne aux duels de Pouchkine et de Lermontov. Il y a bien des ressemblances également dans la réaction des sociétés des deux époques à ces morts prématurées. De nouveau, on éprouve le sentiment d'un vide soudain et profond, l'impression angoissante d'une fatalité qui pèse sur la vie spirituelle russe. Mais maintenant comme alors, d'autres thèmes sont plus bruyants et plus obsédants.

Le débordement stupide des insultes aux morts est incompréhensible en Occident. Un certain Kikine se désolait parce que Martynov, l'assassin de cette canaille, de ce lâche de Lermontov, avait été mis aux arrêts. Nicolas Ier fit ainsi l'oraison funèbre du même poète : « Un chien mérite une mort de chien. » Le journal *Rul'* [*le Gouvernail*] publie, en guise d'article nécrologique, une suite d'injures choisies dont la conclusion est celle-ci : « La vie tout entière de Maïakovski ne sentait pas bon, sa fin tragique peut-elle y apporter une justification? » (Ofrossimov). Mais qu'est-ce que ces Kikine et ces Ofrossimov? Des zéros à demi illettrés que l'histoire de la culture russe ne citera que pour avoir déféqué sur la tombe fraîche d'un poète. Il est infiniment plus pénible de voir Khodassévitch, qui fut mêlé à la vie poétique, déverser sur le poète mort les eaux sales de l'injure et du mensonge. Lui, il connaît le poids spécifique de ce dont il parle, il sait qu'il diffame et calomnie un des plus grands poètes russes. Et lorsqu'il déclare sarcastiquement qu'en tout quelque quinze ans de route — « la vie d'un cheval » — furent donnés à Maïakovski, il crache sur lui-même, il persifle alors qu'il a la corde au cou, il raille le bilan tragique de sa propre génération. Maïakovski, faisant son bilan : « je suis en comptes avec la vie »; la mesquine petite destinée de Khodassévitch illustre « le plus terrible des amortissements, l'amortissement du cœur et de l'âme ».

Ceci pour les Levinson de l'émigration. Mais la tradition de l'époque de Pouchkine est reprise par certains Andréï Levinson de coloration moscovite qui s'efforcent à présent de remplacer le visage vivant du poète par une image canonique d'hagiographie. Mais auparavant... Ce qui se passait auparavant, Maïakovski lui-même l'a raconté dans un exposé prononcé au cours d'une soirée littéraire, quelques jours avant le coup de feu : « On m'accroche tant de chiens aux basques et on m'accuse de tant de péchés, que j'ai ou que je n'ai pas commis, qu'il m'arrive parfois de me dire que je devrais partir quelque part et y rester un an ou deux, rien que pour ne pas entendre les injures! » Et cette curée qui encadre sa mort, Maïakovski l'avait décrite d'avance et avec précision :

D'injures
    une page de journal vole après l'autre!
Des bruits plein l'oreille!
Attrapez-le, diffamez!
Et que je suis un estropié malade d'amour.
Gardez le baquet pour vos eaux sales.
Je ne vous gêne pas.
    Pourquoi ces outrages?
Je ne suis que poésie
    Je ne suis qu'âme.
Mais d'en bas :
    Non!
        tu es notre ennemi séculaire.
Il y en a déjà eu un comme ça —
                                        Un hussard!
Flaire la poudre
    le plomb du pistolet
La chemise ouverte!
    Ne célèbre pas un poltron!

Encore une illustration sur le thème de « l'absence de lien » entre la fin de Maïakovski et ce qu'il y avait eu auparavant.

Il y a des questions fécondes pour les publicistes : les fauteurs de guerre, les responsables de la mort d'un poète. Les biographes amateurs de la recherche particulière s'efforceront d'établir le prétexte immédiat du suicide. A « ce chien de Dantès », au « brave commandant Martynov », à la foule bigarrée des assassins de poètes, ils ajouteront encore quelqu'un. Ceux qui font des recherches sur les bases des phénomènes, s'ils en veulent à la Russie, prouveront facilement, avec des citations exactes et des exemples historiques, le danger du métier poétique dans ce pays. S'ils en veulent seulement à la Russie actuelle, il ne leur sera pas difficile non plus de construire, avec preuves à l'appui, la thèse correspondante. Mais je pense que plus que n'importe qui, c'est un jeune poète slovaque qui a raison : « Est-ce que vous pensez, m'a-t-il dit, que c'est seulement là-bas que cela se passe ainsi? Dans le monde entier, aujourd'hui, c'est la même chose. » Ceci pour répondre aux déclarations, devenues, hélas, des truismes, sur l'absence étouffante d'air, mortelle pour le poète. Il y a des pays où on baise la main à une femme, et des pays où on se contente de dire « je vous baise la main ». Il y a des pays où on répond, à la théorie du marxisme, par la pratique du léninisme, et des pays où la folie des braves, le bûcher de la foi et le Golgotha du poète ne sont pas seulement des expressions figurées. Dans les vers du Tchèque Stanislav Neumann et du Polonais Slonimski sur la mort de Maïakovski, ce n'est pas à celle-ci qu'est lié le thème du hasard, mais à l'existence des poètes qui restent.

Et en fin de compte, la particularité de la Russie ne réside pas dans le fait que ses grands poètes ont aujourd'hui tragiquement disparu, mais dans le fait qu'ils viennent d'exister. Après les fondateurs du symbolisme, les grandes nations occidentales n'ont peut-être plus eu de grande poésie.

Mais le problème n'est pas celui des causes, c'est celui des conséquences, si tentant qu'il soit de se barricader à l'aide d'une problématique de la causalité contre le contact pénible du fait.

> Construire une locomotive ne suffit pas —
> elle fait tourner ses roues et s'enfuit.
> Si le chant ne fait pas trembler la gare,
> à quoi sert le courant alternatif?

Ces vers sont tirés de « L'ordre du jour pour l'armée de l'art », de Maïakovski. Nous vivons ce qu'on a appelé la période de reconstruction, et nous construirons encore, probablement, beaucoup de locomotives de toutes sortes, et d'hypothèses scientifiques. Mais déjà, notre génération est destinée à accomplir le pénible exploit de construire sans chanter. Même si des chants nouveaux recommencent à résonner bientôt, ce seront les chants d'une autre génération, représentés par une autre courbe du temps. Et cela ne semble pas se préparer. L'histoire de la poésie russe de notre siècle semble s'apprêter à plagier encore, et à dépasser, l'histoire du XIXe siècle : « Les fatales années quarante s'approchaient. » Ces années de pesante léthargie poétique.

Les rapports entre les biographies des générations et le cours de l'histoire sont capricieux. Chaque époque a son inventaire de réquisitions de biens privés. L'histoire prend et fait son affaire de la surdité de Beethoven, de l'astigmatisme de Cézanne. Diffère aussi l'âge d'appel des générations, et la durée des obligations historiques. L'histoire mobilise l'ardeur juvénile de certaines générations, le mûr endurcissement ou la sagesse des vieillards de certaines autres. Leur rôle joué, ceux qui dominaient hier les pensées et les cœurs quittent l'avant-scène et passent au second plan de l'histoire pour terminer leur vie dans le privé, rentiers spirituels ou pensionnaires dans un asile de vieillards. Mais il arrive qu'il en soit autrement. Notre génération est entrée en scène exceptionnellement tôt : « Nous seuls sommes le visage de notre temps. Le cor du temps sonne grâce à nous. » Et il n'y a pas actuellement, Maïakovski en avait clairement conscience, de relève, ni même de renfort partiel. Entre temps, la voix et le pathos se sont arrêtés court, la réserve ouverte des émotions, joie et affliction, sarcasme et enthousiasme, a été gaspillée, et voici que la convulsion de cette génération sans successeurs apparaît non comme un sort particulier, mais comme le visage de notre époque, une suffocation de l'histoire.

Nous nous sommes jetés vers l'avenir avec trop de fougue et d'avidité pour pouvoir garder un passé. Le lien des temps s'est déchiré. Nous avons trop vécu par le futur, trop pensé à lui, cru en lui, nous n'avons plus la sensation d'une actualité qui se suffise à elle-même, nous avons perdu le sentiment du présent. Nous sommes les témoins et les participants de grands cataclysmes sociaux, scientifiques, et autres. La platitude quotidienne est dépassée. Selon la splendide hyperbole du jeune Maïakovski, « notre second pied est encore dans la rue voisine, à nous rattraper ». Nous savons que déjà, les idées de nos pères étaient en désaccord avec leur vie. Ils prenaient en louage la vieille existence mal aérée, et nous avons lu des pages sévères là-dessus. Mais nos pères avaient encore des restes de foi dans le caractère confortable et obligatoire de cette existence. Leurs enfants n'ont plus pour elle, pour ses hardes encore plus usées, encore plus étrangères, que la haine toute nue. Mais « les tentatives pour construire une vie personnelle font penser à des expériences pour réchauffer la crème glacée ».

L'avenir ne nous appartient pas non plus. Dans quelques dizaines d'années, on nous appellera sans bienveillance les gens du millénaire passé. Nous avions seulement des chants captivants qui nous parlaient du futur, et tout à coup ces chants, sortis de la dynamique du présent, se sont transformés en fait d'histoire littéraire. Maintenant que les chantres ont été tués, les chansons traînées au musée et épinglées sur le passé, la génération actuelle se sent encore plus ruinée, plus abandonnée et plus perdue, cette génération qui n'a pas, au sens le plus authentique du mot, la parole.

Traduit du russe par
MARGUERITE DERRIDA

Musicologie et linguistique[a]

La conférence que G. Becking, professeur de musicologie à l'université allemande de Prague, a prononcée récemment au Cercle linguistique de Prague fait partie des événements les plus marquants de la vie scientifique praguoise de ces derniers temps. Au Congrès phonétique tenu en juillet de cette année, à Amsterdam, dans son exposé sur la musicalité des épopées populaires serbo-croates, Becking avait déjà souligné le parallélisme frappant qui existe entre les problèmes fondamentaux de la phonologie et ceux de la musicologie moderne[b], parallélisme relevé également par le président du congrès van Ginneken dans son discours d'ouverture ; mais c'est à la conférence de Becking au Cercle qu'on doit la révélation de la portée de cette connexité. Sous une forme claire, et avec de nombreux exemples parfaitement évidents, même pour un profane, ce chercheur a esquissé d'une manière convaincante les caractéristiques comparées de la musicologie et de la phonologie.

Un indigène africain joue un air sur sa flûte de bambou. Le musicien européen aura beaucoup de mal à imiter fidèlement la mélodie exotique, mais quand il parvient enfin à déterminer les hauteurs des sons, il est persuadé de reproduire fidèlement le morceau de musique africain. Mais l'indigène n'est pas d'accord, car l'Européen n'a pas fait assez attention au timbre des sons. Alors, l'indigène rejoue le même air sur une autre flûte. L'Européen pense qu'il s'agit d'une autre mélodie, car les hauteurs des sons ont été complètement changées en raison de la construction du nouvel instrument, mais l'indigène jure que c'est le même air. La différence provient de ce que le plus important, pour l'indigène, c'est le timbre, alors que pour l'Européen, c'est la hauteur du son. L'important en musique, ce n'est pas le donné

a. « Musikwissenschaft und Linguistik », *Prager Presse*, 7.12.1932.

b. Cf. G. Becking, « Der musikalische Bau des montenegrischen Volksepos », *Proceedings of the first International Congress of Phonetic Sciences*, Amsterdam, 3-8 juillet 1932; *Archives Néerlandaises de phonétique expérimentale* VII-IX (1933), p. 144-153.

naturel, ce ne sont pas les sons tels qu'ils sont réalisés, mais tels qu'ils sont intentionnés. L'indigène et l'Européen entendent le même son, mais il a une valeur tout à fait différente pour chacun, car leur conception relève de deux systèmes musicaux entièrement différents; le son en musique fonctionne comme élément d'un système. Les réalisations peuvent être multiples, l'acousticien peut le déterminer exactement, mais l'essentiel en musique, c'est que le morceau puisse être reconnu comme identique. Il existe donc entre une valeur musicale et ses réalisations exactement la même relation que, dans le langage, entre un phonème et les sons articulés qui représentent ce phonème dans la parole.

La différence entre les neumes du Moyen Age et les notes modernes n'est pas seulement une différence d'écriture, mais reflète l'importante différence de deux systèmes musicaux : dans le chant grégorien, contrairement à la musique européenne moderne, il ne s'agit pas de la hauteur, mais du mouvement des sons. Le rapport étroit entre la structure phonologique d'une langue et l'écriture qui y correspond, tels qu'ils ont été soulignés en particulier par les exposés de N. S. Troubetzkoy et A. Artymovitch au « Cercle », forme un parallèle très proche.

Becking essaie d'établir une typologie des systèmes musicaux. Il distingue entre les « systèmes unidimensionnels », où le nombre des degrés de la gamme, seul, compte; les « systèmes bidimensionnels », qui affirment le principe de la parenté interne au sein du matériau sonore; les « systèmes tridimensionnels », qui sont caractérisés par la fonction dans le système harmonique; et enfin, les « systèmes quadridimensionnels » où un seul son représente encore en plus la fonction de l'accord auquel il appartient, dans le système tonal harmonique. La régularité dans la structure du système rappelle la typologie des systèmes phonologiques. En exemple, le savant cite, pour le premier type, la musique des Guslares monténégrins; pour le deuxième type, une symphonie des Balinais; pour le troisième, une œuvre de musique religieuse anglaise du XIVe siècle, et pour le quatrième, une composition baroque vénitienne. A l'aide de quelques exemples très convaincants, Becking révèle l'erreur de ces chercheurs qui introduisent dans l'examen d'un système musical le point de vue d'un autre système, et conçoivent, par exemple, un système unidimensionnel comme une série chromatique « mal jouée ».

Les principes de développement d'un système musical sont aussi, comme le montre l'exposé, semblables aux changements phonologiques de la langue. Ou bien une différence non-pertinente devient pertinente, ou c'est le contraire qui arrive. En général, les pertes et les acquisitions de différences pertinentes sont mutuellement liées.

A la fin de sa conférence, Becking a évoqué la différence fondamentale entre la musique et le langage. Bien entendu, il y a des cas particuliers dans l'histoire de la musique, où on voit certaines formes musicales devenir une expression non ambiguë (dans l'opéra italien par exemple, ou chez Wagner, etc.). Il est intéressant de remarquer que les éléments les plus organisés d'un système donné ont souvent une signification mystique. Mais, en général, le plus significatif en musique, contrairement au langage, c'est le système tonal pour lui-même, le système qui est inséparablement lié à la vision du monde.

Les interprétations de Becking sont de première importance, pas seulement pour le chercheur en musicologie, mais également pour le linguiste. Il y a matière nouvelle pour faire de productives comparaisons : et sont analogues, dans le langage et dans la musique, le rapport entre les valeurs sonores et leur réalisation, le rapport entre ces valeurs et l'écriture, les principes de mutations. La musicologie nous apprend que des peuples et des tribus voisins forment souvent d'intéressantes « alliances musicales », par exemple les peuples d'Extrême-Orient ont, selon Becking, un système musical particulier qui se distingue par l'utilisation d'un nombre énorme de petits intervalles. Il est très intéressant que ce soient les mêmes peuples qui forment une « alliance phonologique [a] » qui se caractérise par l'emploi des modulations dans le système prosodique du mot. Il est nécessaire de comparer les limites et les traits distinctifs de chaque alliance musicale et phonologique. Les lois de structure de la musique et celles de la structure phonique de la poétique, sont un matériel qui se prête particulièrement bien à l'étude comparative. En termes linguistiques, la particularité de la musique par rapport à la poésie réside en ce que l'ensemble de ses conventions (*langue* [b] selon la terminologie de Saussure) se limite au système phonologique et ne comprend pas de répartition étymologique des phonèmes, donc pas de vocabulaire.

La musicologie doit exploiter les progrès de la phonologie : la méthode globale, la théorie structurale, etc. Ainsi, par exemple, le fait que, selon la phonologie, la différence de deux valeurs corrélatives apparaisse toujours dans l'opposition d'une valeur marquée et d'une valeur non marquée deviendrait une chose importante en musicologie aussi.

Traduit de l'allemand par
JEAN-JACQUES NATTIEZ
ET HAROLD WEYDT

a. Cf. à ce sujet l'article de R. Jakobson « Sur la théorie des affinités phonologiques entre les langues », in N. S. Troubetzkoy, *Principes de phonologie*, trad. J. Cantineau (Paris, 1970), p. 351-365.

b. En français dans le texte.

Décadence du cinéma ?[a]

« Nous sommes paresseux et nous manquons de curiosité. » La sentence du poète est toujours applicable.

Nous voyons la naissance d'un art nouveau. Il grandit avec la rapidité de l'éclair. Il se détache de l'influence des arts plus anciens, il commence même à exercer sur eux son action. Il crée ses propres normes, ses propres lois, puis il les dépasse délibérément. Il devient un puissant moyen de propagande et d'éducation, un fait social massif et quotidien ; il dépasse à ce point de vue tous les autres arts.

La science de l'art y reste cependant totalement indifférente. Le collectionneur de tableaux et d'autres objets rares ne s'intéresse qu'aux maîtres anciens ; pourquoi s'occuper de la naissance et de l'indépendance nouvellement acquise du cinéma lorsqu'on peut édifier de brumeuses hypothèses sur l'origine du théâtre, sur le caractère syncrétique de l'art préhistorique ; moins il reste de traces, plus passionnante est la reconstruction du développement des formes artistiques. L'histoire du cinéma semble au chercheur trop banale ; il s'agit en fait de vivisection, alors que son dada est la chasse aux antiquités. Il n'est d'ailleurs pas exclu que bientôt, la recherche des vestiges cinématographiques d'aujourd'hui soit une tâche digne d'un archéologue : les dix premières années du cinéma sont déjà devenues « l'époque des fragments », et par exemple, des films français antérieurs à 1907, il ne reste rien, selon les spécialistes, en dehors des premières productions de Lumière.

Mais le film est-il un art particulier ? Où est son héros spécifique ? Quelle matière cet art transforme-t-il ? L. Kulechov, auteur de films soviétiques, dit avec justesse que le matériau cinématographique est constitué par les choses réelles. Le cinéaste français L. Delluc avait déjà compris, magistralement, que l'homme lui-même n'est dans le film « qu'un détail, qu'une miette de la matière du monde ». Mais d'un autre côté, la matière de tout art est le signe, et les cinéastes

a. « Ùpadek filmu? », *Listy pro umění a kritiku*, I (1933), p. 45-49.

sont conscients de l'essence sémiologique des principes cinématographiques : « Un plan doit agir comme un signe, comme une lettre », souligne le même Kulechov. C'est pour cela que les études sur le cinéma parlent sans cesse métaphoriquement de la langue et même de la phrase cinématographique avec son sujet et son attribut, des propositions subordonnées du film (B. Eikhenbaum [a]), des principes verbaux et substantifs du cinéma (A. Beucler), etc. Y a-t-il une contradiction entre ces deux thèses : le film opère par l'objet — le film opère par le signe? Il existe des chercheurs qui répondent affirmativement à cette question, rejettent donc la seconde thèse, et du fait de la nature sémiologique de l'art, refusent de reconnaître le cinéma comme un art. Pourtant, la contradiction entre les deux thèses citées avait déjà été discutée par saint Augustin. Ce génial penseur du Ve siècle qui distingue subtilement la chose *(res)* et le signe *(signum)*, montre qu'à côté des signes dont la fonction essentielle est de signifier quelque chose, il existe des choses que l'on peut utiliser dans une fonction de signe. C'est justement cette chose (optique et acoustique) modifiée en signe qui constitue le matériau spécifique du cinéma.

Nous pouvons désigner la même personne en disant : « le bossu », « l'homme au grand nez », ou « le bossu au grand nez ». L'objet de notre discours est dans les trois cas le même, mais les signes en sont différents. De même nous pouvons, dans un film, prendre le même homme de dos — on verra sa bosse, puis de devant — c'est son nez qui sera montré, ou enfin de profil, et l'on pourra voir l'une et l'autre. Dans ces trois plans, nous avons trois choses qui fonctionnent comme les signes du même objet. Dévoilons à présent le pouvoir de la synecdoque dans la langue et parlons de notre monstre en disant simplement « la bosse » ou bien « le nez ». Procédé analogue au cinéma : la caméra ne voit que la bosse, ou bien que le nez. *Pars pro toto* : c'est la méthode fondamentale pour transformer au cinéma les choses en signes. La terminologie des scénarios et ses « semi-ensembles », « gros plan » et « plan moyen » est à cet égard suffisamment instructive. Le cinéma travaille avec des fractions d'objets variées et de dimensions différentes, avec des fractions d'espace et de temps de dimensions différentes; il modifie les proportions de ces fractions et les confronte suivant leur proximité, ou suivant leur ressemblance et leur opposition, c'est-à-dire qu'il emprunte la voie de la *métonymie* ou de la *métaphore* (deux genres fondamentaux de la composition cinématographique). Le maquillage en fonction de la lumière

a. L'étude d'Eikhenbaum, comme celle de Tynianov évoquée plus loin ont été traduites en français dans *Cahiers du cinéma*, 1970, 220-221.

dans *la Photogénie* de Delluc, l'analyse du mouvement et du temps cinématographique dans la pénétrante étude de Tynianov, montrent à l'évidence que chaque phénomène du monde extérieur se transforme sur l'écran en *signe*.

Un chien ne reconnaît pas un chien dessiné parce que la peinture est dans son ensemble un signe; la perspective des peintres est une convention esthétique, un procédé technique. Un chien aboie devant les chiens filmés, car la matière du cinéma est la chose réelle, mais il reste aveugle devant le montage, devant la corrélation sémiologique des choses qu'il voit sur l'écran. Le théoricien qui nie que le cinéma soit un art perçoit le film comme une simple photographie mobile, il ne voit pas le montage et ne veut pas se rendre compte qu'il s'agit ici d'un système de signes particuliers; c'est la situation d'un lecteur de poésie pour lequel les mots sont dépourvus de sens.

Il y a de moins en moins d'adversaires absolus du cinéma. Ils sont remplacés par les ennemis du film sonore. Les mots d'ordre les plus courants sont ceux-ci : « Le film sonore, c'est la décadence du cinéma », « cela limite considérablement les possibilités artistiques du cinéma », « die Stilwidrigkeit des Sprechfilms », etc.

L'opposition au film sonore pèche surtout par ses généralisations prématurées. Elle néglige le fait que les phénomènes particuliers ont, dans l'histoire du cinéma, un caractère exclusivement temporaire, étoitement limité du point de vue historique. Certains théoriciens ont mis trop hâtivement la mutité dans l'ensemble des propriétés structurelles du cinéma, et ils se sentent offensés si le développement ultérieur de celui-ci s'écarte de leurs formules. Au lieu d'admettre que « tant pis pour la théorie », ils répètent le traditionnel *pro facto*.

Ils montrent, de nouveau, trop de précipitation s'ils prennent les qualités des films sonores d'aujourd'hui pour les qualités du film sonore en général. Ils oublient qu'il ne faut pas comparer les premiers films sonores avec les derniers films muets. L'état actuel du film parlant correspond au moment de l'occupation par de nouvelles acquisitions techniques (il paraît que c'est déjà bien si l'on entend quelque chose, etc.), le moment où l'on commence à rechercher de nouvelles formes. Le film muet avait traversé une période analogue avant la guerre, alors que le film muet de l'époque la plus récente avait déjà créé ses standards, qu'il en était arrivé aux œuvres classiques; c'est peut-être justement dans ce classicisme, dans cet achèvement du canon que résidait sa fin et la nécessité d'une nouvelle rupture.

On affirme que le film sonore a dangereusement rapproché le cinéma du théâtre. Certes, il l'a de nouveau rapproché, comme à l'aube de ce siècle, au moment des « petits théâtres électriques ».

Il l'a de nouveau rapproché, pour que bientôt vienne une nouvelle libération. Car fondamentalement, le discours « sur l'écran » et le discours sur la scène sont deux faits profondément différents. La matière du film était une chose optique tant que le film était muet, une chose optique et acoustique aujourd'hui. La matière du théâtre est le comportement humain. La parole au cinéma est un cas particulier de la chose acoustique, à côté du bourdonnement d'une mouche et du clapotement d'un ruisseau, à côté du fracas d'une machine, etc. La parole sur la scène est un des comportements humains. Si E. Epstein a dit naguère, à propos du théâtre et du cinéma, que l'essence même de ces deux moyens d'expression était différente, sa thèse n'a rien perdu de sa validité à l'époque du film parlant. Pourquoi le discours « en aparté » ou le monologue en solo sont-ils possibles sur la scène, mais ne le sont en aucun cas sur l'écran? Justement parce que le discours intérieur est un comportement humain, non une chose acoustique. C'est également parce que le discours cinématographique est une chose acoustique que le « chuchotement de théâtre » est impossible dans un film, ce chuchotement que n'entend aucun des personnages sur scène, mais que perçoit le public.

Une des particularités caractéristiques du discours cinématographique par rapport au discours théâtral est aussi son aspect facultatif. Le critique E. Vuillermoz condamne cet aspect : « La manière convulsive et irrégulière dont on introduit par moments la parole, dans un art auparavant silencieux, et dont par moments on l'écarte, détruit la loi du jeu et souligne le caractère arbitraire des intervalles de silence ». Ce reproche est erroné.

Lorsque nous *voyons* des gens parler sur l'écran, nous *entendons* en même temps leurs paroles, ou bien de la musique. De la musique, et non pas du silence. Le silence au cinéma a la valeur d'une véritable absence de bruit; c'est donc une chose acoustique au même titre que la parole, qu'une quinte de toux ou que le bruit de la rue. Dans un film sonore, nous percevons le silence comme un signe de silence réel. Il suffit de se rappeler, dans le film *Avant le baccalauréat*, le silence qui se fait dans la classe. Ce n'est pas le silence, mais la musique qui signifie au cinéma l'exclusion de la chose acoustique. La musique de film a cette fonction parce que l'art musical travaille avec des signes qui ne se rapportent à aucune chose. Le film muet est simplement, du point de vue acoustique, « sans sujet », et c'est justement pour cela qu'il exige un accompagnement musical constant. C'est à cette fonction neutralisatrice de la musique de film que certains faisaient allusion sans le savoir, lorsqu'ils remarquaient que l' « on s'aperçoit tout de suite de l'absence de musique, mais on ne prête aucune attention à sa présence, ce qui fait que n'importe quelle musique convient en fait à n'importe quelle scène » (Béla Balazs), « la musique de film est destinée à ne pas être écoutée » (P. Ramain), « son seul but est d'occuper les oreilles pendant que toute l'attention se concentre sur la vue » (Fr. Martin).

Il ne faut pas voir de confusion anti-artistique dans le fait que les films sonores font parfois entendre la parole, et parfois la remplacent par de la musique. De même que l'innovation d'Edwin Porter et plus tard de D.W. Griffith a rompu avec l'immobilité de la caméra par rapport au sujet et introduit dans le film la diversité des plans (alternance de scènes d'ensemble, de demi-ensemble, de gros plans, etc.), de même, le film sonore remplace par une diversité nouvelle la fixité d'une conception du cinéma qui écartait systématiquement le son de ce domaine. Dans un film sonore, la réalité optique et la réalité acoustique peuvent être présentées ensemble ou au contraire être séparées : on peut montrer la réalité optique sans le bruit qui s'y rattache normalement, ou bien détacher le son de la chose optique (nous entendons un homme parler encore, mais à la place de sa bouche nous voyons d'autres détails de la scène, ou même, déjà, une autre scène). De nouvelles possibilités s'offrent donc à la synecdoque cinématographique. En même temps se multiplient les méthodes de liaison des plans entre eux (transition purement sonore ou bien parlée, opposition du son et de l'image, etc.).

Les intertitres étaient, dans les films muets, d'importants moyens de montage; ils fonctionnaient souvent comme une liaison entre les scènes, et S. Timochenko, dans son *Essai d'introduction à la théorie et à l'esthétique du cinéma* (1926) pense même que c'est là leur fonction principale. On trouvait donc dans le film des principes de composition purement littéraire. C'est pour cela que l'on tenta de débarrasser le film de ses intertitres, mais ces tentatives entraînaient ou bien une simplification du sujet, ou bien un ralentissement du rythme. C'est seulement dans le film sonore que les intertitres ont effectivement pu être supprimés. Entre le film ininterrompu d'aujourd'hui et le film découpé par les intertitres, il y a en fait la même différence qu'entre un opéra et un vaudeville avec des chansons. Les lois d'une liaison purement cinématographique des plans ont gagné maintenant un monopole.

Si l'on voit dans un film tel personnage à un endroit, puis à un autre, qui n'est pas voisin du premier, il faut qu'entre les deux situations un certain temps se soit écoulé, pendant lequel ce personnage est absent de l'écran. On montre alors le premier endroit après le départ du personnage, ou bien le deuxième endroit avant son arrivée, ou encore un « intermède » : on voit, ailleurs, se dérouler une scène à laquelle notre personnage ne participe pas. Ce principe existait déjà, comme une tendance, dans le film muet; mais après tout, il suffisait pour lier deux situations semblables d'un intertitre à la « et lorsqu'il rentra chez lui... » C'est seulement maintenant que la loi dont nous parlions est appliquée avec conséquence. On ne peut y contrevenir que si deux scènes ne sont pas reliées selon leur proximité, mais selon la ressemblance ou le contraste qui existe entre elles (une personne occupe dans les deux scènes la même situation, etc.); ou encore si l'on veut souligner particulièrement, montrer du doigt, la rapidité du saut entre les deux situations, ou une rupture, une séparation entre les deux scènes. Sont également interdits, à l'intérieur d'une scène, les sauts gratuits de la caméra entre un objet et un autre qui ne lui est pas voisin; si un tel saut apparaît malgré tout, il accentue inévitablement, il charge sémantiquement le second et sa soudaine intervention dans l'action.

Dans le film d'aujourd'hui, on ne peut montrer, après un événement, qu'un événement qui l'a suivi, jamais un événement antérieur ou contemporain. Le retour en arrière ne peut être utilisé qu'en tant que souvenir ou que récit d'un des personnages. Ce principe répond exactement à un principe de la poétique d'Homère (de même qu'aux « intermèdes » du film répond l' « *horror vacui* » d'Homère). Les actions simultanées sont présentées chez Homère, ainsi que le résume T. Zieliński, comme des événements successifs; sinon, l'un des deux est omis, ce qui entraîne une lacune sensible dans le cas où cet événement n'est pas indiqué au préalable assez clairement pour que son déroulement nous soit facilement imaginable. De manière fort surprenante, le montage du film sonore suit avec précision les principes très anciens de la poétique de l'épopée. La tendance évidente du temps cinématographique à la linéarité apparaissait déjà dans le film muet, mais les intertitres permettaient des exceptions : d'une part, une annonce du type « Et pendant ce temps » introduisait une action simultanée; d'autre part, un intertitre tel que « *X* avait passé sa jeunesse à la campagne », etc., permettait le retour en arrière.

De même que la « loi de l'incompatibilité chronologique » appartient à l'époque d'Homère et non au poème narratif en général, les lois du cinéma d'aujourd'hui ne doivent pas être trop précipitamment généralisées. Le théoricien de l'art qui ramasse l'art futur dans ses formules ressemble trop souvent au baron Münchhausen, qui se soulevait lui-même en se tirant par les cheveux. Mais il est peut-être possible de découvrir certaines orientations qui en se développant peuvent devenir des tendances plus déterminées.

Dès que se fixe l'ensemble des moyens poétiques et que le canon se cristallise avec une telle perfection que la compétence des épigones devient une évidence, le désir d'une prosaïsation apparaît en général. L'aspect *pictural* du cinéma est aujourd'hui minutieusement travaillé. C'est pour cela que l'on entend tout à coup certains cinéastes crier pour demander des reportages sobres et construits comme des épopées, c'est pour cela que grandit l'opposition contre la métaphore cinématographique, contre le jeu gratuit des gros plans. En même temps, l'intérêt pour les compositions à sujet augmente progressivement, alors qu'elles étaient négligées, presque avec ostentation, à une époque encore récente. Citons par exemple les films célèbres d'Eisenstein, eux aussi dépourvus de sujet, ou *les Lumières de la ville* de Chaplin, où résonne encore, finalement, le scénario de *l'Amour d'un médecin*, un film primitif de Gaumont tourné au début du siècle : elle est aveugle, elle est soignée par un médecin laid et bossu qui tombe amoureux d'elle mais n'ose le lui avouer; il lui dit qu'elle pourra ôter demain le bandeau qui lui cache les yeux, elle est guérie, elle aura retrouvé la vue. Il part, il se tourmente, il est persuadé qu'elle va le repousser à cause de sa laideur, mais en fait, elle se jette à son cou : « Je t'aime, parce que tu m'as guérie. » Baiser. Fin.

En réaction contre trop de raffinement, contre une technique sentant le décoratif, une négligence consciente apparaît, un inachèvement délibéré; l'esquisse devient un procédé plastique (*l'Age d'or* du génial Buñuel). Le dilettantisme commence à faire plaisir. Les mots « dilettante », « analphabète », ont dans la réserve verbale tchèque un son désespérément péjoratif. Il est pourtant des époques, dans l'histoire de l'art — je dirais même, dans l'histoire de la culture — où la fonction positive, motrice de tels artistes est hors de doute. Des exemples? Rousseau, Henri ou Jean-Jacques.

Après une abondante moisson, le champ a besoin de repos. Plusieurs fois déjà, le centre de la culture cinématographique s'est déplacé. Là où est forte la tradition du film muet, le film sonore ne trouve qu'à grand-peine une voie nouvelle. Le cinéma tchèque vit seulement sa renaissance (celle des almanachs de Puchmajer, etc.). Dans le domaine du film muet, on n'a pas fait grand-chose, en Tchécoslovaquie, qui vaille la peine d'être cité. Aujourd'hui, alors que la parole a fait son apparition au cinéma, des films tchèques ont été tournés qui méritent d'être vus. Très probablement, le fait de ne pas être alourdi par la tradition facilite l'expérimentation. C'est la pénurie qui crée la véritable vertu [1]. L'aptitude des artistes tchèques à tirer

1. Je ne parle ici du cinéma que du point de vue de l'histoire de l'art. Il faudrait également examiner ce problème du point de vue de l'histoire de la culture, de l'histoire socio-politique et économique.

profit d'une faiblesse de la tradition domestique est également traditionnelle dans l'histoire de la culture tchèque. La fraîche, la provinciale originalité du romantisme de Mácha n'aurait guère été possible si la poésie tchèque avait été appesantie par une norme classique bien mûrie. Y a-t-il, pour la littérature contemporaine, de tâche plus difficile que la découverte de nouvelles formes d'humour ? Les humoristes soviétiques imitent Gogol, Tchekhov, etc., les fables de Kästner sont l'écho des sarcasmes de Heine, les récits humoristiques français ou anglais de notre époque rappellent la plupart du temps des centons (fables composées de citations). La seule raison pour laquelle Chveïk a pu naître, c'est que le XIXe siècle tchèque n'avait pas engendré d'humour canonique.

Traduit du tchèque par
MARGUERITE DERRIDA

Qu’est-ce que la poésie?[a]

> « *L’harmonie naît des contrastes, le monde tout entier est composé d’éléments opposés* », *dis-je*, « *et* — » « *la poésie, la vraie poésie* », *m’interrompit* Mácha, « *remue le monde de façon d’autant plus fondamentale et frappante que sont plus repoussants les contrastes où une secrète parenté se manifeste.* »
>
> K. SABINA

Qu’est-ce que la poésie? Si nous voulons définir cette notion, nous devons lui opposer ce qui n’est pas poésie. Mais dire ce que la poésie n’est pas, ce n’est pas aujourd’hui si facile.

A l’époque classique ou romantique, la liste des thèmes poétiques était fort limitée. Rappelons-nous les exigences traditionnelles : la lune, un lac, un rossignol, des rochers, une rose, un château, etc. Les rêves romantiques eux-mêmes ne devaient pas s’écarter de ce cercle. « J’ai rêvé aujourd’hui, écrit Mácha, que j’étais dans des ruines qui s’écroulaient devant et derrière moi, et sous ces ruines, des esprits féminins se baignaient dans un lac... Comme un amant va chercher son amante dans un tombeau... Ensuite, des ossements entassés, dans un édifice gothique en ruines, s’envolaient dehors par les fenêtres. » En fait de fenêtres, les gothiques connaissaient justement une faveur particulière, et la lune brillait nécessairement derrière elles. Aujourd’hui, toute fenêtre est également poétique aux yeux du poète, depuis l’immense baie vitrée d’un grand magasin jusqu’à la lucarne souillée par les mouches d’un petit café de village. Et les fenêtres des poètes laissent voir de nos jours toutes sortes de choses. Nezval en a parlé [dans *Antilyrik*] :

> un jardin m’éblouit au milieu d’une phrase
> ou une latrine ça n’a pas d’importance
> Je ne distingue plus les choses selon le charme ou la laideur
> que vous leur avez assignés.

Pour le poète d’aujourd’hui comme pour le vieux Karamazov « il n’y a pas de femmes laides ». Il n’est pas de nature morte ou d’acte, de paysage ou de pensée, qui soit à présent hors du domaine de la poé-

a. « Co je poesie? », *Volné směry*, XXX (1933-1934), p. 229-239.

sie. La question du thème poétique est donc aujourd'hui sans objet.

Peut-être peut-on définir l'ensemble des procédés poétiques, des *Kunstgriffe*? — Non, car l'histoire de la littérature témoigne de leur variation constante. Le caractère intentionnel lui-même de l'acte créateur n'est pas obligatoire. Il suffit de se rappeler combien souvent les dadaïstes et les surréalistes laissaient le hasard faire des poèmes. Il suffit de penser au grand plaisir que le poète russe Khlebnikov prenait aux fautes d'impression : il proclamait qu'une coquille était parfois un artiste remarquable. C'est l'incompréhension du Moyen Age qui a brisé les membres des statues antiques; aujourd'hui, le sculpteur s'en occupe lui-même, le résultat (une synecdoque artistique) étant le même. Par quoi s'expliquent les compositions de Moussorgski et les tableaux d'Henri Rousseau, par le génie de ces artistes ou par leur analphabétisme en matière d'art? Quelle est la cause des fautes de Nezval contre la langue tchèque, le fait qu'il ne l'a pas apprise, ou que l'ayant apprise il l'a délibérément rejetée? Comment serait-on parvenu à un relâchement des normes littéraires russes si l'Ukrainien Gogol n'était pas venu, qui possédait mal la langue russe? Qu'aurait écrit Lautréamont à la place des *Chants de Maldoror* s'il n'avait pas été fou? Ces questions font partie du même ordre de problèmes anecdotiques que le fameux sujet de dissertation scolaire : qu'est-ce que Marguerite aurait répondu à Faust si elle avait été un homme?

Même si nous arrivions à déterminer quels sont les procédés poétiques typiques pour les poètes d'une époque donnée, nous n'aurions pas encore découvert les frontières de la poésie. Les mêmes allitérations et autres procédés euphoniques sont utilisés par la rhétorique de cette époque, bien plus, ils le sont par le langage parlé quotidien. Vous entendez dans le tramway des plaisanteries fondées sur les mêmes figures que la poésie lyrique la plus subtile, et les potins sont souvent composés selon les lois qui régissent la composition des nouvelles à la mode, ou du moins (suivant le niveau intellectuel du potineur) celles de la saison passée.

La frontière qui sépare l'œuvre poétique de ce qui n'est pas œuvre poétique est plus instable que la frontière des territoires administratifs de la Chine. Novalis et Mallarmé tenaient l'alphabet pour la plus grande des œuvres poétiques. Les poètes russes admiraient le caractère poétique d'une carte des vins (Viazemski), d'une liste des vêtements du tsar (Gogol), d'un indicateur des chemins de fer (Pasternak), et même d'une facture de blanchisseur (Kroutchennykh). Bien des poètes proclament aujourd'hui que le reportage est une œuvre où l'art est plus présent que dans le roman ou la nouvelle. Nous aurions du mal à nous enthousiasmer actuellement pour le petit village de montagne [a], alors que les lettres intimes de Božena Němcová nous apparaissent comme une œuvre poétique de génie.

Il existe une histoire sur les champions de lutte gréco-romaine. Le champion du monde est battu par un lutteur de second ordre. Un des spectateurs déclare que c'est une supercherie, provoque le vainqueur et le bat. Le lendemain, un journal révèle que le deuxième combat était lui aussi une supercherie convenue d'avance. Le spectateur vient à la rédaction du journal et gifle l'auteur du compte rendu. Mais les révélations du journal et l'indignation du spectateur étaient elles aussi des supercheries convenues d'avance.

Ne croyez pas le poète qui au nom de la vérité, de la réalité, etc., etc., renie son passé poétique ou l'art en général. Tolstoï refusait son œuvre avec irritation, mais ne cessait pas d'être un poète, car il se frayait un chemin vers des formes littéraires nouvelles et encore inusitées. On a dit fort justement que lorsqu'un acteur rejette son masque, il montre son maquillage. Il suffit de rappeler un événement récent, la farce carnavalesque de Durych [b]. Ne croyez pas non plus le critique cherchant querelle à un poète au nom de l'authenticité et du naturel, — il rejette en fait une tendance poétique, c'est-à-dire un ensemble de procédés déformants, au nom d'une autre tendance poétique, d'un autre ensemble de procédés déformants. Un artiste joue tout autant lorsqu'il annonce que cette fois, ce ne sera pas de la *Dichtung*, mais de la *Wahrheit* toute nue, ou lorsqu'il affirme que telle œuvre n'est que pure invention, et que de toute façon, « la poésie est mensonge, et le poète qui ne se met pas à mentir sans scrupules dès le premier mot, ne vaut rien ».

Il se trouve des historiens de la littérature qui savent sur le poète plus de choses que le poète lui-même, que l'esthéticien qui analyse la structure de son œuvre, et le psychologue qui étudie la structure de sa vie mentale. Ces historiens montrent avec une infaillibilité de catéchiste ce qui, dans l'œuvre du poète, est simple « document humain », et ce qui constitue un « témoignage artistique », où se trouve la « sincérité » et le « point de vue naturel sur le monde », et où le « prétexte » et le « point de vue littéraire et artificiel », ce qui « vient du cœur », est ce qui est « affecté ». Ces expressions sont toutes

a. Allusion au récit populaire de B.N. *Poherská vesnice (Un village de montagne*, 1856).

b. Durych a été attaqué par l'historien de la littérature Arne Novák dans le journal de Brno *Lidové noviny*. Durych répond dans un article intitulé « Masopust » (Carnaval) où il simule ironiquement le comportement du repenti, et accepte en apparence les arguments de son adversaire.

des citations tirées de l'étude « Hlaváčkova dekadentní erotika » [l'érotisme décadent de Hlaváček], un des chapitres d'un recueil récent de Soldan [a]. Les rapports entre la poésie érotique et l'érotisme du poète sont décrits comme s'il ne s'agissait pas de notions dialectiques, de leur transformation et de leur renversement constants, mais des articles immuables d'un dictionnaire scientifique; comme si le signe et la chose signifiée étaient liés une fois pour toutes monogamiquement, et comme si l'on oubliait ce que la psychologie sait depuis longtemps, qu'aucun sentiment n'est si pur qu'il ne soit mêlé du sentiment contraire (ambivalence des sentiments).

Bien des travaux d'histoire littéraire appliquent aujourd'hui encore avec rigidité ce schéma dualiste : *réalité psychique — fiction poétique*, et cherchent entre l'une et l'autre des rapports de causalité mécanique. De telle sorte que nous nous posons malgré nous la question qui tourmentait un gentilhomme français des temps anciens : la queue est-elle attachée au chien, ou le chien à sa queue?

Le journal de Mácha, document hautement instructif, que l'on édite malheureusement encore avec des lacunes considérables, pourrait nous prouver la stérilité de ces équations à deux inconnues. Certains historiens de la littérature ne tiennent compte que de l'œuvre publique des poètes et laissent simplement de côté les problèmes biographiques, d'autres s'efforcent au contraire de reconstruire leur vie dans tous ses détails; nous admettons les deux positions, mais nous rejetons formellement la démarche de ceux qui remplacent la véritable biographie d'un poète par un récit officiel découpé comme un recueil de morceaux choisis. Les lacunes du journal de Mácha sont restées pour que la jeunesse rêveuse qui admire la statue de Myslbek à Petřín [b] ne subisse pas une déception. Mais comme Pouchkine l'a déjà dit, la littérature, et, ajouterons-nous, les sources historico-littéraires à plus forte raison, ne peuvent pas avoir d'égards pour les jeunes filles de quinze ans, qui d'ailleurs lisent aujourd'hui des choses plus risquées que le journal de Macha.

Dans son journal, Mácha, le poète lyrique, dépeint de manière paisiblement épique ses fonctions physiologiques, érotiques ou excrémentielles. Avec la précision inexorable d'un comptable, il note en se servant d'un code lassant comment et combien de fois il a

a. F. Soldan, critique de troisième zone, est l'auteur du livre *Karel Hlaváček, typ české dekadence* [*K. H., le représentant typique de la décadence tchèque*] (Prague, 1930).

b. Joseph Vaclav Myslbek (1848-1922), célèbre sculpteur tchèque, dont l'une des œuvres les plus conventionnelles est le monument à Macha sur la colline de Petřín à Prague.

assouvi son désir au cours de ses rencontres avec Lori. Sabina dit de Mácha que « des yeux sombres au regard pénétrant, un front majestueux où de profondes pensées se lisent, cet air de mélancolie que la pâleur surtout exprime, une apparence de douceur et d'abnégation féminine, le captivaient plus que tout chez le beau sexe ». Oui, c'est bien l'image de la beauté des jeunes filles dans les poèmes et les récits de Mácha, mais dans son journal, les descriptions de la bien-aimée rappellent plutôt les torses féminins sans tête des tableaux de Šíma [1].

Le rapport entre la poésie et le journal, est-ce le rapport entre *Dichtung* et *Wahrheit*? Certainement pas; les deux aspects sont également vrais, ils ne représentent que des significations différentes, ou pour employer un langage savant, des niveaux sémantiques différents d'un même objet, d'une même expérience. Un cinéaste dirait qu'il s'agit de deux prises distinctes d'une même scène. Le journal de Mácha est une œuvre poétique aussi bien que *Máj*[*Mai*] ou *Marinka*, on n'y trouverait pas une ombre d'utilitarisme, c'est purement de l'art pour l'art, de la poésie pour le poète. Mais si Mácha vivait aujourd'hui, peut-être est-ce la poésie (Biche, blanche biche, écoute mon conseil, etc.) qu'il garderait pour l'usage intime, et le journal qu'il publierait. Nous le rapprocherions de Joyce et de Lawrence, auxquels bien des détails l'apparentent, et un critique écrirait que ces trois auteurs « s'attachent à donner une image authentique de l'homme débarrassé de toutes les règles et de toutes les lois, qui ne fait plus que flotter, couler, se dresser comme un pur instinct ».

Un poème de Pouchkine : « Je me rappelle ce merveilleux instant — tu es apparue devant moi comme une vision fugitive, comme le

1. *Poèmes :* Tes yeux bleus. Lèvres vermeilles. Cheveux d'or... L'heure qui lui avait tout pris, / Sur ces lèvres, ses yeux, son front, / Inscrivait une douleur captivante... *Márinka* : Ses cheveux noirs et dépourvus d'artifices tombaient en lourdes boucles autour de son visage pâle et amaigri, empreint d'une grande beauté, sur sa robe blanche immaculée, fermée en haut jusqu'au cou, touchant en bas le petit pied léger, dessinant une haute silhouette élancée. Un lien noir enserrait sa taille mince, et une broche noire ornait son beau front haut et blanc. Mais rien n'atteignait la beauté de ses yeux noirs et ardents, profondément enchâssés dans leurs orbites. Leur expression de tristesse et de nostalgie, aucune plume ne pourra la dépeindre... *Cikáni* [Les Tsiganes] : Ses boucles noires rehaussaient la pâleur charmante de son doux visage; et les yeux noirs qui souriaient aujourd'hui pour la première fois n'avaient pas encore quitté leur longue tristesse... *Le journal :* J'ai soulevé sa jupe et je l'ai regardée par-devant, de côté et par-derrière... Elle a un c-l du tonnerre de dieu... Elle avait de belles cuisses blanches... Je jouais avec sa jambe, elle a ôté son bas, s'est assise sur le canapé, etc.

génie de la pure beauté. » Dans sa vieillesse, Tolstoï s'indignait que la dame chantée dans ce noble poème fût celle que l'on retrouve dans une lettre un peu leste où Pouchkine écrivait à un ami : aujourd'hui, avec l'aide de dieu, j'ai eu Anna Mikhaïlovna [1]. L'intermède bouffon d'un mystère n'est pas un blasphème! L'ode et la parodie sont équivalentes en ce qui concerne la vérité, ce ne sont que deux genres poétiques, deux moyens d'expression qu'on peut appliquer au même thème.

Le thème qui torture Mácha sans cesse et toujours à nouveau est le soupçon de ne pas avoir été le premier amant de Lori. Dans *Máj* ce motif prend la forme suivante :

> Ah — elle, elle! Mon ange!
> Pourquoi a-t-elle failli avant que je ne la connaisse?
> Pourquoi mon père? — Pourquoi ton séducteur?...

ou bien celle-ci :

> Le rival, c'est mon père! Le meurtrier, son fils,
> Il a séduit la fille que j'aime! —
> Sans que je le connaisse.

Dans son journal, Mácha raconte qu'il a broché des livres avec Lori, qu'il l'a prise deux fois, « ensuite nous avons de nouveau parlé du fait qu'elle s'était donnée à quelqu'un, elle a souhaité mourir; elle a dit : " O Gott! Wie unglücklich bin ich! " ». Suit une nouvelle et violente scène érotique, puis une description du poète allant pisser. En conclusion, la sentence suivante : « Dieu lui pardonne si elle me trompe, je ne la quitterai pas si seulement elle m'aime et j'en ai l'impression, je prendrais même une putain si je savais qu'elle m'aime. »

Dire que le second motif est une fidèle photographie des faits tandis que le premier (celui de *Máj*) n'est qu'une invention de poète, c'est simplifier la réalité comme un manuel de l'enseignement secondaire. La version de *Máj* est peut-être justement une manifestation plus ouverte d'exhibitionnisme mental, augmenté du « complexe d'Œdipe » (le rival, c'est mon père [2]). N'oublions pas que les motifs suicidaires des poèmes de Maïakovski furent tenus naguère pour un simple truc littéraire, et le seraient probablement encore si

1. La formule originale est plus drastique.
2. De même, dans *Cikáni* [Les Tsiganes] : « Mon père! — mon père a séduit ma mère — non, il a assassiné ma mère — ma mère — pas ma mère, il a séduit ma bien-aimée — séduit la bien-aimée de mon père — ma mère — et mon père a assassiné mon père! »

Maïakovski, comme Mácha, était mort prématurément d'une pneumonie.

Au sujet de Mácha, Sabina dit que « dans les notes trouvées après sa mort, nous pouvons lire la description fragmentaire d'un homme de style néo-romantique, qui semble être la fidèle image du poète lui-même et le principal modèle selon lequel il créait ses personnages amoureux ». Le héros de ce fragment « se tua aux pieds de la jeune fille qu'il aimait avec ferveur, et qui répondait à cet amour avec plus de ferveur encore. Pensant qu'elle avait été séduite, il l'adjurait de lui dénoncer son séducteur afin de la venger; elle niait; il flamboyait de colère, de fureur; — elle prenait Dieu à témoin; — une pensée alors le traversa comme un éclair : " Je l'aurais tué, lui, pour la venger; mon châtiment aurait été la mort; qu'il vive; moi, je ne le puis. " Il décide donc de se suicider et se dit, en pensant à sa bien-aimée " que c'est un ange de compassion, que même son séducteur, elle ne veut pas le rendre malheureux ", mais il comprend au dernier moment " qu'elle l'a trompé " et " son visage d'ange se transforme à ses yeux en figure diabolique ". » Mácha parle de cet épisode de sa tragédie sentimentale dans une lettre à un ami intime : « Je vous ai dit une fois qu'il y avait une chose qui pouvait me rendre fou : — elle est là — *eine Nothzucht ist unterlaufen...*; la mère de mon amie est morte, un serment effroyable fut prêté à minuit sur son cercueil... et... ce n'était pas vrai — et moi — hahaha! — Édouard! je ne suis pas devenu fou — mais j'ai fait du tapage. »

Trois versions, par conséquent : meurtre et châtiment, suicide, fureur et résignation. Chacune de ces versions a été vécue par le poète, toutes sont également vraies sans que l'on ait à savoir laquelle, parmi les possibilités données, fut réalisée dans la vie privée, et laquelle dans l'œuvre littéraire. D'ailleurs, qui peut tracer une frontière entre le suicide et le duel de Pouchkine, ou la mort de Mácha, d'une absurdité digne d'un recueil de lectures scolaires [a] [1].

Le constant passage entre la poésie et la vie privée n'apparaît pas

1. Voici comment Mácha, malade, parle de son état trois jours avant sa mort : « J'ai lu que Lori était allée dehors, qu'elle était sortie de notre maison, alors je me suis mis dans une rage telle que j'aurais pu en mourir. Aussi ai-je très mauvaise mine depuis. J'ai tout cassé autour de moi, et j'ai pensé tout de suite qu'il fallait que je m'en aille d'ici, et elle, qu'elle pouvait faire ce qu'elle voulait. Je sais pourquoi je ne veux même pas qu'elle sorte de la maison. » En vers ïambiques, il menace ainsi sa maîtresse : « Bey meinem Leben schwör ich Dir, Du siehst mich niemals wieder. »

a. On dit que Mácha est mort d'une pneumonie, qu'il aurait attrapée en aidant à éteindre un feu en ville.

seulement dans le caractère fortement communicatif de l'œuvre poétique de Mácha, mais aussi dans la pénétration profonde des motifs littéraires dans sa vie. A côté des considérations sur la genèse psychologique, individuelle, des humeurs de Mácha, on est fondé à poser la question de leur fonction sociale. « Il est trompé, mon amour » n'est pas seulement l'affaire privée de Mácha, comme Tyl l'a fort justement exposé dans son magistral pamphlet *Rozervanec* [*l'Égaré*], c'est un devoir, car le mot d'ordre de l'école littéraire de Mácha s'énonce ainsi : « la douleur seule est mère de la véritable poésie ». Sur le plan de l'histoire littéraire (je répète — sur le plan de l'histoire littéraire), Tyl a raison lorsqu'il proclame : il convient à Mácha de pouvoir dire qu'il est malheureux en amour.

Le thème du séducteur et du jaloux est un bouche-trou commode pour la pause, le moment de fatigue et de tristesse qui suit l'assouvissement de l'amour. Le sentiment de lassitude et de défiance se cristallise dans un motif conventionnel travaillé en profondeur par la tradition poétique. Dans une lettre à un ami, Mácha souligne lui-même la coloration littéraire de ce motif : « Des choses comme celles qui me sont arrivées, ni Victor Hugo ni Eugène Sue dans leurs romans les plus effrayants n'ont été à même de les décrire, mais moi, je les ai vécues et — je suis un poète. » Que cette méfiance destructrice ait un fondement réel ou qu'elle soit l'invention gratuite d'un poète, comme l'indique Tyl, cette question n'a d'intérêt que pour la médecine légale.

Toute expression verbale stylise et transforme, en un certain sens, l'événement qu'elle décrit. L'orientation est donnée par la tendance, le pathos, le destinataire, la « censure » préalable, la réserve des stéréotypes. Comme le caractère poétique de l'expression verbale marque avec force qu'à proprement parler, il ne s'agit pas de communication, la « censure » peut ici s'adoucir et s'affaiblir. Un poète de grande envergure, Janko Král', qui dans ses belles et rudes improvisations efface génialement la frontière entre la chanson populaire et un délire vertigineux, qui est encore plus impétueux que Mácha dans sa fantaisie, encore plus spontané dans son provincialisme plein de charme, — Janko Král' présente, à côté de Mácha, un cas presque exemplaire de « complexe d'Œdipe ». Božena Němcová, lorsqu'elle connut Král' personnellement, le décrivit ainsi dans une lettre à une amie : « C'est un grand original, et sa femme est fort jolie, toute jeune, mais terriblement sotte, et elle n'est juste, pour lui, qu'une petite bonne, il a dit lui-même qu'il n'avait aimé qu'une seule femme par-dessus tout, de toute son âme, et que cette femme était sa mère; son père, en revanche, il l'a détesté avec une égale passion, et ceci, parce qu'il torturait sa mère. (Alors qu'il fait la même chose avec sa femme.) Depuis qu'elle est morte, il n'aime personne. — Il me semble que cet homme finira quand même dans une asile de fous! » Et cet infantilisme extraordinaire, qui projette sur la vie de Kral' une ombre de démence dont l'audacieuse Božena Němcova elle-même fut effrayée, ne fait peur à personne dans ses poèmes : ils sont édités dans la collection *Čitanie študujúčej mládeže* [*Lecture de la jeunesse scolaire*] et donnent l'impression de n'être qu'un « masque » — bien que la poésie ait rarement dévoilé de façon si simple et si âpre la tragédie amoureuse d'un fils et d'une mère.

De quoi parlent les ballades et les chants de Kral'? — D'un fervent amour maternel, qui « jamais ne se laissa diviser », de l'inéluctable départ du fils, qui malgré « le conseil maternel », a cette certitude : « c'est inutile : qui peut aller contre le sort? Ce n'est pas mon destin. » — Du retour impossible « des pays étrangers à la maison, auprès de sa mère ». Désespérément, la mère cherche son fils : « la terre tout entière porte un deuil de tombeau, mais du fils, pas la moindre trace ». Désespérément, le fils cherche sa mère : « Pourquoi rentres-tu à la maison, auprès de tes frères et de ton père?... Pourquoi dans ton village, faucon ailé? Ta mère est partie dans le vaste monde. » La peur, la peur physique de l'étrange Janko condamné à périr, la nostalgie du ventre maternel, font également penser à Nezval.

Nezval, dans *Historie šesti prázdných domů* [*Histoire de six maisons vides*] :

> Maman
> Si tu le peux laisse-moi toujours en bas
> Dans la chambre vide où l'on ne reçoit personne
> Je suis bien en sous-location chez toi
> Et ce sera terrible quand on m'en chassera
> Combien de déménagements m'attendent
> Et le déménagement le plus affreux
> Le déménagement de la mort

Král', dans *Zverbovaný* [*le Recruté*] :

> Ah, maman, puisque tu m'aimais,
> Pourquoi m'as-tu abandonné à ce destin!
> Tu m'as exposé aux dangers de ce monde hostile
> comme la jeune fleur qu'on enlève d'un pot;
> cette fleur, que les gens n'ont pas encore respirée,
> S'ils veulent l'arracher, pourquoi l'ont-ils semée!
> Elle est dure, très dure, la peine du pré privé de pluie,
> mais cent fois plus dure la mort de Janíček.

L'inévitable antithèse du brusque flux de la poésie dans la vie est son non moins brusque reflux.

Je n'ai jamais pris ce chemin
J'ai perdu un œuf qui l'a trouvé?

Œuf blanc poules noires
Pendant trois jours la fièvre le tient

Toute la nuit un chien hurle
Un prêtre en voiture roule roule
Il bénit toutes les portes
Comme un paon avec ses plumes

Un enterrement un enterrement et il neige
L'œuf court derrière le cercueil
Ce n'est pas une plaisanterie
Dans l'œuf il y a le diable

Ma mauvaise conscience me berce
Passe-toi donc de ton œuf
Fou de lecteur
L'œuf était vide

Les propagandistes inconditionnels de la poésie révoltée passaient sous un silence gêné de tels jeux poétiques, ou parlaient avec irritation de la trahison et de la déchéance du poète. Pourtant, je suis absolument convaincu que ces chansonnettes de Nezval sont d'une audace aussi remarquable que l'exhibitionnisme réfléchi, inexorablement logique, de son anti-lyrisme. Ces jeux d'enfant sont l'un des secteurs d'un grand front uni, du front uni dirigé contre le fétichisme du mot. La seconde moitié du XIXe siècle fut l'époque d'une brusque inflation des signes linguistiques. Il ne serait pas difficile de donner à cette thèse un fondement sociologique. Les manifestations culturelles les plus typiques de cette époque sont portées par l'effort de dissimuler coûte que coûte cette inflation et d'accroître par tous les moyens la confiance dans le mot, ce mot de papier. Positivisme et réalisme naïf en philosophie, libéralisme en politique, orientation néo-grammaticale en linguistique, illusionnisme berceur dans la littérature et sur la scène, qu'il s'agisse de naïve illusion naturaliste ou d'illusion décadente solipsiste, méthodes atomisantes de la science de la littérature (en fait, de la science en général), c'est par ces divers moyens que le crédit du mot s'assainissait et que se renforçait la foi dans sa valeur réelle.

Et maintenant! La phénoménologie moderne démasque systématiquement les fictions linguistiques et montre avec lucidité la différence fondamentale qui sépare le signe et l'objet signifié, la signification d'un mot et le contenu que vise cette signification. Un phénomène parallèle s'observe dans le champ politico-social : c'est la lutte passionnée contre les phrases et les mots vides, brumeux, nuisiblement abstraits, la lutte idéocratique contre les « mots-escrocs », selon l'expression devenue proverbiale. Dans l'art, ce fut le rôle du cinéma, qui révéla clairement et nettement à d'innombrables spectateurs que la langue n'est qu'un des systèmes sémiotiques possibles, comme l'astronomie révéla autrefois que la terre n'était qu'une planète parmi beaucoup d'autres et permit ainsi une révolution complète de notre vision du monde. En fait, le voyage de Christophe Colomb signifiait déjà la fin d'un mythe, celui de l'exclusivité du vieux monde, mais c'est seulement l'essor actuel de l'Amérique qui, à ce mythe, donna le coup de grâce; de la même façon, le film fut tenu, au début, pour une simple colonie exotique de l'art, et c'est seulement en se développant, pas à pas, qu'il se mit à démolir l'idéologie dominante d'hier. Enfin, le poétisme [a] et les tendances littéraires voisines attestent de manière tangible que le mot se donne sa propre loi. Les petits vers capricieux de Nezval s'attirent donc des alliés très actifs.

Ces temps-ci, la critique trouve de bon ton de souligner l'incertitude de ce qu'on appelle la science formaliste de la littérature. Il paraît que cette école ne comprend pas les rapports de l'art et de la vie sociale, il paraît qu'elle prône l'art pour l'art et marche sur les traces de l'esthétique kantienne. Les critiques qui font ces objections sont, dans leur radicalisme, si conséquents et précipités qu'ils oublient l'existence de la troisième dimension, qu'ils voient tout sur le même plan. Ni Tynianov, ni Mukařovský, ni Chklovski, ni moi, nous ne prêchons que l'art se suffit à lui-même; nous montrons au contraire que l'art est une partie de l'édifice social, une composante en corrélation avec les autres, une composante variable, car la sphère de l'art et son rapport aux autres secteurs de la structure sociale se modifient sans cesse dialectiquement. Ce que nous soulignons, ce n'est pas un séparatisme de l'art, mais l'autonomie de la fonction esthétique.

J'ai déjà dit que le contenu de la notion de *poésie* était instable et variait dans le temps, mais la fonction poétique, la *poéticité*, comme l'ont souligné les formalistes, est un élément *sui generis*, un élément que l'on ne peut réduire mécaniquement à d'autres éléments. Cet élément, il faut le dénuder et en faire apparaître l'indépendance, comme sont dénudés et indépendants les procédés techniques des tableaux cubistes par exemple, — c'est là un cas particulier cependant, un cas qui du point de vue de la dialectique de l'art a sa raison d'être,

a. *Poétisme* est l'école poétique à laquelle appartient Nezval, variante tchèque du surréalisme.

mais un cas spécial malgré tout. En général, la poéticité n'est qu'une composante d'une structure complexe, mais une composante qui transforme nécessairement les autres éléments et détermine avec eux le comportement de l'ensemble. De la même façon, l'huile n'est pas un plat particulier, mais n'est pas non plus un supplément accidentel, une composante mécanique : elle change le goût de tout ce qu'on mange et parfois, sa tâche est si pénétrante qu'un petit poisson en perd son appellation génétique originelle et change de nom pour devenir une sardine à l'huile [a]. — Si la poéticité, une fonction poétique d'une portée dominante, apparaît dans une œuvre littéraire, nous parlerons de poésie.

Mais comment la poéticité se manifeste-t-elle? En ceci, que le mot est ressenti comme mot et non comme simple substitut de l'objet nommé ni comme explosion d'émotion. En ceci, que les mots et leur syntaxe, leur signification, leur forme externe et interne ne sont pas des indices indifférents de la réalité, mais possèdent leur propre poids et leur propre valeur.

Pourquoi tout cela est-il nécessaire? Pourquoi faut-il souligner que le signe ne se confond pas avec l'objet? Parce qu'à côté de la conscience immédiate de l'identité entre le signe et l'objet (A est A_1), la conscience immédiate de l'absence de cette identité (A n'est pas A_1) est nécessaire; cette antinomie est inévitable, car sans contradiction, il n'y a pas de jeu des concepts, il n'y a pas de jeu des signes, le rapport entre le concept et le signe devient automatique, le cours des événements s'arrête, la conscience de la réalité se meurt.

Je suis persuadé que l'année 1932 entrera un jour dans l'histoire de la culture tchèque comme l'année de *Skleněný havelok* [*le Macfarlane de verre*] de Nezval, comme 1836 est pour la culture tchèque l'année de *Máj* de Mácha. De telles affirmations paraissent en général paradoxales aux contemporains. En disant cela, je ne pense même pas, bien entendu, à Tomíček, qui déclara que *Máj* était du rebut et son auteur un rimailleur, ni aux nombreux remplaçants et successeurs de Tomíček. Les contemporains enthousiastes d'un poète trouvent souvent eux-mêmes ces pronostics exagérés. Les élections de l'année, les crises, les faillites, les procès à scandale, sont toujours tenus pour des événements plus marquants et plus caractéristiques. Pourquoi? La réponse est simple.

De la même manière que la fonction poétique organise et dirige l'œuvre poétique sans être nécessairement saillante, sans sauter aux yeux comme une affiche, l'œuvre poétique, dans l'ensemble des

a. *Olej* (huile) a produit en tchèque *olejovka* (sardine à l'huile).

valeurs sociales, ne prédomine pas, ne l'emporte pas sur les autres valeurs, mais n'en est pas moins l'organisateur fondamental de l'idéologie, constamment orienté vers son but. C'est la poésie qui nous protège contre l'automatisation, contre la rouille qui menace notre formule de l'amour et de la haine, de la révolte et de la réconciliation, de la foi et de la négation.

Le nombre des citoyens de la République tchécoslovaque qui ont lu, par exemple, les vers de Nezval, n'est pas très élevé. Dans la mesure où ils les ont lus et acceptés, sans le vouloir, ils vont plaisanter avec un ami, injurier un adversaire, exprimer leur émotion, déclarer et vivre leur amour, parler politique, d'une manière un peu différente. Même s'ils les ont lus en les refusant, leur langage et leur rituel journalier ne restera pas sans changement. Ils seront longtemps poursuivis par une idée fixe : surtout, ne ressembler en rien à ce Nezval. De toutes les façons possibles, ils repousseront ses motifs, ses images, sa phraséologie. L'hostilité aux poèmes de Nezval est cependant une tout autre disposition psychologique que leur ignorance. Et par ses admirateurs et ses détracteurs, les motifs de cette poésie et ses intonations, ses mots et ses relations se répandront de plus en plus et iront jusqu'à former la langue et la manière d'être des gens qui ne connaîtront Nezval que par la chronique quotidienne de *Politička* [a].

C'est ainsi que monsieur Jourdain ne savait pas qu'il parlait en prose, c'est ainsi que l'éditorialiste de la petite feuille du lundi ne sait pas qu'il remâche les mots d'ordre jadis novateurs des grands philosophes, et si bon nombre de nos contemporains ne soupçonnent pas l'existence de Hamsun, de Šrámek, ou disons de Verlaine, cela ne les empêche pas d'aimer selon Hamsun, Šrámek ou Verlaine. L'ethnographie moderne appelle cela *gesunkenes Kulturgut* — valeur culturelle déchue [1].

C'est seulement quand une époque a achevé de mourir, et quand s'est dissoute l'étroite interdépendance de ses diverses composantes,

1. Quelques exemples clairs : de nombreux éléments de l'art populaire de l'Europe centrale sont des valeurs déchues de la culture baroque; c'est aussi une valeur déchue de la culture de l'époque des Lumières que la « libre pensée » d'aujourd'hui, et la tendance « naturaliste », génétique sans aucune réserve, qui domine dans la science allemande de la deuxième moitié du XIXe siècle, s'est conservée comme *tiefgesunkenes Kulturgut*, sous la forme de l'hitlérisme.

a. *Politička*, diminutif courant de *Národní politika (Politique nationale)*, journal tchèque de l'époque, spécialisé dans la chronique locale; les démêlés des écrivains d'avant-garde, de Nezval en particulier, avec la police, y ont été abondamment décrits.

c'est seulement alors qu'au fameux cimetière de l'histoire se dressent au-dessus de toutes sortes de vieilleries archéologiques les « monuments » poétiques. Alors on parle pieusement de l'époque de Macha. Ainsi, on ne retrouve un squelette humain que dans une tombe, lorsqu'il n'est plus bon à rien. Il échappe à l'observation pour autant qu'il a accompli sa tâche, à moins qu'on l'éclaire artificiellement aux rayons X, à moins qu'on s'obstine à chercher ce qu'est la colonne vertébrale, ce qu'est la poésie.

Traduit du tchèque par
MARGUERITE DERRIDA

Notes marginales sur la prose du poète Pasternak[a]

I

Les classifications établies par les manuels scolaires sont d'une simplicité rassurante. D'un côté la prose, de l'autre la poésie. Cependant la différence entre la prose d'un poète et celle d'un prosateur, ou encore entre les poèmes d'un prosateur et ceux d'un poète, apparaît immédiatement. Un montagnard chemine à travers la plaine, il ne trouve pas de prises et trébuche sur cette surface plane. Que sa démarche soit d'une touchante maladresse ou qu'elle atteste une habileté consommée, on sent qu'elle ne lui est pas naturelle; elle ressemble trop aux pas d'un danseur, l'effort y est apparent. Une langue d'acquisition seconde, fût-elle maniée à la perfection, ne peut être confondue avec une langue native. Il existe certes des cas de bilinguisme authentique et absolu. En lisant la prose de Pouchkine et de Mácha, de Lermontov ou de Heine, de Pasternak ou de Mallarmé, nous ne pouvons nous défendre d'un certain étonnement devant leur parfaite possession de la langue seconde ; pourtant nous ne manquons pas de déceler au même moment comme une sonorité étrangère dans l'accent et la configuration interne de leur langage. Ce sont d'étincelantes retombées des monts de la poésie venues se déposer dans les plaines de la prose.

La prose du poète n'est pas la seule que trahisse ainsi une marque particulière : il existe une prose des époques poétiques, des courants littéraires voués à la production poétique, différente de la prose des époques et écoles littéraires d'inspiration prosaïque. Les positions les plus avancées de la littérature russe des premières décennies de notre siècle relèvent du domaine poétique; c'est précisément la poésie qui est alors ressentie comme la manifestation canonique, non-marquée, de la littérature, comme sa pure incarnation. Le

a. « Randbemerkungen zur Prosa des Dichters Pasternak », *Slavische Rundschau*, VII (1935), p. 357-374.

symbolisme comme le bouillonnement littéraire apparu peu après et que l'on regroupe fréquemment sous l'étiquette de futurisme furent dans leur quasi-totalité l'apanage de poètes; si plusieurs d'entre eux empruntent à l'occasion les chemins de la prose, il faut y voir un écart conscient de versificateur virtuose se risquant hors de son itinéraire habituel. A peu d'exceptions près, la prose artistique des écrivains de profession est à cette époque une production typiquement épigonale, une reproduction plus ou moins heureuse des modèles classiques; l'intérêt de ces œuvres de tâcherons réside soit dans l'imitation réussie du modèle ancien, soit dans la déformation grotesque des canons. La nouveauté peut encore consister dans l'habile adaptation d'une thématique nouvelle à des modèles traditionnels. A l'inverse de la forte tension interne qui caractérise la poésie de la même période, cette prose n'atteint quelque grandeur qu'en raison de l'action de Gogol et de Tolstoï qui ont, en leur temps, porté très haut l'exigence de qualité, et aussi à cause de l'étendue de la réalité contemporaine. La contribution de cette province archi-reculée du réalisme russe classique à l'histoire du développement de la prose artistique est insignifiante, alors que la prose de Brioussov, de Biély, de Khlebnikov, de Maïakovski et de Pasternak — cette singulière colonie de la poésie nouvelle — a ouvert tout un lacis de voies préparant un nouvel essor de la prose russe. C'est ainsi qu'en son temps la prose de Pouchkine et de Lermontov apparut comme le signe avant-coureur du grandiose festival de prose que Gogol devait inaugurer. La prose de Pasternak est celle d'un poète appartenant à une grande époque poétique : elle en a toutes les caractéristiques.

La prose d'un écrivain ou d'un courant littéraire orientés vers la création poétique présente un haut degré de spécificité, aussi bien lorsqu'elle subit l'influence de l'élément dominant, c'est-à-dire de l'élément poétique, que lorsque, dans un effort tendu et volontaire, elle parvient à s'en arracher. Non moins essentiel est le contexte général de la création littéraire, le rôle que celle-ci tient dans le concert général des arts. La hiérarchie des valeurs artistiques varie avec les conceptions des différents artistes et des courants artistiques. Pour le classicisme, ce sont les arts plastiques qui représentent l'expression la plus haute, la plus pure, la plus exemplaire de l'art; pour le romantisme c'est la musique, et pour le réalisme, la littérature. Le vers romantique est destiné à devenir chant, à se transmuer en musique; inversement, dans le drame musical et la musique à programme de l'époque réaliste, la musique cherche à se rattacher à la littérature. Le symbolisme a repris dans une large mesure le slogan des Romantiques pour qui l'art gravitait autour de la musique. Le dépassement des principes fondamentaux du symbolisme s'est opéré en premier lieu dans le domaine de la peinture, et c'est précisément la peinture qui s'est vu attribuer la position dominante dans les débuts de l'art futuriste. Plus tard, avec la révélation du caractère sémiotique de l'art, la poésie deviendra en quelque sorte le modèle de tous ceux qui, dans le domaine artistique, veulent faire œuvre de novateurs. Tous les poètes de la génération futuriste témoignent de cette tendance à identifier l'art et la poésie : « L'art en général, autrement dit la poésie » écrit Pasternak. Mais pour chacun de ces poètes la genèse de cette hiérarchie fut différente : différents furent leurs points de départ et les chemins qui les menèrent à la poésie. Pasternak, disciple convaincu de « l'art de Scriabine, de Blok, de la Komissarjevskaïa et de Biély », c'est-à-dire de l'école symboliste, vint à la poésie par la musique pour laquelle il éprouvait un attachement proche du culte, bien caractéristique du symbolisme. Ce fut la peinture qui servit à Maïakovski de tremplin vers la poésie. Pour Khlebnikov, par-delà la diversité des buts artistiques qu'il a pu se donner, les mots ont invariablement constitué le matériau unique. On serait tenté de dire que dans l'évolution de la poésie russe postsymboliste, Maïakovski a incarné le *Sturm und Drang*; Khlebnikov en fut la conquête la plus marquée et la plus originale, l'œuvre de Pasternak représentant en somme le maillon entre le symbolisme et l'école qui lui a succédé. Et même si la maturité poétique de Khlebnikov s'est affirmée plus tôt que celle de Maïakovski, celle de Maïakovski plus tôt que celle de Pasternak, il n'en reste pas moins que le lecteur venant du symbolisme était prêt à aborder Pasternak, puis, ne pouvant éviter de trébucher sur Maïakovski, il en venait à bout, et entreprenait, pour finir, le siège épuisant de la forteresse Khlebnikov. Cependant, voir dans les écrivains d'une même période les différents maillons d'une évolution littéraire unitaire et chercher à déterminer l'ordre de succession de ces maillons ce sont là des tentatives relevant d'une perspective unidimensionnelle et n'échappant pas à la convention. Quand le poète se fait, d'une certaine manière, le continuateur d'une tradition, il s'en écarte d'autant plus fortement par ailleurs; de même la tradition n'est jamais rejetée en bloc : le refus frappant certains éléments s'accompagne toujours d'une tendance à la conservation, qui en maintient d'autres. C'est pourquoi Pasternak, qui conçoit sa tâche d'écrivain comme la continuation du symbolisme, en arrive à comprendre que sa volonté de perpétuer et d'immortaliser l'art ancien ait constamment donné naissance à un art nouveau. L'imitation se trouva être « plus vive et plus ardente » que l'original et cette différence quantitative se mua, comme il est de règle, en une différence qualitative. Comme il le remarquait à propos de sa propre poésie « le nouveau ne fut pas créé pour abolir l'ancien..., il naquit au contraire d'une imitation enthousiaste du modèle ». A l'inverse, Maïakovski a préconisé délibérément l'abolition de l'ancienne poésie; Pasternak, par un sens très fin du symbolisme, n'en décèle pas moins, dans la « manière romantique » de Maïakovski et la sensibilité qu'elle recouvre, l'héritage, en quelque sorte condensé, de l'école poétique honnie par ce futuriste belliqueux. Quel est donc le fond du débat? L'apport novateur de Pasternak et de Maïakovski est tout aussi fragmentaire que ce qui les rattache à la littérature passée. Imaginons deux langues apparentées, différant à la fois par des créations récentes et par des sédiments provenant de la langue originaire : ce que l'une a conservé de leur source commune a souvent disparu dans l'autre et inversement. Ces deux langues représentent les univers poétiques de Pasternak et de Maïakovski, la langue originaire figure le système poétique du symbolisme. Les remarques qui vont suivre concernent ce qu'il y a de particulier, d'inhabituel dans l'œuvre de Pasternak, ce qui marque sa rupture avec ses prédécesseurs, le rendant à ses contemporains pour une part lointain et étranger, pour une part extraordinairement proche; c'est dans sa prose, au cheminement faussement malhabile, que l'on en trouvera la meilleure illustration.

II

Les manuels scolaires tracent avec assurance une nette délimitation entre poésie lyrique et épopée. Ramenant le problème à une simple formulation grammaticale, on peut dire que la première personne du présent est à la fois le point de départ et le thème conducteur de la poésie lyrique, alors que ce rôle est tenu dans l'épopée par la troisième personne d'un temps du passé. Quel que soit l'objet particulier d'un récit lyrique, il n'est qu'appendice, accessoire, arrière-plan de la première personne du présent; le passé lyrique lui-même suppose un sujet en train de se souvenir. Inversement le présent de l'épopée est nettement rapporté au passé, et quand le Je du narrateur en vient à s'exprimer, comme un personnage parmi d'autres, ce Je objectivé n'est qu'une variété de la troisième personne, comme si l'auteur se regardait lui-même du coin de l'œil. Il se peut en définitive que le Je soit mis en valeur en tant qu'instance enregistrante mais il n'est jamais confondu avec l'objet enregistré; ce qui revient à dire que l'auteur en tant qu' « objet de la poésie lyrique, s'adressant au monde à la première personne » reste profondément étranger à l'épopée.

Le symbolisme russe est éminemment lyrique, ses détours vers l'épopée ne sont que tentatives caractéristiques de poètes lyriques pour se parer de plumes épiques; la poésie postsymboliste opère une scission des genres : malgré la persistance du lyrisme qui jouit d'une suprématie manifeste (Maïakovski l'a porté à son expression la plus achevée), l'élément purement épique, dont la poésie et la prose de Khlebnikov offrent un exemple tout à fait unique, parvient cependant à trouver une issue. Pasternak est un authentique poète lyrique, sa prose notamment le prouve, et ses poèmes historiques ne sont pas d'une autre nature que ses cycles de poèmes intimes.

Pasternak reconnaît qu'une grande partie des découvertes de Khlebnikov lui est toujours restée incompréhensible et il ajoute pour se justifier : « La poésie, telle que je la conçois, est de toute manière intégrée à l'histoire, elle crée en s'appuyant sur la vie réelle. » Ce reproche insinuant qu'il se serait coupé de la vie réelle aurait certainement étonné Khlebnikov : n'avait-il pas en effet conçu son œuvre comme une affirmation de la réalité alors que la littérature des générations précédentes l'avait niée? Dans cet univers de signes qu'est celui de Khlebnikov, tout est si pleinement réel que chaque signe, chaque mot créé, lui paraît doté d'une réalité entièrement autonome; aussi est-il parfaitement superflu de poser la question de la référence à un objet extérieur quelconque ou même de l'existence d'un tel objet. Pour Khlebnikov comme pour la jeune héroïne de Pasternak, le nom a une signification complète et naïvement apaisante : « On ne pouvait absolument rien distinguer de ce qui se passait là-bas, tout au loin, sur l'autre rive; ça n'avait pas de nom, pas de couleur apparente ni de contours bien définis... Genia se mit à pleurer... L'explication du père fut brève : c'était *Motovilikha*... La petite fille n'y comprit rien et, satisfaite, elle avala une larme qui roulait le long de sa joue. C'est qu'elle n'avait qu'un désir : apprendre le nom de cette chose qu'on ne pouvait comprendre, *Motovilikha.* » Quand Genia fut sortie de l'enfance, elle se mit pour la première fois à soupçonner l'apparition de cacher quelque chose ou de ne le révéler qu'à des élus. L'attitude de Pasternak correspond exactement à cette disposition d'esprit propre à l'enfance. Il est hors de question que ce poète puisse avoir une attitude épique envers ce qui l'entoure; il a la conviction profonde que dans l'univers des faits prosaïques, les données de l'existence quotidienne recueillies par l'âme sont stupides, mornes et paralysantes : « elles tombent au fond [de l'âme], réelles, durcies et froides comme des cuillères d'étain ensommeillées » et seule l'ardeur passionnée de l'élu peut transformer en poésie cette « vérité qui nous opprime de ses lois ». Seul le sentiment est évident et digne d'une absolue créance. « En comparaison, le soleil lui-même semblait une de ces nouveautés qu'on trouve dans une ville et qu'il faut soumettre à un examen préalable. » Pasternak fonde sa poétique sur l'expérience affective de la réalité, dans ce qu'elle a de personnel et d'impérieux. « Sous cette apparence, les événements ne m'appartenaient pas », etc. La tendance du langage poétique à se régler sur le langage purement expressif de la musique, la justification de cette conception par la supériorité de la passion vivifiante sur l'inéluctable, tout cela est dans le prolongement de la ligne romantique suivie par le symbolisme; cependant, parallèlement au développement et à l'isolement croissant de son œuvre, le langage de Pasternak se transforme progressivement : romantique et émotionnel à l'origine, il devient un langage sur l'émotion et cet aspect descriptif trouve dans la prose du poète son expression la plus éclatante.

III

Les reflets de l'œuvre de Khlebnikov manifestes dans les écrits de Pasternak ne parviennent pas à brouiller la démarcation entre les deux poètes. Il est bien plus difficile de tracer une frontière nette entre l'œuvre de Pasternak et celle de Maïakovski. Ils appartiennent à la même génération de poètes lyriques et Maïakovski, plus que tout autre, a profondément marqué la jeunesse de Pasternak qui lui a toujours voué une grande admiration. Une comparaison attentive des réseaux métaphoriques qui leur sont familiers fait immédiatement apparaître de remarquables analogies. « Le temps et certaines influences communes m'ont rapproché de Maïakovski, il y avait entre nous des correspondances », note Pasternak. La structure métaphorique de ses poèmes comporte des traces évidentes de son engouement pour l'auteur du *Nuage en pantalon*. Mais avant de procéder à une comparaison des métaphores chez les deux poètes, il faut prendre garde qu'elles sont loin de jouer un rôle identique dans leurs œuvres. Dans les poèmes de Maïakovski, la métaphore, accentuant la tradition symboliste, n'est pas seulement le plus caractéristique des tropes poétiques, sa fonction est également essentielle, car c'est elle qui préside à l'élaboration et au développement du thème lyrique. Pour reprendre une remarque pertinente de Pasternak, la poésie s'est mise « à cet instant précis à parler le langage des symboles ésotériques ». Notre but se précise : l'orientation foncièrement métaphorique de Maïakovski étant connue, il reste à déterminer la structure thématique de son lyrisme. L'impulsion lyrique, nous l'avons dit, est donnée par le moi du poète. Dans la poésie métaphorique les images venues du monde extérieur sont appelées à entrer en accord avec cette impulsion première, à la transposer sur d'autres plans, à instituer tout un réseau de correspondances et d'impératives équivalences dans la multitude des plans cosmiques; le héros lyrique se dissout dans la multiplicité des dimensions de l'être, comme celles-ci sont destinées à se confondre en lui. La métaphore instaure une association créatrice par la voie de l'analogie ou du contraste. Le héros lyrique se voit opposer l'image antagoniste de son ennemi mortel — image à facettes multiples comme tout ce qui participe du lyrisme métaphorique —, et le thème de l'engagement du héros dans un duel à mort ne manque pas de clore le poème. Ce lyrisme héroïque, enserré dans une chaîne métaphorique solide et contraignante, réalise la fusion en un tout indissoluble de la mythologie et de l'être du poète, et celui-ci, comme l'a parfaitement compris Pasternak, doit payer de sa vie son symbolisme universel. Prenant ainsi comme point de départ la structure sémantique de la poésie de Maïakovski, nous avons pu en déduire son véritable livret et découvrir le noyau central de la biographie de ce poète.

Malgré leur raffinement et leur richesse, ce ne sont pas les métaphores utilisées par Pasternak qui déterminent le thème poétique et lui servent de fil conducteur. Ce sont les réseaux de métonymies, non de métaphores, qui confèrent à son œuvre une « expression bien particulière ». Son lyrisme — prose ou poésie — est pénétré d'un principe métonymique, gouverné par la précellence de l'association par contiguïté. A l'inverse de ce que nous avions remarqué pour la poésie de Maïakovski, la première personne est rejetée à l'arrière-plan. Mais il n'y a là qu'apparence de mépris : l'éternel héros lyrique est tout aussi présent. Son apparition s'est faite métonymique, comme dans *l'Opinion publique* de Chaplin où nous ne voyons pas le train arriver, nous le percevons seulement grâce aux reflets qu'il projette sur les personnages du film; ce train invisible, translucide, passe en quelque sorte entre l'écran et les spectateurs. De même, dans le lyrisme de Pasternak, les images environnantes fonctionnent comme des reflets juxtaposés, expressions métonymiques du moi du poète. Il lui arrive parfois de dévoiler sa poétique, mais alors, dans un geste égocentrique, il l'assimile à l'ensemble de l'art. Il ne croit pas que l'art soit susceptible d'authenticité épique ni d'ouverture sur le monde extérieur, trop convaincu que les véritables œuvres d'art, quoi qu'elles disent, ne font en fait que raconter leur naissance. « Tout se passe comme si la réalité surgissait à travers une catégorie nouvelle; cette catégorie nous paraît être son état propre non le nôtre... Nous cherchons à lui donner un nom. Ainsi naît l'art. » Si Constantinople donnait au pèlerin de la vieille Russie l'impression d'être une ville insatiable, c'est que lui-même ne pouvait assouvir sa propre envie de la contempler. Il en va de même pour les poèmes de Pasternak, plus encore pour sa prose où se dévoile plus nettement l'anthropomorphisme qui touche le monde des objets inanimés : ce ne sont plus les héros qui se révoltent mais les objets environnants; les contours immobiles des toits manifestent leur curiosité; la porte se referme avec un air de reproche; une chaleur plus intense, soulignée par le zèle et le dévouement des lampes, révèle la joie provoquée par la réconciliation familiale, et lorsque le poète fut éconduit par la jeune fille aimée « la montagne se fit plus haute et plus mince, la ville plus maigre et plus sombre ». Nous avons à dessein cité des exemples simples, il y a dans les livres de Pasternak quantité d'images de la même espèce, mais beaucoup plus complexes. La forme élémentaire de l'association par contiguïté est l'annexion de l'objet le plus proche. Le poète connaît d'autres relations métonymiques : du tout à la partie et inversement, de la cause à l'effet ou de l'effet à la cause, d'un rapport spatial à un rapport temporel et vice versa, etc. Mais le procédé qu'il privilégie est la mention d'une activité pour son auteur, ou d'un état, d'une expression, d'une qualité propre à un individu en lieu et place de cet individu —, ces abstractions tendant, dans le même mouvement, à s'objectiver et à devenir autonomes. Le philosophe Brentano qui combattit opiniâtrement l'objectivation, logiquement illégitime, de semblables fictions fondées sur le langage, aurait découvert dans la prose et la poésie de Pasternak la plus riche collection de ces prétendues « entia », traitées comme des êtres de chair et de sang. *Sestra moja, zhizn (Ma sœur, la vie)*. Ce titre — [souvent [a]] intraduisible, puisqu'il tient à ce qu'en russe « vie » est du genre féminin —, leitmotiv du recueil de poèmes le plus représentatif de Pasternak, dévoile spectaculairement les racines linguistiques de cette mythologie. Ce même être apparaît à plusieurs reprises, jusque dans sa prose : « Rares sont ceux à qui la vie révèle ce qu'elle entreprend avec eux : son travail la passionne trop, et quand elle s'active, elle ne consent à parler qu'à ceux qui lui souhaitent de réussir et qui aiment son établi » *(l'Enfance de Luvers)*. On trouve dans le *Sauf-conduit* un passage analogue pris dans un contexte métonymique encore plus complexe : « Soudain, sous la fenêtre, me parvint une représentation de ce qu'avait été sa vie [il s'agit de Maïakovski], une vie qui appartient déjà entièrement au passé. Elle avait pris la forme d'une rue tranquille, bordée d'arbres, et partait de la fenêtre, là, sur le côté... Et le premier à se dresser contre le mur fut notre État, notre impossible, notre incomparable État qui entrait dans

a. Cette explication s'impose en allemand — langue dans laquelle a été publié le texte — où *Leben* (vie) est du genre neutre. Pour la rendre acceptable en français nous avons ajouté [souvent].

les siècles pour y demeurer à jamais. Il se tenait là, en bas, on pouvait l'appeler et le prendre par la main. »

Les poèmes de Pasternak forment un royaume où les métonymies s'éveillent à une existence autonome. Derrière le héros fatigué, ses empreintes continuent de vivre et de se mouvoir, alors que, tout comme lui, elles aspirent au sommeil. Avançant sur son chemin abrupt, la vision de rêve du poète chante doucement : « Je suis la vision de rêve. » L'auteur raconte dans ses souvenirs : « J'entendais souvent le sifflement de la mélancolie, qui avait existé bien avant moi. Venant de derrière moi, il arriva à ma hauteur, prit peur et me mit d'humeur charitable... Le silence était mon compagnon de route, en chemin je lui étais échu en partage et portais son uniforme dont nous avons tous l'expérience intime. » L'expression de l'objet s'empare de la fonction : « Quelque part, tout près, on entendait de la musique... c'était un troupeau... La musique fut aspirée par les taons. Leur peau glissait sûrement, prise dans un va-et-vient spasmodique. » L'action et son auteur atteignent le même degré d'existence concrète : « deux diamants rares jouaient, isolés et autonomes, dans les nids profonds de ce bienfait mal éclairé : le petit oiseau et son gazouillis ». En devenant objet concret, l'abstraction se couvre d'accessoires neutres : « C'étaient des voies aériennes d'où, comme des rails, partaient journellement les pensées sans détour de Liebknecht, de Lénine et des quelques rares esprits de la même lignée. » L'abstraction est elle-même personnifiée au prix d'une catachrèse : « Il était midi, l'heure de la tranquillité. Elle communiquait avec la tranquillité qui s'étendait en bas dans la plaine. » L'abstraction devient capable d'actions autonomes et ces actions deviennent à leur tour objets concrets : « les petits ricanements vernis d'une règle de vie qui se disloquait se firent des clins d'œil en silence ».

Maïakovski qui aimait à s'imposer continuellement des difficultés nouvelles eut pendant de nombreuses années l'idée d'écrire un roman; il en avait même déjà imaginé les titres. Ce fut d'abord *Deux sœurs*, puis *Une douzaine de femmes*. Ce n'est pas un hasard s'il en a constamment ajourné le projet : avec le monologue lyrique et le dialogue dramatique, il se trouve dans son véritable élément, mais l'instance descriptive lui est profondément étrangère; il remplace la thématique de la troisième personne par celle de la deuxième personne. Tout ce qui n'est pas indissolublement lié au moi du poète est ressenti par Maïakovski comme hostile et antagoniste; il se tourne alors immédiatement vers l'adversaire, il provoque en duel, démasque, foudroie, accable de son ironie ou proscrit. Les merveilleuses pièces de théâtre que Maïakovski écrivit à la fin de sa vie sont, ce qui n'étonnera pas, la seule entreprise qu'il ait menée à bien dans le domaine de la prose. Les raisons qui ont amené Pasternak à se tourner vers la prose narrative ne sont pas moins motivées. Il est des poèmes à texture métonymique et des récits en prose émaillés de métaphores (la prose de Biély en est un exemple manifeste), mais une parenté à coup sûr plus étroite et plus fondamentale unit le vers à la métaphore et la prose à la métonymie. C'est sur l'association par similarité que reposent les vers ; leur effet est impérativement conditionné par la similarité rythmique, et ce parallélisme des rythmes s'impose plus fortement s'il est accompagné d'une similitude (ou d'un contraste) entre les images. La prose ignore un tel dessein de frapper l'attention par l'articulation en segments d'une similitude voulue. C'est l'association par contiguïté qui donne à la prose narrative son impulsion fondamentale ; le récit passe d'un objet à l'autre, par voisinage, en suivant des parcours d'ordre causal ou spatio-temporel, le passage de la partie au tout et du tout à la partie n'étant qu'un cas particulier de ce processus. Les associations par contiguïté ont d'autant plus d'autonomie que la prose est moins riche en substance. Pour la métaphore, le vers constitue la ligne de moindre résistance, pour la métonymie, c'est la prose dont le sujet est effacé ou totalement absent (on trouvera une illustration du premier cas dans les nouvelles de Pasternak et du second dans *le Sauf-conduit*).

IV

Le propre des tropes poétiques n'est pas seulement de dresser un bilan minutieux des relations multiples existant entre les objets, mais tout autant de faire subir un déplacement aux relations qui ont cours. Quand, dans une structure poétique donnée, la fonction métaphorique s'exerce avec une grande tension, les classifications traditionnelles sont d'autant plus profondément subverties et les objets sont attirés dans une configuration nouvelle régie par des caractères classificatoires nouvellement créés. La métonymie créatrice (ou forcée, pour employer la terminologie des adversaires de cette innovation) transforme semblablement l'ordre traditionnel des choses. L'association par contiguïté, qui devient chez Pasternak l'instrument docile de l'artiste, procède à une redistribution de l'espace et modifie la succession temporelle. Cette propriété apparaît tout particulièrement dans les essais en prose du poète où se maintiennent cependant, à l'arrière-plan, les formes habituelles de la prose informative. Pasternak donne à ces déplacements une base émotive, ou plutôt, si l'on préfère partir de la fonction expressive de l'art verbal, c'est à travers eux qu'il permet à l'émotion de s'exprimer.

Un univers poétique où règne la métonymie estompe les contours des objets, de même que le mois d'avril abolit la frontière entre la cour et la maison dans le récit de Pasternak *l'Enfance de Luvers*; il fait de deux aspects d'un même objet deux objets indépendants; ainsi les enfants, dans le même récit, croient apercevoir au lieu d'une seule rue deux rues différentes, selon qu'ils la voient de l'extérieur ou de l'intérieur. Ces deux traits caractéristiques — interpénétration réciproque des objets (métonymie au sens propre) et décomposition de ces mêmes objets (synecdoque) — apparentent l'œuvre de Pasternak aux tentatives de la peinture cubiste. Les proportions des objets se modifient : « La gondole était gigantesque comme une femme, comme l'est tout ce qui, possédant une forme parfaite, est disproportionné avec la place qu'occupe son corps dans l'espace. » Les distances qui séparent les objets se transforment : on acquiert ainsi la certitude qu'il est plus doux de parler d'étrangers que de sa famille, et, dans la première partie du *Sauf-conduit*, la vision du mouvement cosmique métamorphose les objets inanimés en un horizon lointain et figé. Pour citer un exemple frappant de la transformation que subissent les objets autour de nous : « Les lampes ne faisaient qu'accentuer le vide de l'air du soir. Elles ne donnaient aucune lumière, elles enflaient de l'intérieur comme des fruits malades, souffrant de cette hydropisie trouble et claire qui gonflait leurs abat-jour boursouflés. Elles étaient absentes. Plus qu'avec les pièces de la maison, les lampes étaient en contact avec le ciel printanier dont elles semblaient s'être rapprochées. » Pasternak lui-même compare incidemment l'espace décalé de ses œuvres à l'espace de l'eschatologie de Gogol : « on put soudain l'apercevoir des quatre coins de la terre ». Les rapports spatiaux et temporels sont mêlés, la succession dans le temps perd son caractère coercitif, les objets « sont projetés du passé vers le futur et du futur vers le passé, comme du sable dans un sablier qu'on agite souvent ». Toute contiguïté peut être conçue comme une série causale. Pasternak est impressionné par la terminologie de l'enfant qui saisit le sens d'une phrase d'après la situation et s'écrie : « ce ne sont pas les mots qui me l'ont fait comprendre mais *la cause* ». Le poète a tendance à identifier la situation à la cause, il est conscient de préférer « à l'éloquence des faits les aléas de la conjecture », il nous apprend que le temps est pénétré de l'unité des événements qui jalonnent l'existence, et entre eux il établit des ponts, bâtis sur des « sols dérisoires », prélogiques, qu'il oppose ouvertement aux syllogismes des adultes. Il n'est donc nullement surprenant que le bavardage des interlocuteurs de Cohen se révèle « accidenté à cause des trottoirs de Marburg qui sont en forme de marches », ni que les nombreux « c'est la raison pour laquelle » employés par le poète ne soient souvent que des phrases à la causalité purement fictive.

Plus le personnage poétique a d'ampleur et plus « le résultat accompli » — pour employer le langage de Pasternak — oblitère « l'objet de l'accomplissement ». Le lien établi prend le pas sur les éléments qu'il avait à relier et les rejette dans l'ombre; « l'attrait de la signification existant pour elle-même » se dévoile, les rapports de référence aux objets sont estompés, c'est à peine s'ils transparaissent. En ce sens, aussi bien les relations métonymiques créées par Pasternak que les relations métaphoriques propres à Maïakovski, ou les méthodes si variées utilisées par Khlebnikov dans ses poèmes pour condenser la forme (interne ou externe) du langage, reflètent une tendance tenace à la suppression des objets; on retrouve d'ailleurs cette tendance caractéristique dans d'autres formes de l'art de la même époque. La relation devient objet en elle-même et pour elle-même. Pasternak souligne inlassablement le caractère accidentel et contingent des éléments à réunir : « Chaque détail peut être remplacé par un autre... N'importe lequel d'entre eux peut valablement représenter la situation à partir de laquelle est saisie la réalité bouleversée de fond en comble... Les différents éléments de la réalité sont interchangeables. » Le poète voit dans la substituabilité mutuelle des images la définition de l'art. Des images prises au hasard ne présentent pas seulement des similitudes qui les prédisposent à être des métaphores l'une de l'autre (par exemple « À quoi peut-on bien comparer le ciel? », etc.), elles sont aussi, d'une manière ou d'une autre, virtuellement apparentées. « Qui n'est pas un peu poussière, pays natal ou paisible soirée de printemps? » — c'est en ces termes que Pasternak fait l'apologie des affinités électives universelles d'où procèdent les métonymies. Plus ces affinités sont difficiles à découvrir, plus le point commun inventé par le poète est insolite, et plus les images ou les séries entières d'images juxtaposées se disloquent et perdent de leur simplicité enfantine. Il est significatif que Pasternak en vienne logiquement à opposer « le sens introduit dans les objets » à leur apparence sensible pour laquelle il se plaît à réserver des épithètes péjoratives; dans l'univers de Pasternak le sens entraîne immanquablement la disparition des couleurs, comme l'apparence sensible entraîne la disparition de l'âme.

V

Ayant montré l'emploi systématique que le poète fait de la métonymie, il nous reste maintenant à déterminer la structure thématique de son lyrisme. Comme dans les jeux d'illusionnistes, le héros est difficile à découvrir : il se décompose en une série d'éléments et d'accessoires, il est remplacé par la chaîne de ses propres états objectivés et des objets, animés ou inanimés, qui l'environnent. « Chaque chose, même la plus infime, vivait et prenait de l'importance sans aucun égard pour ma personne » écrit Pasternak dans un cycle de poésies de jeunesse intitulé *Par-dessus les barrières* où, si l'on en croit ses propres déclarations, sa poétique avait déjà pris forme. Le thème du poème est une déconvenue amoureuse de l'auteur, mais les sujets des actions sont : une dalle, un pavé, le vent, l' « instinct inné », le « soleil nouveau », des poussins, des grillons et des libellules, une tuile, l'heure de midi, des habitants de Marburg, du sable, un temps d'orage, le ciel, etc. Une quinzaine d'années plus tard, Pasternak indiquera dans son livre de souvenirs *le Sauf-conduit* qu'il envisage délibérément son existence sous le signe du hasard, qu'il pourrait multiplier les événements marquants ou les remplacer par d'autres, mais qu'en vérité il faudrait rechercher l'existence du poète sous des noms étrangers.

Montre-moi où tu vis, je te dirai qui tu es. On nous présente les moyens d'existence du héros, ce héros aux contours métonymiques, morcelé par des synecdoques qui isolent ses qualités, ses réactions, ses états d'âme; nous apprenons quels sont ses attachements, par quoi il est déterminé et quel sera son destin. Mais ce qui le constitue proprement comme héros, son activité, échappe à notre perception; l'action disparaît derrière la topographie. Alors que chez Maïakovski l'affrontement de deux univers se termine inéluctablement par un combat singulier, l'image soigneusement polie des poèmes de Pasternak (l'univers est son propre miroir) dénonce sans cesse le caractère trompeur de cet affrontement : « l'immense jardin se traîne aux quatre coins de la salle, montre le poing au miroir, s'élance sur la balançoire, attrape la balle, la lance et atteint son objectif, il l'ébranle fortement; il n'a pas brisé le verre ». Chez Maïakovski le déroulement du thème lyrique suit le cycle des métamorphoses du héros. Pasternak, dans sa prose lyrique, adopte souvent comme formule de transition un voyage en chemin de fer pendant lequel le héros aux apparences multiples, en proie à une grande agitation mais contraint à l'inactivité, subit le changement de lieu. L'actif a été pour ainsi dire banni de la grammaire poétique de Pasternak. La métonymie, telle qu'elle apparaît précisément dans ses essais, substitue l'action à l'auteur de cette action : « quelqu'un est parfaitement réveillé, frais et dispos... il attend que la décision de se lever vienne d'elle-même, sans qu'il ait à intervenir ». L'*agent* est exclu de la thématique. L'héroïne n'a appelé personne, n'a pris rendez-vous avec personne, etc., « tout cela lui a été annoncé ». Le point culminant de l'activité de cette héroïne, qui confère à la tragédie son caractère inéluctable, est une transformation mentale de l'environnement : elle a aperçu quelqu'un « sans nécessité, ni utilité, ni sens », et l'a introduit imaginairement dans son existence. Ne serait-ce pas dans l'art que l'activité de l'homme trouve à s'exercer? L'esthétique de Pasternak donne une réponse négative : il remarque que « dans l'art l'homme est bâillonné ». Mais au moins l'art lui-même est-il actif? Non, il n'a même pas inventé la métaphore, il n'a fait que la reproduire. Le poète se refuse à offrir ses souvenirs à la mémoire de leur objet : « c'est de lui, au contraire, que je les tiens ». Si le moi lyrique de Pasternak a le rôle du *patient* se pourrait-il que le véritable héros actif soit représenté par la troisième personne? Le véritable agent reste extérieur, il échappe à la mythologie poétique de Pasternak. L'homme ne sait généralement rien de « ce qui le crée, influence son humeur et le nourrit »; de même, est-il « parfaitement indifférent » au poète de pouvoir « nommer la force d'où procède son livre ». Dans les œuvres de Pasternak, la troisième personne ne désigne pas l'agent mais l'instrument. Ainsi, dans *l'Enfance de Luvers*, « tout ce qui était transmis des parents aux enfants arrivait prématurément, venant d'ailleurs; ce n'était pas eux qui l'avaient suscité, mais une cause indéterminée obéissant à des lois étrangères ». La thématique de Pasternak met fréquemment en évidence les caractéristiques de la troisième personne, force d'appoint, purement marginale, agissant en coulisse : « un être nouveau entra dans l'existence, une troisième personne sans aucun intérêt; elle n'avait pas de nom, ou un nom de hasard qui ne provoquait ni l'amour ni la haine ». Seule compte vraiment son intrusion dans l'existence du moi lyrique. En dehors de ce lien au héros unique, il n'en reste que « des amas flous et anonymes ».

Ce strict relevé de lois sémantiques vaut également pour le schéma, fort simple, des récits lyriques de Pasternak. Le héros, ravi ou effrayé, est possédé par une impulsion extérieure; tantôt il en porte la marque, tantôt il perd brusquement tout contact avec elle, mais alors une nouvelle impulsion vient relayer la première. *Le Sauf-conduit* est le récit exalté de l'admiration mêlée d'amour que l'auteur destine tour à tour à Rilke, Scriabine, Cohen, à « une jeune fille jolie et gentille », à Maïakovski, et qui l'amène à toucher les limites de son intelligence : « ne pas comprendre autrui » est un des thèmes qui reviennent avec le plus d'insistance et d'acuité dans le lyrisme de Pasternak, comme dans les poésies de Maïakovski celui de n'être pas compris par autrui. Des malentendus surgissent qui laissent le héros désemparé; la solution passive s'offre alors inévitablement, le héros se retire, abandonnant successivement la musique, la philosophie, la poésie romantique. L'activité du héros est chose inconnue dans l'univers du poète, elle échappe à son ressort. Si le récit laisse subsister quelques actions, elles ont une banalité de citations; l'auteur, s'engageant dans des digressions théoriques, se fait le champion du droit à la platitude. Maïakovski utilise lui aussi la platitude comme matériau de construction, mais à l'inverse de Pasternak, il l'emploie exclusivement pour caractériser le « non-moi » hostile. La même absence d'actions se retrouve dans les nouvelles de Pasternak. La plus dramatique, *les Voies aériennes* est composée « d'événements sans complexité » : l'ancien amant de la femme, qui est aussi l'ami du mari, est attendu à son retour d'un voyage en mer; tous trois sont bouleversés par la disparition de l'enfant; le nouvel arrivant est accablé par la révélation que le disparu est son fils; quinze ans plus tard il est de nouveau accablé par la confirmation de sa paternité, immédiatement suivie par la mort de son fils. Le récit occulte tout ce qui peut ressembler à de l'action : les raisons de la disparition de l'enfant, son sauvetage, la cause de sa mort. L'auteur n'a retenu que la progression de l'émotion intense ressentie par les personnages et la manière dont elle s'est reflétée.

VI

Prenant comme point de départ les particularités structurales fondamentales de leur poétique, nous avons tenté d'en déduire la thématique de Pasternak et de Maïakovski. Peut-on en conclure que l'une est dérivée de l'autre? Des formalistes mécanistes répondraient par l'affirmative en se référant aux propos de Pasternak selon lesquels il a eu dans sa jeunesse des conceptions formelles présentant des points communs avec celles de Maïakovski; ces concordances, qui menaçaient d'investir toute sa production, l'amenèrent à transformer radicalement sa manière poétique et par là même l'appréhension du monde qu'elle recouvrait. Le poste de maître-ès-métaphores étant pourvu, le poète se fit maître-ès-métonymies et tira les conclusions idéologiques qui en découlaient.

D'autres encore auraient essayé de trouver des raisons au primat du contenu. Des psychanalystes mécanistes découvriraient les sources de la thématique de Pasternak dans l'aveu qu'il fit d'avoir, à sa grande honte, pendant très longtemps « tourné en rond, en proie aux errements de l'imagination enfantine, de la dégénérescence puérile et de l'insatiable faim de la jeunesse ». Armés de ces présupposés, ils pourraient en inférer non seulement la constance thématique de l'exaltation passive suivie de chutes inévitables, ou encore un retour poignant à des motifs touchant l'adolescence, mais également les errements métonymiques autour de tout objet sur lequel se fixe l'attention. Des matérialistes mécanistes relèveraient le témoignage de Pasternak sur l'apolitisme de son entourage et son évident aveuglement devant toute problématique sociale, notamment devant le pathos social de la poésie de Maïakovski; ils donneraient un fondement socio-économique à cette atmosphère d'incohérence élégiaque, source d'embarras et d'inaction, qui règne aussi bien dans *le Sauf-conduit* que dans *les Voies aériennes.*

Dans une démarche consistant à projeter une réalité pluridimensionnelle sur une surface plane, il est parfaitement légitime de chercher à établir des concordances entre les différents plans de la réalité, puis d'inférer les éléments de l'un des plans à partir de leurs homologues. Ce serait en revanche une erreur de confondre cette projection avec la réalité et de négliger le fait qu'une structure particulière et le mouvement autonome de ses divers niveaux se métamorphosent ainsi en superposition mécanique. Parmi les possibilités qui s'offrent à un stade déterminé de l'évolution formelle, un certain milieu ou un individu sont en mesure de choisir celles qui correspondent le mieux à leur conditionnement préalable (d'ordre social, idéologique, psychologique et autre); de même un faisceau de formes artistiques, qui n'est que le produit de l'évolution interne de sa propre série, trouve-t-il le milieu adéquat ou la personnalité créatrice qui lui permet de se réaliser. Il ne faudrait cependant pas attribuer à cette harmonie entre les différents plans une allure idyllique, comme si elle avait un caractère absolu. On ne saurait oublier que des tensions dialectiques sont susceptibles de se produire entre les plans de la réalité. Ces conflits sont le moteur principal de l'histoire culturelle. S'il existe à maints égards des concordances entre certaines particularités de la poésie de Pasternak et les traits marquants de sa personnalité ou de son milieu social, on peut être sûr de trouver aussi dans son œuvre un certain nombre de données que la poésie de l'époque impose impérativement à chacun de ses poètes, même si elles entrent en contradiction avec sa personnalité individuelle et sociale; ce sont les axes obligatoires qui déterminent la structure d'ensemble de cette poésie. Que le poète refuse de satisfaire à ces exigences, il se trouve automatiquement projeté hors des voies qu'elles ont tracées. De même que la biographie du poète ne se confond jamais tout à fait avec sa mission artistique, jamais celle-ci ne s'intègre à la biographie sans épreuve de force. Si le héros du *Sauf-conduit* est un perpétuel malchanceux, c'est que Pasternak poète ne peut pas tirer parti des succès, pourtant réels et nombreux, du modèle qui a donné vie au héros, tout comme le livre de Casanova ne tire aucun parti des maladresses que celui-ci a effectivement commises. Nous avons constaté dans la poésie de Pasternak et des poètes de sa génération une tendance à porter à un degré extrême l'émancipation du signe par rapport à son objet. C'est la préoccupation fondamentale de tout le nouveau courant artistique qui s'est voulu l'antithèse du naturalisme. Cette tendance, inséparable du pathos croissant propre à l'art de cette époque, se réalise indépendamment des particularités biographiques de ses tenants. Essayer, comme l'ont fait certains observateurs, de rattacher purement et simplement ce phénomène artistique spécifique à une couche sociale limitée et à une idéologie déterminée, relève d'aberrations mécanistes typiques. En prenant prétexte de l'absence d'objet qui caractérise un art pour en inférer l'irréalité de sa vision du monde, on dissimule artificiellement une antinomie fondamentale. En réalité, une philosophie tournée vers l'objectivisme correspondrait justement, en matière artistique, à la tendance à l'évacuation de l'objet.

Appartenir à un groupe monolithique ou s'aligner sur une direction déterminée répugne à Pasternak, qui met toute son ardeur à détruire les entourages habituels. Il s'efforce de convaincre Maïakovski que ce serait merveilleux s'il se décidait à abolir à jamais le futurisme. Il n'aime pas avoir des accords avec ses contemporains « banals »; il se détourne d'eux, il invite à s'écarter de la route commune. Cependant malgré la confusion idéologique de l'époque, qui va jusqu'à la haine et à l'incompréhension réciproque, sa poésie n'en reflète pas moins intensément son « appartenance à son temps ». On la retrouve à la fois dans l'entêtement créateur à congédier l'objet et dans la transformation de la grammaire artistique. Cette grammaire reposait sur la dualité du présent et du passé, le présent opposé au seul passé était ressenti comme le pôle non-marqué, comme un « non-passé ». Ce fut précisément le futurisme qui, lançant une nouvelle appellation et instaurant à la fois une théorie et une pratique, voulut introduire le futur comme catégorie déterminante du système poétique. C'est ce que clament inlassablement les poèmes et les écrits journalistiques de Khlebnikov et de Maïakovski, et, malgré son penchant intime pour « l'horizon profond du souvenir », l'œuvre de Pasternak est empreinte du même pathos. S'emparant de l'opposition récemment apparue, Pasternak élabore une nouvelle conception du présent, considéré comme une catégorie autonome, et il conçoit clairement qu' « à elle seule la perceptibilité du présent est déjà du futur. » Ce n'est pas un hasard si l'hymne à Maïakovski, d'une intensité extrême, qui clôt *le Sauf-conduit* se termine par ces mots : « dès son enfance, il fut gâté par le futur qui s'offrit à lui relativement tôt et sans grande difficulté ». Cette « réforme grammaticale » va jusqu'à transformer radicalement la fonction dévolue à la poésie dans le concert des valeurs sociales.

Traduit de l'allemand par
MICHÈLE LACOSTE ET ANDRÉ COMBES

La dominante[a]

Les trois premières étapes de la recherche formaliste ont pu, en bref, être caractérisées comme suit : 1. analyse des aspects phoniques d'une œuvre littéraire; 2. problèmes de la signification dans le cadre d'une poétique; 3. intégration du son et du sens au sein d'un tout indivisible. Au cours de cette dernière étape, le concept de *dominante* fut particulièrement fécond : ce fut l'un des concepts les plus fondamentaux, les plus élaborés, et les plus productifs, de la théorie formaliste russe. La dominante peut se définir comme l'élément focal d'une œuvre d'art : elle gouverne, détermine et transforme les autres éléments. C'est elle qui garantit la cohésion de la structure.

La dominante spécifie l'œuvre. Le caractère spécifique du langage versifié est, de toute évidence, son schéma prosodique, sa forme de « vers ». Cela peut paraître une tautologie : le « vers » est « vers ». Cependant nous devons avoir constamment présente à l'esprit cette vérité : un élément linguistique spécifique domine l'œuvre dans sa totalité; il agit de façon impérative, irrécusable, exerçant directement son influence sur les autres éléments. Mais, à son tour, le « vers » n'est pas un concept simple, n'est pas une unité indivisible. Le « vers » est, en lui-même, un système de valeurs; et, comme tout système de valeurs, il possède sa propre hiérarchie de valeurs supérieures et inférieures, et, parmi elles, une valeur maîtresse, la dominante, sans laquelle (dans le cadre d'une période littéraire donnée et d'une tendance artistique donnée) le vers ne peut pas être conçu ni jugé comme tel. Par exemple, dans la poésie tchèque du XIVe siècle, la marque

a. Extrait d'une série de conférences inédites en langue tchèque, données à l'université Masaryk à Brno au printemps 1935, sur l'École formaliste russe. « The Dominant », in L. Matejka et K. Pomorska (eds.), *Readings in Russian Poetics* (Cambridge et Londres, 1971), p. 82-87.

inaliénable du vers n'était pas le schéma syllabique mais la rime, en sorte qu'existaient des poèmes avec un nombre inégal de syllabes selon les lignes (appelées vers « sans mesure »), — qui néanmoins étaient considérés comme vers, au lieu que des vers sans rime n'étaient pas tolérés à cette époque. Inversement, dans la poésie réaliste tchèque de la seconde moitié du XIXe siècle, la rime était un procédé facultatif, tandis que le schéma syllabique était un élément impératif, irrécusable, sans lequel le vers n'était pas vers; du point de vue de cette école, le vers libre était jugé comme une *arhythmia* inacceptable. Aujourd'hui que les Tchèques se sont arrêtés à la solution d'un vers libre moderne, ni la rime ni aucun modèle syllabique ne sont impératifs pour qu'il y ait vers; au lieu de cela, l'élément impératif réside maintenant dans l'intonation; — l'intonation, autrement dit, est devenue la dominante du vers. Si nous avions à comparer le vers régulier, mesuré, de la vieille *Alexandriade* tchèque, le vers rimé de l'époque réaliste, et le vers à la fois rimé et mesuré de la période présente, nous trouverions dans les trois cas les mêmes éléments : la rime, un schéma syllabique, une unité d'intonation; mais une hiérarchie différentes des valeurs, — une spécificité différente des éléments impératifs, indispensables. Ce sont précisément ces éléments spécifiques qui déterminent le rôle et la structure des autres constituants.

On peut chercher l'existence d'une dominante non seulement dans l'œuvre poétique d'un artiste individuel, non seulement dans le canon poétique et l'ensemble des normes d'une école poétique, mais aussi bien dans l'art d'une époque, considérée comme formant un tout. Par exemple, il est évident que, dans l'art de la Renaissance, la dominante, le summum des critères esthétiques de l'époque, était représenté par les arts visuels. Les autres arts étaient tous orientés vers les arts visuels et se situaient dans l'échelle des valeurs selon leur éloignement ou leur proximité de ces derniers. Au contraire, dans l'art romantique, la suprême valeur fut attribuée à la musique. C'est ainsi que la poésie romantique en vint à s'orienter vers la musique : le vers y est organisé musicalement; l'intonation du vers imite la mélodie de la musique. Cette organisation autour d'une dominante qui, en réalité, est extérieure à l'essence même de l'œuvre poétique pèse sur la structure du poème en ce qui concerne sa texture phonique, sa structure syntaxique, et son imagerie; elle modifie les critères métriques et strophiques du poème, sa composition. Dans l'esthétique réaliste, la dominante se trouva être l'art verbal, et la hiérarchie des valeurs poétiques en fut modifiée en conséquence.

En outre, la définition d'une œuvre d'art, en tant qu'on la compare à d'autres ensembles de valeurs culturelles, change considérablement, dès que le concept de dominante est pris pour point de départ. Par exemple, le lien entre une œuvre poétique et d'autres messages verbaux peut être précisé. L'attitude qui consiste à mettre le signe d'égalité entre une œuvre poétique et la fonction esthétique, ou plus précisément la fonction poétique, lorsqu'il s'agit d'une matière verbale, caractérise les époques qui prônent un art susceptible de se suffire à lui-même, un art pur, *l'art pour l'art*. Au cours des premiers pas de l'école formaliste, on pouvait encore percevoir des traces distinctes d'une telle équation. Pourtant cette équation est, indiscutablement, une erreur : une œuvre poétique ne peut être réduite à la fonction esthétique; elle a en outre bien d'autres fonctions. En fait, les intentions d'une œuvre poétique sont souvent en étroite relation avec la philosophie, avec une morale sociale, etc. Inversement, si une œuvre poétique ne se laisse pas entièrement définir par sa fonction esthétique, la fonction esthétique ne se limite pas à l'œuvre poétique; le discours d'un orateur, la conversation quotidienne, les articles de journaux, la publicité, les traités scientifiques, — toutes ces activités peuvent tenir compte de considérations esthétiques, faire jouer la fonction esthétique, et les mots y sont souvent employés en eux-mêmes et pour eux-mêmes, et non pas simplement comme procédé référentiel.

A l'exact opposé d'une attitude rigoureusement moniste, se situe le point de vue mécaniste, qui reconnaît à une œuvre poétique une multiplicité de fonctions, et traite cette œuvre, délibérément ou inopinément, comme un agrégat mécanique de fonctions. Parce qu'une œuvre poétique a aussi une fonction référentielle, elle est parfois considérée par les tenants de cette position comme un simple document sur l'histoire culturelle, l'environnement social, ou la biographie. S'opposant à la fois au monisme intégral et au pluralisme intégral, il existe un point de vue qui, tout en étant attentif aux multiples fonctions de l'œuvre poétique, tient compte de sa cohésion, en d'autres termes, de ce qui confère à l'œuvre poétique son unité et son existence même. De ce point de vue, une œuvre poétique ne saurait se définir comme une œuvre qui remplirait exclusivement une fonction esthétique, mais non plus comme une œuvre qui remplirait une fonction esthétique parallèlement à d'autres fonctions; l'œuvre poétique doit en réalité se définir comme un message verbal dans lequel la fonction esthétique est la dominante. Il va de soi que les marques auxquelles se reconnaît la fonction esthétique, dans sa mise en œuvre, ne sont pas immuables, ni toujours identiques. Il reste que, concrètement, chaque canon poétique, chaque ensemble de normes poétiques, à une époque donnée, comporte des éléments indispensables et distinctifs, sans lesquels l'œuvre ne peut être identifiée comme poétique.

La définition de la fonction esthétique comme dominante de l'œuvre poétique permet de définir la hiérarchie des diverses fonctions linguistiques à l'intérieur de l'œuvre poétique. Dans la fonction référentielle, le signe entretient avec l'objet désigné un lien interne minimal et par suite le signe a, en lui-même, une importance minimale. La fonction expressive, au contraire, suppose, entre le signe et l'objet, un lien plus fort et plus direct, et, dans ces conditions, requiert une plus grande attention à la structure interne du signe. Comparé au langage référentiel, le langage émotif, qui remplit avant tout une fonction expressive, est, en règle générale, plus proche du langage poétique (qui est orienté précisément vers le signe en tant que tel). Le langage poétique et le langage émotionnel chevauchent fréquemment l'un sur l'autre, et le résultat, c'est que ces deux variétés de langage sont souvent, de façon tout à fait erronée, identifiées. Si la fonction esthétique joue le rôle de dominante dans un message verbal, ce message, à coup sûr, peut avoir recours à un grand nombre de procédés du langage expressif; mais ces éléments sont alors assujettis à la fonction décisive de l'œuvre, en d'autres termes, sont remodelés par sa dominante.

Les recherches sur la dominante ont eu d'importantes conséquences en ce qui concerne le concept formaliste d'évolution littéraire. Dans l'évolution de la forme poétique, il s'agit beaucoup moins de la disparition de certains éléments et de l'émergence de certains autres que de glissements dans les relations mutuelles des divers éléments du système, autrement dit, d'un changement de dominante. A l'intérieur d'un ensemble donné de normes poétiques générales, ou bien, plus particulièrement, dans un ensemble de normes valant pour un genre poétique donné, des éléments qui étaient originellement secondaires deviennent au contraire essentiels et de premier plan. Inversement, les éléments qui étaient originellement dominants n'ont plus qu'une importance mineure et deviennent facultatifs. Dans les premiers travaux de Chklovski, une œuvre poétique était définie comme la somme de ses procédés artistiques, et l'évolution poétique n'était rien d'autre que la substitution de certains procédées à d'autres procédés. Avec les développements ultérieurs du formalisme, apparut la conception plus précise d'une œuvre poétique comme système structuré, ensemble régulièrement ordonné et hiérarchisé de procédés artistiques. L'évolution poétique est dès lors un changement dans cette hiérarchie. La hiérarchie des procédés artistiques se modifie dans le cadre d'un genre poétique donné; la modification en vient à affecter la hiérarchie des genres poétiques et, simultanément, la distribution des procédés artistiques parmi les divers genres. Des genres qui étaient, à l'origine, des voies d'intérêt secondaire, des variantes mineures, viennent à présent sur le devant de la scène, cependant que les genres canoniques sont repoussés à l'arrière-plan. Un certain nombre de travaux d'inspiration formaliste abordent de ce point de vue les différentes périodes de l'histoire littéraire russe. Goukovski analyse l'évolution de la poésie au XVIIIe siècle; Tynianov et Eikhenbaum, suivis par nombre de leurs disciples, se consacrent à l'évolution de la poésie et de la prose durant la première moitié du XIXe; Viktor Vinogradov étudie l'évolution de la prose depuis Gogol; Eikhenbaum traite du développement de la prose de Tolstoï par rapport à la toile de fond de la prose russe et de la prose européenne de l'époque. L'image de l'histoire littéraire de la Russie se modifie considérablement; elle devient incomparablement plus riche, et en même temps plus unifiée, plus synthétique et plus ordonnée, que les *membra disjecta* de la critique littéraire antérieure.

Cependant, les problèmes de l'évolution ne sont pas limités à l'histoire littéraire. On voit surgir, dans le même temps, des questions concernant les modifications des relations entre différents arts, et ici l'examen de secteurs de transition est particulièrement fécond: par exemple, l'analyse d'un secteur de transition entre la poésie et la peinture, comme l'illustration; ou l'analyse d'une région frontière entre la poésie et la musique, comme la *romance*.

Enfin on voit affleurer le problème des modifications dans les relations entre les arts et les autres domaines culturels qui leur sont liés de près, — tout spécialement dans les relations entre la littérature et d'autres types de messages verbaux. Ici l'instabilité des frontières, le jeu des modifications dans le contenu et l'étendue des différents domaines, sont particulièrement éclairants. Les genres de transition offrent pour les chercheurs un intérêt majeur. A certaines époques, de tels genres sont considérés comme étrangers à la littérature et à la poésie; à d'autres moments, au contraire, ils remplissent une fonction littéraire importante, parce qu'ils contiennent des éléments sur lesquels les belles-lettres s'apprêtent à mettre l'accent, cependant que les formes littéraires canoniques sont dépourvues de ces éléments. Parmi ces genres de transition, il y a les diverses formes de la *littérature intime* — lettres, journaux intimes, carnets, journaux de voyage, etc. — qui, à certaines époques (par exemple en Russie, dans la littérature de la première moitié du XIXe), exercent une fonction importante dans la sphère des valeurs littéraires.

En d'autres termes, des changements continuels dans le système des valeurs artistiques entraînent des changements dans l'évaluation des manifestations concrètes de l'art. Ce qui, sous l'angle de l'ancien système, était minimisé ou jugé imparfait, synonyme de dilettantisme, d'aberration, ou, simplement, d'erreur, ou ce qui était considéré comme hérétique, comme décadent, comme dépourvu de valeur, peut apparaître, et, dans la perspective d'un nouveau système, être adopté, comme valeur positive. Les poètes lyriques de la dernière phase du romantisme russe, Tioutchev et Fet, furent attaqués par les critiques d'obédience réaliste pour leurs erreurs, pour leur prétendue négligence, etc. Tourguenev, lorsqu'il publia leurs poèmes, corrigea résolument leur rythme et leur style pour les améliorer et pour les ajuster à la norme régnante. Cette édition de Tourguenev devint la version canonique de ces poèmes, et ce n'est qu'à notre époque que les textes originaux ont été rétablis et réhabilités, et qu'on a vu en eux un premier pas en direction d'une nouvelle conception de la forme poétique. Le philologue tchèque J. Král rejetait la poésie d'Erben et de Čelakovský comme erronée et comme minable du point de vue de l'école poétique réaliste, alors que l'époque moderne glorifie leurs poèmes précisément pour ce qui était condamné au nom du canon réaliste. Les œuvres du grand compositeur russe Moussorgsky ne correspondaient pas aux exigences de l'instrumentation musicale qui avait cours à la fin du XIXe siècle, et Rimsky-Korsakov, qui était, en ce temps-là, le maître de l'harmonie, les retoucha en les mettant au goût du jour; la nouvelle génération a remis en honneur les valeurs d'archaïsme sauvegardées par la « naïveté » de Moussorgsky et momentanément supprimées par les corrections de Rimsky-Korsakov, et a naturellement exclu de telles retouches d'une œuvre comme *Boris Godounov*.

Le changement, les transformations, dans les relations entre différents secteurs de l'art, devinrent une préoccupation centrale dans les travaux des formalistes. Cet aspect de l'analyse formaliste sur le terrain du langage poétique a véritablement frayé la voie à la recherche linguistique en général, dans la mesure où elle a fortement poussé à établir un pont entre la méthode historique diachronique et la méthode synchronique des coupes transversales. Ce fut la recherche formaliste qui démontra clairement que le changement, l'évolution, ne sont pas seulement des assertions d'ordre historique (d'abord il y avait A, puis A_1 s'installa à la place de A), mais que le changement est aussi un fait synchronique directement vécu, et une valeur artistique pertinente. Le lecteur d'un poème ou le spectateur d'un tableau est réellement attentif à deux ordres : d'un côté, le canon traditionnel;

de l'autre, la nouveauté artistique comme déviation de ce canon. C'est sur la toile de fond de la tradition que l'innovation est perçue. Les études formalistes ont démontré que c'est cette simultanéité entre le maintien de la tradition et la rupture avec la tradition qui forme l'essence de toute nouvelle œuvre d'art.

Traduit de l'anglais par
ANDRÉ JARRY

La statue dans la symbolique de Pouchkine[a]

Vladimir Maïakovski faisait remarquer un jour qu'on ne peut adopter la forme poétique d'un poète véritablement nouveau et donc original, avant que quelque chose comme son intonation fondamentale n'ait pénétré le lecteur et n'ait pris racine en lui. Ensuite, cette forme se répand et se répète, et plus le poète s'enracine, plus ses admirateurs et ses adversaires s'habituent au son de ses vers, plus il leur est difficile d'abstraire de l'œuvre du poète ces principes particuliers. Ils constituent un de ses éléments fondamentaux et nécessaires, comme l'intonation est le ciment de base de notre discours, et il est intéressant de constater que ce sont justement de tels principes qui échappent le plus obstinément à l'analyse. Si nous passons de l'aspect phonique de la poésie à l'aspect sémiologique, nous nous trouvons devant un phénomène analogue. Dans la symbolique multiforme d'une œuvre poétique, il existe certains principes constants, organisateurs, agglutinants, porteurs de l'unité dans la multiplicité des œuvres d'un auteur, des principes qui impriment à ces fragments le sceau d'une personnalité, qui apportent dans la confusion multicolore des motifs poétiques, souvent instables et hétérogènes, la cohésion d'une mythologie particulière; qui rendent pouchkiniens les poèmes de Pouchkine, propres à Mácha les œuvres du poète tchèque, baudelairiens les poèmes de Baudelaire.

Il est évident pour tout lecteur d'un poète qu'il existe certains principes, constituants nécessaires, inséparables de l'œuvre dans sa dynamique, et cette intuition du lecteur ne le trompe pas. La tâche de la recherche est de suivre cette intuition et de trouver dans l'œuvre même, par l'analyse interne et immanente de celle-ci, ces principes immuables ou ces constantes de l'œuvre poétique, ou bien, s'il s'agit de principes variables, de découvrir ce qui est constant et soumis à des lois dans ce mouvement dialectique, d'établir le substrat de ces modifications. Qu'il s'agisse de la rythmique, de la mélodique ou de la sémantique d'une œuvre de poésie, les principes variables, épiso-

a. « Socha v symbolice Puškinově », *Slovo a slovesnost*, III (1937), p. 2-24.

diques, facultatifs, diffèrent essentiellement des « invariants ». Il existe des éléments poétiques qui changent d'un vers à l'autre et qui nuancent et individualisent ainsi chaque vers; mais il existe d'autres éléments, qui ne marquent pas des vers particuliers, mais les vers de tout un poème, ou le vers d'un poète en général. Ils entraînent une constance poétique, créent ce schéma métrique idéal sans lequel le vers serait impossible à percevoir et le poème s'effondrerait. Les symboles fragmentés sont également variables, on ne peut les comprendre pleinement que dans leur rapport au système symbolique dans son ensemble; à côté des principes variables, spécifique de tel ou tel poème particulier, une mythologie stable exerce son action, une mythologie constante en ce qui concerne un cycle poétique, et souvent même l'œuvre entière d'un poète.

L'homme de théâtre distingue l'emploi du rôle, et les emplois (bien entendu, dans les limites d'un certain genre et d'un certain style théâtral) sont constants; ainsi, par exemple, l'emploi du jeune premier, de l'intrigante, du raisonneur, que l'amoureux soit, dans une pièce donnée, un officier ou un poète, et qu'à la fin il se suicide ou se marie dans le bonheur. En linguistique, nous distinguons le *sens général* d'une forme grammaticale des *sens particuliers* et individuels stipulés par un groupe verbal donné ou par une situation donnée. Dans le groupe « něčeho se domáhati » [vouloir obtenir quelque chose] le génitif marque l'objet vers lequel l'action est dirigée, alors que dans le groupe « něčeho se straniti », [éviter quelque chose] le même cas marque l'objet dont l'action s'éloigne. Cela signifie qu'un sens de direction n'est donné au génitif que par le verbe dont le cas dépend, mais que le cas en lui-même ne possède pas ce sens : le sens général du génitif ne comprend donc pas le sens de la direction. Si deux définitions contraires sont valables, et souvent simultanément, cela signifie qu'en fait, aucune des deux n'est valable, ou pour parler de manière plus exacte, qu'elles sont toutes les deux insuffisantes. Cela signifie donc, par exemple, que ni le fait d'accepter la réalité, ou dieu, ou la révolution, ni le fait de les repousser ne sont spécifiques de l'œuvre de Pouchkine. On ne peut comprendre convenablement les sens particuliers d'une forme grammaticale et leurs rapports mutuels, si l'on ne pose pas le problème du sens général de cette forme. De même, si nous voulons maîtriser la symbolique d'un poète, nous devons d'abord trouver les constantes symboliques dont se compose la mythologie de ce poète.

Bien entendu, il ne s'agit pas d'*isoler* artificiellement les symboles de ce poète, mais de sortir de ce rapport vers d'autres symboles et vers le système tout entier de cette œuvre poétique.

Bien entendu, nous ne devons pas céder au *biographisme* vulgaire, qui prend l'œuvre littéraire pour la reproduction de la situation dans laquelle cette œuvre est née, et qui déduit de l'œuvre une situation inconnue, ni à l'*antibiographie* vulgaire, qui nie dogmatiquement le lien entre une œuvre et une situation. Les recherches sur le mot poétique peuvent elles aussi tirer grand profit des importantes découvertes de la linguistique contemporaine sur l'imprégnation multiforme du mot et de la situation l'un par l'autre, de la tension qui existe entre eux et de leur action réciproque. Nous ne voulons pas faire dériver simplement l'œuvre de la situation, mais en même temps, nous ne devons pas négliger, dans l'analyse d'une œuvre poétique, les correspondances marquées et réitérées entre cette œuvre et une situation, notamment le lien régulier de certaines qualités communes à plusieurs œuvres d'un poète, avec un lieu commun, ou des dates communes, ou des fondements biographiques communs à leur naissance. La situation est une des constituantes du discours; la fonction poétique la transforme comme toute autre constituante du discours, la mettant parfois en avant comme moyen littéraire actif, parfois au contraire l'étouffant; mais que l'œuvre la prenne positivement ou négativement, la situation ne lui est jamais indifférente.

Nous ne devons pas penser, bien entendu, que cette mythologie de Pouchkine dont notre description doit rendre compte est tout entière la propriété particulière du poète. Dans quelle mesure Pouchkine rencontre ici la poésie russe de son époque, ou la poésie de son époque en général et la poésie russe tout entière, c'est une autre question. La linguistique comparée nous apprend avec éloquence qu'une comparaison féconde suppose nécessairement des descriptions systématiques.

Je ne puis proposer ici qu'un bref document, une contribution à la description de la symbolique de Pouchkine. Il s'agit de l'une des images les plus frappantes de sa poésie, l'image de la statue, et de sa signification dans l'œuvre du poète.

Les premiers poèmes de Pouchkine, qu'il s'agisse d'épopée ou de drame, désignent en général dans leur titre le personnage principal ou le lieu de l'action, si celui-ci est absolument spécifique en ce qui concerne l'événement ou la situation dans son ensemble. C'est le cas, d'une part, de *Ruslane et Ludmila*, *le Prisonnier du Caucase*, *les Frères brigands*, *le Fiancé*, *le Comte Nuline*, *Angelo*, *Eugène Onéguine*, *Boris Godounov*, *le Chevalier avare*, *Mozart et Salieri*, et d'autre part, de *Poltava*, *la Maisonnette de Kolomna*, *la Fontaine de Bakhtchisaraï*. « La première personne », selon l'expression de Pouchkine, peut être également collective; ce n'est pas par hasard qu'un poème sur les Caucasiens et un individu étranger, et sur leur conflit dramatique, s'intitule d'après cet individu *le Prisonnier du Caucase*, et que plus tard un poème sur les Tsiganes, un individu étranger et leur conflit s'appelle *les Tsiganes*; le centre de gravité n'est pas, dans l'un et dans l'autre cas, au même endroit. L'indication du personnage principal peut s'accompagner d'une désignation du genre poétique auquel l'œuvre appartient : *Chant sur Oleg le clairvoyant*, *Histoire du tsar Saltane et de son fils, preux glorieux et puissant, le prince Gvidone Saltanovitch, et de la très belle reine Cygne*, *Histoire de la reine morte et des sept preux*, *Histoire du pêcheur et du poisson*, *Histoire du pope et de son ouvrier Balda*, *Comédie sur le tsar Boris et sur Grichka Otrepiev* (titre originel de *Godounov*).

Cependant, le titre de trois grandes œuvres poétiques de Pouchkine désigne non pas une personne vivante, mais une statue, une figuration plastique, et dans les trois cas, un attribut précise la matière dont la statue est faite : *l'Hôte de pierre*, une tragédie, un poème, *le Cavalier d'airain*, et l'*Histoire du petit coq d'or*. Le héros de la tragédie, déclare l'historien de la littérature, est le « vain oisif », Don Juan [1]. Nullement, puisque le titre désigne, comme héros principal, la statue du commandeur. L'historien de la littérature parle du « personnage principal du poème, Eugène [2] », alors que le poète désigne, comme personnage principal, le monument de Falconet à Pierre le Grand. On peut répéter la même chose en ce qui concerne la plus remarquable étude du dernier conte de Pouchkine [3] : le tsar Dadone n'en est pas la figure centrale, l'oiseau d'or est le levier de l'action.

La ressemblance entre ces trois œuvres poétiques ne s'arrête pas cependant au caractère étrange du héros principal. Les rôles de la statue dans l'action sont eux aussi analogues. Le noyau de l'intrigue est en fait le même :

1. *Un homme est fatigué, il s'assagit, désire le repos et ce thème s'entrelace avec un autre : le désir d'une femme.* Don Juan parle tout à coup devant Doña Anna de « fatigue de la conscience » et de sa régénération : « Vous aimant, je suis tombé amoureux de la vertu, et humble pour la première fois de ma vie, je fléchis devant elle mes genoux tremblants. » Eugène « n'est pas Don Juan », comme le souligne expressément Pouchkine dans les ébauches pour *le Cavalier d'airain* :

1. D. Darskij, *Malen'kie tragedii Pushkina* [*les Petites Tragédies de Pouchkine*] (Moscou, 1915), p. 53.
2. B. Tomachevski, « *Cygany* i *Mednyi vsadnik* A. S. Pushkina » [*les Tsiganes et le Cavalier d'airain* de A. S. Pouchkine], préface à l'édition des deux poèmes (Leningrad, 1936), p. 6.
3. A. Akhmatova, dans la revue *Zvezda*, 1933, 1, p. 175.

son apaisement n'a été précédé d'aucune révolte. Son rêve, avant le dramatique dénouement, si l'on n'y trouve pas le romantisme ardent des désirs de Don Juan, est fondamentalement le même : las, il rêve à l'attrayante et paisible vie des oisifs heureux, et à la difficile rencontre avec Paracha. Le tsar Dadone « était terrible dans sa jeunesse, mais avec l'âge, il eut envie de se reposer et de faire ce qu'il faut pour être tranquille ». C'est justement à ce moment-là qu'il est « charmé, ensorcelé » par la reine de Chamakhan.

2. *La statue, ou plus exactement l'être indissolublement lié à cette statue, possède un pouvoir surnaturel et insaisissable sur la femme désirée.* Le lien avec cet être transforme la statue en idole, ou bien, selon la terminologie de l'ethnologie moderne russe, la statue en tant que simple « représentation extérieure », ou *lekan*, devient l'incarnation de quelque esprit ou démon, ou *ongon* [1]. Le lien entre la statue et l'être surnaturel est variable. Le gigantisme de l'hôte de pierre est la qualité exclusive de cette statue : « Comme il est représenté ! Comme un géant. Ces épaules ! Un vrai Hercule ! Alors que le défunt était chétif et de piètre apparence... comme un insecte sur une épingle. » Dans *le Cavalier d'airain*, cette qualité de la statue se fond avec le gigantisme de Pierre le Grand que le monument représente, et que Pouchkine appelait « le géant faiseur de miracles ». Dans le conte au contraire, la statuette, « le petit coq sur une flèche », ressemble fort à un « insecte sur une épingle ». La *magie imitative*, selon la terminologie de Frazer, est remplacée par la *magie par contagion* ; autrement dit, le rapport de représentant à représenté cède la place au rapport de propriété à propriétaire de l'oiseau d'or, au vieux castrat, même si une certaine indication de ressemblance apparaît par moments : l'astrologue est comparé à un oiseau et en particulier à un cygne [2]. Mais indépendamment de toutes ces variantes, ce qui reste

1. Cf. D. Zelenin, *Kul't ongonov v Sibiri* [*le Culte des ongons en Sibérie*] (1936), p. 6.

2. C'est peut-être justement la différence entre le rapport métonymique du coq d'or à l'astrologue et le rapport métaphorique des monuments à Pierre et au commandeur, qui a caché aux yeux des chercheurs la parenté entre *l'Histoire*, *le Cavalier d'airain* et *l'Hôte de pierre*, alors que les points de ressemblance particuliers des deux dernières œuvres ont été relevés au passage (V. Brioussov, *Moj Pushkin* (1929), p. 87 ; V. Khodassevitch, *Statji o russkoj poezii* (1922), p. 94 ; W. Lednicki, *Jeździec miedziany*, p. 47 n.). D'ailleurs, dans *l'Hôte de pierre*, il s'agit d'un monument funéraire, ce qui fait qu'à côté de l'association principale selon la ressemblance, l'association selon la proximité existe également. Pouchkine en est conscient, la souligne et rappelle son irrationalité : « Oh, si je pouvais maintenant mourir à vos pieds, si mes misérables cendres pouvaient être ici enterrées..., votre robe, ou votre pied léger pourraient effleurer ma pierre... » — *Doña Anna* : « Vous perdez la raison ! »

constant, c'est une magie malfaisante. L'enchaînement d'une femme par un « ongon » revêt chaque fois un caractère monstrueux, la vie se trouve chaque fois au pouvoir d'une morte impuissance : « Un tombeau lui-même a droit à la fidélité d'une veuve », dit Doña Anna; « cent ans ont passé », souligne l'introduction du *Cavalier d'airain*; un siècle sépare la vie du tsar Pierre et la vie de Paracha, et si le passé de Doña Anna, du moins, appartient au commandeur, qu'est-ce que Pierre avait à faire de Paracha, et Paracha de Pierre? « Qu'as-tu besoin d'une jeune fille? » demande Dadone, plein de bon sens, au castrat; mais celui-ci maintient son droit absurde sur la reine de Chamakhan.

3. *L'homme, après une vaine révolte, meurt par l'intervention de la statue, qui s'est miraculeusement mise en mouvement, et la femme disparaît.* Don Juan voit Doña Anna enchaînée par la statue funéraire du commandeur, son mari tué. Il veut l'arracher « au mort bienheureux », « dont le marbre froid est par son souffle céleste réchauffé ». « L'époux de marbre », selon l'invitation blasphématoire de Don Juan, doit monter la garde pendant son rendez-vous galant avec Doña Anna. Elle écoute son séducteur avec bienveillance, elle va être sienne, lorsqu'on entend le bruit des pas du commandeur. La statue qui s'est animée et qui a abandonné la tombe serre « pesamment » dans sa « main de pierre » la main de Don Juan, qui meurt après avoir vu disparaître Doña Anna. — Eugène perd sa fiancée Paracha pendant une forte inondation de Petrograd. Nous ne saurons rien sur son sort, nous n'entendrons poser que de torturantes questions sans réponse : « Notre vie tout entière n'est-elle rien qu'un rêve vide, une raillerie du ciel devant la terre? » Et un peu plus loin : « Mais qu'est-ce que c'est? » Eugène, en train de devenir fou, comprend dans une illumination que le vrai coupable est le gardien de la ville, le glorieux cavalier d'airain, le tsar Pierre « par la volonté fatale » duquel « une ville fut fondée sous la mer ». Il menace la statue : « Eh bien, constructeur miraculeux! Attends un peu! » La statue s'anime, abandonne son socle et poursuit Eugène. Le « piétinement pesant » du cavalier d'airain répond à la « pression pesante » de la main du commandeur et au bruit de ses pas. L'homme meurt. — Le petit coq d'or sert au tsar Dadone de « fidèle sentinelle ». Celui qui l'a apporté, un mystérieux astrologue châtré, ne veut pas abandonner son droit absurde sur la reine de Chamakhan. Le tsar irrité le punit de mort. L'oiseau d'or abandonne sa flèche et poursuit Dadone. Son « vol sonore » répète et allège le trot sonore du cavalier d'airain. Dadone périt. « Et la reine disparut comme si elle n'avait jamais existé. »

« C'est la troisième fois que je fais le même rêve », aurait pu répéter Pouchkine après son faux Dimitri. Le mort semble s'être incarné dans la statue — le commandeur dans son monument funéraire, Pierre dans le cavalier d'airain, l'astrologue dans le coq d'or, pour punir le révolté téméraire. La question de Godounov — « est-il possible que les trépassés sortent de leur tombe? » — reçoit de nouveau une réponse affirmative, mais dans la tragédie du tsar Boris l'ombre de Dimitri tué s'est incarnée dans un homme vivant, l'imposteur, ce qui entraîne, d'une part, une argumentation plus rationnelle, et d'autre part, accentue l'ambiguïté de la situation du vengeur : non seulement on le prend à la fois pour le tsarevitch et pour un « vagabond sans nom », mais encore il affirme lui-même être Dimitri, le mort, (« l'ombre du Terrible m'a reçue pour son fils ») et le rejette en même temps (« je ne veux pas partager avec le défunt une maîtresse qui lui appartient »); dans *l'Hôte de pierre* au contraire, le rôle du rival jaloux du mort, le rôle de Don Juan, est sans ambiguïté.

Dans le drame, le poème épique et le conte, l'image de la statue qui s'anime appelle l'image opposée de *personnes raidies*, qu'il s'agisse simplement de leur comparaison avec la statue, d'une situation accidentelle ou de l'agonie et de la mort. La frontière entre la vie et la masse immobile et morte s'efface ici à dessein. Au début du drame, Don Juan se rappelle avec dédain les femmes du Nord : « Avoir une aventure avec elles, c'est un péché, elles ne sont pas vivantes, ce sont des marionnettes de cire. » Il passe par contraste à l'exaltation non pas d'une vie ardente, mais du charme vivant de la malheureuse Inès en train de mourir. Le drame se termine par le passage immédiat du « froid baiser » (« unique, froid, paisible ») que Don Juan, soumis, obtient de Doña Anna, à la pesante pression de la main du commandeur. La première rédaction de Pouchkine parlait d'ailleurs, comme l'opéra de Mozart, de « froide pression », mais ensuite, le poète avait barré cet emprunt trop voyant [1]. Le héros, désirant la paix, tend inévitablement vers la froideur et l'immobilité de la statue. « Règne, couché sur le côté », telle est la phrase directrice de l'*Histoire du petit coq d'or*. Avant que la statue de Pierre ne s'anime, Eugène traverse une sorte de mort : « ni l'un, ni l'autre, ni un habitant de la terre, ni le spectre d'un mort ». A sa première rencontre avec le cavalier d'airain, il se fige comme une statue, se colle au lion de marbre sur lequel l'inondation l'a porté, « comme s'il était soudé à la pierre », alors que le lion « semble vivant ». La raideur des corps morts appa-

1. Cf. le tome VII de l'édition de l'Académie des *Œuvres complètes* de Pouchkine (1935), p. 568 s.

raît avec netteté à l'arrière-plan de certaines ardentes scènes d'amour : Don Juan et Laure auprès du cadavre de Carlos (« Attends... près d'un mort [1]! »), le tsar Dadone, oubliant devant la reine de Chamakhan la mort de ses deux fils étendus à quelques pas [2].

Ces trois œuvres mettant en scène des statues destructrices se rencontrent également sur certains détails secondaires; c'est ainsi, par exemple, que chacune d'elles souligne, par des moyens différents mais avec la même force, que le lieu de l'action est une *capitale*. Dès le début de la pièce, Don Juan déclare : « nous avons tout de même fini par atteindre les portes de Madrid... Pourvu que le roi lui-même ne tombe pas sur moi! » *Le Cavalier d'airain* commence par un hymne à la capitale de Pierre, et l'*Histoire du petit coq d'or* rappelle sans cesse que l'action se déroule près d'une capitale (« aux yeux de la capitale tout entière »).

On pourrait peut-être m'objecter qu'il ne s'agit pas de sujets complètement originaux. *Le Petit Coq d'or* est en fait une refonte du *Conte sur un sage arabe* d'Irving, *l'Hôte de pierre* est une variante d'une légende traditionnelle et reprend certains détails au *Festin de pierre* de Molière et au livret du *Don Juan* de Mozart. Mais justement, la comparaison de ces poèmes avec leurs modèles étrangers prouve à l'évidence l'*originalité* du mythe de Pouchkine. Il ne choisit dans ses modèles que les éléments qui s'accordent avec ses propres conceptions, et transforme à sa manière ceux qui s'y opposent. Nous avons montré le sens que revêt le titre d'un poème chez Pouchkine : le choix d'un titre tel que « l'Hôte de pierre » entre tous ceux que la tradition propose pour l'histoire de Don Juan, ne peut donc être fortuit. L'apport de Pouchkine consiste dans le triangle — le commandeur, Doña Anna, Don Juan — dans le rôle de sentinelle que Don Juan fait jouer à la statue, dans la soumission de celui-ci peu avant le dénouement, dans l'accent mis sur le caractère fatidique de l'intervention de la statue et de la mort de Don Juan, nullement sur son aspect de punition méritée, comme c'est le cas dans la pièce de Molière ou l'opéra de Mozart. — Dans *le Coq d'or*, Pouchkine modifie délibérément l'histoire d'Irving et son titre : il y introduit l'image des fils morts du tsar, souligne le désir de Dadone pour la reine de Chamakhan, accentue par la castration de l'astrologue l'absurdité de son droit sur la reine, et surtout, donne à l'histoire

1. Une scène ultérieure avec Doña Anna se déroule de manière analogue : (« Et ici, auprès de cette tombe! Allez-vous-en ! »).

2. Dans le poème *Au matin de ma vie je me rappelle l'école*, l'adolescent est, devant les statues, muet et paralysé.

un tout autre dénouement : l'intervention de la statue et la mort du tsar. Dans l'introduction, l'astrologue parle au souverain du coq d'or, mais il lui fabrique « un cavalier de bronze ». Pouchkine avait lu le conte d'Irving en 1833, et dans ses manuscrits, le premier essai de mise en vers du conte voisine avec les premières esquisses du récit pétersbourgeois. L'image du cavalier d'airain est devenue la figure principale de ce récit en vers, et pour le conte achevé seulement un an plus tard, il n'est resté que le coq. Chez Mickiewicz, dont le *Pomnik Piotra Wielkiego* [*le Monument de Pierre le Grand*] incita Pouchkine à mettre en scène la statue de Falconet, on trouve l'expression « le tsar d'airain », non « le cavalier », comme c'est le cas chez Irving. L'œuvre étrangère qui est à l'origine d'une œuvre de Pouchkine donne parfois en même temps une impulsion à une de ses œuvres voisines. Ainsi la scène où Don Juan invite la statue du commandeur vient en fait de Molière, mais la phrase de Sganarelle, « ce serait être fou que d'aller parler à une statue » [a], peut être à l'origine du discours qu'Eugène, devenu fou, tient au cavalier d'airain.

L'automne à la campagne, comme le poète le révèle lui-même, était particulièrement favorable à son intensif travail créateur. Par trois fois, à l'automne, Pouchkine se réfugia à Boldino dans sa propriété de la province de Nizhni Novgorod : en 1830, puis en 1833 et en 1834. « Quel charme a la campagne, ici », écrivait-il de Boldino à son ami Pletnev; « imagine : rien que la steppe, pas de voisins... tu peux écrire autant qu'il te chante, personne ne te dérange [1] ». L'abondante moisson du premier automne à Boldino comprend *l'Hôte de pierre*, le fruit le plus remarquable du deuxième automne fut *le Cavalier d'airain*, et enfin, le seul produit du dernier et du moins fécond des automnes à Boldino fut *l'Histoire du petit coq d'or.* Les séjours à Boldino occupent une place tout à fait particulière dans la vie du poète. La période dont ils font partie, qui commence par la demande en mariage de Natalia Gontcharova au printemps 1829, constitue une étape fort singulière dans sa vie et dans son activité; c'est seulement à cette période qu'appartient *le mythe de la statue destructrice.*

Pendant la période antérieure, qui commence par l'exécution des décembristes et le retour d'exil de Pouchkine, la source de l'horreur dans sa poésie épique est la combinaison monstrueuse de plusieurs êtres différents (dans le rêve de Tatiana, écrit en 1826, « des monstres

1. Pour les précisions sur le premier automne à Boldino, cf. D. Blagoj, *Sociologia tvorchestva Pushkina* [*Sociologie de l'œuvre de Pouchkine*] (Moscou, 1929), p. 156 s.; A. Bém, *O Pushkine* [*Sur Pouchkine*] (Užhorod, 1937), p. 64 s.

a. Nous laissons telles quelles les citations françaises de Pouchkine.

sont assis tout autour : celui-ci, avec des cornes et une tête de lévrier, un autre, là-bas, avec une tête de poule, ici une méchante vieille avec une barbiche de chèvre, là un tibia et une tête de mort à l'expression obstinée, et un nain avec une queue, et là, une grue-chat par moitiés. Et il y a étrangeté plus étrange encore : une araignée à cheval sur une écrevisse et un crâne avec un bonnet rouge au bout d'un cou d'oie qui se tortille ») ou un visage humain déformé par une mort violente (le pendu dans le fragment *Quelle nuit* de 1827, et dans plusieurs dessins du poète, le noyé dans la ballade qui porte le même nom, écrite en 1828). Dans *Poltava*, poème écrit à la fin de 1828, le délire qui montre à Marie, devenue folle, la tête de loup de son père exécuté, réunit ces deux motifs [1].

Au moment où la peur des monstres se transforme en peur des statues se situe un récit, *la Maison solitaire sur l'île Vassilievski*, que Pouchkine avait raconté à la fin de 1828 ou au début de 1829 pendant une réunion mondaine, et qu'un certain Titov avait rédigé et publié. C'est une histoire sur les pièges d'un diable perfide, qui un jour fait son entrée, selon le récit, « avec le calme de marbre qui est celui de la statue du commandeur venant dîner chez Don Juan »; une autre fois, le diable se transforme en un mystérieux charretier, et lorsqu'un autre personnage le frappe avec une canne, comme Dadone frappe l'astronome, il entend le bruit *sonore* des os, le charretier tourne la tête — Khodassiévitch pense ici au mouvement analogue du cavalier d'airain [2] — et à la place d'un visage apparaît un crâne de mort. Dans un poème grotesque, *le Fabricant de cercueils*, terminé à Boldino deux mois avant *l'Hôte de pierre*, Pouchkine ridiculise le fantastique effrayant, dépassé, des cadavres hideux, et esquisse dans un passage humoristique le noyau de la scène de l'affrontement entre Don Juan et le commandeur de pierre [3].

Ce n'est pas seulement le mythe de la statue destructrice, mais aussi le simple thème de la statue qui est absent de l'œuvre de Pouchkine dans les années 20 et jusqu'à la fin de 1829, en dehors d'une allusion rapide, tout à fait insignifiante et épisodique, dans un poème de 1828, *la Populace*, dans une ébauche lyrique de 1827, *Qui connaît le pays*, et auparavant, en 1825, dans des vers humoristiques, *le Tsar fronçant les sourcils* et dans *Boris Godounov*.

Dans la scène du bal chez le voïvod Mniszek, nous entendons des

1. Parmi les monstres effrayants, il faut citer également le monstrueux arbre de mort dans le poème *Anchar*, écrit en 1828.
2. *Op. cit.*, p. 84.
3. Cf. Iskoz-Dolinin dans les *Œuvres* de Pouchkine publiées sous la rédaction de S. Vengerov, t. IV, p. 19 s.

bavardages entre dames qui donnent une image exactement inverse de la réalité; sur l'imposteur : « on voit tout de suite qu'il est de sang royal »; et sur Marina, dont la nature violente et passionnée faisait l'admiration de Pouchkine : « une nymphe de marbre; ses lèvres, ses yeux, n'ont aucune vie ». Nous nous trouvons donc devant l'opposition courante entre l'homme vivant et son image une fois qu'il sera mort, compliquée, d'une part, par le fait que le deuxième élément de l'opposition est métaphoriquement appliqué au premier, d'autre part, par le fait que cette application est en opposition directe avec la réalité.

En septembre 1829, Pouchkine arriva à Moscou, revenant du Caucase où il avait pris part à la campagne contre les Turcs et à la prise d'Erzerum. Avant son départ pour le Caucase, il avait demandé la main de Natalia Gontcharova, mais il avait reçu de la mère de celle-ci une réponse incertaine, évasive; après son retour à Moscou, il avait été reçu sans aménité. On lui reprochait surtout son manque de piété et ses attaques contre le tsar Alexandre [1]; or c'est justement pendant son séjour moscovite (le 21 septembre 1829) que Pouchkine repoussé clôt le cycle si convaincant de ses invectives contre Alexandre par un huitain dédié *Au buste du conquérant*, dans lequel il légitime, d'une certaine manière, son rapport violemment négatif au tsar défunt, tout en comparant son buste sculpté par Thorwaldsen avec l'original. A côté d'un quatrain de circonstance datant de la même époque, écrit à Delvig *Pour accompagner l'envoi d'un sphinx de bronze*, c'est le *premier* poème de Pouchkine, écrit dans les années 20, dont le sujet soit une sculpture, et qui dès le début se rattache symptomatiquement au thème du *tsarisme pétersbourgeois*. A l'épigramme qu'est le contenu se joint ici la forme classique des inscriptions gravées sur les statues. Le style élevé qui s'accorde traditionnellement à cette forme ne se trouve chez Pouchkine que plus tard.

Le poète fut accueilli par sa patrie sans aucune bienveillance. Le tsar Nicolas confirma l'interdiction d'imprimer *Boris Godounov*, auquel l'auteur tenait énormément, et lui envoya par le chef de la police russe, le général Benkendorf, une réprimande pour les voyages qu'il faisait de sa propre initiative. On enlevait à Pouchkine sa liberté de mouvement, on mettait toutes sortes de freins à son activité littéraire. Il se rendait compte que le cercle se rétrécissait sans cesse autour de lui; « elle est si précaire », écrivait-il à Benkendorf en lui parlant de sa situation, « que je me vois à tout moment à la veille

1. Récit de S. N. Gontcharov, noté par P. Bartenev, *Russkij arkhiv*, II (1877), p. 98 s.

d'un malheur que je ne puis ni prévoir ni éviter ». On exigeait de lui une *capitulation* sans cesse plus étendue.

Je parle d'une capitulation progressive, non pas d'une transformation ou d'une réorientation, selon le nom qu'on donne souvent à cette chose. Pouchkine, qui dans les vers pleins de verve de sa jeunesse rêvait du « calice sanglant » de la révolution, a pu changer d'avis sur la route qui mène à la libération, a pu perdre la foi dans la possibilité d'y parvenir et déclarer que le combat libérateur est prématuré et que c'est donc un délire fou et sans espoir, il a pu, selon les époques de sa vie, imaginer la liberté dont il rêvait sous des traits socio-politiques et philosophiques fort différents, il a pu, à cause de sa fatigue et de sa déception, à cause de l'impossibilité de continuer la lutte, de l'impossibilité de fuir « dans les pays étrangers » et probablement surtout à cause de l'impossibilité d'un travail créateur, qui ne sut s'adapter aux opprimantes conditions de l'époque — se soumettre et même flatter habilement ses geôliers : il professe, et le déclare lui-même à plusieurs reprises, le déguisement hypocrite de ses pensées (« je suis devenu malin, je dissimule »), et la tradition littéraire locale lui fournit des modèles édifiants pour cette mascarade. Jamais il n'a oublié, et en fait, jamais il n'a caché qu'*une prison est une prison*. Il existe une célèbre histoire russe sur un joueur de tambour qui, lorsqu'on lui demanda s'il tuerait le tsar, répondit : « Mais avec quoi? Avec ce tambour? » Le dévouement de Pouchkine au tsar n'est guère plus profond. Qu'est-ce qui le frappe dans ce qu'on appelle « l'attentat de Radichtchev »? L'insuffisance des moyens, qui fait de sa lutte « un acte de dément » : « un petit fonctionnaire, un homme sans aucun pouvoir, sans aucun soutien, ose prendre les armes contre l'ordre social, contre l'autocratie, contre Catherine ». C'est pour les mêmes raisons que Pouchkine condamne la révolte des décembristes. Sa déclaration de capitulation est la suivante : « Quelles que soient mes opinions politiques et religieuses, je les garde pour moi et je ne prétends pas m'opposer comme un fou à l'ordre établi et à ce qui est inévitable [1] ». Aux « jeunes jacobins » qui condamnaient les considérations favorables à l'autocratie de l'histoire de Karamzine, Pouchkine oppose un seul argument : « Karamzine a publié en Russie et le patronage du tsar l'a contraint à toutes sortes de soumissions et de modérations. » Ces déclarations n'ont jamais commandé toute l'attitude du poète : il s'occupait d'obtenir une plus grande indépendance à l'égard du régime, il se déplaçait avec audace à la limite de la légalité et de l'opposition militante, ou il

1. *Pis'ma* [*Lettres*], t. III (1928), p. 8.

essayait, par une combinaison magistrale d'allusions, d'intentions dissimulées et d'allégories, de tromper la censure du tsar. Mais toutes ces oscillations, tous ces écarts n'effacent pas le fait de la douloureuse capitulation du poète, et l'image du « serin prisonnier » (« un serin prisonnier au-dessus de ma tête ») qui a oublié la forêt et la liberté et ne se console qu'en chantant, est par moments plus proche du Pouchkine des années trente que l'orgueilleuse image de naguère, celle de l'aigle enchaîné rêvant de liberté (*le Prisonnier*, 1822). Que le fatal mariage de Pouchkine soit tout à fait accordé à ces velléités de capitulation, les lettres du poète le reconnaissent pleinement, et ses contemporains les plus pénétrants le comprennent, l'écrivain Veneline, par exemple, qui écrit déjà, dans une lettre du 28 mai 1830 : « Une époque commence... un désir de nid se fait jour, qui fait courber devant sa loi, l'échine de l'homme le plus fier, et Pouchkine en est l'exemple et la preuve. »

A la fin de l'année 1829, pour la première fois après des années d'exil, Pouchkine visite Tsarskoje Selo [a] où tout lui rappelle sa jeunesse lycéenne, où, surtout, les magnifiques jardins impériaux et leurs monuments glorieux dessinent l'image de l'époque héroïque de la monarchie pétersbourgeoise. « Et en effet, je vois devant moi les traces orgueilleuses des jours passés. Encore remplis par la présence de la grande femme (de Catherine II), ses jardins bien-aimés sont là, peuplés de palais, de colonnes, de tours, de statues de dieux, peuplés par les chants de gloire du marbre et les louanges du bronze aux aigles de Catherine. Les spectres des héros s'appuient aux colonnes qui leur sont dédiées... » Ainsi, après sa visite, Pouchkine écrit avec le même mètre, les mêmes strophes et sous le même titre une variante de ses « Souvenirs à Tsarskoje Selo » composés quinze années auparavant pour un examen du lycée, et qui rendaient hommage de la même manière « aux beaux jardins de Tsarskoje Selo, au sceptre de la grande femme », à sa glorieuse escorte et aux monuments célébrant ses victoires. Cette ode pour une fête officielle, due à la muse lycéenne, fut bientôt suivie par une ode enflammée à la liberté (1817), et la « grande femme » reçoit bientôt du jeune Pouchkine une tout autre appréciation : « Le temps passant, l'histoire jugera l'influence de son règne sur les mœurs, découvrira sous un masque de soumission et de patience l'effet atroce de son despotisme, le peuple opprimé par ses gouverneurs généraux et le trésor public pillé par ses amants; elle montrera ses graves erreurs économiques, sa nullité en tant que

a. Ville dans les environs de Leningrad, appelée aujourd'hui *Pouchkine*; a servi de résidence aux tsars russes jusqu'à 1917. Pouchkine y passe ses années de lycée.

législateur, son hypocrisie monstrueuse dans ses rapports avec les philosophes de son siècle; alors la voix de Voltaire séduit et hébété ne sauvera pas son glorieux souvenir de la malédiction de la Russie » (1822).

Maintenant, le poète revient à l'hymne enthousiaste, mais il ne s'arrête pas à l'évocation dévote et réitérée d'un chapitre glorieux de l'histoire de l'empire; il se rappelle en même temps, sur le ton du repentir, les chemins des erreurs de sa jeunesse et les joyaux spirituels dissipés pour « des rêves inaccessibles ». La date ajoutée sur le manuscrit de ce poème inachevé — 14 décembre, anniversaire du soulèvement décembriste — nous dit avec éloquence de quels « rêves inaccessibles » et de quels « fils prodigues » il s'agit ici. Au printemps de l'année suivante (le 5 mars 1830), dans une lettre à sa future bellemère, Pouchkine se rappelle ses accès de tristesse et de repentir et récapitule en fait le contenu de ce poème : « Les torts de ma première jeunesse se présentèrent à mon imagination; ils n'ont été que trop violents, et la calomnie les a encore aggravés; le bruit en est devenu, malheureusement, populaire. Vous pouviez y ajouter foi, je n'osois m'en plaindre mais j'étois au désespoir. » Et en même temps, la même chose, à Benkendorf, l'homme de confiance du tsar : « Mme de Gontcharov est effrayée de donner sa fille à un homme qui auroit le malheur d'être mal vu de l'Empereur. — Mon bonheur dépend d'un mot de bienveillance de Celui pour lequel mon dévouement et ma reconnaissance sont déjà purs et sans bornes » (16 mars 1830).

A côté de sa fierté patriotique devant les victoires russes, les souvenirs du lycée sont pour le poète le chemin le plus sûr du rapprochement avec la cour. C'est justement dans un poème écrit pour l'anniversaire du lycée qu'on entend crier, dès octobre 1825, « Hourra pour le tsar », pour l'ennemi déclaré de Pouchkine, Alexandre, et dans cette formulation significative : « Pardonnons-lui ses injustes persécutions : il a pris Paris, il a fondé le lycée. » Et quand, la dernière année de sa vie, Pouchkine chante de nouveau l'anniversaire du lycée, il se rappelle encore la victoire sur Paris, le palais de la tsarine que le lycée reçut du tsar, et les jardins impériaux. Les souvenirs de Tsarskoje Selo culminent inévitablement dans l'évocation de son épanouissement, de l'époque de Catherine et de ses monuments célébrant de glorieuses victoires, en même temps que les splendides conquêtes du jeune art plastique russe.

Le poème *Au grand Seigneur*, du mois de mars 1830, qui valut à Pouchkine de sévères reproches, comme s'il était passé du côté des dignitaires du tsar, présente une association significative des statues avec l'époque de Catherine : « Je me transporte soudain à l'époque de Catherine. Une bibliothèque, des statues et des tableaux. » Le thème de la statue et de Catherine s'est introduit à cette époque, par un hasard étrange, jusque dans la vie privée du poète. D'une statue de la tsarine dépendait son mariage. La mère de sa fiancée ne voulait pas permettre le mariage tant que sa fille n'aurait pas un somptueux trousseau. Mais la famille était ruinée. Le grand-père de Natalia Gontcharova était prêt à vendre au profit de sa petite-fille une énorme statue d'airain de Catherine que son grand-père avait fait faire quand il avait décidé de dresser un monument à la tsarine devant son usine. A Pouchkine revenaient les soucis concernant l'autorisation du tsar pour vendre, et la vente elle-même. La conversion de la statue en argent posait donc un problème qui durait dangereusement, et les lettres de Pouchkine demandent sans cesse, moitié par plaisanterie, moitié tragiquement, des nouvelles de « la grand-mère de bronze [1] ». « Après l'Empereur », écrit-il à Benkendorf le 29 mai 1830, « il n'y a guère que feu son auguste grand'mère qui puisse nous tirer d'embarras. » « Que fait la grand'maman de Zavode, celle de bronze s'entend », demande-t-il à sa fiancée, et dans presque chaque lettre qu'il lui écrit, il revient à « l'infâme grand'maman ». « Sérieusement, j'ai peur que cela ne retarde notre mariage » (le 30 juillet). « Savez-vous ce que m'a écrit votre grand-papa?... Pourquoi déranger grand'maman dans sa solitude... Ne riez pas, car je rage. Notre mariage semble toujours fuir devant moi... » (30 septembre) « Comment va grand-papa avec sa grand'maman de bronze? Tous deux sont en bonne santé, n'est-ce pas? » (11 octobre).

Les lettres dont viennent les deux dernières citations ont été écrites à Boldino, où Pouchkine s'était réfugié en automne 1830. Le souvenir de la tsarine de bronze le conduit dans une de ces lettres au sombre souvenir de son propre grand-père. Dans la propriété familiale, la conjonction des réflexions sur Catherine et des dispositions dans lesquelles il était, prêt à capituler, devait apparaître à Pouchkine comme une tradition de famille : dans un poème de la fin de 1830, « Mon arbre généalogique », il fait nettement remonter la soumission de sa lignée rebelle à l'emprisonnement de son grand-père, qui s'était opposé à une révolution de palais fomentée par Catherine, comme un de ses ancêtres plus lointains, Feodor Pouchkine, s'était opposé à Pierre Ier et avait été exécuté sur son ordre.

Dès les premiers poèmes consacrés aux statues que Pouchkine écrivit

1. Cf. Pouchkine, *Pis'ma* [*Lettres*], t. II (1928), p. 439 s., t. III (1935), p. 502 s. On y trouve également une liste des ouvrages critiques correspondants.

à Boldino, les réminiscences de Tsarskoje Selo apparaissent. Ce sont, d'une part, un quatrain en forme d'épitaphe, *Une statue de Tsarskoje Selo*, du 1er octobre 1830, et d'autre part, des tercets inachevés, *Au matin de ma vie je me rappelle l'école*, composés probablement le même mois. L'atmosphère de ce poème sent quelque peu la fin du Moyen Age italien ; en fait, on peut dire que c'est une autre version des *Souvenirs de Tsarskoje Selo* écrits l'année précédente, qui développe tous les thèmes fondamentaux de son modèle, mais avec une répartition différente [1].

Les deux poèmes s'annoncent dès le début comme des souvenirs personnels. Leur noyau est dans les deux cas l'école et sa bruyante famille de jeunes condisciples. La place principale est occupée par une majestueuse femme gardienne (« grande femme » — « majestueuse femme »), qui est Catherine dans le poème de 1829, et reste anonyme dans le poème de Boldino. Un autre élément commun aux deux poèmes est la flânerie rêveuse dans l'ombre des magnifiques jardins habités par des statues de marbre et des représentations de dieux, et le sentiment d'oubli de soi qui naît alors (« je m'oublie » — « je m'oubliais moi-même »). Mais dans le poème *Souvenirs à Tsarskoje Selo*, aux erreurs du poète, au « feu des ardeurs passées » et à la vaine sollicitation des « rêves inaccessibles », s'oppose l'image biblique de la maison paternelle, et cette image comprend également l'école, les jardins, le souvenir de la femme majestueuse et des figures de dieux qui peuplaient ce jardin; dans le poème de Boldino, les jardins et leurs statues, s'opposant à l'école et aux « conseils et reproches » de la femme majestueuse, se rattachent justement à l'image des rêves trompeurs et de « l'obscure froideur succédant au plaisir inconnu ». « Deux œuvres miraculeuses me séduisaient par leur beauté magique : c'était la représentation de deux démons. Le premier (une statue de Delphes) avait un visage jeune et irrité, plein d'une terrible fierté, et respirait tout entier une force surnaturelle. Le second avait les traits d'une femme, idéal voluptueux, faux et trompeur — démon enchanteur, trompeur, mais beau. » Il est peu d'images de Pouchkine dont les commentateurs aient autant parlé que de ces deux démons. Il suffit de citer Merezhkovski, qui sans aucune raison plaque ici l'opposition nietzschéenne entre Apollon et Dionysos [2], bien qu'il ne s'agisse nullement d'une opposition entre les deux démons, et bien que le second démon soit indiscutablement Vénus;

1. Cf. I. Annenski, *Pushkin i Carskoje Selo* [*Pouchkine et Tsarskoje Selo*] (Petrograd, 1921), p. 18.
2. *Vechnye sputniki*, p. 313.

ou Ermakov qui dans sa vulgarisation du freudisme tient la première image pour un rêve sur le père, la seconde pour un rêve sur la mère [1]. L'image du titan, de la fière révolte, est étroitement liée dans les œuvres de jeunesse du poète à l'image du voluptueux service de Vénus [2], et ces deux images sont liées de la même manière dans les manifestations de repentir du poète, lorsqu'il renonce aux rêves de sa jeunesse. C'est dans ce rôle également qu'apparaissent les images sœurs des deux démons dans le poème *Au matin de ma vie je me rappelle l'école*, que l'on date du mois d'octobre 1830. A cette époque, Pouchkine enterrait également dans des élégies d'adieu son passé galant, et même sa poésie amoureuse en général : « Mon adieu dans lequel mon cœur bat sombrement comme dans un tombeau [3]. » C'est aussi le mois où Pouchkine brûla le dernier chant d'*Onéguine*, son dernier souvenir poétique ouvertement consacré au soulèvement des décembristes, et la date de cet autodafé est significative : le 19 octobre, le jour anniversaire de la fondation du lycée à Tsarskoje Selo, que Pouchkine célébrait toujours pieusement.

C'est sûrement à des associations galantes que devait se rattacher l'image d'une ancienne statue placée au milieu des jardins, image que l'on trouve dans une esquisse de 1818-1819. Cette apostrophe à Priape est approximativement la suivante : « Puissant dieu des jardins, je m'agenouille devant toi. Je n'ai pas fait dresser avec une prière ton hideuse figure pour que tu chasses les chèvres capricieuses et les oiseaux qui s'approcheraient de ces fruits tendres et verts, et je ne t'ai pas couronné de roses sauvages pour que tu [4]... » L'esquisse s'arrête là, et un fragment d'élégie, *Au monument de Kagul*, datant de la même époque (1819), ne constitue qu'un début antithétique, analogue par sa construction : « Fier (var. : puissant) monument d'une victoire, j'embrasse avec tristesse et piété

1. *Etjudy po psikhologii tvorchestva A. S. Pushkina* [*Études sur la psychologie de l'œuvre de Pouchkine*] (1923), p. 169.

2. Cf. par exemple un poème de V. V. Engelgardt, glorifiant « l'heureux révolté, indolent citoyen du Pinde... adorateur dévot de Vénus et souverain de la volupté », et visant l'empereur céleste et le tsar terrestre.

3. Pouchkine ne revint plus à la poésie amoureuse; il y renonce dans un poème de 1831, *Lorsque je te prends dans mes bras*, et maudit la « mélodie mystérieuse » de ses vers. Quant aux poésies lyriques intimes du premier automne de Boldino, ou bien il les a antidatées pour les faire éditer *(Ton image pour la dernière fois dans mon esprit*, datée de 1829, *Imploration* et *Voulant m'embarquer pour les rives d'une lointaine patrie*, datée de 1828) et s'est abstenu malgré tout de les publier, ou bien il s'est fait passer pour leur traducteur *(les Tsiganes)*.

4. Cf. *Œuvres* de Pouchkine, éditées par l'Académie des sciences, t. II (1905), notes, p. 139 s.

ton marbre menaçant animé par le souvenir. Ce n'est pas l'exploit des Russes, ce n'est pas le sultan (var. : ce n'est pas la gloire, don à Catherine), ce n'est pas le géant d'au-delà du Danube qui me trouble (var. : qui m'enflamme à présent)... » Que devait-il y avoir ensuite? Annenkov déclare qu'il s'agit d'une intrigue amoureuse de l'époque du lycée. Si le fait est exact [1], cette esquisse serait la preuve du sens ambivalent des statues de Tsarskoje Selo dans la symbolique de Pouchkine. Une de ces deux conceptions opposées se présente ensuite dans *Souvenirs à Tsarskoje Selo*, l'autre dans le poème *Au matin de ma vie*. Le contenu négatif de l'élégie *Au monument de Kagul* devient le contenu positif des *Souvenirs à Tsarskoje Selo*. Nous y trouvons même des coïncidences verbales [2]; la même image du monument de Kagul apparaît, et c'est justement à lui que se rattache, dans les deux cas, la première indication du mythe de la statue animée : 1819, « marbre animé par le souvenir »; 1829, « les spectres des héros s'appuient aux colonnes qui leur sont dédiées ».

Dans le poème *Au matin de ma vie*, à la sévérité, au calme et à la vérité de l'ordre instauré par la gardienne s'oppose la vie fictive des statues, leur magie et leur séduction trompeuse. Mais ce poème est resté inachevé et les rôles s'inversent; c'est dans une statue que va s'incarner l'inflexible défenseur de l'ordre, et en face de lui, nous trouvons *das Menschliche*, *das Allzumenschliche* du donjuanisme rebelle. C'est ainsi qu'est né *l'Hôte de pierre*, achevé à Boldino le 4 novembre 1830.

Nous allons essayer de décrire en quelques traits le fond existentiel sur lequel se constituait cette *première version du mythe pouchkinien de la statue destructrice*.

Le principal sentiment qui imprègne la vie de Pouchkine à Boldino est le désir d'une présence féminine, et son humeur est celle d'une résignation fatiguée. Mais son rêve est menacé : d'une part, le passé, bien qu'enfoui, n'en continue pas moins de vivre et de peser sur le poète; d'autre part, le pouvoir immobile du tsar, qui remplit malgré lui ses souvenirs d'enfance sur les monuments et les statues de Tsarskoje Selo, surveille chacun de ses gestes (« je me vois à tout moment à la veille d'un malheur que je puis ni prévoir ni éviter »), et enfin, on ne sait quelles fictions dressent devant lui des obstacles absurdes — d'une « grand'mère de bronze » dépend le bonheur du

1. Cf. les mêmes *Œuvres*, t. II, p. 31, notes, p. 80 s.

2. 1829 : « Troublé par mes souvenirs, rempli d'une douce nostalgie », et dans les notes les plus anciennes concernant cette élégie, datant de 1819 : « par les souvenirs et la nostalgie... par les souvenirs troublé ».

poète. Le mariage est incertain (« j'ai laissé la porte toute grande ouverte... Ha, la maudite chose que le bonheur »), et en plus de tout cela, « une petite personne charmante » nommée *cholera morbus*, qui se déchaîne un peu partout, impose à Pouchkine l'idée importune de sa propre disparition ou de celle de sa fiancée; les quarantaines l'immobilisent, l'enferment à Boldino « comme sur une île entourée de falaises », et au moment où il travaille à *l'Hôte de pierre*, le père de sa fiancée lui écrit que celle-ci est perdue pour lui. La figure de Don Juan, dans la pièce de Pouchkine, a souvent été expliquée du point de vue de l'autobiographie; c'est peut-être justement la marque trop personnelle du drame qui a empêché l'auteur de le faire imprimer, de la même manière que l'élément autobiographique du premier drame écrit à Boldino, *le Chevalier avare*, l'avait poussé à le présenter comme une traduction anonyme de l'anglais.

Si les souvenirs lyriques de Don Juan sur Inez morte rejoignent les poèmes funèbres de Boldino, si le désir du poète pour Natalia Gontcharova, ses élans poétiques pleins de ferveur pour l'amante (ou les amantes) qu'il ne nomme pas [1], rappellent l'opposition de Laure et de Doña Anna, nous retrouvons aussi, d'autre part, dans l'irrationnel de ce qui s'est dressé entre Pouchkine et sa fiancée, que ce soit du fait de sa famille à elle, ou de son passé à lui, ou de certains obstacles naturels, l'équivalent éloquent du pouvoir détenu par le commandeur de pierre. Mais ce n'est pas seulement le mariage qui échappe au poète, c'est aussi le poète qui aimerait bien par moment échapper au mariage. Il veille à le hâter, et lorsque Natalia Gontcharova lui annonce qu'on n'attend plus que lui, il répond : « Croyez que je ne suis heureux que là où vous êtes »; le même jour, il note à côté de la mention de sa lettre le proverbe: « Il va se passer ceci, qu'il ne se passera rien », et il écrit à un ami : « Tu ne peux pas t'imaginer comme on est joyeux quand on fuit sa fiancée ». Il se plaint du choléra qui l'a empêché de quitter Boldino, et en même temps, il avoue : je ne demandais pas mieux que la peste. Il se confie à ses amis : « je me refroidis et je réfléchis aux soucis de l'homme marié et au charme de la vie de garçon » (31.VIII.1830), « je me marie sans ivresse, sans enchantement juvénile. L'avenir ne m'apparaît pas plein de roses, mais dans sa cruelle nudité. Les peines ne me surprendront pas : elles font partie

1. *Déjà les ténèbres de la nuit embrassent les monts de Géorgie*, de mai 1829; *Je vous aimais*, de 1829; *Ici je dois écrire aujourd'hui mon nom*, du 5 janvier 1830; *J'apprécie peu le délice farouche de cet instant*, du 19 janvier 1830; *le Page ou la quinzième année*, du 7 octobre 1830. Si nous en croyons l'aveu de Pouchkine, même le poème *la Madone*, dédié à Natalia Gontcharova, n'a pas été inspiré par elle (cf. *Pis'ma* [*Lettres*], t. II, 1928, p. 397).

de mes comptes domestiques. — Chaque joie me sera une surprise » (10.II.1831, c'est-à-dire une semaine avant le mariage). Comme Hoffmann le remarque justement, il dit adieu à sa vie de garçon comme s'il disait adieu à la vie tout court [1]. Superstitieux, Pouchkine se rappelle qu'à Moscou, une diseuse de bonne aventure lui a prédit que la mort lui serait donnée par sa propre femme [2]. L'horreur de la visite du commandeur doit être un rêve prémonitoire.

Le succès de Don Juan auprès de Doña Anna fournit au poète un second motif de fuite. Il suffit de se reporter à la lettre déjà citée de Pouchkine à la mère de sa fiancée, où tout à coup tombe cette phrase : « Dieu m'est témoin, que je suis prêt à mourir pour elle, mais devoir mourir pour la laisser veuve brillante et libre de choisir demain un nouveau mari — cette idée — c'est l'enfer ».

Les œuvres datant du premier automne à Boldino sont imprégnées par l'image de la statue. A côté des œuvres poétiques, certains dessins de Boldino sont également consacrés au même thème : esquisse d'un colosse égyptien en octobre 1830, probablement lié au projet de continuer *l'Automne*, un poème inachevé, et buste antique du mois de novembre de la même année, dessiné avec soin et application [3]. Le problème de la sculpture est également abordé dans un texte théorique conçu à ce moment-là *(Du drame)*. C'est peut-être à cette époque, sinon un peu plus tôt, que Pouchkine traduisit le début de l'*Hymne aux Pénates* de R. Southey, décrivant la fuite de l'âme fatiguée vers les statues salvatrices, dispensatrices de paix [4]. Après le retour de Boldino, les allusions à la sculpture disparaissent pour trois ans de l'œuvre poétique de Pouchkine, disparaissent jusqu'au second automne de Boldino, où naît *le Cavalier d'airain.*

Quelles étaient les circonstances qui accompagnaient l'apparition de cette *seconde version du mythe pouchkinien de la statue destructrice*? Souvenir de l'automne plein d'émotion du fiancé solitaire dans l'exil involontaire de Boldino, ranimé après trois années par un nouveau séjour dans le village familial. Peur, sans cesse plus grande et haineuse, du tsar qui l'asservit et fait la cour à sa femme, et révolte contre tout l'entourage du tsar, orgueilleux et provocant, et contre la capitale (« l'esclavage des rives de la Néva [5] »). Perspectives d'avenir

1. *Op. cit.*, p. 116.
2. *Russkij Arkhiv*, 1912, 3, p. 300.
3. Cf. A. Efros, *Risunki poeta* [*les Dessins du poète*] (Moscou, 1932), p. 432 s., 438 s.
4. Cf. D. Blagoj, *op. cit.*, p. 352.
5. Ces dispositions du poète ont été fort bien décrites par Andreï Biély dans son livre *Ritm kak dialektika i Mednyj vsadnik* [*le Rythme comme dialectique et le Cavalier d'airain*] (1929).

toujours plus désespérées. Lettres écrites à sa femme en route et à Boldino, pleines de désir et de jalousie (« je suis angoissé sans toi... que faites-vous?... mon cœur se serre lorsque je pense... Je m'approchais de Boldino et j'avais les plus sombres pressentiments... Ne coquette pas avec le tsar... C'est tout le secret de la coquetterie! Il suffit qu'il y ait une auge, il y aura toujours des cochons »). De nouveau, le thème de la nostalgie est lié au thème de la fuite. Au moment où il projette son voyage à Boldino, il se plaint ainsi à un ami intime : « Ma vie à Pétersbourg est comme ci comme ça (il utilisera les mêmes mots pour décrire dans *le Cavalier d'airain* la vie malheureuse d'Eugène)... Je n'ai pas assez de temps pour moi, ma libre vie de garçon me manque. » La grand-mère de bronze est entrée avec peine dans l'appartement pétersbourgeois du poète, qu'elle étouffe, mais n'aide pas à sortir de ses difficultés pécuniaires : l'espoir de la vendre s'est effondré. Les satires pétersbourgeoises de Mickiewicz *(Ustęzp)*, que Pouchkine vient de lire et en partie de transcrire, donnent des images particulièrement acerbes de la métropole du tsar [1]. La deuxième tsarine a fait ériger un monument « au premier des tsars qui a fait ces miracles »; d'ailleurs, l'inscription du monument de Falconet lie déjà les deux noms : « A Pierre Premier Catherine la Deuxième », et le tableau que fait Pouchkine de la statue de Pierre, s'élevant au-dessus de son rocher et entourée des vagues de l'inondation, présente des traits communs avec l'image du monument commémoratif de la bataille de Cesme dessiné dans les *Souvenirs à Tsarskoje Selo* qu'il a composés au lycée [2]. Dans les premières esquisses du *Cavalier d'airain*, les souvenirs et les associations historiques sont beaucoup plus apparents que dans la rédaction définitive. D'une part, l'évocation du fameux soulèvement de décembre devant le monument de Pierre, après la mort d'Alexandre, cette évocation qui constitue le ton sous-jacent de notre « récit pétersbourgeois [3] », a plus de relief

1. Cf. J. Tretiak, *Mickiewicz i Puszkin* (Varsovie, 1906); Lednicki, *O Jezdzcu miedzianym* [*le Cavalier d'airain*], supplément à la traduction de J. Tuwim (Varsovie, s. a.); *Rukoju Pushkina* [*De la main de Pouchkine*] (Leningrad, 1935), p. 535 s.

2. « Il voit : entouré de vagues sur le dur rocher moussu se dresse le monument... Autour du piédestal, tumultueuses, les vagues grises s'apaisent dans l'écume scintillante. »

3. Cf. G. Vernadskij, *Slavia*, II, p. 645 s., Blagoj, *op. cit.*, p. 263 s. A. Biély, *op. cit.* Le lien et l'opposition de la tempête et du monument de Pierre au voisinage immédiat du souvenir de la loi cruelle et répressive, se trouve dans le fonds des images poétiques de Pouchkine avant même la révolte de décembre; les couplets humoristiques et quelque peu mystérieux *le Tsar fronçant les sourcils*, écrits deux ou trois mois avant cette révolte, prirent ainsi, peu de temps après leur naissance, une signification tragique, ce qui constitua peut-être une des causes de la « triste

dans le brouillon, car l'inondation y est ouvertement présentée comme l'épilogue du règne d'Alexandre (« Cette même année fut la dernière du règne du tsar »); d'autre part, on y voit se dégager l'image d'une inondation semblable qui eut lieu sous le règne de Catherine (« Catherine était vivante ») peu après la révolte de Pougatchev, et Pouchkine travaillait justement avec assiduité sur l'histoire de cette « époque terrible ». Enfin, dans les premières esquisses, le rôle de Pierre, qui dompta la noblesse rebelle de son vivant comme après sa mort (« l'ombre de Pierre se tenait, menaçante, au milieu des grands seigneurs »), préparait et motivait l'intervention violente du tsar d'airain contre le descendant de cette noblesse obstinée. Au cours de son travail ultérieur sur ce poème, Pouchkine écarte l'échafaudage des motivations occasionnelles et rend ainsi le mythe de la statue destructrice indépendant de tout moteur épisodique.

Le récit pétersbourgeois diffère fondamentalement de la première version du mythe pouchkinien : elle est bien loin, l'époque de la jeune indépendance de Don Juan. Il a même oublié la cour pressante qu'il a faite à son dernier amour. L'épouvante devant la disparition de cette femme et la mort de son partenaire efface les épisodes antérieurs. A l'origine, on retrouvait dans *le Cavalier d'airain* les réflexions matrimoniales personnelles de Pouchkine, venues du huitième chapitre d'*Eugène Onéguine*, écrites au cours du premier automne à Boldino et plus tard détruites. D'une manière générale, les œuvres du second automne se rattachent à la moisson du premier [1]. « Autres temps, autres rêves (méditait le poète dans ce chapitre); vous êtes devenues plus humbles, visions sublimes de mon printemps; à présent mon idéal, c'est une maîtresse de maison, mon vœu c'est le repos et une marmite de soupe au chou, et que je sois moi-même le maître de maison. » Dans *le Cavalier d'airain*, Eugène rêve lui aussi : « Se marier? Eh bien? Pourquoi pas? Mais vraiment? Je me trouverai un coin modeste et j'y installerai Paracha. Un lit, deux chaises, une marmite de soupe au chou, et moi-même comme maître de maison... que me faut-il de plus? » Mais Pouchkine a dépouillé son héros de ce rêve lui-même, si modeste soit-il : dans la rédaction définitive, il a barré ces lignes. *L'Hôte de pierre* nous montrait un Don Juan indi-

---

histoire » ultérieure du poète. Il existe peut-être un rapport analogue entre le fragment *Ton heure viendra* et le poème *Supplication* : après l'esquisse poétique de la mort de l'amante (1823) vient la mort de l'amante (1825), et plus tard, à Boldino, un poème sur sa mort (1830); cf. mon article, « *Nespoutaný Puškin* » [*l'Indomptable Pouchkine*] dans *Lidové noviny* du 14 février 1937.

1. Cf. Blagoj, *op. cit.*, p. 283 s., p. 347 s.

vidualisé et un commandeur impersonnel, presque anonyme. C'est exactement le contraire dans *le Cavalier d'airain*. La victime de la statue, Eugène, est aussi privé d'individualité que possible : « citoyen de la capitale comme vous en rencontrez des quantités et ne différant aucunement d'eux, ni par les traits ni par l'intelligence ». « Il est comme tout le monde », répète encore avec force la seconde variante du poème. (« Il n'est de bonheur », écrivait Pouchkine à propos de son mariage, « que dans les voies communes... A trente ans, les gens se marient en général — j'agis comme eux et je ne le regretterai peut-être pas ».) Par contre, le persécuteur de ce citoyen, le cavalier d'airain, est présenté, dépeint, démasqué de manière si concrète sur toute la largeur de tous les étalages possibles, que le tsar Nicolas interdit de publier le poème. Dans sa version originale, Eugène n'avait pas encore été aussi appauvri par le poète, qui défendait son droit de le choisir pour héros, de passer sous un sombre silence les idoles terrestres (dans son poème, Pouchkine appelle idole la statue de bronze de Pierre) et de ne pas reconnaître l'ordre établi (« pour toi, il n'est pas de loi »). Dans la rédaction définitive, il ne reste pas trace de la combativité qui accompagnait à l'origine le rôle d'Eugène.

A la fin du mois d'août 1834, Pouchkine quitte Pétersbourg pour ne pas être obligé d'assister à l'inauguration de la colonne d'Alexandre. Il le note dans son journal, et l'aversion que lui inspire ce monument à Alexandre Ier se reflète encore quelques lignes plus bas, dans une note maussade sur le caractère inutile et inapproprié de la colonne portant un aigle, dressée pour célébrer la victoire de Tarutino sur les Français [1]. Pouchkine partit pour Boldino, voulut s'y mettre à écrire, mais l'inspiration ne se manifestait pas, « les vers ne venaient pas en tête ». Il était, dans son domaine ruiné, vaincu par les soucis financiers, et il écrivait à sa femme : « Je suis triste, et quand je suis triste, je suis attiré vers toi, comme toi, tu te serres contre moi quand tu te sens heureuse. » De ces dispositions, des réminiscences de Boldino, du récit d'Irving et des formules des contes populaires, naît la *troisième version du mythe de la statue destructrice*. Au tragique récit pétersbourgeois succède un conte grotesque et moqueur, à Pierre le Grand, un magicien châtré, et au cavalier gigantesque monté sur un rocher, un petit coq sur une flèche, écho ironique, selon toute probabilité, de l'aigle sur la colonne de Tarutino, ou de l'ange sur la colonne d'Alexandre. La victime de la statue a vieilli, et l'on pense malgré soi à la plainte que le poète adressait en manière de plaisan-

1. Cf. Yakubovich dans le recueil *Pushkin*, 1834 *god* [*Pouchkine, l'année* 1834] (Leningrad, 1934), p. 45.

terie à sa femme : « Je suis devenue vieille et gâteuse [en polonais russisé]. Je vais venir me ranimer à ta jeunesse, mon ange. » De Don Juan, Pouchkine avait une conception héroïque; Eugène, comme un critique le souligne à bon droit, est peut-être misérable, mais pas le moins du monde comique : « malgré son aspect chétif, il grandit jusqu'à devenir un héros tragique, et sa mort n'éveille pas une pitié dédaigneuse, mais l'horreur et la compassion [1] ». Au contraire, Dadone est une figure grotesque à laquelle Pouchkine, semble-t-il, prête certaines qualités particulières de ses ennemis : Akhmatova démontre que Dadone réunit les traits caricaturaux d'Alexandre et de Nicolas [2].

L'histoire du *Coq d'or* épuise le thème de la statue destructrice. Il est intéressant de remarquer que c'est sur ce thème que *tarissent trois genres poétiques* dans l'œuvre de Pouchkine. *L'Hôte de pierre* est le dernier de ses drames en vers originaux et achevés, *le Cavalier d'airain* est le dernier de ses poèmes épiques et *le Coq d'or* le dernier de ses contes. Bien sûr, après les drames de Boldino, il y eut les *Scènes de l'époque de la chevalerie*, et après *le Cavalier d'airain* un autre récit pétersbourgeois, *la Dame de pique*, mais ce sont là des expériences de prose, et Pouchkine lui-même a déclaré fort justement qu'entre une variante en prose et une en vers du même genre littéraire, il y avait « une différence diabolique » (lettre à Viazemski du 4.XII.1823).

Le mythe de la statue destructrice neutralise et tarit doucement dans l'œuvre de Pouchkine *la thématique de la sculpture* dans son ensemble. Celle-ci ne reparaît qu'en 1836 dans l'épître *A un artiste*, consacrée au sculpteur Orlovski, et dans deux inscriptions en quatre vers destinées à des statues de joueurs. C'est par de telles inscriptions qu'a commencé et que s'est achevé le cycle des poèmes de Pouchkine sur les statues.

On peut même parler simplement de l'abandon du thème de la sculpture dans l'œuvre du poète. A côté de la charge parodique de *l'Histoire du petit coq d'or*, qui clôt le fantastique des statues, comme auparavant le récit *le Fabricant de cercueils* en avait terminé avec le fantastique des cadavres hideux, et à côté de l'image épisodique des idoles renversées qui apparaît dans les esquisses lyriques de Pouchkine après *le Cavalier d'airain* et chaque fois, se rattache étroitement à l'image d'un mouvement et d'un écrasement (9 décembre 1833 : « de marche en marche volent les idoles... », septembre (?) 1834 : « des colonnes chancelantes les idoles tombent »), on peut citer, selon

1. D. Mirskij, *Literaturnoe Nasledstvo*, t. XVI-XVIII, p. 102.
2. *Op. cit.*, p. 171 s. Cf. l'édition en un volume des œuvres de Pouchkine sous la direction de Tomachevski, 1936, p. 845.

l'expression d'Andreï Biély [1], « un passage extrêmement obscur et ambigu » dans une lettre de Pouchkine à sa femme, du 29 mai 1834. Le poète parle de son travail sur l'histoire de Pierre le Grand : « Je trie du matériel, je mets en ordre, et tout d'un coup je coule un monument de bronze qu'on ne pourra pas traîner d'un bout de la ville à l'autre, de place en place, de ruelle en ruelle. » Il s'agit indiscutablement ici d'un monument verbal, indépendant de l'espace, à la différence d'une statue. Cette dépendance à l'égard de l'espace fut fortement soulignée par Pouchkine dans ses fameuses notes sur le cavalier de Falconet, que reproduit Mickiewicz dans sa satire intitulée *Pomnik Piotra Wielkiego (le Monument de Pierre le Grand)* : « assis sur l'échine de bronze de son bucéphale, il attendait un endroit où il pût entrer à cheval ». Dans ces gloses, Pouchkine parodie également un poème de Roubane, *Au monument de Pierre Ier*. Le poète du XVIIIe siècle met ce monument merveilleux au-dessus du colosse de Rhodes et au-dessus des pyramides, car sa base est un rocher véritable, ou comme le dit Roubane, que la main n'a pas construit, qui fut apporté à Petrograd. Pouchkine se servira de cet attribut, *nerukotvornyj* (non créé par la main) dans un de ses derniers poèmes, pour qualifier son propre monument, érigé par la parole poétique et dépassant de sa tête insoumise la colonne d'Alexandre! C'est ainsi que le *logos* (le discours) triomphe de l'*eidolon* (la statue).

L'époque où Pouchkine était obsédé par le thème de la statue coïncide absolument dans son œuvre avec l'époque où il est manifestement tenté par le thème d'une vie en train de s'éteindre, de dépérir, de se disperser, et spécialement par le thème de l'ancienne et indépendante noblesse comme classe en train de disparaître; la place de cette thématique dans l'œuvre de Pouchkine est fort bien définie dans le livre de Blagoj, *Sociologia tvorchestva Pushkina*, qui pèche par son effort injustifié de réduire la diversité de l'œuvre du poète au seul plan de la problématique sociale, mais qui est riche de remarques fécondes. Ces images de déclin apparaissent avec le plus d'acuité dans leur opposition à l'image de la statue dans *le Cavalier d'airain*.

Nous avons suivi l'image de la statue et en particulier le mythe de la statue destructrice dans le contexte de l'œuvre et de la vie de Pouchkine. Mais ce qui nous importe le plus, c'est la structure interne de cette image et de ce mythe poétiques. Le problème est d'autant plus intéressant qu'il s'agit de la transposition d'une œuvre appartenant à une espèce d'art, dans une autre espèce d'art, dans la poésie. Une statue, un poème, bref, chaque œuvre d'art est un signe spécial. Des

1. *Op. cit.*, p. 71.

LA STATUE DANS L'ŒUVRE DE POUCHKINE

Année	*Les poèmes*	*Les lettres*	*La prose et les dessins*
1814	– *Vospominanija v Carskom sele :* strophes sur les statues.		
1818	– Esquisse *Mogushchij bog sadov.*		
1819	– Esquisse *K Kagul'skomu pamjatniku.*		
1825	– *Boris Godunov :* allusion à une nymphe de marbre. – *Brovi car nakhmurja :* allusion à un monument de Pierre Ier.		
1827	– *Kto znaet kraj :* allusion à Canova.		
1828	– *Chern' :* allusion à l'Apollon du Belvédère.		
1829	– *K bjustu zavoevatelja* (21. IX). – *Zagadka :* apostrophe du sphinx (IX?). – *Vospominanija v Carskom sele* (14. XII).		– *Uedinennyj domik :* allusion au commandeur. – Dessin du cheval de Falconet.
1830	– *K velmozhe :* allusion aux idoles (23. IV). – *Carskosel'skaja statuja* (1. IX). – *V nachale zhizni* (X.). – *Kamennyj gost'* (achevé le 4. XI).	à Benkendorf (29. V). à A. N. Gontcharova (7. VI). à Benkendorf (4. VII). à N. N. Gontcharova (20-30. VII). à N. N. Gontcharova (29-30. VII). à von Fock (9. VIII). à A. N. Gontcharov (14. VIII). à N. N. Gontcharova (30. IV). à N. N. Gontcharova (11. X).	– *Vystrel :* allusion aux bustes (14. X). – Dessin d'un colosse égyptien (X). – Dessin d'un buste antique (XI). – Art. « le drame » : allusion à la sculpture (XI). – Dessin d'une statue de Voltaire (10. III).
1831		à A. N. Gontcharov (24. II).	
1832		à Benkendorf (8. VI).	
1833	– *Mednyj vsadnik* (X). – Esquisse *Tolpa glukhaja :* sur la chute des idoles (9. XII).	à Volkonski (de la main de N. N., 18. II).	
1834	– *Vezuvij zev otkryl :* sur la chute des idoles (IX?). – *Skazka o zolotom petushke* (achevé le 20. IX).	à sa femme sur le monument de bronze à Pierre Ier (29. V).	– Note dans le journal (25. XI) sur la colonne d'Alexandre et la colonne de Tarutino.
1836	– *Khudozhniku* (25. III). *Pamjatnik :* allusion à la colonne d'Alexandre (21. VIII). – *Na statui igrajushchikh* (X).	à sa femme sur son propre buste.	

vers sur une statue sont donc un signe de signe, ou une *image d'image*. Dans un poème sur une statue, le signe *(signum)* devient thème ou objet signifié *(signatum)*. La transformation du signe en élément thématique est un des procédés littéraires favoris de Pouchkine [1], ce qui dévoile et aiguise les antinomies internes qui sont le fondement nécessaire, inévitable, du monde des signes. Dans un récit de Pouchkine, *les Nuits égyptiennes*, un improvisateur professionnel compose un poème sur le thème imposé suivant : « le poète choisit lui-même les sujets de ses chants; la foule n'a pas le droit de diriger son inspiration ». Le sujet imposé est donc ici le fait que le sujet ne doit pas être imposé. Ceci dessine une contradiction fondamentale entre deux éléments nécessaires du discours, son thème et sa situation, contradiction qui se transforme ici en opposition déclarée. Dans *l'Hôte de pierre*, Don Juan dit qu'il souffre en silence. « C'est de cette façon que vous vous taisez? » lui demande ironiquement Doña Anna, qui dévoile ainsi la contradiction entre la première personne comme auteur et comme sujet du discours.

« *Pokoj men'a bezhit* » dit Pouchkine dans le poème *la Guerre* : le repos me fuit. Cette association de mots qui s'excluent mutuellement est possible parce que le verbe « fuir » est employé dans un sens figuré. Nous sommes là à la jonction de deux sphères sémantiques opposées, celle du repos et celle du mouvement, qui est d'ailleurs l'un des motifs directeurs de la symbolique de Pouchkine. L'équation repos-mouvement se présente dans l'œuvre du poète tantôt comme une contradiction philosophique de l'empirie extérieure et du noumène (dans le poème « Un sage a dit que le mouvement n'existait pas ») tantôt en opposition à la matière de la statue et à l'aspect sémantique de celle-ci. La statue, à la différence de la peinture, se rapproche tellement de son modèle par ses trois dimensions, que le monde inorganique est effacé de sa thématique : une nature morte sculptée ne présenterait pas une antinomie suffisamment apparente entre la représentation et l'objet représenté, cette antinomie que comporte et que rompt tout signe artistique. C'est seulement l'opposition entre *la matière immobile et morte* dans laquelle la statue est modelée, et *les êtres mobiles et vivants* que la statue représente, qui assure un écart suffisant entre ses deux éléments. C'est cette opposition fondamentale que manifestent justement certains titres de Pouchkine tels que : « l'hôte de pierre », « le cavalier d'airain » ou « le petit coq d'or », et c'est justement cette antinomie fondamentale

1. Cf. en particulier J. Tynianov, *Arkhaisty i novatory* [*Archaïstes et Novateurs*], p. 241 s.

de la sculpture que la poésie saisit et utilise de la manière la plus féconde. « Au plâtre tu donnes des pensées », dit Pouchkine au sculpteur *(A l'artiste)*, et dans un autre poème, il évoque le pays où le ciseau de Canova animait le marbre docile *(Qui connaît le pays)*. C'est une image traditionnelle : « Il m'a fait revivre dans la pierre », dit Derjavine en parlant du sculpteur qui avait fait son buste, et Dachkov, dans ses inscriptions destinées à des statues, s'arrête sans cesse devant le fait que « le ciseau de Praxitèle donne à la pierre la sensibilité et la vie » *(A la statue de Niobé)*, et que « dans le métal respire le héros » *(la Statue d'Alexandre)*; « Bronze divin! Il semble revivre », proclame une inscription analogue de Benitski. Le secret de la sculpture réside pour Baratynski dans le fait que l'artiste a vu dans la pierre une nymphe *(le Sculpteur* [1]*)*, et Del'vig, dans l'idylle *la Découverte de la sculpture*, annonce un miracle (« je vous appelle pour que vous veniez voir un miracle! ») : « L'image de Charité! Charité est vivante! Une Charité d'argile! » L'argile amorphe se transforme en image vivante. L'aspect sémantique de la statue, ou l'aspect interne du signe brise (Charité est vivante!) sa matière immobile et morte, c'est-à-dire l'aspect extérieur du signe. Le dualisme du signe est cependant son fondement le plus nécessaire : dès que le dualisme interne du signe est rompu, l'opposition du signe et de l'objet disparaît inévitablement elle aussi, *le signe devient objet*. L'espace conventionnel de la statue se fond avec l'espace réel dans lequel la statue est placée, et malgré l'essence intemporelle de celle-ci, on voit malgré soi l'image de quelque chose qui précédait l'état représenté, et qui doit le suivre : la statue se place dans une progression temporelle [2]. « Trois pas en avant, puis il s'est accroupi, et s'appuyant sur la jambe gauche du plat de la main, il a levé au-dessus du genoux l'os rond qu'il tient à la main droite. Il vise maintenant... Dispersez-vous! Chassez tous les curieux, qu'ils ne troublent pas l'adolescent jouant à ce gracieux jeu russe » (pour la statue de l'enfant jouant aux osselets). Rappelons aussi l'inscription de Del'vig destinée à la statue florentine d'un Mercure : « Un instant, et il va s'envoler! »

1. Cf. Camille Mauclair : « Je dis un jour à Rodin : " On dirait que vous savez d'avance que dans ce bloc il y a une figure, et que vous vous contentez, dans votre travail, de casser tout autour de cette figure l'enveloppe qui la cache. " Il me répondit que lorsqu'il travaillait, il avait exactement la même impression » *(Auguste Rodin)*.

2. Auguste Rodin, dans une phrase éloquente, montre comment le sculpteur vise délibérément à la maîtrise du temps : « Dans son œuvre on peut distinguer encore une partie de ce qui fut, et découvrir déjà une partie de ce qui sera » *(L'Art)*.

Bien entendu, les trois dimensions de la statue lui fournissent de meilleures raisons de se placer dans un espace réel qu'un tableau à deux dimensions. Néanmoins, la poésie de Pouchkine nous donne des exemples tels que celui-ci : « Lorsque cette action considérable fut pour ainsi dire achevée, et que le Seigneur était en train de mourir sur la croix dans les pires souffrances, de part et d'autre de la croix se tenaient deux femmes simples... Que voyons-nous maintenant au pied de la croix? Deux gardes menaçants s'y tiennent à la place des saintes femmes... » La frontière entre la crucifixion représentée sur un tableau de Brioulov et les gardes qui protégeaient le tableau est ici effacée à dessein.

Dans l'inscription de Pouchkine destinée à la statue d'un enfant jouant au « kolyshek », la transformation poétique des antinomies sémiologiques se manifeste avec une netteté encore plus grande. Si nous considérons son aspect extérieur matériel, la statue nous apparaît comme un secteur immobile du mouvement vital; mais dans le poème de Pouchkine au contraire, « le jeu rapide » de la statue s'oppose à l'immobilité d'un état ultérieur qu'on ne fait qu'imaginer (« après le jeu, le repos »).

Mais inversement, qu'est-ce que l'immobilité empirique de la statue ne peut gagner auprès du spectateur sur le mouvement qu'elle représente? « On veut ici sculpter mon buste », écrivait de Moscou Pouchkine à sa femme, le 14 mai 1836, « mais moi, je ne veux pas. Ma laideur de nègre serait exposée à l'immortalité dans toute son *immobilité mortelle* ». En face du « miracle » de *l'idée de mouvement triomphant sur l'immobilité de la matière*, il existe un « miracle » inverse, *l'immobilité de la matière triomphant sur l'idée de mouvement*. « Prodige! », dit Pouchkine dans le poème intitulé *Une statue de Tsarskoje Selo*; il s'agit d'une jeune fille portant une urne brisée : « au-dessus d'une source éternelle la jeune fille pleure pour l'éternité ». Le dualisme interne du signe est rompu; l'immobilité de la statue s'appréhende comme immobilité de la jeune fille et, comme l'opposition entre le signe et la chose est absente, l'immobilité est transposée dans un temps réel et apparaît comme éternité.

Nous avons donc établi deux types de métamorphose poétique de la statue. Comment s'appliquent-ils à la poésie? Le fondement de toute poésie est la subjectivité. Il s'agit donc de la représentation subjective du poète : *la statue immobile d'un être mobile est comprise ou bien comme une statue mobile ou bien comme la statue d'un être immobile*. Dans la poésie épique, ces deux transformations s'objectivisent, deviennent un élément du sujet. « Où te diriges-tu, fier cheval, et où poseras-tu tes sabots? » — cette question du poète est la représentation lyrique d'un motif sculptural; ce motif — le galop du cheval — dans la représentation du poète, se déroule dans le temps, et impose une question pressante, celle de ce qui va suivre. Le cheval d'airain est ici compris comme mobile, et *de cette mobilité naît un mouvement réel; réalisation épique* d'un motif sculptural : le cavalier d'airain galope bruyamment sur les pavés ébranlés. Et d'autre part *l'immobilité* du cavalier qui se dresse, le bras tendu, au-dessus des vagues déchaînées, devient elle aussi un élément de l'action : c'est la manifestation du *calme* surhumain et de la *puissance inflexible* et éternelle du héros de bronze devant « le caprice insolent » et la cruauté des éléments, comme devant toute révolte. Sous une forme lyrique, les deux motifs contraires existent déjà chez Mickiewicz, dans *le Monument de Pierre le Grand* : d'une part, « le tsar Pierre a lâché les rênes de son coursier; on voit qu'il a parcouru la route à toute allure; il a sauté d'un bond tout au bord du rocher : on dirait qu'il va tomber et voler en éclats » — d'autre part, « il est immobile depuis un siècle ». Les deux motifs fusionnent dans l'image métaphorique d'une cascade tombant du haut d'un rocher, figée par le gel. Le poème de Viazemski *Petrograd*, deuxième modèle du *Cavalier d'airain*, réunit également ces deux motifs : le tsar Pierre de Falconet est, d'une part, un garde éternel et immobile dont le regard fixe fera reculer les ennemis; d'autre part, il est prêt à fondre sur eux du haut de son rocher escarpé [1]; l'idée de vie que comprend le sens d'une statue et l'idée de durée qu'impose sa forme extérieure se fondent dans l'image d'*une vie durable*.

Cette idée de durée pure est apportée, dans *le Cavalier d'airain*, par l'aspect imperfectif des verbes : qu'il s'agisse du Pierre historique ou de celui de bronze, qu'il s'agisse d'une statue immobile ou animée, le récit ne lui adjoint pas un seul verbe perfectif. Ce caractère imperfectif contraste fortement avec le caractère perfectif et limité de l'action environnante. D'une manière générale, les catégories formelles du verbe — les aspects, les temps, les personnes — sont chez Pouchkine un des procédés d'actualisation les plus efficaces, les plus dramatiques. De cela, nous parlerons plus en détail ailleurs.

La rupture du dualisme interne du signe efface, comme nous l'avons déjà souligné, la frontière qui sépare le monde des signes et le monde des objets. L'équation entre « le sommeil éternel » de Pierre mort et l'immobilité éternelle de son double d'airain, et l'opposition simultanée entre le caractère passager des restes mortels et la solidité

1. « Prêt à tomber sur eux du haut de l'escarpement audacieux »; il y a là un jeu conscient sur les deux sens du mot « tomber ».

de la statue produisent l'idée de la vie de l'être représenté, dont la durée se prolonge dans son image sculptée, dans son monument. « Ceci est Pierre, vivant encore dans le bronze éloquent... Il règne toujours sur la ville qu'il a créée », dit le poème de Viazemski. C'est pour cela que pour Eugène qui le menace, le cavalier d'airain est le constructeur de Pétersbourg, et que l'attribut de « faiseur de miracles » prend dans la bouche du dément une ambiguïté purement pouchkinienne : qui fait des miracles, dans la mesure où il s'agit du tsar Pierre, et en même temps produit par un miracle, pour ce qui est de sa statue. « Faiseur de miracles », dit Pouchkine, s'adressant à Pierre; « œuvres miraculeuses », dit-il en parlant des statues.

Le mot « vivant » a plusieurs sens : il veut dire « vivant, qui est en vie », il veut dire « alerte », il veut aussi dire « qui comprend l'idée de vie, qui donne l'impression de la vie »; ce sont en fait des homonymes, reliés entre eux par des rapports sémantiques différents. En poésie, ce sont des mots différents indépendants les uns par rapport aux autres, les manifestations autonomes et égales en droit d'une signification unique et commune : il s'agit d'une signification commune, car le lien étymologique des mots entre eux est nettement actualisé dans la poésie; il s'agit de mots différents et indépendants, car la poésie donne l'autonomie à chaque sens des mots. Ce n'est pas une vie figurée, mais bien réelle, que possède dans la symbolique poétique celui même qui vit dans le bronze, ou « dans le cœur des hommes ». Derjavine le montre par un beau raccourci dans le seul mot d'une inscription destinée à une statue de Pierre : *Zhiv* (il est vivant). Dans une scène importante de *l'Hôte de pierre*, qui prépare l'entrée décisive de la statue dans l'action, Leporello demande à Don Juan quelle figure va faire le commandeur devant cette intrigue amoureuse; par plaisanterie, il veut parler de la statue funéraire. Don Juan répond que le commandeur s'est apaisé depuis qu'il est mort. Leporello en doute et met son maître en garde contre la statue : « Elle a l'air de vous regarder et d'être furieuse. » Ici (pour le moment, dans une conversation humoristique, mais plus tard, une action tragique en découle), la vitalité du commandeur se détache de sa vie humaine (peut-être le défunt s'est-il apaisé, peut-être que non), et la vie de la statue, comme la vie humaine, deviennent des sortes de fragments de l'être total du commandeur. « Et comme il est représenté! comme un géant!... Le défunt, lui, était chétif et de piètre apparence. Ici, en se mettant sur la pointe des pieds, il aurait du mal à toucher son nez. » Il est difficile d'exprimer plus vigoureusement la similitude, l'identité et la différence simultanée de la représentation et de l'objet représenté. Pouchkine se rendait fort bien compte de l'originalité du signe artistique, et au moment où il composait *l'Hôte de pierre*, il écrivait : « Nous répétons encore sans cesse que le beau est la représentation d'une nature anoblie... Pourquoi donc aimons-nous les statues colorées moins que les statues de marbre ou de bronze pur? » *(le Drame)*. Mais la différence fondamentale qui sépare l'hôte de pierre et Don Carlos que Don Juan a tué par accident suppose nécessairement leur identité simultanée : la main du mort est en même temps la main du commandeur, comme le nez de la statue est son propre nez (« il aurait du mal à toucher son propre nez »). C'est justement cette identité qui détermine la suite de l'action, comme si le commandeur s'était incarné dans sa statue.

Le rapport du signe à l'objet signifié, et en particulier le rapport de la représentation au représenté, leur identité et leur différence simultanée, sont l'une des antinomies les plus dramatiques du signe. C'est cette antinomie qui se manifestait dans les âpres luttes autour de la querelle des iconoclastes [1], c'est à elle que se rattachent les discussions sans cesse renouvelées sur le réalisme dans l'art, c'est elle qu'exploite la symbolique poétique.

Dans le récit intitulé *le Fabricant de cercueils*, qui anticipe humoristiquement l'action de *l'Hôte de pierre*, nous trouvons également des conversations sur le mode de la plaisanterie, qui font apparaître progressivement l'opposition entre le signe linguistique et l'objet réel. Adrian, le fabricant de cercueils, dit : « S'il n'a pas, vivant, de quoi s'acheter des chaussures, il marche pieds nus; mais s'il meurt pauvre, il prend un cercueil gratis. » Nous sommes habitués à identifier le sujet grammatical de l'action avec le personnage qui agit; « le vivant qui marche pieds nus » est effectivement ce personnage, mais non « le mort qui prend un cercueil ». Le parallélisme syntaxique des deux phrases augmente encore cette tension entre le sens grammatical et le rapport objectif. Une déclaration analogue du cordonnier, « un vivant peut se passer de chaussures, mais un mort ne peut pas vivre sans cercueil », accentue cette opposition par la contradiction entre le sujet « un mort » et le sens fondamental du verbe qui s'y rapporte, « vivre », qui dans la phrase donnée a un sens dérivé; « ne peut pas vivre » signifie ici « ne reste pas, n'existe pas ». Le sujet de l'action est le client; les clients d'Adrian sont des morts. Si les artisans boivent à la santé de leurs clients, et si le fabricant de cercueils est invité à boire lui aussi « à la santé de ses morts », nous

1. Cf. O. Ostrogorskij, *Gnoseologicheskie osnovy vizantijskogo spora o sv ikonakh* [*Fondements gnoséologiques de la dispute byzantine sur les saintes icônes*]. (Semin. Kondakovianum), II, p. 47 s.

nous trouvons devant une contradiction entre le mot et la réalité poussée jusqu'à l'extrême et qui revient à son contraire lorsqu'Adrian ivre invite ses morts à un festin et que ceux-ci répondent à son invitation. De même, dans la phrase de Doña Anna à Don Juan, « mon mari vous tourmente jusque dans sa tombe », le mari n'est que le sujet figuré de l'action, mais devient plus tard un sujet réel : « J'ai accepté l'invitation. »

La statue est ou bien *l'objet d'une réflexion* ou bien *le sujet d'une action*. Le résultat de la réflexion est toujours *une confrontation entre la statue et un être vivant* : les deux plans se pénètrent réciproquement. L'être vivant rappelle une statue (dans *Godounov*, dans *la Maison solitaire*) ou la statue rappelle l'être vivant (« Tel était ce maître »), s'identifie à l'être vivant par la négation de sa matière morte (variante significative du fragment *Qui connaît le pays* : « Le vivant ciseau de Canova animait le marbre de Paros [1] » ; dans *la Blouse*: « Tu évalues au poids la statue du Belvédère... mais ce marbre est un dieu »), est dépeinte (« particularisée », selon le terme de Chklovski) comme un être vivant. Si la réflexion sur la statue est en même temps une réflexion sur le passé, un *souvenir*, la durée et l'immobilité de la statue est opposée à la disparition de l'être vivant, qu'il s'agisse d'une perte objective (*les Souvenirs à Tsarskoje Selo* de 1814 : « Tout a disparu, la grande femme n'est plus »; envoi *A l'artiste*, de 1836 : « Parmi la foule des statues silencieuses, triste je me promène... Del'vig n'est plus ») ou d'une perte subjective (le poème *Au matin de ma vie* : « la femme majestueuse » et ses entretiens pleins de vérité sont perdus pour l'adolescent fuyant en secret auprès des statues immobiles). Ce qui se trouve ici au premier plan, ce n'est pas un rapport de représentation à représenté ou une ressemblance (un lien imitatif), mais une proximité (un lien de contagion) : le rapport d'un mort à sa statue, une connexion temporelle ou spatiale, la consécration d'une statue au souvenir de l'être représenté. La figuration peut être remplacée par une colonne commémorative, c'est-à-dire par une statue d'un caractère exclusivement métonymique (« Les spectres des héros s'appuient aux colonnes qui leur sont consacrées »). La statue en tant que sujet de l'action poétique (épique ou dramatique) comprend et objectivise tous les éléments examinés. L'opposition elle-même de la statue durable et de l'homme appelé à disparaître est ici projetée dans l'action : la statue tue l'homme. L'opposition interne du désir simultané d'un homme pour une femme et pour le repos (le « froid

1. Cf. la remarquable étude de Tomachevski « Extraits des manuscrits de Pouchkine », *Literaturnoe Nasledstvo*, t. XVI-XVIII, p. 311.

baiser » de Don Juan est en fait un oxymoron) détermine le rôle de la femme dans cette pièce. Il est significatif que le « mythe de la statue destructrice » soit dans l'œuvre de Pouchkine la forme *unique* et constante de l'intervention de la statue dans l'action du poème.

L'image de la statue maîtresse du destin humain *ne reste pas isolée* dans l'œuvre de Pouchkine, car elle est organiquement liée à l'ensemble de sa mythologie poétique. L'essai de Bicilli (une des contributions les plus pénétrantes à l'étude de Pouchkine) souligne, comme principe de l'individualité de la poésie pouchkinienne, son caractère *dynamique* [1].

« Je ne connais pas de poète qui utilise aussi souvent que Pouchkine l'image de l'eau qui coule. Les corps célestes sont chez lui toujours en mouvement... La quantité des attributs décrivant les qualités dynamiques des objets est symptomatique... Dans son lexique, le mot « vie » et les mots de la même racine occupent une place exceptionnelle... Chez Pouchkine, tout respire... Tous les objets sont appréhendés sous l'aspect du mouvement, de leur naissance, ou du rythme potentiel qui bat en eux... La nature inanimée est pour lui pleine de vie... Le plus souvent, c'est la représentation de mouvements rapides, violents, qui s'impose à lui... Une de ses images symboliques favorites est le bateau, matérialisation d'un mouvement rapide et en même temps léger et glissant... Le symbole stéréotypé de la route comme « route de la vie » prend chez lui une force et une plénitude particulières... La vie dans son ensemble, cosmique, personnelle et sociale, est comprise comme un processus continuel... »

Le repos, l'immobilité, sont donc naturellement, dans la symbolique de Pouchkine, un thème frappant par le contraste qu'il introduit; il apparaît ou bien sous l'aspect de l'*immobilité forcée* — nous citerons ici les images nombreuses et variées du prisonnier « puni par la torture du repos », du peuple asservi, de la créature enfermée dans une cage ou du torrent emprisonné (« des eaux en esclavage ») — ou sous l'aspect du *libre repos*, comme d'un état rêvé, surhumain, ou même surnaturel [2]. Le temps s'arrête pour le poète pendant une minute d'extase amoureuse (*Inscription sous une tonnelle*, 1816?); le torrent de ses jours s'apaise dans l'assoupissement d'un instant et reflète le bleu du ciel (dans les *Esquisses lyriques*, 1834); le libre repos, non le bonheur, est le rêve du poète (*Il est temps ma bien-aimée*, 1836?); à la sainteté d'une beauté miraculeuse, Pouchkine rattache l'image

1. *Etjudy o russkoj poèzii* [*Études sur la poésie russe*] (Prague, 1926), p. 65 s. et surtout 129 s.

2. Cf. M. Gershenzon, *Mudrost' Pushkina* [*la Sagesse de Pouchkine*] (1919), p. 14 s.

d'un repos solennel et ininterrompu (*Une beauté*, 1832), ou encore le grand « repos joyeux » et « le rêve éternel que rien ne peut interrompre », « le repos solennel » du dernier sommeil (*Épitaphe pour N. S. Volkonski*, 1828; *Tout se tait alentour*, 1831; *Lorsque hors de la ville j'erre pensif*, 1836). Alors que la vie humaine est la manifestation éclatante du mouvement cosmique et que le repos n'est que la négation de cette vie, une déviation, une anomalie, pour la statue au contraire, le repos est un état naturel, « ne constituant pas un symptôme », et le mouvement de la statue est une rupture de la norme. La statue, « désignant toujours le geste et le mouvement [1] », en même temps immobile elle-même, est pour le génie producteur de mythes de Pouchkine l'incarnation d'un repos surnaturel, libre et créateur : car la statue, « paisible, est au-dessus de tout désir » et « dort du sommeil de la force et du repos, comme les dieux dorment dans le ciel profond » *(le Chevalier avare)* [2].

Cette référence aux dieux dans la bouche d'un chevalier du Moyen Age sonne étrangement, mais elle est très significative en ce qui concerne Pouchkine. La puissance de « la pensée immobile » comporte pour lui des associations manifestement païennes. Il est important de voir que dans ses poèmes, la statue est la plupart du temps appelée *idole*, chose qui avait beaucoup surpris le tsar Nicolas dans *le Cavalier d'airain*. Qu'il s'agisse de Pouchkine l'athée [3], de Blok l'hérétique ou de la poésie antireligieuse de Maïakovski, les poètes russes ont grandi dans le monde des coutumes orthodoxes, et leur œuvre, qu'ils le veuillent ou non, est imprégnée par *la symbolique de l'Église orientale*. C'est la tradition orthodoxe, qui interdisait avec passion la sculpture, ne la laissait pas entrer dans les églises et la tenait pour un péché païen ou diabolique (pour l'Église, les deux notions se recouvraient), qui suggéra à Pouchkine *le lien étroit qui unit les statues et l'idolâtrie, le diabolisme, la magie*. Il suffit de lire les réflexions de Gogol sur la sculpture pour comprendre à quel point sont inséparables, dans l'optique russe, la sculpture et l'image du paganisme : « Elle est née en même temps qu'un monde païen limité, elle l'a exprimé et elle est morte en même temps que lui... Elle fut, dans la même mesure que la croyance païenne, séparée du christianisme par une frontière » (*la Sculpture. la Peinture et la Musique*, 1831). Sur le sol russe, elle s'associa étroitement avec ce qui était non-chrétien, ou même anti-

1. Rodin, *op. cit.*, p. 35.
2. Cf. *Literaturnoe Nasledstvo*, t. XVI-XVIII, p. 522.
3. Cf. l'intéressant article de Khodasevich dans *Sovremennye Zapiski*, t. XIX et les matériaux réunis par Kislicyn dans le recueil sur Pouchkine à la mémoire de S. A. Vengerov (1923).

chrétien dans le pathos du tsarisme pétersbourgeois [1]. Ce qu'on dit des statues dans le poème *Au matin de ma vie* est à cet égard caractéristique : « créations miraculeuses », « figures de démons », « force supra-terrestre », « démon magicien ». Le dessin païen, démoniaque du cavalier d'airain est inévitablement apparu à des commentateurs aussi différents que Merejkovski, Brioussov, Khodassévitch, Mirski.

Les savants qui rapprochent l'invitation de Don Juan à l'hôte de pierre et l'évocation de l'ombre de l'amante morte dans les poèmes de Boldino [2] et ne voient dans la statue que le masque d'un spectre qui sans ce voile donnerait l'impression d'un délire par trop extravagant [3], oublient les qualités spécifiques de la statue dans la symbolique de Pouchkine : la statue animée, par opposition au spectre, est l'instrument d'une magie malfaisante, porte la mort et n'est jamais l'incarnation d'une femme.

La symbolique pouchkinienne de la statue agit jusqu'à nos jours sur la poésie russe et se fait sans cesse reconnaître par son créateur. C'est ce qui se passe par exemple dans l'œuvre de trois des poètes russes les plus remarquables de notre siècle. Alexandre Blok dans son poème, *les Pas du commandeur*, modifie la conception pouchkinienne de Don Juan repentant, de Doña Anna disparaissant de manière si torturante, et des pas lourds « du vieux destin »; dans les poèmes du cycle *la Ville*, il évoque la vie éternelle de la statue en bronze de Pierre, vibrant entre le sommeil figé et la terrifiante agitation *(Pierre, le Meeting)*. Dans le poème dramatique de Velimir Khlebnikov, *la Marquise Dezes*, rappelant Pouchkine de diverses manières, les gens se raidissent et se transforment en statues, et les choses s'animent; dans *la Grue*, un poème épique, un jeune garçon, sur les bords de la Néva tels qu'ils sont décrits dans *le Cavalier d'airain*, fuit devant l'horreur meurtrière qui est née des cheminées métalliques, des machines et des ponts soudain vivante, et qui le poursuit : « La vie a cédé sa puissance à l'union du cadavre et de la chose. Oh homme, quel esprit criminel, à la fois assassin et conseiller, t'a soufflé de verser l'esprit de la vie dans la chose... Les maîtres d'école et les prophètes apprenaient à prier et parlaient d'un destin inéluctable ». *Le Monument* de Khlebnikov décrit l'expédition punitive d'un autre cavalier d'airain pétersbourgeois, la statue d'Alexandre III; son trot

1. C'est la tradition des Vieux Croyants qui s'opposait le plus violemment aux statues comme manifestations païennes de la Russie de Petrograd; il est d'ailleurs intéressant de voir que selon une des esquisses originelles du *Cavalier d'airain*, un ancêtre d'Eugène avait combattu contre Pierre aux côtés des Vieux Croyants.
2. A. Bem, *op. cit.*, p. 80.
3. Gershenzon, dans la revue *Iskusstvo*, I (1923), p. 137.

sonore est cependant interrompu par une intervention de la police qui s'appuie sur une inculpation de diabolisme, et « le prisonnier est de nouveau à l'étroit sur la place ». Le motif de l'immobilité forcée, carcérale de la statue, s'opposant polémiquement au mythe pouchkinien de son repos souverain, prend un relief particulier chez Maïakovski. L'apostrophe à Pouchkine est chez lui indissolublement liée au thème de la statue. Le poème qui, révolutionnaire, attaque l'art ancien (« Il est trop tôt pour se réjouir ») relie Pouchkine, la colonne d'Alexandre et le sculpteur Rastrelli, qui immortalisa Catherine. Une épigramme sur Brioussov (1916) se termine ainsi : « Que peut objecter Pouchkine? Son poing est pour toujours pris dans le bronze indifférent à l'insulte. » *Le Dernier Récit pétersbourgeois*, de la même année, parodie le cavalier d'airain et débouche sur des vers qui parlent de « la tristesse de Pierre, prisonnier enchaîné dans sa propre ville ». La vie ne remarque pas le tsar qui galope, c'est lui au contraire qui est horrifié par ce flot qui circule; de même dans le poème *Jubilaire*, où Maïakovski invite Pouchkine à descendre de son socle, ce n'est pas la main de la statue qui pèse sur l'homme, mais la main de l'homme qui écrase celle de la statue (« J'ai serré? Ça fait mal? »), et le monologue lyrique s'achève sur une déclaration de haine pour la gloire posthume figée qui s'incarne dans une statue. Cet assaut contre le bronze et le marbre se poursuit dans le poème écrit par Maïakovski avant sa mort, *A pleine voix*, qui se rattache manifestement à l'*Exegi monumentum* de Pouchkine [1].

A. Efros, savant distingué, auteur d'une étude particulière sur Pouchkine et l'art plastique, affirme dans son livre cité plus haut que le poète s'acquittait auprès de la sculpture du simple devoir de l'homme du monde et n'y prêtait attention que dans la mesure où les commandements onéguiniens du comme il faut exigeaient qu'elle trouve une certaine place dans sa vie... « Le génie de la forme l'abandonnait ici. Il remarquait essentiellement, dans une œuvre d'art plastique, le sujet. » Nous avons vu cependant avec quelle pénétration la symbolique de Pouchkine reprend la problématique de la sculpture, à quelle profondeur s'enracine la symbolique de la statue dans la problématique de son œuvre, dans la vie du poète et dans la tradition où il a grandi, nous avons vu aussi la vitalité dont elle a fait preuve dans le développement ultérieur de la poésie russe. Comment donc est-il possible qu'un spécialiste émette un jugement aussi brutalement contradictoire avec les faits? Nous revenons ainsi à notre point de

1. « Je crache sur le poids des bronzes, je crache sur la glaire du marbre... »

départ : les principes les plus profondément enracinés dans une œuvre sont difficiles à en abstraire. Nous cessons de sentir dans *le Cavalier d'airain* la statue de Falconet, nous l'éprouvons comme un mythe irréel créé par le poète. On peut paraphraser l'aphorisme d'un poète français sur les fleurs de l'œuvre poétique qui ne poussent dans aucun jardin. On ne peut trouver les statues de Pouchkine dans aucune glyptothèque.

Traduit du tchèque par
MARGUERITE DERRIDA

La première lettre de Ferdinand de Saussure à Antoine Meillet sur les anagrammes [a]

Genève, 12 nov. 06

Mon cher ami

Avant même de répondre à vos lignes, permettez-moi un remerciement rétrospectif. Il continue d'être très actuel pour moi. Je veux parler du témoignage affectueux que vous m'avez donné voici quelques mois dans l'enceinte du Collège de France en mêlant mon nom à un passage de votre discours d'ouverture, et en en faisant une mention qui devait être sensible à mon amitié. C'est de ces paroles plus qu'aimables, mais c'est aussi de tout le contenu de votre beau morceau [*d'ouverture*], *qui est si riche d'idées, et si bien choisi comme leçon d'ouverture, que je voulais vous parler, dans une lettre dont je ne vous dirai point le sort : il fut analogue à celui d'autres que vous connaissez! — C'est par une nouvelle pensée tout aussi amicale pour moi que vous songeriez à mettre en avant mon nom pour les Conférences étrangères qui ont lieu au Collège de France, et c'est un honneur qui se refuse difficilement dès qu'il est offert. Je l'accepte en principe. Je tiens seulement, et au cas où la proposition prendrait un corps, à ce que les personnes qui ont à décider sachent que je ne me reconnais aucune espèce de talent de parole; en sorte que dans une alternative où le Collège aurait à se diriger d'après cette considération, je vous prie de retrancher d'avance mon nom.*

En tout état de cause ou de choses, je pense que c'est seulement pour 1908 que la question se proposerait pour moi, déjà par le fait qu'un savant suisse, M. Naville, a eu les honneurs du début.

Je vois, par parenthèse (qui ne regarde plus directement [1] *le Collège de France), que vous mentionnez les Nibelungen comme un de mes sujets*

1. Le mot « directement » est ajouté en marge par F. de Saussure.

a. *L'Homme*, XI (1971), p. 15-24.

d'étude. C'est exact! Mais vous en ai-je écrit? Je ne crois pas l'avoir fait, cela eût comporté, vis-à-vis de vous, un minimum de 25 pages dont je n'ai pas le souvenir. Assurément si le temps m'est donné de reprendre cette étude, j'aimerais autant avoir une fois à parler à Paris de cette légende que des principes de la linguistique. Mais l'étude n'a rien à faire, d'autre part, avec l'Histoire des religions; à moins que la légende, *comme telle, même sans intervention d'êtres divins, soit comprise dans l'histoire des religions? On sait que la version allemande des Nibelungen ne comporte pas de personnes divines. La version norroise les laisse apparaître uniquement dans les parties qui sont surajoutées, et personnellement je combats toute origine mythologique; en sorte que s'il s'agit de religion, j'aurais les mains vides, au moins à mon point de vue personnel, s'il faut parler des Nibelungen.*

Je crois que ma dernière lettre était de Rome. Je ne sais si c'est par inspiration des tombeaux des Scipions ou autrement que j'ai passé ensuite mon temps à [traiter] creuser le vers saturnien, sur lequel j'arrive à des conclusions tout à fait différentes de celles de Louis Havet.

Mais je vais d'emblée joindre à ceci une demande que j'avais le projet de vous faire, et à propos duquel vous auriez reçu une lettre si vous ne m'aviez prévenu [,] à propos d'autre chose :

*Me rendriez-vous le service, d'amitié, de lire des notes sur l'*Anagramme dans les poèmes homériques *que j'ai consignées, entre autres études, au cours des recherches sur le vers Saturnien; et à propos desquelles je vous consulte[rais, si vous] confidentiellement, parce qu'il est presque impossible à celui [qu'il] qui en a l'idée de savoir s'il est victime d'une illusion, ou si quelque chose de vrai est à la base de son idée, ou s'il n'y a que moitié vrai. En cherchant partout quelqu'un qui puisse être le contrôleur de mon hypothèse, je ne vois depuis longtemps que vous; [mais] et comme je lui demanderais en même temps de me garder toute discrétion vis-à-vis de cette hypothèse, peut-être illusoire, c'est encore à vous que je m'adresserais pour avoir toute confiance de ce côté-là. Je ne vous cache pas que, si vous acceptez, le prochain courrier vous apportera douze ou quinze cahiers de notes. Toutefois ces notes sont rédigées comme en vue d'un lecteur, loi que je me suis imposée afin d'avoir pour ainsi dire un premier contrôle[, et] vis-à-vis de moi-même, — et elles n'offrent donc pas de difficulté de lecture. En second lieu je puis dire qu'il n'est pas nécessaire de lire le tout, et que comme tout se compose d'articles séparés, dont le plus long ne dépasse pas 8-10 pages, cette lecture n'impose aucun effort continu. Voyez si vous avez le temps pour cela, et répondez-moi très franchement au cas où vous seriez [au contraire] surchargé en ce moment, comme c'est presque à prévoir à l'instant où s'ouvrent vos nombreux cours du Collège de*

France et des autres Écoles. Sur la question que vous me posiez, je ne puis que confirmer, avec remerciements, la réponse que je vous donnais en commençant, acceptation pour 1908 à part mes scrupules de conférencier.

Votre affect[t] dévoué
F. de Saussure

Les lettres de F. de Saussure à A. Meillet, parues dans les *Cahiers Ferdinand de Saussure* (cité *infra CFS*) (1964, p. 89-130), ont été remises par Mme Meillet à Émile Benveniste qui note dans le bref Avant-propos de cette importante publication (p. 91) que quelques lettres de cette série semblent manquer, en particulier celle où Saussure « faisait la première annonce de ses recherches sur le saturnien ». Il s'agit de la lettre que Mme Meillet a découverte par hasard, au cours de l'été 1970, dans un livre de la bibliothèque de son mari et que nous publions ci-dessus.

Le « remerciement rétrospectif », exprimé par Saussure au début de cette lettre, se rapporte à la *Leçon d'ouverture du cours de grammaire comparée au Collège de France*, lue par Meillet le mardi 13 février 1906 sous le titre « L'état actuel des études de linguistique générale ». En parlant des maîtres auxquels il doit beaucoup pour sa formation intellectuelle, le successeur de Michel Bréal y rappelle, à côté de James Darmesteter mort prématurément, encore « un autre nom : après avoir donné à notre pays dix ans d'un enseignement lumineux et avoir suscité autour de lui les vocations scientifiques, M. Ferdinand de Saussure est rentré dans sa patrie pour y occuper la chaire de grammaire comparée à la belle université de Genève. Aucun de ceux qui ont eu le bonheur de les entendre n'oubliera jamais ces leçons familières de l'École des hautes études où l'élégance discrète de la forme dissimulait si bien la sûreté impeccable et l'étendue de l'information, et où la précision d'une méthode inflexiblement rigoureuse ne laissait qu'à peine entrevoir la génialité de l'intuition ».

Saussure, accoutumé à mettre en cause son « épistolophobie » afin de justifier les intervalles fréquents et prolongés dans sa correspondance, l'invoque une fois de plus pour motiver son intention inaccomplie de discuter le contenu du discours de Meillet, mais en fait, c'est la divergence des vues qui a dû contribuer à l'abstention. L'idée de l'impossibilité d'aborder un changement linguistique « en dehors de la considération du système général de la langue où il apparaît » et l'appel à la recherche des lois générales, tant morphologiques que phonétiques, « qui ne valent pas pour un seul moment du développement d'une langue, qui au contraire sont de tous les temps; qui ne sont pas limitées à une langue donnée, qui au contraire s'étendent à toutes les langues » et donc « s'appliquent à l'humanité entière », cette recherche qui, d'après le discours de Meillet, « doit être désormais l'un des principaux objets de la linguistique », se trouvait nettement incompatible avec la rupture complète entre l'idée du système et celle des changements fortuits et aveugles, professée ensuite par Saussure dans ses cours de linguistique générale.

Les premières six conférences étrangères de la Fondation Michonis ont été faites au Collège de France, du 4 au 22 novembre 1905, par l'égyptologue genevois Édouard Naville, un parent de F. de Saussure, et publiées ensuite dans les *Annales du Musée Guimet*, XXIII (1906). C'est par lui que Saussure avait eu « quelques nouvelles (fort bonnes) » concernant l'élection de Meillet au Collège de France (*cf. CFS*, 21, p. 105). Finalement, dans une lettre de Rome datée du 23 janvier 1906, Saussure remercie Meillet de lui avoir fait apprendre sa nomination officielle et lui adresse tous les « bons souhaits pour la nouvelle carrière d'activité » (*ibid.*, p. 106).

Suivant les renseignements des archives du Collège de France, qui nous sont parvenus par l'intermédiaire complaisant de Claude Lévi-Strauss, c'est à l'Assemblée du 6 novembre 1906 que le nom de Saussure fut mis en avant par Meillet pour les conférences de la Fondation Michonis en 1907, tandis que Paul Foucart, professeur d'épigraphie et antiquités grecques, lors de la même Assemblée, proposa Charles Michel, l'auteur des travaux sur Jamblique et les Évangiles apocryphes. Meillet a dû informer immédiatement Saussure de son projet. La prompte réponse de Saussure, datée du 12 novembre 1906 (cf. *supra)* et remettant la question jusqu'à l'année 1908, paraît avoir ajourné la proposition de Meillet, et finalement le philologue Charles Michel, de Liège, et l'historien Alexandru Xenopol, de l'université de Jassy, furent désignés conjointement.

Il est véritablement difficile de s'expliquer pourquoi la question d'inviter au Collège Ferdinand de Saussure ne s'est plus jamais posée en dépit de son « acceptation pour 1908 ». Ses « scrupules de conférencier » ne pouvaient être guère pris au sérieux, puisque ses leçons, comme l'avait dit Meillet, manifestaient au contraire une « élégance discrète de la forme ». Nous ne possédons malheureusement aucune lettre de Saussure à Meillet entre celle du 12 novembre 1906 et le message commencé le 23 septembre 1907 et terminé « quelque quinze jours » plus tard, un texte où l'on trouve plusieurs allusions difficiles à déchiffrer. Comme l'a vu Benveniste (*ibid.*, p. 107), elles « supposent une lettre antérieure [et même, pourrait-on ajouter : un échange de lettres] que nous n'avons pas ». Saussure commence ce message de 1907 ainsi : « Votre lettre m'a causé avant tout *une déception* [la différence d'écriture ici et dans le reste des citations provient de l'original], mais elle contient une promesse, et cette promesse, quand même vous en mettez l'échéance à un nombre assez vague de mois, je la retiens avec précision, et j'en fais dès à présent ma fiche de consolation » *(ibid.)*. Cette allusion permet de se demander s'il ne s'agit pas là de l'invitation au Collège, ajournée mais toujours envisagée pour l'avenir : « Rien ne pouvait me faire plaisir comme la perspective sérieuse que vous me donnez de vous voir » *(ibid.)*.

Notons que, d'après les données des archives du Collège de France, Ferdinand de Saussure n'y a jamais professé, bien que deux fois la question ait été posée : déjà à l'Assemblée du 18 mars 1888, le prédécesseur de Meillet au Collège, Michel Bréal, a proposé Saussure pour son « remplacement conditionnel » au cours du second semestre; mais cette proposition, comme plus tard celle de Meillet, ne s'est pas réalisée.

C'est en réfléchissant sur les thèmes appropriés pour les conférences parisiennes que Meillet a dû questionner Saussure sur les *Nibelungen* comme un de ses « sujets d'étude ». La réponse de Saussure, dans sa lettre du 12 novembre 1906 publiée ci-dessus, nous permet, entre autres, de dater de plus près son travail inédit sur les *Nibelungen* gardé dans la Bibliothèque publique et universitaire de Genève (*cf.* R. Godel, *Les Sources manuscrites du Cours de linguistique générale de F. de Saussure*, Paris, 1957, p. 136) : « Assurément, si le temps m'est donné de reprendre cette étude, j'aimerais autant avoir une fois à parler de cette légende que des principes de la linguistique. — Mais l'étude n'a rien à faire, d'autre part, avec l'Histoire des religions; [...] en sorte que s'il s'agit de religion, j'aurais les mains vides, au moins à mon point de vue personnel, s'il faut parler des Nibelungen. » A ce qu'il paraît, Meillet avait en vue l'intérêt manifesté au Collège pour des conférences de caractère interdisciplinaire qui toucheraient non seulement à la philologie, mais aussi à l'histoire des religions, comme l'a fait Édouard Naville en discutant dans ses leçons la civilisation des anciens Égyptiens, leurs mythes et divinités, *le Livre des Morts*, etc.

Cette réponse de Saussure vient nous renseigner une fois de plus sur le rôle opportun qu'a pris dans sa recherche, au début de notre siècle, la poésie de pair avec les « principes de la linguistique ». En réfléchissant sur les thèmes à traiter dans les conférences parisiennes, Saussure confie à Meillet un nouveau problème de poétique en train de devenir, sous l'étiquette d'*anagramme*, le point crucial et l'objet favori de son examen ; peut-être espère-t-il employer ses notes là-dessus, « rédigées comme en vue d'un lecteur », pour en faire un exposé au Collège de France. En tout cas, la lettre du 12 novembre 1906 nous informe sur les débuts des études assidues du linguiste concernant la « poétique phonisante, et spécialement l'anagramme ».

Ayant pris la décision « de mettre une interruption » dans ses « occupations et préoccupations habituelles », Saussure écrit à Meillet le 10 janvier 1906 qu'à cause « de fatigue et de surmenage », il a dû se faire octroyer un congé à l'université de Genève, et qu'après avoir passé le mois de décembre à Naples, il réside avec sa femme à Rome (Hôtel Pincio, Via Gregoriana) « pour un séjour prolongé » (*CFS*, 21, p. 105). « Je m'en trouve fort bien », ajoute-t-il, et ses lignes du 23 janvier 1906 apportent quelques détails sur le passe-temps du savant en « repos nécessaire » : « Inutile de vous dire que je ne fais pas grand chose ici. L'inscription archaïque du Forum est un amusement tout indiqué lorsque j'éprouve le besoin de me casser la tête » (*ibid.*, p. 106). Un renvoi à ces lignes dans la lettre du 12 novembre (cf. *supra)* est suivi d'un rapport sur un nouveau casse-tête trouvé par le visiteur de Rome : « Je ne sais si c'est par inspiration des tombeaux des Scipions ou autrement que j'ai passé ensuite mon temps à creuser le vers saturnien sur lequel j'arrive à des conclusions tout à fait différentes de celles de Louis Havet », le célèbre auteur du traité *De Saturnio, Latinorum versu inest reliquiarum quotquot supersunt sylloge* (Paris, 1880). *Cf.* la lettre du 14 juillet 1906 où Saussure résume les résultats de ses recherches sur le vers saturnien : J. Starobinski, « Le texte dans le texte. Extraits inédits des Cahiers d'anagrammes de F. de Saussure », *Tel Quel* (Paris, 1969, 37, p. 3-33), p. 7-10.

Nous apprenons en même temps que c'est « au cours des recherches sur le vers saturnien » que Saussure, « entre autres études », a consigné « des notes sur l'*Anagramme dans les poèmes homériques* ». Et puisqu'il est « presque impossible à celui qui en a l'idée de savoir s'il est victime d'une illusion, ou si quelque chose de vrai est à la base de son idée, ou s'il n'y a que moitié vrai », Saussure tient à consulter Meillet comme le seul contrôleur possible en lui demandant de garder toute discrétion vis-à-vis d'une hypothèse « peut-être illusoire ». Si le destinataire le veut bien, douze ou quinze cahiers d'articles « dont le plus long ne dépasse pas 8-10 pages », lui seront apportés par le « prochain courrier ».

Or, malgré l'offre de lire ces « feuilles sur l'anagramme homérique », faite et réitérée par Meillet, Saussure lui communique le 23 septembre 1907 qu'il se trouve décidé à lui envoyer plutôt un aperçu des résultats auxquels il arrive « pour le Saturnien latin ». Ce chapitre lui semble « plus capital que celui d'Homère » : « Je laisse la question ouverte provisoirement pour les dits poèmes homériques, et je reviens à ce que je disais être mon point de départ — que j'aurais peut-être mieux fait d'explorer à fond dès l'année dernière au lieu de partir par la tangente sur Homère : [...] le Saturnien latin m'eût offert, je crois, un champ plus sûr, si je l'avais tout de suite fouillé à fond sans sortir de ce cercle » (*ibid.*, p. 108 s.). Saussure ajoute un bel exposé des conclusions auxquelles il avait été conduit « par l'examen des restes de la poésie saturnienne » et entrevoit résolument la même « forme *anagrammatique* du phonisme » dans le vers germanique et védique (*ibid.*, p. 109-114).

Après avoir reçu d'abord cette longue lettre et ensuite, sous un autre pli, un manuscrit « un peu grossi » avec des notes sur le saturnien, Meillet répondit à Saussure par une lettre dont la date exacte reste peu claire : « Sur les faits relativement troubles qu'apporte le saturnien, j'avais été déjà très frappé par la netteté des coïncidences. Avec les précisions nouvelles que vous apportez, il me semble qu'on aura peine à nier la doctrine en son ensemble. On pourra naturellement épiloguer sur telle ou telle anagramme; mais sur l'ensemble de la théorie, je ne crois pas. » Et avec sa perspicacité habituelle il pronostique : « Je vois bien qu'on aura un doute pour ainsi dire *a priori*. Mais il tient à notre conception moderne d'un art rationaliste. » C'est grâce à la publication étoffée de Jean Starobinski, « Les Anagrammes de Ferdinand de Saussure : textes inédits » (*Mercure de France* (cité *infra* MF), 1964, p. 243-262), que nous avons pu prendre connaissance de ce remarquable document (p. 261).

Saussure, qui avait attendu avec angoisse « l'opinion d'un confrère non prévenu, et jugeant froidement » (*CFS*, 21, p. 112), réagit vivement dans sa lettre du 8 janvier à l'adhésion sincère de Meillet : « Je me souviens avec une bien véritable gratitude du concours amical que vous m'avez donné au début de cette recherche, lorsque nous parlions du vers saturnien, et que vous m'avez donné un appui précieux par votre critique; car je crois bien que si vous ne m'aviez pas confirmé que l'idée de l'anagramme ne vous semblait pas fausse, d'après les exemples saturniens, je n'aurais pas eu l'idée de poursuivre une recherche qui se trouve solutionnée complètement en dehors du Saturnien et de mon objet primitif » (*ibid.*, p. 119).

Notons que, précisément dans la même lettre, le linguiste genevois attachant « l'importance de premier ordre » à la réaction de son élève parisien aux « cahiers d'anagrammes » qu'il lui envoyait graduellement, confesse qu'il a cessé tout à fait « de douter, non seulement quant à l'anagramme en général, mais sur les principaux points qui en forment l'organisme, et qui pouvaient sembler nébuleux » (*ibid.*, p. 118). « Je ne vois décidément plus — se croit-il en droit de dire — la possibilité, pour ce qui me concerne, de garder un doute »; et sa conclusion lui paraît « absolument certaine pour tout le monde, dès qu'on verra le caractère tout à fait illimité du fait et de ses exemples » (*ibid.*, p. 119). Dans une carte postale du 10 février 1908, Meillet ajoute à la collection de son maître un bel exemple anagrammatique qu'il dit avoir trouvé en ouvrant Horace « exactement au hasard » (*Tel Quel*, 1969, 37, p. 32).

Il est véritablement surprenant que les 99 cahiers manuscrits de Saussure, consacrés à la « poétique phonisante » et en particulier au « principe de l'anagramme », aient pu rester plus d'un demi-siècle dissimulés aux lecteurs, jusqu'à ce que Jean Starobinski ait eu l'heureuse idée d'en publier plusieurs échantillons soigneusement choisis et commentés (MF, p. 242-262). Comme nous nous sommes permis d'observer à leur apparition (*Selected Writings*, 1966, t. IV, p. 685) : « *In the last years of his scientific activity, F. de Saussure fully realized how unexplored and obscure are the general questions of language and the problems of poetic texture as well. The theory and analysis of the sound figures* [jeux phoniques], *particularly anagrams, and their role in the diverse poetic traditions as elaborated by him simultaneously with his renowned courses of general linguistics may certainly be counted among Saussure's most daring and lucid discoveries.* » Les mêmes oscillations continuelles entre la vision d'une voie ouverte sur les phénomènes qu'il tient pour incontestables, et la peur d'être « victime d'une illusion », caractérisent les recherches faites par Saussure dans les deux domaines. Ses études sur l'anagramme ont été au moins « rédigées comme en vue d'un lecteur » et considérées par leur auteur comme parties « du livre » en préparation (*cf.* MF, p. 261) tandis qu'en matière de théorie linguistique, il se dit constamment dégoûté « de la difficulté qu'il y a en général à écrire seulement dix lignes ayant le sens commun » (*CFS*, 21, p. 95) et ne griffonne que des ébauches éparses, en rejetant de plus en plus l'idée d'un cours publié. Quant à la prétendue décision prise finalement par Saussure de ne pas publier ses études sur les anagrammes, faut-il rappeler ce qu'il dit lui-même sur son « talent » d'interrompre la publication de ses articles linguistiques « non seulement écrits, mais en grande partie composés » (*ibid.*, p. 108)?

Giuseppe Nava note la « particulière lucidité » avec laquelle ce chercheur sut affronter « les aspects antinomiques » que sa théorie de la structure poétique lui présentait (*CFS*, 1968, 24, p. 76), mais on pourrait employer une formule tout à fait analogue à propos des « antinomies » traitées dans son Cours (ou plutôt dans ses cours) de linguistique générale. Dans les deux cas, Saussure met en relief des contradictions irréconciliables en pressentant la synthèse avec une clairvoyance extraordinaire, mais reste en même temps enchaîné par les préjugés de son ambiance idéologique, qui l'empêchent de tirer parti de ses propres intuitions.

Ainsi, la première des deux lettres de Saussure à Giovanni Pascoli, découvertes, publiées et commentées par Giuseppe Nava — celle du 9 mars 1909 — nous montre leur auteur vivement tourmenté par la question de savoir si « certains détails techniques qui semblent observés dans la versification » sont « purement fortuits, ou sont-ils *voulus*, et appliqués de manière consciente? » (*ibid.*, p. 79). La seconde lettre de Saussure au poète Pascoli, datée du 6 avril 1909, pose à plusieurs reprises la même question inquiète, s'agit-il ou non de « simples coïncidences fortuites » :

1. « Est-ce par hasard ou avec intention »...?
2. « Est-ce encore par hasard »...?
3. « Est-il également fortuit »...? (*ibid.*, p. 80-81).

Cependant le besoin de ces tentatives appelées à « vérifier l'intention » se trouve aboli par les remarques brèves, mais pertinentes, qu'on découvre subitement dans les Cahiers d'anagrammes. « La matérialité du fait », dont le poète lui-même peut se rendre compte ou non, reste en vigueur quel que soit le dessein conscient de l'auteur et le jugement du critique. « Que le critique d'une part, et que le versificateur d'autre part, le veuille ou non », comme le dit Saussure : *cf.* J. Starobinski, « Les mots sous les mots : textes inédits des Cahiers d'anagrammes de F. de Saussure », in *To Honor Roman Jakobson* (La Haye-Paris, 1967, p. 1906-1917), p. 1907. Mais, en dépit de ces écarts sporadiques, d'ordinaire la dichotomie factice du fortuit et du prémédité pesait sur le réseau conceptuel du chercheur, et entravait l'édification de sa doctrine linguistique ainsi que le fondement théorique de ses découvertes pénétrantes dans les régions inexplorées de la poésie. Découvertes d'autant plus saisissantes que, sur cette voie, Saussure n'a pas rencontré de jalons à suivre, tandis que dans les thèses de son *Cours de linguistique générale*, il se trouve inspiré par la quête de quelques précurseurs.

La reconnaissance du rôle décisif de l'intention latente et subliminale, dans la création et dans le maintien des structures poétiques, rendrait plus que superflue toute « hypothèse d'une tradition *occulte* et d'un secret soigneusement préservé » (*cf.* J. Starobinski, MF, p. 256). Il nous suffit de rappeler les devinettes russes qui, comme on l'a maintes fois démontré dans les études de folklore, renferment souvent dans leur texte le mot d'énigme sous forme d'anagramme, sans que ceux qui les proposent ou les résolvent, soupçonnent le fait de l'anagramme.

L'hypothèse de travail, dont Saussure fait usage en déterrant l'anagramme dans les littératures anciennes, fut l'idée que « depuis les temps indo-européens [...] celui qui composait un carmen avait à se préoccuper ainsi, d'une manière *réfléchie*, des syllabes qui entraient dans ce carmen, et des rimes qu'elles formaient entre elles ou avec un mot donné » (*CFS*, 21, p. 114). Or, précisément pour éviter le problème épineux que nous pose la prétendue « manière *réfléchie* », Saussure lui-même est tenté d'envisager la « coutume poétique » des anagrammes sans avoir à décider « quel en devait être le *but* ou le *rôle* dans la poésie » (MF, p. 256). « Ce n'est pas seulement la *fonction de l'anagramme* (comme telle) qui peut s'entendre, sans contradiction, de manière diverse; c'est aussi son rapport avec les formes plus générales du jeu sur les phonèmes; et ainsi la question admet de tous les côtés des solutions diverses [...] Ce ne sont pas, évidemment, les interprétations, les justifications imaginables pour un tel fait qui manquent : mais pourquoi en choisir une et la donner comme par évidence pour la bonne, alors que je suis bien persuadé d'avance que chaque époque pouvait y voir ce qu'elle voulait, et n'y a pas toujours vu la même chose (*ibid.*, p. 257). « La raison *peut avoir été* [...] purement poétique : du même ordre que celle qui préside ailleurs aux rimes, aux assonances, etc. Ainsi de suite. De sorte que la prétention de vouloir dire à aucune époque *pourquoi* la chose existe va au-delà du fait » : J. Starobinski, « La puissance d'Aphrodite et le mensonge des coulisses » (Paris, *Change*, 1970, 4, p. 91-118), p. 92.

Par conséquent, aussi paradoxal que cela puisse paraître, ce sont les cahiers inédits en question qui, tout en devant leur origine à l'intérêt du comparatiste pour « le principe indo-européen de poésie », présentent ses premières et presque seules tentatives d'un travail de description concrète sur le plan de la synchronie linguistique. Parmi les autres échantillons splendides, citons ses remarques sur le premier hymne du *Rg-Vêda* qui se résout en nombre pairs pour toutes les consonnes et en des multiples de trois pour les voyelles, et qui surajoute à cette « analyse phonico-poétique » une véritable analyse « grammatico-poétique » (MF, p. 250 s.). Dans ces recherches, Saussure ouvre des perspectives inouïes à l'étude linguistique de la poésie. Il démontre la nécessité d'aborder les questions de détail, telles que l'allitération proprement dite, par rapport au cadre « d'un phénomène autrement vaste et important » (*CFS*, 21, p. 109), étant donné que « *toutes* les syllabes allitèrent, ou assonent, ou sont comprises dans une harmonie phonique quelconque » (MF, p. 245). Les groupes phoniques « se font écho »; « des vers entiers semblent une anagramme d'autres vers précédents, même à grande distance dans le texte » et « les polyphones reproduisent visiblement, dès que l'occasion en est donnée, les syllabes d'un mot ou d'un nom important » qui soit figure dans le texte, soit « se présente naturellement à l'esprit par le contexte » (*CFS*, 21, p. 110 s.). La poésie « analyse la substance phonique des mots soit pour en faire des séries acoustiques, soit pour en faire des séries significatives lorsqu'on allude à un certain nom », ou « mot anagrammisé » selon le terme saussurien. Bref, « tout se répond d'une manière ou d'une autre dans les vers » (MF, p. 252, 255), et suivant le schéma et les termes des Stoïciens empruntés par Saussure pour son cours de 1911, dans le premier cas, celui d'une « corrélation de phonèmes » considérée d'une manière indépendante, il s'agit d'une correspondance sur le plan des signifiants, et dans l'autre, celui des « polyphones anagrammatiques », les signifiants font dédoubler leurs signifiés.

L'anagramme poétique franchit les deux « lois fondamentales du mot humain » proclamées par Saussure, celle du lien codifié entre le signifiant et son signifié, et celle de la linéarité des signifiants. Les moyens du langage poétique sont à même de nous faire sortir « hors de l'ordre linéaire » (MF, p. 255) ou, comme le résume Starobinski, « l'on sort du temps de la « consécutivité » propre au langage habituel » (*ibid.*, p. 254).

L'analyse linguistique des vers latins, grecs, védiques et germaniques esquissée par Saussure est, sans aucun doute, bienfaisante non seulement pour la poétique, mais aussi, selon l'expression de l'auteur, « pour la linguistique elle-même ». « La génialité de l'intuition » du chercheur met au jour la nature essentiellement et, faut-il ajouter, universellement polyphonique et polysémique du langage poétique et défie, comme Meillet l'a bien vu, la conception ambiante « d'un art rationaliste », autrement dit l'idée creuse et importune d'une poésie infailliblement rationnelle.

A présent, cette œuvre nous devient peu à peu accessible grâce aux quatre précieuses publications de Jean Starobinski citées ci-dessus [a]. Or la lecture de ces beaux fragments nous fait attendre avec

a. Reprises et réorganisées en volume : J. Starobinski, *Les Mots sous les mots* (Paris, 1971).

d'autant plus d'impatience la parution finale de l'ensemble des quatre-vingt-dix-neuf cahiers — demeurés malheureusement inédits depuis une soixantaine d'années — qui « forment la partie la plus considérable des manuscrits » que Saussure a laissés (*cf.* R. Godel, « Inventaire des manuscrits de F. de Saussure remis à la Bibliothèque publique et universitaire de Genève », *CFS*, 1960, 17), et qu'on avait pris à tort pour des recherches singulières et stériles.

2

Le langage en action[a]

Alors l'oiseau dit : « Jamais plus. »
EDGAR ALLAN POE

Dernièrement, dans un train, j'entendais des bribes de conversation. Un homme disait à une jeune femme : « On donnait *le Corbeau* à la radio. Un vieil enregistrement, par un acteur de Londres, mort il y a des années. Dommage que vous n'ayez pas entendu son interprétation du *jamais-plus.* » Ce n'est pas à moi que s'adressait le message oral de l'inconnu : je l'ai reçu pourtant; après quoi je l'ai transcrit par écrit, d'abord sous forme manuscrite, ensuite en caractères typographiques; et voici qu'il s'est intégré à un nouvel ensemble : mon message au lecteur éventuel de ces pages [1].

L'inconnu avait fait appel à une citation littéraire qui renvoyait, selon toute apparence, à une expérience affective qu'il partageait avec son interlocutrice. Il se référait à une récitation qui, selon ses dires, avait été retransmise sur les ondes. Un acteur britannique aujourd'hui décédé avait été, à l'origine, l'émetteur d'un message « à qui voudrait l'entendre ». Cet acteur, pour sa part, avait simplement reproduit un message littéraire d'Edgar Poe, datant de 1845. Mais le poète américain, de son côté, avait parlé au nom d'« un amant déplorant la mort de la maîtresse » : il s'agissait peut-être du poète lui-même; il pouvait s'agir, aussi bien, d'un autre personnage, réel ou imaginaire. A l'intérieur de ce monologue, le mot *jamais-plus* est attribué à un oiseau doué de parole; et l'hypothèse est faite, par la suite, que *ce seul mot* que prononce le Corbeau, il l'a *pris à quelque malheureux Maître*, dont les lamentations habituelles comportaient ce *mélancolique refrain* [b].

1. Elles sont extraites d'une série de *Six leçons sur le son et le sens* [en français dans le texte], qui furent données à l'École libre des Hautes Études (New York, 1942), sous ce titre à allure de calembour, que m'avait suggéré Alexandre Koyré. [Texte publié en français sous ce titre, Paris, 1977.]

a. « Language in operation », *Mélanges Alexandre Koyré*, t. I, *L'aventure de l'esprit* (Paris, 1964), p. 269-281.

b. Pour les citations du *Corbeau*, on a eu recours, le plus souvent, à la traduction de Mallarmé, plus précise et plus percutante que celle de Baudelaire. Les citations de *la Philosophie de la composition* (ou, selon le titre de Baudelaire, de *la Genèse d'un poème*) ont été empruntées à Baudelaire, sauf infidélité de ce dernier au texte de Poe.

Ainsi le même mot avait été successivement mis en service par le « maître » hypothétique, par le Corbeau, par l'amant, par le poète, par l'acteur, par la station de radio, par l'inconnu du train, et, en fin de compte, par l'auteur des *Six leçons*. Le « maître » avait prononcé à haute voix, de façon répétitive, la phrase elliptique faite d'un seul mot qui hantait son monologue intérieur, *jamais-plus*; l'oiseau avait imité la suite phonique qui le compose; l'amant l'avait enregistré dans sa mémoire, et, par la suite, avait relaté le rôle tenu par le Corbeau, en mentionnant son origine probable; le poète avait consigné par écrit et publié le récit de l'amant, — mais en fait c'était lui qui avait inventé les rôles de l'amant, de Corbeau et du maître; l'acteur avait lu (à voix basse), puis récité, au cours d'un enregistrement, le discours prêté par le poète à l'amant, y compris le *jamais-plus* attribué par l'amant au Corbeau; la station de radio avait sélectionné l'enregistrement et l'avait diffusé; l'inconnu avait écouté l'émission, s'en était souvenu, et avait cité le message en mentionnant sa source; et le linguiste avait pris note de la citation, reconstituant la suite entière des intermédiaires, — à moins qu'il n'eût inventé de toutes pièces les rôles de l'inconnu, du metteur en ondes, et de l'acteur.

Il y a là une chaîne d'émetteurs et de récepteurs, tant réels que fictifs, dont la plupart ont une simple fonction de relais, et se contentent de citer (pour une large part, volontairement) un seul et unique message, qui leur était (pour un certain nombre d'entre eux, tout au moins) depuis longtemps connu. Quelques-uns des participants à cette communication à sens unique sont nettement séparés les uns des autres, par le temps et ou par l'espace, et au-dessus de ces brèches, des ponts sont établis par des moyens variés d'enregistrement et de transmission. La séquence, dans son ensemble, offre un exemple typique d'un processus complexe de communication. Elle est très différente du schéma ordinaire par lequel le circuit de la parole est représenté graphiquement dans les manuels : A et B se parlent face à face, en sorte qu'un fil imaginaire part du cerveau de A, passe par sa bouche, aboutit à l'oreille et au cerveau de B, puis, par la bouche de B, revient à l'oreille et au cerveau de A.

Le Corbeau est un poème écrit pour une consommation de masse, ou, pour reprendre les propres termes de Poe, un poème créé « expressément pour connaître la vogue »; et il a eu, effectivement, la « vogue ». Dans ce discours poétique dirigé vers les masses, la parole de l'oiseau qui en est à la fois le titre et le héros est, comme l'auteur l'a parfaitement compris, « le pivot sur lequel toute la machine devait tourner ». Effectivement, ce message dans le message « fit sensation », et les lecteurs, selon leurs dires, furent « hantés par le *jamais-plus* ». La clef de cette réussite, révélée après coup par l'écrivain lui-même, est la hardiesse avec laquelle il a su jouer sur les ressources de la communication et sur la dualité qui en est le fondement : « L'élément, capital, d'inattendu » combiné avec son exact opposé. Car « comme le mal ne peut exister sans le bien, l'inattendu ne peut surgir que de l'attendu ».

Au moment même où ce visiteur peu banal pénétra dans sa chambre, l'hôte ignorait ce que dirait l'intrus, si tant est qu'il dût dire quelque chose. Il ne s'attendait à rien de particulier, si bien qu'il posa sa question « pour rire et sans compter sur quelque réponse que ce fût ». D'où vint qu'*il tressaillit de ce que le calme fût rompu par une réponse si à propos*. Et cependant « l'usage répétitif que fait l'oiseau de ce seul mot *jamais-plus* » démontre que *ce qu'il profère est tout son fonds et son bagage*. Une fois connu, ce fait renverse la situation, à une incertitude totale substituant une entière prévisibilité. C'est ainsi que quand un officier du 4e Hussard reçoit un ordre, il n'y a pour lui aucune liberté de choix : la seule réponse admise est : « Sir ». Pourtant, comme le remarque Churchill dans ses *Mémoires*, cette réponse peut véhiculer un éventail très large de modulations affectives; tandis que la « créature *non*-raisonnable, douée de parole », ayant appris son mot, autant qu'on peut le supposer, de façon mécanique, le répète de manière monotone, sans aucune variation. De sorte que ce qu'il profère ne véhicule aucune information, ni cognitive ni affective. Le discours mécanique du *disgracieux volatile* et le discoureur lui-même sont intentionnellement privés de tout caractère personnel : l'être en question est même complètement asexué. La preuve : les formules *Monsieur ou Madame*, — *avec une mine de lord ou de lady*, qu'un certain nombre de critiques traitent de chevilles. A l'inverse, chaque fois que le *jamais-plus* n'est pas le propos monocorde du Corbeau, mais le délire passionné de l'amant, un point d'exclamation, signe d'une tonalité affective, se substitue au point habituel.

Le mot lui-même « doit traduire la plus grande quantité de douleur et de désespoir qui se puisse concevoir »; et cependant, de l'identité sensorielle du message livré par les deux personnages — l'homme et l'oiseau — naît une satisfaction bien définie : la solitude s'en trouve allégée et « rompue ». Le plaisir est d'autant plus grand que cette *égalisation* met à un même niveau les interlocuteurs les plus dissemblables qu'on puisse imaginer : deux bipèdes doués de parole, l'un à plumes, l'autre sans plumes. Comme le souligne l'auteur, « un perroquet se présenta d'abord à son esprit; mais il fut aussitôt supplanté par un Corbeau [...], infiniment plus en accord avec le *ton* voulu ». La surprise qu'un échange, quel qu'il soit, puisse se produire, se trouve équilibrée par la ressemblance qui lie l'aspect *sinistre*, *disgracieux*, *spectral*, *lugubre et de mauvais augure* du discoureur et le caractère obsédant de son discours.

A chaque répétition de la repartie stéréotypée de l'oiseau, l'amant désemparé s'attend avec plus de certitude à son retour, en sorte qu'il adapte ses questions à ce que Poe définit comme « l'escompté *jamais-plus* ». Par une compréhension surprenante des multiples fonctions de la communication verbale, Poe affirme que ces questions sont posées « moitié par superstition, moitié par cette sorte de désespoir qui se délecte à se torturer soi-même ». Mais pour les oiseaux doués de parole, comme l'a remarqué Mowrer, la pratique du langage articulé est, avant tout, une façon d'encourager leur partenaire humain à poursuivre la communication en cours, pour que soit évitée dans les faits toute *rupture de contact*.

Dans cette variété particulière d'échange, poussée ici jusqu'à ses plus extrêmes limites, chaque question est prédéterminée par la réponse qui suit : c'est la réponse qui joue le rôle du stimulus; c'est la question qui joue le rôle de la réponse. Remarquons en passant que ces questions-échos sont, analogiquement, l'inverse de l'interprétation de l'écho comme réplique au questionneur, et Poe, qui était extrêmement attentif à la ponctuation dans ses vers, corrigea soigneusement les épreuves de cette strophe en y introduisant un point d'interrogation :

> Et le seul mot qui se dit fut, chuchoté, le mot : « Lenore? »
> Je le chuchotai, et un écho, en retour, murmura le mot : « Lenore! »

Le jeu qui consiste à intervertir question et réponse est caractéristique du monologue intérieur, où le sujet connaît d'avance la réplique à la question qu'il va poser lui-même. Poe laisse la porte ouverte à cette interprétation éventuelle du pseudo-dialogue avec le Corbeau : vers la fin du poème, écrit-il, « il est possible de discerner distinctement l'intention de faire du Corbeau l'emblème du *Souvenir funèbre et éternel* ». Peut-être l'oiseau et ses répliques sont-ils seulement le produit de l'imagination de l'amant. L'oscillation entre le niveau factuel et le niveau métaphorique est facilitée par les allusions répétées à son assoupissement *(Tandis que je dodelinais de la tête, somnolant presque* [...] ; *rêvant des rêves)* et par le « transfert de l'action dans le registre de la mémoire » *(Ah, distinctement je me souviens)*.

Tous les traits spécifiques de l'hallucination auditive — tels qu'ils sont recensés, par exemple, dans la monographie de Lagache — apparaissent dans le discours de l'amant : diminution de la vigilance, angoisse, *aliénation* de la parole propre, attribuée à un *autre*, le tout « dans les limites d'un espace clos ». L'habileté de Poe à suggérer le caractère empiriquement plausible d'un événement surnaturel a été l'objet de l'admiration et des éloges de Dostoïevski, qui s'en est souvenu dans le cauchemar d'Ivan Karamazov. Dans cette scène, le héros, en proie au délire, interprète ce qu'il vit, tour à tour, comme son propre monologue halluciné et comme l'intrusion d'« un visiteur inattendu ». L'inconnu est traité de « démon » par Ivan, tout comme le héros de Poe l'interpelle en l'appelant *oiseau ou démon*; dans les deux cas, le personnage se demande s'il dort ou s'il est éveillé. « Non, tu n'es pas un être doué d'existence, tu es moi-même, insiste Ivan; c'est moi, moi seul qui parle, et non pas toi »; et l'intrus en convient : « Je suis seulement ton hallucination. » L'alternance, cependant, de la première et de la deuxième personne chez les deux « interlocuteurs » révèle l'ambiguïté du thème. Selon les théories de Poe, s'il n'y a pas cette hésitation entre le sens « superficiel » et le sens « profond », « il y a nécessairement une certaine âpreté, une nudité, qui choque un œil d'artiste ». Les deux traits fondamentaux et complémentaires du comportement verbal sont ici mis en évidence : tout discours intérieur est essentiellement un dialogue; tout discours reproduit est *ré-approprié* et remodelé par celui qui le cite, que la citation en question soit empruntée à quelqu'un d'*autre* ou à un moment antérieur de son *Moi* (sous le signe du *ai-je dit*). Poe a raison : c'est la tension entre ces deux aspects du comportement verbal qui confère au *Corbeau* — et j'ajoute : à ce qui constitue le sommet des *Frères Karamazov* — leur richesse poétique. Et cette antinomie vient se surimposer à une autre tension qui lui est analogue : la tension qui se joue entre le *Moi* du poète et le Je du narrateur fictif : *Je me pris à enchaîner songerie à songerie...*

Si dans une suite un moment antérieur dépend d'un moment postérieur, les linguistes parlent d'une *action régressive*. Par exemple, quand l'espagnol ou l'anglais ont changé, dans le mot *colonel*, le premier /l/ en /r/ sous la rétro-action du /l/ final, ce changement est un cas de *dissimilation régressive*. R. G. Kent rapporte un lapsus caractéristique commis par un speaker à la radio : « la convention était en session » était devenu « la confession était en session »; le mot de la formule finale s'était substitué, par assimilation régressive, à la forme correcte « convention ». De façon analogue, dans *le Corbeau*, la question est sous la dépendance de la réponse. Et c'est encore selon le même principe que l'existence du répliquant imaginaire se déduit rétro-activement de sa réplique : *jamais-plus*. Le dit est inhumain, à la fois par sa cruauté persistante et par son automatisme répétitif et monotone. Dès lors, une créature parlante mais sous-humaine s'impose comme locuteur, et plus spécifiquement un oiseau de race corvine, non pas seulement à cause de son aspect ténébreux et de sa réputation « de mauvais augure », mais également parce que, dans la majeure partie de ses phonèmes, le mot *raven* [corbeau] est simplement l'inverse du sinistre *never* [jamais]. Poe signale le lien en rapprochant les deux mots : *Quoth the Raven* « *Nevermore* » [*Le Corbeau dit* « *jamais-plus* »]. La juxtaposition devient particulièrement parlante dans la strophe finale :

And the Raven, never flitting, still is sitting, *still* is sitting
On the pallid bust of Pallas just above my chamber door;
And his eyes have all the seeming of a demon's that is dreaming,
And the lamp-light o'er him streaming throws his shadow on the floor;
And my soul from out that shadow that lies floating on the floor
Shall be lifted — nevermore!

[Et le Corbeau, sans voleter, siège encore, siège *encore*
Sur le pallide buste de Pallas, juste au-dessus de la porte de ma chambre;
Et ses yeux ont toute la semblance des yeux d'un démon qui rêve,
Et la lumière de la lampe ruisselant sur lui projette son ombre à terre;
Et mon âme, de cette ombre qui gît flottante à terre,
Ne s'élèvera — jamais-plus!]

Ici, le coupie *Raven*, *never* est mis en valeur par une série d'autres séquences phoniques, dont le jumelage crée une affinité entre certains mots clés, en accentuant leur accord sémantique. Le groupement initial, qui se termine sur la série *still - sit - still - sit*, est relié au groupement final par la chaîne *flit - float - floor - lift*, et les pivots des deux séries se trouvent juxtaposés dans la suite réelle : *never flitting*, *still is sitting*. Le jeu assonantique sur *pallid* et *Pallas* est renforcé par la cocasserie de la rime intérieure : *pallid bust - Pallas just*. Les deux séquences jumelées *seeming*, *demon* (pieds trochaïques comportant le même élément vocalique, suivi d'un /m/ et d'une nasale finale) sont caractérisées à l'initiale par les dentales /s, d/, qui se retrouvent, au prix d'une légère altération, dans les groupes *is dreaming* /zd/ et *streaming* /st/. Dans l'avant-propos à la première édition du poème, avant-propos écrit par le poète lui-même ou à son instigation, « l'utilisation raisonnée de sons semblables à des places inhabituelles » est présentée comme son originalité la plus marquante. Sur l'arrière-plan des rimes équidistantes et revenant régulièrement, Poe surajoute d'autres rimes, hors de leur emplacement habituel, pour compléter « l'effet global d'inattendu ». Des séquences phoniques qui se répètent régulièrement dans des rimes aussi familières que *remember - December - ember*, ou *morrow - borrow - sorrow*, sont complétées par ce qu'Edmond Wilson appelle des « rimes inverses » : *lonely* /lóunli/ - *only* /óunli/ - *soul in* /sóul in/. On rejoint ici le caractère régressif de la séquence sémantique, et une telle variation a pour effet d'équilibrer le thème « jamais fini » du *Corbeau perché solitairement* [*the Raven, sitting lonely*] par le thème opposé de *Lenore perdue* [*the lost Lenore* /linór/].

Non seulement les questions que pose l'amant désespéré sont prédéterminées : mais c'est en fait tout l'ensemble du poème qui est prédéterminé par la repartie finale du *jamais-plus*, et qui est construit, de façon précise, comme attente du dénouement. L'auteur lui-même l'a mis en évidence dans *la Philosophie de la composition* (1846), qui est son propre commentaire du *Corbeau* : « On peut dire, écrit-il, que le poème a eu son commencement — dans sa fin. » Il est difficile, dès lors, de comprendre les protestations incessantes que Poe s'est attirées par cet « examen » de son œuvre, traité de mystification fallacieuse, de farce préméditée, d'effronterie sans égale, à mettre au nombre de ses canards canularesques bons à faire avaler aux critiques. Malgré la lettre à son ami Cooke, où Poe vantait ce commentaire comme un « modèle d'analyse critique », un aveu (ou soi-disant tel), fait oralement par l'écrivain, a été pris en considération après sa mort : il aurait reconnu n'avoir jamais compté que cet article pût être pris au sérieux. Les poètes français, cependant, admirant à la fois la poésie de Poe et ses articles sur la poésie, se sont demandé à quel moment se situait la blague : quand il écrivait ce merveilleux commentaire, ou quand il le désavouait pour rassurer une interlocutrice sentimentale [a].

En fait, l'auteur du *Corbeau* formulait à la perfection le type de relation qui unit le langage poétique et sa transposition dans ce qu'on appellerait maintenant le métalangage de l'analyse scientifique. Dans ses *Marginalia*, Poe assurait que les deux aspects sont en relation de complémentarité : il affirmait que nous avons le pouvoir « de percevoir distinctement le mécanisme » de n'importe quelle œuvre d'art, et, en même temps, de tirer du plaisir de ce pouvoir, — mais « seulement pour autant que nous *cessons* de tirer du plaisir de l'effet spécifique escompté par l'artiste ». Qui plus est, réfutant les objec-

a. « Après tout, un peu de charlatanerie est toujours permis au génie, et même ne lui messied pas », écrit Baudelaire. Et Mallarmé : « Y a-t-il [...] mystification? Non. Ce qui est pensé, l'est : et une idée prodigieuse s'échappe des pages qui, écrites après coup (et sans fondement anecdotique, voilà tout), n'en demeurent pas moins congéniales à Poe, sincères. »

tions passées et à venir de son analyse du *Corbeau*, il ajoutait que « réfléchir, analytiquement, sur l'art, c'est réfléchir à la manière des miroirs du temple de Smyrne, qui renvoient déformées les images les plus belles » (1849). La vérité, selon Poe, requiert une précision absolument incompatible avec la fin première de l'imagination poétique; mais quand il a traduit le langage de l'art dans le langage de la précision, les critiques ont interprété sa tentative comme relevant de la pure imagination, aux antipodes de la vérité.

La relation, par l'écrivain, de la genèse du *Corbeau*, que les critiques du passé ont qualifiée de tour de passe-passe et de supercherie énorme, bonne à faire marcher le public, a été définie, récemment, par Denis Marion comme une simple illusion dont Poe eût été la victime. Autant vaudrait employer l'argument contre la vérité intime qui fut celle de sa vie avec Virginia Clemm, pendant tout le temps qu'il vécut « dans l'attente continuelle de sa perte ».

L'oscillation entre la lueur illusoire d'espoir qui anime les questions de l'amant et le caractère inéluctable de la « réponse attendue » *jamais-plus* a pour effet de « lui apporter la plus affreuse moisson de douleurs », jusqu'à ce que la réplique inévitable du *Corbeau* à la « requête finale de l'amant » le persuade du caractère irrévocable de sa perte, et le comble dans « son amour pour sa propre torture ». Or, quelques mois après la mort de Virginia, Poe écrivait à George Eveleth : « Voilà six ans, l'épouse que j'aimais comme aucun homme n'a jamais encore aimé [dans *le Corbeau*, il est question de *terreurs jamais encore senties*] se rompit une artère en chantant. On désespéra de sa vie. Je pris congé d'elle à jamais, et partageai toutes les affres de sa mort. Elle se rétablit en partie : et je me repris à espérer. Au bout d'un an, le vaisseau se rompit à nouveau, — je connus exactement les mêmes sentiments. Même scène, approximativement un an plus tard. Encore une fois — encore une fois — encore une fois — et même encore une fois, à des intervalles irréguliers. Chaque fois je ressentais toutes les affres de sa mort; à chaque attaque du mal je l'aimais plus fort, m'accrochais à sa vie avec un entêtement plus désespéré. Je devins fou, avec de longues périodes de répit, où la santé m'était insupportable. J'avais à peu près renoncé à tout espoir de guérison définitive, quand je trouvai cette guérison dans la *mort* de ma femme. Cela, je me sens capable de le supporter, et je le supporte, effectivement, comme tout homme dans la même situation : — c'était l'horrible et jamais-finissante oscillation entre l'espoir et le désespoir que j'aurais été *incapable* de supporter plus longtemps sans perdre totalement la raison. »

Dans les deux cas, dans *le Corbeau* et dans le récit épistolaire, le dénouement attendu est un deuil destiné à durer à jamais : la mort de Virginia après des années d'agonie; le désespoir de l'amant quand il saura qu'il ne rencontrera plus Lenore, même dans un autre monde. *Le Corbeau* parut le 29 janvier 1845; *la Philosophie de la composition* fut publiée en avril 1846; la femme de Poe mourut le 30 janvier 1847. Ainsi « l'escompté *jamais-plus* », que l'article présentait comme le ressort essentiel du poème, était, dans le même temps, en consonance avec l'arrière-plan biographique.

Il reste que l'article de Poe récuse les circonstances qui mettent en branle l'inspiration, en tant qu'elles manquent de pertinence pour l'étude du poème en lui-même. Le thème de « l'amant endeuillé » anticipe sur la maladie de Virginia; en fait, il hante l'ensemble de la poésie et de la prose de Poe. Dans *le Corbeau*, le thème se manifeste avec une rare « force de contraste », qui trouve son expression dans un oxymore typiquement romantique : l'entretien de l'amant et de l'oiseau est une communication qui sort des normes, à la limite de l'absence de communication. Ce pseudo-dialogue est tragiquement à sens unique : il ne comporte d'échange effectif d'aucune sorte. A ses questions, à ses appels désespérés, le héros ne reçoit que des semblants de réponse — que ce soit de la part de l'oiseau, de l'écho, ou des volumes de *savoir oublié*; ses propres lèvres sont « faites, essentiellement » pour la stérilité du soliloque. Et il y a là un second oxymore et une nouvelle contradiction; le poète voue ce discours solitaire à la diffusion la plus large que puisse connaître la communication, mais se rend compte, immédiatement, que cette diffusion exhibitionniste de l'appel « met en péril le réalisme psychologique de cette confrontation entre Moi élargi et non-Moi », selon la formule d'Edward Sapir.

Il faut rappeler une fois de plus que l'effet décisif du *Corbeau* vient de son audace à mettre en œuvre les problèmes les plus complexes de la communication. Le thème dominant du poème est la perte de contact irrémédiable de l'amant avec la *rare et rayonnante jeune fille*; désormais aucun lien avec elle ne peut plus se concevoir, ni sur cette terre ni *dans ce distant Eden* (dont l'orthographe fantaisiste [*Aidenn*] sert d'écho à *maiden* [jeune fille]). Selon l'art poétique de Poe, ce n'est qu'un « détail anecdotique », sans aucune pertinence au regard du « mécanisme » de l'œuvre, que le deuil de l'amant soit en rapport avec la mort de la jeune fille plutôt qu'avec un événement plus trivial et plus prosaïque, mais non moins inexorable, — un message du type : *c'est fini entre nous*, acheminé jusqu'à cette chambre lugubre du New York bien pensant qui est censément décrite dans *le Corbeau*. Concernant l'héroïne, hors son absence et sa chute dans l'anonymat — à jamais —, rien n'est de nature à intéresser le propos du poète : son poème « sera poétique en raison directe de son manque de passion ». Mais pour se conformer au « goût du public », et peut-être pour donner une issue à ses craintes et à ses désirs refoulés, le poète a choisi de faire mourir la jeune fille — la mort, dit-il, était « le plus mélancolique des sujets » — et de lui donner le nom particulièrement sonore de Lenore, qu'il prend à la ballade fameuse mettant en scène la mariée et le mort.

Les vues de Poe sur les « rouages et pignons » de l'art du langage et, plus généralement, de toute structure verbale, — les vues d'un homme qui est à la fois créateur et critique, — sont d'une pénétration extraordinaire. Son utilisation, dans le poème, et son analyse linguistique, du refrain *jamais plus* sont particulièrement pertinentes, car c'est ici que le « principe d'identité » se trouve défié, tant au niveau du son qu'au plan du sens. L'inévitable *jamais plus* est toujours le même et toujours différent : d'un côté, les modulations expressives diversifient le son; de l'autre, « la variation du champ d'application », c'est-à-dire la multiplicité des contextes, confèrent au sens du mot des connotations différentes à chacune de ses occurrences.

En dehors d'un contexte, un mot offre matière à un nombre de solutions illimité, et l'auditeur en est *réduit à deviner* le sens de *jamais plus*, si le mot apparaît isolé. Mais dans le contexte du dialogue, il signifie successivement : jamais plus tu ne l'oublieras; jamais plus tu ne seras en repos; jamais plus tu ne l'auras dans tes bras; jamais plus je ne te quitterai. Et, par surcroît, le même mot peut fonctionner comme nom propre : un nom emblématique que l'amant attribue à son visiteur nocturne : *un oiseau au-dessus de la porte de sa chambre, avec un nom comme « Jamais plus »*. Poe a rendu ces variations particulièrement efficaces « en restant généralement fidèle à la monotonie du son », — comprenons : en réduisant volontairement les modulations affectives.

En revanche, si étendue que soit la variété de ses sens contextuels, le mot *jamais plus*, comme n'importe quel mot, conserve le même sens général à travers la diversité de ses emplois. La tension entre cette unicité interne et la diversité des sens contextuels ou situationnels est le problème-pivot de la discipline linguistique appelée *sémantique*, tandis que la discipline appelée *phonématique* met en jeu, essentiellement, la tension entre identité et variété au plan phonique du langage. Le mot composé *jamais-plus* implique une négation, un « non » projeté à jamais sur l'avenir, en tant qu'opposé au passé. Même la transposition de cet adverbe de temps en un nom propre conserve un lien métaphorique avec cette valeur sémantique générale.

Un « non » destiné à durer à jamais semble quelque chose d'inconcevable, et la sagesse des nations s'efforce de l'exorciser au moyen de formules dont le caractère contradictoire se dissimule sous le badinage : « Quand les poules auront des dents [a] », « Quand il fera froid en enfer », ou autres locutions du même genre étudiées par Archer Taylor. Par une coïncidence curieuse, l'année même où *le Corbeau* fut écrit, l'érudition s'intéressa pour la première fois, en la personne du poète allemand Uhland, aux périphrases équivalentes de « jamais », « jamais plus ». Avec plus d'acuité que quiconque, Baudelaire, dans les lignes qu'il consacra au poème de Poe, perçut toute la tension, à la fois conceptuelle et affective, qui est incluse dans ce mot « mystérieux et profond ». En lui fusionnent la fin et l'absence de fin. En lui s'opposent le futur et le passé, l'éternel et le transitoire, la négation et l'affirmation. Et si on le considère globalement, il s'oppose à son tour violemment à la nature animale de celui qui le prononce, dans la mesure où ce dernier se trouve inéluctablement assujetti au présent de l'espace et du temps. L'oxymore provocant de Poe est devenu un cliché, et selon un on-dit populaire de la Russie pré-révolutionnaire, « un perroquet crie *jamais*, *jamais*, toujours *jamais* ».

Comme pierre d'attente du refrain final, et pour renforcer son impact, Poe a recours à une sorte de figure étymologique. Sur le plan sémantique, l'auteur nous prépare à la négation absolue du *jamais plus* en répétant la négation relative *cela seul et rien de plus*; la négation de la *consolation* à venir est annoncée par la négation qu'il y ait jamais eu dans le passé des *terreurs fantastiques* semblables à celles du présent; et l'affirmation niée : *ne sera* [...] *jamais plus* est précédée par le caractère désespéré de la négation affirmée : *de nom*, *pour elle*, *ici-bas*, *jamais plus*. A un niveau plus extérieur, le poème fragmente l'unité *Nevermore* [Jamais plus] en ses constituants grammaticaux, en isolant *more* [plus], *ever* [jamais], *no* [ne] — qui se présente équivalemment, devant voyelle, sous la forme *n-* : *n-ever* [ne jamais], *n-aught* [ne rien], *n-ay* [non], *n-either ... n-or* [ni ... ni ...] — et en les distribuant dans de nouveaux contextes, qui, la plupart du temps, se correspondent du point de vue du mètre et de la rime : *Only this and nothing more* [cela seul et rien de plus], *Nameless here for evermore* [de nom, pour elle, ici-bas, jamais plus], *Terrors never felt before* [terreurs jamais encore senties], *ever dared to dream before* [n'avait jamais encore osé rêvé], *and the stillness gave no token* [et la quiétude ne donna aucun signe]. Et, à son tour, l'unité *more* [plus] est susceptible d'être dissociée en

a. Mot à mot : « Le jour, qui n'arrivera jamais, où le hibou n'aura plus de plumes au croupion. »

racine et suffixe, quand il est confronté à *most* [le plus] ou aux degrés de comparaison des autres adjectifs, comme dans la séquence *somewhat louder than before* [un peu plus fort qu'auparavant].

Les éléments que l'on obtient en fractionnant à leur tour ces unités sont, cette fois, dépourvus de sens. Ces éléments de la matière phonique sont mis à nu par le jeu de l'équivalence et de la diversité phonématiques dans la rime très byronienne, qui fait ici tache d'huile : *bore - door - core - shore - lore - yore - o'er*, etc., et *more* à la fin de chaque strophe. En plus des rimes, d'autres groupes de phonèmes, à l'intérieur des vers qui précèdent le refrain, contribuent eux aussi à appeler la conclusion du *nevermore*. C'est ainsi que l'hémistiche *from thy memories of Lenore* [de ta mémoire de Lenore], — et on pourrait en dire autant de *take thy form from off my door* [jette ta forme loin de ma porte] — met en valeur cette fin, qui accumule les nasales /m,n/, les continues labiales /f,v/, et le phonème représenté par la lettre *r* : *Quoth the Raven : « Nevermore »* [Le Corbeau dit : « Jamais plus »]. La texture phonique accentue l'opposition entre ce qui reste du passé et ce qui est prédit de l'avenir.

Voisines du calembour, de telles figures pseudo-étymologiques, en rapprochant des mots similaires par le son, mettent l'accent sur leur affinité sémantique. Ainsi, dans le vers : *Whether Tempter sent, or whether tempest tossed thee here ashore* [Que le Tentateur t'ait envoyé ou que la tempête t'ait échoué vers ces bords], les deux substantifs voisins par le son fonctionnent comme des dérivés de la même racine, renvoyant à deux variétés du pouvoir malin. *Pallid* [pâle] [a], comme épithète de la *Pallas* sculptée, affiche un air de parenté avec le nom de la déesse. Dans le vers qui décrit *The Raven, sitting lonely on that placid bust* [Le Corbeau, perché solitairement sur ce buste placide], le schéma phonique de l'adjectif *placid* compense le défaut de référence à Pallas. L'expression *beast upon the sculptured bust* [la bête sur le buste sculpté] suggère une relation cocasse entre le percheur et son perchoir comme s'ils étaient nommés par deux variantes de la « même » racine. Cette propension à inférer, de la ressemblance des sons, une connexion des sens, est un trait caractéristique de la fonction poétique du langage.

Au début de cette étude, lorsque je faisais mention d'une jeune femme que j'avais rencontrée dans le train, le mot *lady* [femme] servait tout simplement à renvoyer à la réalité signifiée; mais dans la phrase : « « Lady » est un substantif dissyllabe », le même mot sert à

a. Le mot *pallide*, utilisé par Mallarmé, apparaît comme une création de ce dernier.

renvoyer à lui-même. Brouillant les cartes, la fonction poétique met en œuvre le mot dans ces deux emplois à la fois. Dans *le Corbeau*, le terme *lady* renvoie à un être féminin d'un caractère distingué, s'opposant à la fois à *lord*, être masculin d'un caractère distingué, et aux êtres féminins dénués de distinction. Mais en même temps il contribue à une rime intérieure assez comique, et signale la fin d'un hémistiche : *But, with mien of lord or lady* [Mais avec une mine de lord ou de lady]; il réalise, avec les groupes corrélatifs *made he*, *stayed he* [(pas la moindre révérence) il ne fit, (pas un instant) il n'hésita], une identité phonique partielle, — tout en constituant avec eux, au sein d'une distinction d'un tout autre ordre, un ensemble syntaxique indivisible : /méid-i/ - /stéid-i/ - /léidi/. Un son ou un ensemble de sons assez frappant pour pouvoir être mis en relief, par un usage répétitif au niveau du mot-clé et des termes voisins, peut même déterminer le choix du mot, comme Poe lui-même l'a reconnu. Ainsi ce qu'il avance, en ce qui concerne le choix, par le poète, de mots qui « incorporent » certains sons, élus d'avance, est pleinement justifié.

Comme préambule à une étude systématique des relations mutuelles du son et du sens, nous avons tenté une exploration au cœur de la communication verbale. Un tel propos semble servi par le choix d'un exemple comme *le Corbeau*, qui met en cause le processus dans toute sa surprenante complexité et dans sa nudité. « Cette mystérieuse affinité qui noue ensemble le son et le sens », affinité qui est nettement tangible dans le langage poétique, et dont le principe a été ardemment défendu par Edgar Allan Poe, a décidé de notre choix, parce que, selon sa propre formule, « on atteint les objets par les moyens les plus appropriés à les atteindre ».

Traduit de l'anglais par
ANDRÉ JARRY

RÉFÉRENCES

Baudelaire (Ch.), « L'Art romantique », *Œuvres complètes* (Paris, 1961).
Churchill (W.), *My Early Life* (Londres, 1930), p. 84.
Dostoïevski (F.), « Tri rasskaza Èdgara Po », *Vremja*, 1861.
Kent (R. G.), « Assimilation and dissimilation », *Language* (XII) 1936.
Lagache (D.), *Les Hallucinations verbales et la parole* (Paris, 1934).
Marion (Denis), *La Méthode intellectuelle d'Edgar Poe* (Paris, 1952).

Mowrer (O. H.), *Learning Theory and Personality Dynamics* (New York, 1950).
Poe (E. A.), *The complete works*, éd. par J. A. Harrison (New York, 1902).
Poe (E. A.), *The letters*, éd. par J. W. Ostrom (Cambridge, Mss., 1948).
Poe (E. A.), *The Raven and other Poems*, reproduits en fac-similé d'après le texte établi par L. Graham pour l'éd. de 1845, avec les corrections de l'auteur (New York, 1942).
Sapir (E.), « Communication », *Selected Writings* (University of California Press, 1949).
Taylor (A.), « Locutions for Never », *Romance Philology*, II (1948-1949).

Poésie de la grammaire et grammaire de la poésie[a]

Selon Edward Sapir (1921), si on nous propose des séquences du type : *le fermier égorge le caneton*, *l'homme attrape le poussin*, nous « percevons d'instinct, sans le moindre recours à une analyse réfléchie, que les deux phrases répondent exactement au même modèle, qu'elles sont en fait, et fondamentalement, la même phrase, et ne diffèrent que par leur côté extérieur, matériel[1]. En d'autres termes, elles expriment des concepts relationnels identiques, d'une manière identique ». Réciproquement, il est possible de modifier la phrase, ou certains de ses mots, « à un niveau purement relationnel, non matériel », sans altérer aucun des concepts matériels qui y sont exprimés. Quand on assigne à certains termes de la phrase une position différente dans le modèle syntaxique, et qu'on remplace, par exemple, l'ordre des mots : « A égorge B » par la séquence inverse : « B égorge A », on ne change pas les concepts matériels en question, on fait seulement varier leurs relations mutuelles. De même, si on remplace *fermier* par *fermiers* ou *égorge* par *égorgeait*, on ne modifie que les concepts relationnels de la phrase, sans qu'il y ait aucun changement dans la « substance concrète du discours »; son « aspect extérieur, matériel » reste inchangé.

En dépit de certaines formations frontières, et qui font transition entre les deux domaines, il y a, dans la langue, une distinction bien définie et nette entre ces deux classes de concepts — concepts matériels, concepts relationnels, — ou, en termes plus techniques, entre le niveau lexical et le niveau grammatical de la langue. Le linguiste doit être attentif à se conformer à cette dichotomie, qui est une réalité structurale objective, et transposer intégralement les concepts grammaticaux, effectivement présents dans une langue donnée, dans son métalangage technique, sans introduire dans le langage observé

1. La première version de cette étude constituait la communication que j'ai présentée au Congrès international de poétique à Varsovie en 1960; cette variante russe a été publiée dans le volume de l'Académie polonaise des sciences *Poetics, Poetyka, Poètika* (Varsovie, 1961).

a. « Poetry of grammar and grammar and poetry », *Lingua*, XXI (1968), p. 597-609.

aucune catégorie arbitraire ou importée d'ailleurs. Les catégories à décrire sont des constituants intrinsèques du code verbal, mis en œuvre par les usagers de la langue, nullement des entités « à la convenance du grammairien », ainsi que des analystes, pourtant fort attentifs, de la grammaire des poètes — je pense à Donald Davie — ont été tentés de le croire.

Une variation au niveau des concepts grammaticaux ne traduit pas nécessairement une variation au plan de la réalité à laquelle il est fait référence. Si un témoin assure que « le fermier a égorgé le caneton », pendant qu'un autre témoin affirme que « le caneton a été égorgé par le fermier », les deux hommes ne peuvent être accusés de présenter des témoignages discordants, malgré l'opposition polaire des deux concepts grammaticaux qui s'expriment l'un dans la construction par l'actif, l'autre dans le passif. Une seule et même réalité référentielle est désignée par les phrases suivantes : *Le mensonge* (ou *la menterie* ou *mentir*) *est un péché* (ou *est peccamineux*) - *Mentir, c'est pécher* - *Les menteurs pèchent* (ou *sont peccamineux* ou *sont des pécheurs*), ou avec un singulier collectif : *Le menteur pèche* (ou *est peccamineux*, *est un pécheur*). Il n'y a que le mode de présentation qui diffère. Fondamentalement, il s'agit de la même équation, susceptible de s'exprimer soit en termes d'acteurs *(les menteurs, des pécheurs)* soit en termes d'actions *(mentir, pécher)*; et ces actions peuvent être présentées soit « comme » des abstractions *(le fait de mentir)* ou « comme » des choses *(le mensonge, un péché)*, soit au contraire être rapportées au sujet comme des propriétés qui le caractérisent *(peccamineux)*. Les parties du discours sont à compter au nombre de ces catégories grammaticales qui, selon le manuel de Sapir, reflètent « moins notre puissance intuitive d'analyse de la réalité que notre aptitude à construire cette réalité selon des modèles formels divers ». Ultérieurement, dans les notes préliminaires à son projet de *Fondements du langage*, Sapir (1930) put dégager les types fondamentaux de référents qui servent de « base naturelle aux parties du discours »; c'est à savoir : les *existants*, avec leur expression linguistique, le *substantif*; les *occurrents* exprimés par le *verbe*; enfin *les modalités d'existence et d'occurrence*, représentées dans la langue, respectivement, par l'adjectif et par l'adverbe.

Jeremy Bentham, qui fut peut-être le premier à mettre en évidence les « fictions linguistiques » qui sont la base de la structure grammaticale et dont l'emploi est une « nécessité » dans l'ensemble du champ du langage, arriva, dans la *Théorie des fictions*, à cette conclusion audacieuse : « C'est au langage, et au langage seulement, que les entités fictives doivent leur existence; leur impossible et cependant indispensable existence. » Les fictions linguistiques ne doivent être ni « prises pour des réalités », ni attribuées à une création fantaisiste des linguistes; elles « doivent leur existence », en fait, « au langage seul », et en particulier à la « forme grammaticale du discours », pour reprendre les termes de Bentham.

Le rôle indispensable et prescriptif qui est assumé par les concepts grammaticaux nous met en face d'un problème complexe : celui des relations entre la valeur référentielle et cognitive, d'une part, et, d'autre part, la fiction linguistique. Peut-on effectivement mettre en question la signification des concepts grammaticaux, ou y aurait-il, à un plan non-conscient, des postulats de vraisemblance qui leur seraient attachés? Jusqu'où la pensée scientifique peut-elle faire face à la pression des modèles grammaticaux? Quelle que puisse être la réponse à ces questions encore controversées, certainement il existe un domaine des activités de la parole où « les règles du jeu dont la fonction est de classer » (Sapir, 1921) acquièrent leur signification la plus aiguë : c'est dans la FICTION, telle qu'elle se développe dans l'art du langage, que les FICTIONS LINGUISTIQUES se réalisent dans toute leur plénitude. Il est parfaitement évident que les concepts grammaticaux, — ou, dans la terminologie de Fortunatov, les « significations formelles » — trouvent leurs possibilités d'application les plus étendues en poésie, dans la mesure où il s'agit là de la manifestation du langage la plus attachée à la forme. Dès lors qu'en ce domaine la fonction poétique l'emporte sur la fonction strictement cognitive, celle-ci y est plus ou moins occultée, et l'on rejoint l'allégation de Sir Philip Sidney dans sa *Défense de la poésie* : « Quant au Poète, n'affirmant rien, il n'a jamais l'occasion de mentir. » En conséquence, selon la formule ramassée de Bentham, « les Fictions du poète sont dépourvues d'insincérité ».

Quand, dans la finale du poème de Maïakovski, *Khorosho* [Bien], nous lisons : « *i zhizn' | khoroshá, || i zhit' | khoroshó ||* » (littéralement : « et la vie est bonne, et il est bon de vivre »), il est difficile de trouver, sur le plan cognitif, une différence entre ces deux propositions coordonnées; mais, au niveau de la mythologie poétique, la fiction linguistique, qui se donne pour tâche de substantiver et, par là même, d'hypostasier, aboutit à une image métonymique de la vie comme telle, considérée en elle-même et substituée aux gens en vie, *l'abstrait pour le concret*, comme le dit Galfredus de Vino Salvo, le remarquable érudit anglais du début du treizième siècle, dans sa *Poetria nova* (cité dans le livre de Faral). En face de la première proposition, avec son adjectif en fonction de prédicat, du même genre que le sujet, c'est-à-dire féminin et susceptible de personnification, — la seconde proposition, avec son infinitif imperfectif, et avec une forme neutre, et sans sujet réel, de prédicat, se présente comme un pur procès, ne comportant aucune limitation ou transposition, et laissant la place libre à un datif d'agent.

La récurrence d'une même « figure grammaticale », qui est, comme l'a bien vu Gérard Manley Hopkins, avec le retour d'une même « figure phonique », le principe constitutif de l'œuvre poétique, est particulièrement évidente dans ces formes poétiques où, plus ou moins régulièrement, des unités métriques contiguës sont combinées, en fonction d'un parallélisme grammatical, en paires ou, occasionnellement, en triplets. La définition de Sapir citée plus haut s'applique parfaitement à de telles séquences voisines : « elles sont en fait, et fondamentalement, la même phrase, et ne diffèrent que par leur aspect extérieur, matériel ».

Il y a eu différentes tentatives pour décrire des spécimens d'un tel parallélisme, canonique ou tout proche de l'être, dénommé style oraculaire par J. Gonda dans sa monographie, pleine de remarques passionnantes, sur « le balancement des groupes de mots binaires » dans les Vedas, ainsi que dans les ballades Nias et dans les litanies sacerdotales. Une attention particulière a été accordée par les spécialistes au *parallelismus membrorum* qui est caractéristique de la Bible et qui plonge ses racines dans la tradition archaïque chananéenne, ainsi qu'au rôle constant et dominant du parallélisme dans la poésie et la prose poétique de la Chine. Un modèle similaire se manifeste comme le fondement de la poésie orale chez les Finno-Ougriens, les Turcs et les Mongols. Les mêmes procédés jouent un rôle capital dans les chansons et récitatifs du folklore russe [1]. C'est le cas, par exemple, de ces vers, qui sont un préambule typique de l'épopée héroïque (byline) russe :

Kak vo stól'nom górode vo Kíeve,
A u láskova knjázja u Vladímira,
A i býlo stolován'e pochótnyj stól,
A i býlo pirován'e pochéstnyj pír,
A i vsé na pirú de napiválisja,
A i vsé na pirú da poraskhvástalis',
Úmnyj khvástaet zolotój kaznój,
Glúpyj khvástaet molodój zhenój.

Comment dans la ville-capitale, à Kiev,
Sous le bienveillant prince, sous Vladimir,
Il y eut rassemblement — assemblée splendide,

1. L'état présent de la recherche internationale sur le parallélisme comme fondement de la poésie (soit écrite soit orale) est évoqué dans : « Grammatical parallelism and its Russian facet », *Language*, XLII (1966) [trad. fr. : ici-même, p. 234-279].

Il y eut festoiement — festin somptueux,
Chacun dans la fête s'enivra,
Chacun dans la fête se vanta,
Le malin se vanta de son or,
L'étourdi se vanta de sa femme.

Les systèmes de parallélisme dans l'art verbal nous renseignent directement sur l'idée que se fait le locuteur des équivalences grammaticales. L'examen de différentes sortes de licence poétique dans le domaine du parallélisme, aussi bien que l'étude des conventions en matière de rime, peuvent nous fournir des clés précieuses pour l'interprétation de la composition d'une langue donnée et de l'importance relative de ses constituants (par exemple, l'équivalence habituelle entre l'allatif et l'illatif, en finnois, ou entre le prétérit et le présent, à l'encontre des cas ou des catégories verbales qui ne s'organisent pas par couples, — phénomène observé par Steinitz dans son travail de pionnier sur le parallélisme dans le folklore carélien). L'interaction — à travers équivalences et divergences — des niveaux syntaxique, morphologique et lexical; les différentes espèces, au niveau sémantique, de contiguïtés, similarités, synonymies, antonymies; la variété des types et des fonctions de ce qu'on appelle les « vers isolés », — sont autant de phénomènes qui, tous, requièrent une analyse systématique, indispensable pour la compréhension et l'interprétation des divers artifices grammaticaux en poésie. Un problème aussi crucial pour la linguistique et la poétique que celui du parallélisme peut difficilement être dominé si l'on borne systématiquement l'examen aux formes extérieures, en excluant de la discussion les significations grammaticales et lexicales.

Dans les interminables chants de canotage des Lapons de Kola (cités par Kharuzin), deux personnages juxtaposés, qui accomplissent des actions identiques, constituent la matière thématique uniforme, entraînant l'enchaînement automatique des vers selon un schéma de ce type : « A est assis à droite du bateau; B est assis à gauche. A tient une rame dans sa main droite; B tient une rame dans sa main gauche », etc.

Dans les récits populaires russes, chantés ou récités, sur Foma et Erioma (Thomas et Jérémie), les deux malheureux frères deviennent un prétexte comique à l'enchaînement de propositions parallèles qui parodient le style oraculaire, caractéristique de la poésie populaire russe, et qui présentent les traits quasi-différentiels des aventures des deux frères en juxtaposant des expressions synonymes ou des images à peu de chose près superposables : « Ils découvrirent Erioma et ils trouvèrent Foma; ils rouèrent de coups Erioma et ils ne firent pas grâce à Foma; Erioma s'enfuit dans un bois de bouleaux, et Foma dans un bois de chênes », etc. (cf. les recensions, riches d'enseignement, de ces histoires, dans Aristov et dans Adrianova-Perets, ainsi que leur analyse attentive par Bogatyrev).

Dans la ballade du Nord de la Russie : *Vasili et Sofya* (voir, en particulier, les variantes qu'en ont publiées d'une part Sobolevski et d'autre part Astakhova, ainsi que le commentaire de cette dernière), le parallélisme grammatical binaire devient le ressort de l'intrigue, entraînant tout le développement dramatique de cette belle et concise *bylina*. En termes de parallélisme antithétique, la scène initiale de l'église oppose la pieuse invocation : « Dieu Père! » des paroissiens et le cri incestueux de Sofya : « Vasili mon frère! ». Ensuite, l'intervention maléfique de la mère introduit une série de distiques qui lie ensemble les deux héros à travers une étroite correspondance entre chacun des vers consacrés au frère et le vers symétrique où il est question de la sœur. Quelques-uns de ces couples de membres parallèles ressemblent, par leur construction stéréotypée, aux clichés plus haut mentionnés des chants lapons : « Vasili fut enterré à droite, et Sofya fut enterrée à gauche. » L'entrecroisement des destins de ces deux amoureux est renforcé par des constructions en chiasme : « Vasilij bois, mais n'en donne pas à Sofya! Toi, Sofya, bois, mais n'en donne pas à Vasili! Mais Vasili but et fit boire Sofya, mais Sofya but et fit boire Vasili. » La même fonction est assumée par les images du *kiparis* (cyprès), arbre au nom masculin, sur la tombe de Sofya, et de la *verba* (le saule), arbre au nom féminin, sur la tombe voisine de Vasili : « Ils s'accolaient par leurs têtes, / et ils s'enlaçaient par leurs feuilles. // » La destruction, en parallèle, des deux arbres par la mère fait écho à la mort dramatique du frère et de la sœur. Je serais étonné que les efforts de certains spécialistes comme Christine Brooke-Rose pour tracer une ligne de démarcation rigoureuse entre les tropes et le décor poétique fussent applicables à cette ballade; et, de façon générale, l'éventail des poèmes et des genres poétiques qui s'accommodent d'une telle frontière est certainement très limité.

Pour reprendre les termes d'une des contributions les plus brillantes de Hopkins à la poétique, son article de 1865 *Sur l'origine de la beauté*, des structures canoniques comme celles de la poésie hébraïque, « qui obéissent à des parallélismes comme principe de couplage », sont bien connues, « mais le rôle important joué, au plan de l'expression, par le parallélisme dans notre poésie est beaucoup moins connu : je pense qu'il surprendra tout le monde quand on commencera à le mettre en lumière ». En dépit d'exceptions isolées, comme la récente exploration entreprise par Berry, le rôle qu'a joué la « figure de grammaire » dans le monde de la poésie depuis l'Antiquité jusqu'à nos jours est encore un objet de surprise pour ceux qui se consacrent à la littérature, un siècle entier après qu'Hopkins lui-même ait commencé à le mettre en lumière. Chez les anciens et au Moyen Age, la théorie de la poésie comportait un soupçon de grammaire poétique et se montrait toute prête à faire la distinction entre les tropes et les figures grammaticales *(figurae verborum)*, mais ces rudiments prometteurs furent ensuite oubliés.

On peut avancer que dans la poésie la similarité se superpose à la contiguïté, et que par conséquent « l'équivalence est promue au rang de procédé constitutif de la séquence ». Dans ces conditions, tout retour, susceptible d'attirer l'attention, d'un même concept grammatical devient un procédé poétique efficace [1]. Toute description non

1. Voir « Linguistics and poetics », *Style in Language*, ed. by T. Sebeok (New York, 1960) [trad. fr. : « Linguistique et Poétique », chap. XI des *Essais de linguistique générale*, Paris, éd. de Minuit, 1963].

La structure grammaticale d'un certain nombre de poèmes échelonnés du IXe au XXe siècles a été étudiée par l'auteur dans les publications suivantes :

— « Pokhvala Konstantina Filosofa Grigoriju Bogoslovu », *Slavia*, XXXIX (Prague, 1970).

— (avec P. Valesio) « Vocabulorum constructio in Dante's sonnet " Se vedi li occhi miei " », *Studi Danteschi*, XLIII (Florence, 1966) [trad. fr. : ici-même, p. 299-318];

— « Struktura dveju srbohrvatskih pesama », *Zbornik za filologiju i lingvistiku*, IV-V (Novi Sad, 1961-1962);

— « The grammatical texture of a sonnet from Sir Philip Sidney's *Arcadia* », *Studies in Language and Literature in Honour of M. Schlauch* (Varsovie, 1966);

— « Razbor tobol'skikh stikhov Radishcheva », *18 vek*, VII (Leningrad, 1966);

— « The grammatical Structure of Janko Kral's Verses », *Sbornik filozofickej fakulty University Komenského*, XVI (Bratislava, 1964);

— (avec C. Lévi-Strauss) « Les " Chats " de Charles Baudelaire », *l'Homme* II (1962) [ici-même, p. 401-419];

— « Une microscopie du dernier Spleen dans les Fleurs du Mal », *Tel Quel*, 29 (Paris, 1967); [ici-même, p. 420-435];

— « Struktura na poslednoto Botevo stikhotvorenie », *Ezik i literatura*, XVI (Sofia, 1961);

— (avec B. Casacu) « Analyse du poème *Revedere* de Mihai Eminescu », *Cahiers de linguistique théorique et appliquée*, I (Bucarest, 1962) [ici-même, p. 436-443];

— « Devushka pela » (poème de A. Blok), *Orbis scriptus D. Tschižewskij zum 70. Geburtstag* (Munich, 1966);

— (avec P. Colaclides) « Grammatical imagery in Cavafy's poem *Remember, Body* », *Linguistics*, 20 (La Haye, 1966);

— « Der grammatische Bau des Gedichts von B. Brecht *Wir sind sie* », *Beiträge zur Sprachwissenschaft, Volkskunde und Literaturforschung, W. Steinitz dargebracht* (Berlin, 1965) [trad. fr. : ici-même, p. 444-462];

— et les articles auxquels il est fait référence dans les notes des pages 226 et 227.

Le troisième tome des *Selected Writings* de R. Jakobson, actuellement en préparation, est tout entier consacré à « la Poésie de la Grammaire et la Grammaire de la Poésie ».

prévenue, attentive, exhaustive, totale, de la sélection, de la distribution et de l'inter-relation des diverses classes morphologiques et des diverses constructions syntaxiques dans un poème donné surprend le praticien lui-même par la présence inattendue, frappante, de symétries et d'antisymétries, par l'équilibre entre structures, par une accumulation efficace de formes équivalentes et de contrastes saillants, enfin par des restrictions strictes portant sur l'inventaire des éléments morphologiques et syntaxiques auxquels a recours le poème, ces éliminations permettant, en retour, de saisir le jeu parfaitement maîtrisé des éléments effectivement utilisés. Insistons sur le caractère convaincant de ces procédés; tout lecteur tant soit peu sensible, pour reprendre la formule de Sapir, perçoit d'instinct l'effet poétique et la charge sémantique de ces dispositifs grammaticaux, « sans le moindre recours à une analyse réfléchie », et bien souvent le poète lui-même, à cet égard, est dans la même situation qu'un tel lecteur. De la même façon, dans un contexte traditionnel, l'auditeur et l'interprète de la poésie populaire, fondée sur une utilisation presque constante du parallélisme, saisit les déviations, sans être pour autant capable de les analyser : ainsi les guslars serbes, et aussi bien leur auditoire, relèvent, et souvent même condamnent, toute déviation par rapport au modèle syllabique du chant épique, et par rapport à l'emplacement régulier de la coupe, mais sont parfaitement incapables de définir la nature de l'écart.

Il arrive souvent que les contrastes au niveau de l'agencement grammatical soulignent la division du poème en strophes et en sections de strophes, comme c'est le cas pour le fameux chant de bataille hussite du début du XVe siècle, avec sa double trichotomie [1]; il arrive même qu'ils servent de base et d'armature à une composition stratifiée de ce type : témoin le poème de Marvell *To his Coy Mistress*, avec ses trois paragraphes tripartites, dont les frontières et les subdivisions sont imposées par la grammaire.

La juxtaposition de concepts grammaticaux contrastants peut se comparer à ce qu'on appelle, en langage cinématographique, le « montage cut » : c'est un type de montage qui, si l'on s'en rapporte, par exemple, à la définition de Spottiswoode, juxtapose les prises de vue ou les séquences de façon à faire naître dans l'esprit du spectateur des idées que ces prises de vue ou que ces séquences ne seraient pas susceptibles, par elles-mêmes, de suggérer.

Au nombre des catégories grammaticales appelées à figurer dans

1. Voir « Ktož jsú boži bojovníci », *International Journal of Slavic Linguistics and Poetics*, 7 (1963).

des parallélismes ou des contrastes, on trouve en fait l'ensemble des parties du discours, susceptibles ou non de flexion : nombres, genres, cas, degrés de comparaison, temps, aspects, modes, voix, répartition des mots en abstraits et concrets, animés et inanimés, noms communs et noms propres, affirmations et négations, verbes conjugués et infinitifs, adjectifs pronominaux et articles définis ou indéfinis, et toute la variété des éléments et des constructions syntaxiques.

L'écrivain russe Veresaev a reconnu dans ses notes intimes que quelquefois il lui semblait que les images n'étaient qu'« une contrefaçon de la vraie poésie ». En règle générale, dans un poème sans images, c'est la « figure de grammaire » qui devient dominante et qui supplante les tropes. Au même titre que le chant de bataille hussite, les poèmes lyriques de Pouchkine comme *Ja vas ljubil* sont des exemples éloquents d'un pareil monopole des procédés grammaticaux. On trouve, pourtant, beaucoup plus fréquemment, un jeu mêlé des deux catégories d'éléments : c'est le cas, par exemple, des stances de Pouchkine *Chto v imeni tebe moem*, qui forment un contraste manifeste avec l'œuvre « sans images » précédemment citée, alors que l'une et l'autre ont été écrites la même année et adressées probablement à la même dédicataire, Karolina Sobańska [1]. L'opposition, dans un poème, entre ce qui appartient au langage imagé, métaphorique, et ce qui relève d'un niveau immédiat, peut être fortement déterminée par un contraste entre les constituants grammaticaux : c'est ce que nous trouvons, par exemple, en Pologne, dans les méditations concises de Cyprian Norwid, l'un des plus grands poètes mondiaux de la fin du XIXe siècle [2].

Le caractère contraignant des procédures grammaticales et des concepts grammaticaux met le poète dans la nécessité de compter avec ces données; soit qu'il tende à la symétrie et s'en tienne à ces modèles simples, susceptibles de répétition, parfaitement clairs, qui sont fondés sur un principe binaire, soit qu'il en prenne le contrepied, quand il recherche un « beau désordre ». J'ai répété maintes fois que la technique de la rime est « soit grammaticale soit antigrammaticale », mais qu'elle ne saurait être a-grammaticale : on peut en dire autant de tout ce qui concerne la grammaire chez les poètes. Il y a, à cet égard, une analogie remarquable entre le rôle de la grammaire en poésie et, chez le peintre, les règles de la composition fondées sur un ordre géométrique latent ou manifeste, ou au contraire

1. Cf. un examen comparatif de ces deux poèmes de Pouchkine dans l'article en langue russe auquel il est fait référence à la note 1 de la p. 219.
2. Voir « Przeszlość ' Cypriana Norwida », *Pamiętnik literacki*, 54 (Varsovie, 1963).

sur une révolte contre tout agencement géométrique. Dans le domaine des arts figuratifs, les principes de la géométrie constituent, selon la formule empruntée par Bragdon à Emerson, une « belle nécessité ». C'est la même nécessité qui, dans le langage, marque de son sceau les « significations grammaticales [1] ». Cette parenté entre les deux domaines, qui, dès le XIIIe siècle, avait été mise en lumière par Robert Kilwardby (cf. Wallerand, p. 46), et qui avait décidé Spinoza à traiter la grammaire *more geometrico*, émergea dans une étude linguistique de Benjamin Lee Whorf, « Language, Mind and Reality », publiée peu de temps après sa mort (Madras, 1942). L'auteur définit les modèles abstraits des « structures de phrases » en les opposant aux « phrases particulières » et au vocabulaire qui est un élément de l'ordre linguistique, « en quelque sorte rudimentaire et incapable de se suffire à soi-même », et envisage « une " géométrie " des principes formels qui caractérisent chaque langue ». Une comparaison entre la grammaire et la géométrie fut aussi esquissée par Staline au cours de sa polémique de 1950 contre l'aberration linguistique de Marr : la propriété distinctive de la grammaire est sa puissance d'abstraction; « en s'abstrayant elle-même de tout ce qui, dans les mots et les phrases, est du domaine du particulier et du concret, la grammaire ne s'occupe que du modèle général, qui est à la base des substitutions de mots et des combinaisons de mots en phrases, et construit en ce sens ses règles et lois [...] A cet égard, la grammaire ressemble à la géométrie, qui, en formulant ses lois, s'abstrait elle-même des choses concrètes, traite les choses comme des entités dépourvues de qualités concrètes, et définit leurs relations mutuelles non comme les relations concrètes de certains objets concrets, mais comme des relations entre entités en général, c'est-à-dire comme des relations dépourvues de tout caractère concret [2] ». La puissance d'abstraction de la pensée humaine, qui est le fondement, selon les deux auteurs cités, tout à la fois de la géométrie et de la grammaire, surimpose des figures géométriques ou grammaticales simples au mot, — qui se contente de « peindre » les objets particuliers, — et à la « matière » lexicale concrète de l'art du langage, — ainsi que le comprirent, de façon perspicace, dès le XIIIe siècle, Villard de Honnecourt, pour les arts graphiques, et Galfredus, pour la poésie.

1. Cf. R. Jakobson, « Boas'view of grammatical meaning », *American Anthropologist*, LXI (1959), 5, part 2. *Memoir*, p. 89 [trad. fr. : *Essais de linguistique générale*, chap. X (Paris, 1963)].

2. Comme V. A. Zvegincev me l'a fait remarquer, Staline, dans sa comparaison de la grammaire et de la géométrie, s'est inspiré des vues de V. Bogorodickij, disciple éminent du jeune Baudouin de Courtenay et de M. Kruszewski.

Le rôle essentiel joué dans la texture grammaticale de la poésie par toutes sortes de pronoms [a] est dû au fait que les pronoms, à la différence de tous les autres mots autonomes, sont des entités purement grammaticales et relationnelles; outre les substantifs pronominaux et les adjectifs pronominaux, il faut inclure dans cette classe des adverbes pronominaux et les verbes qu'on appelle verbes-substantifs (mais qu'il faudrait appeler verbes pronominaux) tels que *être* et *avoir*. Le rapport des pronoms aux mots non pronominaux a été maintes fois comparé au rapport des êtres géométriques aux êtres physiques (voir, par exemple, Zarecki).

En plus des procédés courants et d'extension très générale, la texture grammaticale de la poésie présente quantité de traits saillants plus spécifiques qui sont caractéristiques d'une littérature nationale donnée, d'une période déterminée, d'un genre particulier, d'un poète singulier, ou même d'une œuvre isolée. Les érudits du XIIIe siècle dont nous avons cité les noms nous remettent en mémoire le sens de la composition et l'habileté technique extraordinaires de l'époque gothique, et nous aident à comprendre la structure étonnante du chant de bataille hussite « Ktož jsú boží bojovníci ». C'est à dessein que nous insistons sur ce poème, monument de courroux révolutionnaire, à peu près dépourvu de tropes, très éloigné de l'ornementalisme ou du maniérisme : la structure grammaticale de l'œuvre révèle une articulation particulièrement travaillée.

Comme l'a montré l'analyse de ce chant (voir référence p. 226, n. 1), ses trois strophes, l'une après l'autre, se présentent sous une forme triadique, se divisant chacune en trois unités strophiques secondaires, ou *membra*. Chacune des trois strophes possède des traits grammaticaux qui lui sont propres et que nous avons appelés « similarités verticales ». Les trois *membra*, dans les trois strophes, se correspondent un à un, d'une strophe à l'autre, par des propriétés particulières, dénommées « similarités horizontales », de telle façon qu'à l'intérieur d'une même strophe, chaque *membrum* se différencie des deux autres. Le *membrum* initial et le *membrum* final du chant sont apparentés l'un à l'autre, ainsi qu'au *membrum* central (c'est-à-dire au second de la seconde strophe), et se différencient de tout le reste par des traits spécifiques qui dessinent, entre ces trois *membra*, une « diagonale descendante », — en opposition à la « diagonale ascendante » qui relie le *mem-*

a. Le lecteur français devra se rappeler que la rubrique des « pronoms » est beaucoup moins riche dans la routine scolaire française que dans bon nombre de grammaires étrangères, où l'on distingue, comme le fait ici Jakobson, des « substantifs pronominaux », des « adjectifs pronominaux », etc.

brum central du chant au *membrum* final de la strophe initiale et au *membrum* initial de la strophe finale. En outre, des similarités notables rapprochent (tout en les séparant du reste) les *membra* centraux de la première et de la troisième strophes et le *membrum* initial de la seconde strophe, et, d'autre part, les *membra* terminaux de la première et de la troisième strophes et le *membrum* central de la seconde strophe. La première relation peut être dénommée « arc convexe supérieur »; la seconde « arc convexe inférieur ». Enfin, pareillement déterminés par des critères grammaticaux, apparaissent les « arcs concaves » : « arc concave supérieur », unissant les *membra* initiaux de la première et de la dernière strophe et le *membrum* central de la seconde strophe; « arc concave inférieur », liant les *membra* centraux de la première et de la dernière strophes et le *membrum* terminal de la seconde strophe [a].

a. Pour éclairer tout ce passage (qui est obscurci, dans l'édition originale, par une coquille, et qui se trouve ici traduit conformément aux corrections que Jakobson y a apportées en vue de l'édition de ses œuvres complètes), on transpose, sous la forme d'un schéma, l'ensemble de l'analyse :

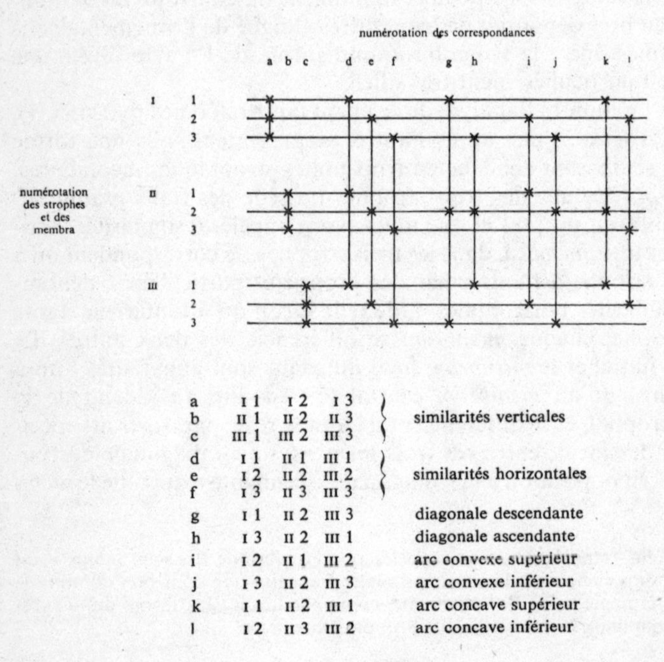

a	I 1	I 2	I 3	similarités verticales
b	II 1	II 2	II 3	
c	III 1	III 2	III 3	
d	I 1	II 1	III 1	similarités horizontales
e	I 2	II 2	III 2	
f	I 3	II 3	III 3	
g	I 1	II 2	III 3	diagonale descendante
h	I 3	II 2	III 1	diagonale ascendante
i	I 2	II 1	III 2	arc convexe supérieur
j	I 3	II 2	III 3	arc convexe inférieur
k	I 1	II 2	III 1	arc concave supérieur
l	I 2	II 3	III 2	arc concave inférieur

Cette solide « membrure », cet équilibre géométrique, doivent être considérés sur le fond de décor de l'art gothique et de la scolastique, rapprochés de façon convaincante par Erwin Panofsky. Par sa construction ce chant tchèque du début du XVe siècle s'apparente à ce qui fait à l'époque autorité : les préceptes de la « très classique *Somme*, avec sa triple exigence : — de totalité (caractère suffisant de l'énumération); — de construction, conformément à un système homologique de parties et de parties de parties (caractère suffisant de l'articulation); — de netteté et de puissance convaincante dans l'argumentation (caractère suffisant de l'inter-relation). » Aussi grande que soit la distance entre le thomisme et l'idéologie de l'auteur anonyme du *Zisskiana cantio*, la construction de ce chant satisfait entièrement l'exigence artistique de Thomas d'Aquin : « Les sens trouvent leur plaisir dans des objets convenablement proportionnés, en tant que ces objets leur sont apparentés; car les sens sont une sorte de raison, au même titre que toute faculté cognitive. » La texture grammaticale de ce choral hussite correspond aux principes de composition de la peinture tchèque de même époque. Dans sa monographie sur la peinture de l'époque hussite, Kropáček analyse le style du début du XVe siècle et met en évidence une articulation systématique et rigoureuse de la surface, une étroite subordination des parties aux fonctions de l'ensemble, et un usage concerté des contrastes.

L'exemple tchèque nous aide à entrevoir tout ce qu'il y a de correspondances complexes entre les fonctions de la grammaire en poésie et les rapports géométriques dans la peinture. Nous sommes affrontés, au plan de la phénoménologie, au problème de la parenté intrinsèque de ces deux facteurs, et, au plan de l'histoire, à la nécessité d'une enquête concrète sur les évolutions convergentes et les interactions de la littérature et de l'art pictural. En outre, dans la recherche d'une définition des tendances et des traditions artistiques, l'analyse de la texture grammaticale nous livre des clés importantes; et nous en arrivons finalement à la question fondamentale : comment une œuvre poétique, face aux procédés en honneur dont l'inventaire lui est légué, les exploite-t-elle à une fin nouvelle, et leur donne-t-elle une valeur neuve, à la lumière de leurs fonctions nouvelles? C'est ainsi, pour revenir à notre exemple, que le chef-d'œuvre de la poésie révolutionnaire hussite a hérité du trésor opulent de l'époque gothique ces deux sortes de parallélisme grammatical que sont, selon la terminologie de Hopkins, la « comparaison par ressemblance » et la « comparaison par dissemblance »; nous avons, à partir de là, pour tâche de rechercher comment la combinaison de ces deux procédés — principalement grammaticaux — a permis au poète de mener à bien, de façon cohérente, convaincante, efficace, le passage du cantique initial, par l'argumentation militante de la seconde strophe aux ordres militaires et aux cris de bataille de la strophe finale, ou — en d'autres termes — comment le plaisir poétique, communiqué par des structures verbales convenablement proportionnées, se mue en une puissance de commandement qui mène à une action directe.

Traduit de l'anglais par
ANDRÉ JARRY

RÉFÉRENCES

Adrianova-Peretc (V.), *Russkaja demokraticheskaja satira XVII v.* (Moscou-Leningrad, 1954).
Aristov (N.), « Povest' o Fome i Ereme », *Drevnjaja i novaja Rossija*, IV (1876).
Astakhova (A.), *Byliny Severa*, t. II (Moscou-Leningrad, 1951).
Bentham (J.), *Theory of Fictions*, éd. et présenté par C. K. Ogden (Londres, 1939).
Berry (F.), *Poets' grammar* (Londres, 1958).
Bogatyrev (P.), « Improvizacija i normy khudozhestvennykh priemov na materiale povestej XVIII v., nadpisej na lubochnykh kartinkakh, skazok i pesen o Ereme i Fome », *To Honor Roman Jakobson*, t. I (La Haye-Paris, 1967).
Bragdon (C.), *The beautiful necessity* (Rochester-New York, 1910).
Brooke-Rose (C.), *A grammar of metaphor* (Londres, 1958).
Davie (D.), *Articulate energy; an inquiry into the syntax of English poetry* (Londres, 1955).
Faral (E.), *Les Arts poétiques du XIIe et XIIIe siècle* (Paris, 1958).
Fortunatov (F.), *Izbrannye trudy*, t. I (Moscou, 1965).
Gonda (J.), *Stylistic repetition in the Veda* (Amsterdam, 1959).
Hopkins (G. M.), *Journals and papers* (Londres, 1959).
Kharuzin (N.), *Russkie lopari* (Moscou, 1890).
Kropáček (P.), *Malířství doby husitské* (Prague, 1956).
Panofsky (E.), *Gothic architecture and scholasticism* (New York, 1957) [trad. fr. : *Architecture gothique et Pensée scolastique* (Paris, 1969)].
Sapir (E.), *Language* (New York, 1921) [trad. fr. : *le Langage* (Paris, 1953)].
Sapir (E.), *Totality* (Baltimore, 1930).
Sobolevski (A.), *Velikorusskie narodnye pesni*, t. I (Saint-Pétersbourg, 1895).
Spottiswoode (R.), *Film and its technique* (New York, 1951).
Stalin (I.), *Marksizm i voprosy jazykoznanija* (Moscou, 1950).

Steinitz (W.), *Der Parallelismus in der finnisch-karelischen Volksdichtung* (Helsinki, 1934).
Veresaev (V.), « Zapisi dlja sebja », *Novyj Mir*, 1960.
Wallerand (G.), *Les Œuvres de Siger de Courtrai* (Louvain, 1913).
Whorf (B. L.), *Language, thought and reality* (New York, 1965) [trad. fr. : *Linguistique et Anthropologie* (Paris, 1969)].
Zareckij (A.), « O mestoimenii », *Russkij jazyk v shkole*, VI (1960).

Le parallélisme grammatical et ses aspects russes[a]

I. [POSITION DU PROBLÈME. POÉSIES HÉBRAÏQUES ET CHINOISE.]

Quand on aborde le problème linguistique du parallélisme grammatical[1], on ne peut résister à l'envie de citer inlassablement ce travail de pionnier que fut, il y a exactement un siècle, l'étude du jeune Gérard Manley Hopkins[2] :

> La poésie, en tant que technique artistique — et peut-être faudrait-il dire : toute technique artistique — se ramène au principe du parallélisme. La structure de la poésie consiste en un parallélisme continu, qu'il s'agisse aussi bien de la technique de ce qu'on appelle communément les Parallélismes de la poésie hébraïque, ou de la musique d'Église sous sa forme antiphonaire, que de la complexité du vers grec, italien ou anglais.

Nous nous sommes familiarisés avec l'étymologie suggestive du mot PROSE comme du mot VERS : pour le premier, *oratio prosa* < *prorsa* < *proversa*, « discours qui va de l'avant »; et pour le second, *versus*, « retour ». Partant nous devons constamment tenir compte de ce fait irrécusable qu'à tous les niveaux de la langue l'essence, en poésie, de la technique artistique réside en des retours réitérés. Lorsque des traits et des séquences phonématiques, lorsque des éléments tout à la fois morphologiques et lexicaux, syntaxiques et sémantiques (au niveau de la phrase), se rencontrent dans des positions qui se correspondent à l'intérieur du vers ou de la strophe, — nécessairement, en face de cet ensemble de faits, nous nous trouvons consciemment ou inconsciemment affrontés aux questions suivantes : les entités qui

1. Je remercie, pour l'aide qu'ils m'ont apportée, les professeurs F.-M. Cross, M. Halle, J.-R. Hightower, A. Schenker, et K. Taranovski, et mon assistante Alice Iverson.

2. « Poetic Diction », *The journals and papers of Gerard Manley Hopkins*, éd. par Humphry House et Gragam Storey, p. 84 (Londres, 1959).

a. « Grammatical parallelism and its Russian facet », *Language*, XLII (1966), 2, p. 399-429.

se correspondent par leurs positions ont-elles entre elles un lien de similarité? jusqu'à quel point? de quelle façon?

Les modèles poétiques où certaines similarités entre séquences successives sont obligatoires ou bénéficient d'un haut degré de préférence se retrouvent dans toutes les langues du monde et se prêtent particulièrement bien à la fois à l'étude du langage poétique et à l'analyse linguistique en général. Ces types traditionnels où le parallélisme est de rigueur jettent une lumière sur la variété des relations qui peuvent jouer entre les différents aspects de la langue et permettent de répondre à cette question primordiale : quel genre d'affinité entre catégories grammaticales ou phonologiques leur permet de fonctionner comme équivalentes dans le modèle donné? On en conclut que les catégories en question ont un dénominateur commun dans le code linguistique de la communauté parlante concernée.

De ces divers systèmes le PARALLELISMUS MEMBRORUM de la Bible fut le premier à attirer l'attention des spécialistes occidentaux. Dans son « Discours préliminaire » à sa traduction d'Isaïe, publiée pour la première fois en 1778, Robert Lowth jeta les fondements d'une étude systématique de la texture verbale de l'ancienne poésie hébraïque, et fit entrer le mot « parallélisme » dans le domaine de la Poétique :

> La correspondance d'un vers (d'une « ligne ») avec un autre, je l'appelle Parallélisme. Quand un second élément textuel vient s'inscrire à côté ou au-dessous d'un premier, et qu'il lui est équivalent, ou opposé, du point de vue du Sens, ou qu'il lui est apparenté du point de vue de la construction grammaticale, — alors je parle de Vers Parallèles, et les mots ou syntagmes qui se répondent d'un Vers à l'autre, je les appelle Termes Parallèles.
> Les Vers Parallèles peuvent être répartis en trois sortes : Parallèles par Synonymie, Parallèles par Antithèse, Parallèles par Synthèse. [...] Il faut remarquer que les différentes sortes de Parallèles sont constamment mêlées, et que ce mélange donne à la construction d'ensemble variété et beauté [1].

« Des trois sortes de Parallèles » définies par Lowth, « chacune a son caractère propre et produit son effet spécifique » (§ XXVII).

1. Robert Lowth, *Isaiah*[a], § X-XI (Londres, 1779). Cf. aussi son *De sacra poesia hebraeorum* (Oxford, 1753). Les idées de Lowth ont inspiré non seulement la recherche ultérieure mais aussi le mouvement poétique. Fondé sur le parallélisme, le poème de Christopher Smart, dans les années 1759-63, « représente un essai pour adapter au vers anglais quelques-uns des principes du vers hébraïque exposés par l'évêque Robert Lowth »; la remarque est de William H. Bond, dans son édition du *Jubilate agno* de Smart, p. 20 (Londres, 1954).

Les vers synonymes « se correspondent en exprimant le même sens en des termes différents mais équivalents : quand un élément textuel est immédiatement répété, en tout ou en partie, l'expression subissant un changement, mais le sens demeurant entièrement, ou bien presque entièrement le même » (§ XI). Deux vers antithétiques « se correspondent par une Opposition [...], quelquefois au niveau de l'expression, quelquefois uniquement au plan du sens. Partant, les degrés de l'Antithèse sont variables : depuis un conflit terme à terme à travers toute la phrase, jusqu'à une dissonance globale, comportant des aspects contrastants, dans les deux éléments textuels » (§ XIX). A ces deux types l'auteur oppose des corrélations purement grammaticales, qu'il appelle « Synthétiques ou Constructives », « où le Parallélisme consiste seulement en des formes similaires de Construction ». Les ensembles métriques sont liés par une simple « correspondance entre divers éléments textuels, qui s'inscrit dans la forme et le tour de l'ensemble de la phrase et de ses parties constitutives : correspondance, par exemple, de substantif à substantif, de verbe à verbe, de membre de phrase à membre de phrase, de négation à négation, ou d'interrogation à interrogation » (§ XXI).

Les études minutieuses de Newman et Popper [1] avaient frayé la voie à la révision capitale qui a été faite récemment des questions essentielles que pose la parallélisme biblique, dans sa nature et son évolution [2]. Les dernières décennies, par leurs investigations intensives, ont jeté une lumière nouvelle sur l'étroite parenté qui unit les écrits poétiques hébraïques et ougaritiques, sur le terrain du mètre et de la strophe, et en matière de « parallélisme répétitif » (expression constamment employée dans les études sémitiques). L'organisation prosodique et verbale qui apparaît principalement dans les poèmes bibliques les plus archaïques et dans les épopées

1. Louis I. Newman et William Popper, *Studies in biblical parallelism*, 1re et 2e parties (Université de Californie, 1918).

2. Voir en particulier Harold L. Ginsberg, « The Rebellion and Death of Ba'lu », *Orientalia* (N. S.) V (1936), 2; du même, « The legend of King Keret », *Bulletin of the American Schools of Oriental Research*, Supplementary Studies, 1946, 2-3; William F. Albright, « The Old Testament and the Canaanite language and literature », *Catholic Biblical Quaterly* VII (1945); du même, « A Catalogue of early Hebrew lyric poems (psalm LXVIII) », *The Hebrew Union College Annual*, XXIII (1950-1), 1; du même, « The Psalm of Habakkuk », *Studies in Old Testament Prophecy presented to Theodore H. Robinson* (Edimbourg, 1950); Frank M. Crosse et David N. Freedman, « The blessing of Moses », *Journal of Biblical Literature* XLVII (1948), 3; Frank M. Cross, « Notes on a Canaanite Psalm in the Old Testament », *Bulletin of the American Schools of Oriental Research*, 1950, 117; Stanley Gevirtz, *Patterns in the early poetry of Israel* (Chicago, 1963).

chananéennes remonte visiblement à une ancienne tradition chananéenne qui n'est pas sans rapport avec les textes akkadiens. La reconstitution et l'interprétation philologique de la poésie biblique dans son état ancien est un aboutissement spectaculaire de la recherche contemporaine. Dorénavant, à la lumière du travail accompli, la structure du parallélisme qui est le fondement de la poésie biblique et de la poésie ougaritique exige toute la rigueur d'une analyse linguistique, et la variété apparemment infinie des parallèles que nous avons sous les yeux doit se laisser réduire à une typologie précise et exhaustive. L'entreprise audacieuse mais prématurée de Lowth demande à être reprise à un autre niveau.

Son exemple a servi de modèle au premier effort des Occidentaux pour étudier une autre tradition littéraire ancienne qui a toujours considéré le parallélisme comme la technique poétique primordiale. Dès 1829, à un congrès de la Société royale asiatique, une communication de J. F. Davis « Sur la poésie des Chinois », présentait le parallélisme comme le trait le plus digne d'intérêt dans l'organisation de la poésie chinoise, « car il y a là une ressemblance frappante avec ce qui a été noté à propos de la poésie hébraïque [1] ». Davis citait de longs passages de la dissertation de l'évêque Lowth, adoptait très précisément les distinctions de ce dernier entre les différentes espèces de correspondances, et observait que le troisième type de parallèle — qui est défini par Lowth comme synthétique et constructif — « est de loin le plus fréquent chez les Chinois ». Les deux autres types « y sont généralement accompagnés par le troisième : la correspondance au niveau du sens, qu'elle consiste en équivalence ou en opposition, est presque toujours soutenue par une correspondance au niveau de la construction ; celle-ci se rencontre souvent sans la première, tandis que l'inverse se produit très rarement. Le procédé s'étend à toute leur poésie, constitue son trait le plus caractéristique, et se révèle, pour une part importante, la source de sa beauté [2] » (p. 414 s.).

Ces définitions et ces critères de classification sont à la base d'un certain nombre d'études postérieures dont le principal but était

1. John Francis Davis, « Poeseos Sinensis Comentarii », *Transactions of the Royal Asiatic Society of Great Britain and Ireland*, II (1830), p. 410-419.

2. Lowth fit aussi remarquer que, dans la Bible, dans des couples de vers qui ne sont ni équivalents ni opposés du point de vue sémantique, « il existe un parallélisme tout aussi apparent, et presque aussi frappant, dans la forme semblable et dans l'égalité des vers, dans la correspondance des membres et dans la construction » (§ XXV).

une traduction appropriée des ouvrages poétiques chinois [1]. Aujourd'hui on réclame, de manière pressante, une description plus précise et plus minutieuse. Hightower a traduit deux œuvres chinoises du ve et du vi^e^ siècle, qui sont écrites dans ce qu'on appelle communément « prose à parallélismes » (en fait, forme versifiée à la métrique souple, peu contraignante); et il a étudié leur principe d'organisation [2]. Soucieux de discerner toutes les variétés de parallélisme, il consulte sur ce point la tradition critique des Chinois eux-mêmes, qui surpasse les observations étrangères à la fois par son ancienneté et par sa perspicacité. En particulier, il se reporte à la compilation que fit Kūkai, au IXe siècle, des vieilles sources chinoises, le *Bunkyō hifuron*, — traité de théorie littéraire qui énumère vingt-huit espèces de parallélisme [3]. Hightower lui-même opère avec six types de Parallélisme simple : réitération, synonymie, antonymie, « ressemblances » (similitude à la fois lexicale et grammaticale [4]), « dissemblances » (similitude grammaticale sans similitude lexicale), « couplages formels » (« associations un peu forcées » du point de vue de la sémantique lexicale, sans similitude grammaticale). Il y adjoint les problèmes de Parallélisme complexe, ainsi que les parallèles métriques, grammaticaux, phoniques.

Les « fiches » sinologiques de P. A. Boodberg, qui envisagent les différents aspects du parallélisme — grammatical, lexical, prosodique — et la charge polysémique des mots et des vers couplés, en rapport avec les difficultés de traduction de la poésie chinoise, constituent des prolégomènes très pénétrants à l'étude linguistique systématique qui continue à faire défaut et dont le but serait de démonter l'architecture de cette tradition poétique magnifique. Boodberg a démontré qu'une des fonctions du second vers d'un couplet est de « nous donner une clé pour la construction du premier » et de faire émerger (de *réveiller*) le sens fondamental des mots mis en rapport; il a prouvé que « le parallélisme n'est pas seulement un procédé stylistique consistant en un redoublement syntaxique de type formu-

1. Voir par exemple Marie-Jean-Léon Hervay Saint-Denis, *Poésies de l'époque Tchang*, traduites du chinois... avec une étude sur l'art poétique en Chine (Paris, 1862); Gustave Schlegel, *La Loi du parallélisme en style chinois démontrée par la préface du « Si-yü-ki »* (Leyde, 1896); B. Tchang Tcheng-Ming, *Le Parallélisme dans les vers du Chen King* (Changhai-Paris, 1937).

2. James Robert Hightower, « Some characteristics of parallel prose », *Studia Serica Bernhard Karlgren* (Copenhague, 1959).

3. Le professeur Hightower m'a fourni très aimablement un sommaire en anglais de la liste de Kùkai.

4. Cf. Heinrich Lausberg, *Handbuch der literarischen Rhetorik*, t. 1, § 750 : similitudo (Munich, 1960).

laire; il se propose d'aboutir à un résultat qui fait penser à la vision binoculaire : la superposition de deux images syntaxiques, susceptible de donner à l'ensemble à la fois consistance et profondeur, la répétition du schéma ayant pour effet de souder entre eux des syntagmes qui apparaissent à première vue juxtaposés de façon assez lâche [1] ».

Voilà qui est fondamentalement équivalent au jugement prononcé par Herder, à propos du parallélisme biblique, dans sa fameuse réponse à l'édition latine de Lowth : « Les deux Membres se renforcent, s'étayent, se prêtent mutuellement appui [2]. » Les efforts de Norden pour dissocier les deux canons poétiques et opposer un « Parallélisme de la Forme », du côté chinois, et un « Parallélisme de la Pensée », du côté hébraïque, quoique ils aient été souvent cités, sont difficilement acceptables [3]. Les balancements grammaticaux et lexicaux de la poésie chinoise ne le cèdent en rien au parallélisme biblique du point de vue de la charge sémantique. Comme l'a montré Chmielewski, le parallélisme linguistique de la Chine peut être « doublé par le parallélisme de la structure logique », et assume dès lors un « rôle virtuel très positif dans le processus spontané de la pensée logique [4] ». Selon un autre sinologue polonais bien connu, Jabloński, le parallélisme multiforme qui est le trait le plus saillant du style littéraire chinois, est lié, d'une parenté très proche, et harmonieuse, « avec la conception chinoise du monde, considéré comme un jeu de deux principes alternants dans le temps et opposés dans l'espace. Il faudrait dire plutôt des sexes que des principes, car on croit plutôt voir le monde divisé en des paires d'objets, d'attributs, d'aspects à la fois accouplés et opposés [5] ». Norden avait fondé sa classification sur l'impression que le parallélisme métaphorique était prédominant dans la poésie biblique et sur le préjugé courant que les correspondances métonymiques — par exemple, rapport de la partie au tout ou du particulier au général — qui relient des vers « à construction

1. Peter A. Boodberg, « On crypto-parallelism in Chinese poetry » et « Syntactical metaplasia in stereoscopic parallelism », *Cedules from a Berkeley Workshop in Asiatic Philology*, 001-540 701 et 017-541 210 (Berkeley, Calif., 1954-1955).

2. Johann Gottfried Herder, *Vom Geist der ebräischen Poesie*, p. 23 (Dessau, 1782).

3. Eduard Norden, *Die antike Kunstprosa* [5], t. II, p. 816 s. (Darmstadt, 1958).

4. Janusz Chmielewski, « Notes on early Chinese logic », *Rocznik Orientalistyczny*, XXVIII (1965), 2, p. 87-111.

5. Witold Jabloński, *Les « Siao-ha(i-eu)l-yu » de Pékin. Un essai sur la poésie populaire en Chine*, p. 20 s. (Cracovie, 1935).

parallèle » (Lowth, XXIII; Jabłoński, p. 27 s.) ont un rôle simplement cumulatif, et non déterminant [1].

Le « style oraculaire », à base de symétries, apparenté au *parallelismus membrorum*, est attesté dans de nombreux passages des Vedas, et la monographie exhaustive de Gonda examine scrupuleusement les procédés répétitifs typiques qui sont liés à ce mode d'expression [2]. Néanmoins, la tendance des anciens textes hindous à jouer sur des correspondances symétriques ne peut être considérée comme l'équivalent des modèles, précédemment cités, où le parallélisme a la valeur d'une règle et se trouve répandu profusément.

II. [LE FOLKLORE OURALO-ALTAÏQUE.]

Le parallélisme grammatical est partie intégrante du canon poétique de nombreux modèles populaires. Gonda, p. 28 s., s'est référé à divers pays, dans différentes parties du monde, où les structures binaires — vers se correspondant au plan grammatical et au plan lexical — apparaissent prédominantes dans les prières traditionnelles, les exorcismes, les chants magiques, et autres formes de poésie orale, et il a attiré l'attention du lecteur tout particulièrement sur les litanies et ballades de Nias (à l'ouest de Sumatra), « qui se présentent sous la forme d'un couple de membres parallèles, parfaitement synonymes [3] ».

Mais notre information sur la distribution du parallélisme dans le folklore mondial et sur ses caractéristiques dans l'éventail des langues est encore rare et fragmentaire; d'où la nécessité, pour le moment, de s'en tenir principalement aux résultats de l'enquête qui a pris pour objet les chants à parallèles de la zone ouralo-altaïque.

Dans sa monographie fondamentale sur le parallélisme dans la poésie populaire des Finno-Karéliens, Steinitz a rappelé l'origine de l'intérêt des érudits pour ce problème [4]. Il est remarquable que les plus anciennes allusions au parallélisme poétique des Finnois naissent d'une comparaison avec la poésie biblique, et que les premières affirmations concernant l'existence de points communs entre les deux modèles apparaissent, chez Cajanus et Juslenius, long-

1. Cf. R. Jakobson, *Essais de linguistique générale*, chap. II (Paris, 1963).
2. Jan Gonda, *Stylistic repetition in the Veda* (Amsterdam, 1959).
3. Voir W. L. Steinhart, *Niassche teksten* (Bandung, 1937).
4. Wolfgang Steinitz, « Der Parallelismus in der finnisch-karelischen Volksdichtung », *Folklore Fellows Communications*, nº 115, § 4 (Helsinki, 1934).

temps avant l'Hebraica de Lowth [1]. Malgré l'enthousiasme croissant pour le folklore de la Finlande depuis le début jusqu'au milieu du XIXe siècle, sa structure verbale échappa, le plus souvent, aux intérêts des érudits locaux aussi bien que des érudits occidentaux, au moment même où Longfellow, prenait connaissance, à travers la traduction allemande du *Kalevala* par Anton Schiefner (1852), du style, à base de parallèles, de l'original, et l'imitait dans son *Chant de Hiawatha* (1855).

Dans les années 1860, les propriétés essentielles du langage poétique finnois entrèrent dans le champ des recherches. La construction grammaticale des distiques parallèles du *Kalevala* fut décrite dans la dissertation d'Ahlqvist : « La poétique finnoise d'un point de vue linguistique », à une époque où aucun autre système de parallélisme n'avait été soumis à un traitement de cet ordre [2]. Mais Steinitz fut le premier, soixante-dix ans plus tard, à mettre au point, dans une perspective scientifique rigoureuse, une « grammaire du parallélisme », pour reprendre les termes dont l'auteur définissait lui-même l'objet de son enquête sur les chants épiques, lyriques et magiques du fameux chantre finno-karélien Arhippa Perttunen (*op. cit.*, p. XII). C'est un travail de défrichage non seulement dans le domaine finno-ougrien, mais aussi et surtout, d'un point de vue méthodologique, en tant qu'approche structurale du parallélisme grammatical. Les aspects syntaxiques et morphologiques de ce modèle poétique sont décrits succinctement dans la monographie de Steinitz, tandis que leurs relations mutuelles et la diversité des liaisons sémantiques entre les vers parallèles et leurs éléments sont seulement entr'aperçus. La recherche mettait en évidence la variété des liens grammaticaux qui unissent les fragments versifiés situés en parallèle, mais les rela-

1. Erik Cajanus, *Linguarum ebraeae et finnicae convenientia*, p. 12 s. (Åbo, 1697); Daniel Juslenius, « Oratio de convenientia linguae Fennicae com Hebraea et Graeca », *Schwedische Bibliothek*, I (1728), p. 163 : « Imprimis notabilis est Hebraicorum et Fennorum carminum concentus, consistens qua poësin in Periodi cujusvis divisione in duo Hemistichia, quorum posterius variata phrasi, sensum cum priori continet eundem, vel etiam *emphatikóteron*. Si vero contingit plura poni membra, aut partium est enumeratio, aut gradatio orationis ». [Il faut commencer par noter, entre les poèmes hébraïques et les poèmes finnois, la parenté suivante : n'importe quelle unité poétique se divise en deux hémistiches, dont le deuxième, par une « variation » de la phrase, contient le même sens que le premier, ou un sens plus *expressif*. S'il arrive que soient alignés plus de deux membres, il s'agit soit d'une énumération, soit d'une gradation.] Ces remarques furent ensuite développées par Henrik Gabriel Porthan, *De poesi fennica* (Helsinki, 1766-8).

2. August Ahlqvist, *Suomalainen runousoppi kielelliseltä kannalta* (Helsinki, 1863); une version revue et corrigée, sous le titre « Suomalainen runo-oppi », fut intégrée dans le recueil de l'auteur : *Suomen kielen rakennus*, t. I (Helsinki, 1877).

tions mutuelles de ces distiques, dotés chacun d'une structure différente, leurs fonctions caractéristiques au sein d'un contexte plus large, exigent le traitement global et intégral d'un chant donné considéré en son entier, — moyennant quoi les vers qui, en première approximation, ne font pas partie d'un couple et ont un statut isolé, obtiendront à leur tour une interprétation nouvelle et plus nuancée de leur situation et de leur rôle.

Stimulé par la recherche de Steinitz [1], Austerlitz, dans son examen minutieux de la métrique chez les Ostiaks et les Vogouls, accorde une attention particulière aux « structures parallèles », mais là où Steinitz, dans son travail de 1934, laissait les questions ouvertes, l'analyse que fait Austerlitz du parallélisme des Ob-Ougriens « est systématiquement restreinte » — selon ses propres termes — « aux traits formels du matériel examiné », et n'a pas « à inclure la sémantique, ou quelque domaine que ce soit, au-delà de la grammaire [2] ». Le parti pris, qui en découle, de limiter l'analyse au contexte immédiat, crée artificiellement une coupure entre les vers, dont chacun est censé former un tout et se suffire à lui-même, ce qui aurait pu être évité « si le souci de l'organisation des vers dans la structure d'ensemble du poème avait dominé la démarche », comme le fait remarquer avec bon sens un compte rendu de son étude [3]. Les remarques d'Austerlitz sur les vestiges de parallélisme dans la poésie hongroise (p. 125) et les références de Steinitz à un modèle analogue dans la poésie orale des Finnois de l'Ouest et des Mordviniens (§ 3) autorisent l'hypothèse d'une tradition commune finno-ougrienne ou même ouralienne, ainsi que le suggère Lotz dans son analyse d'un chant sayano-samoyède [4].

La poésie orale de diverses ethnies turques offre un type de parallélisme rigoureux qui a probablement la même origine, comme les recensions étendues de Kowalski et de Jirmunski le montrent de façon convaincante [5]. Le recueil le plus ancien de ces épopées popu-

1. *Op. cit.* et *Ostjakische Volksdichtung und Erzählungen aus zwei Dialekten*, t. I (Tartu, 1939), t. II, p. 1 (Stockholm, 1941).

2. Robert Austerlitz, « Ob-Ugric metrics », *FF Communications*, nº 1748 (Helsinki, 1958). Cf. le « procès » intenté, dans un compte rendu de son article, à son refus des critères sémantiques dans l'analyse de la répétition et du parallélisme structurels : John L. Fischer, *Journal of American Folklore*, LXXII (1960), p. 339 s.

3. Dell H. Hymes, *Anthropos*, LV (1960), p. 575.

4. John Lotz, « Kamassian Verse », *Journal of American Folklore*, LXVII (1954), p. 374-376.

5. Tadeusz Kowalski, « Ze studjów nad forma poezji ludów tureckich », *Mémoires de la Commission orientale de l'Académie polonaise des sciences et des lettres*, nº 5 (Cracovie, 1921); V. M. Jirmunski, « Ritmiko-sintaksicheskij parallelizm

laires, le « Kitab-i Dede Qorkut » des Oghuz, date du XVIe siècle [1]. Plus les traits que nous observons dans le modèle culturel d'une ethnie turque sont anciens, plus le parallélisme, en tant que base de la poésie orale du pays, et particulièrement de l'épopée, est répandu. Quoique cette matrice contraignante, chez les Turcs, ait beaucoup de points communs avec les systèmes finno-ougriens, les divergences sont, elles aussi, frappantes. Une analyse structurale des plus serrées, portant sur le parallélisme, tel qu'il fonctionne dans le folklore de chaque ethnie turque, est une tâche linguistique urgente.

Dans une étude, enrichie de nombreux exemples, et conçue selon la classification de Steinitz, du matériel finno-karélien, Poppe a montré que le parallélisme s'étend, de la même façon, à la poésie orale de toutes les ethnies mongoles [2], quoique ce trait ait été généralement ignoré des spécialistes de la littérature et du folklore mongols. Ainsi la plus grande partie de l'immense zone ouralo-altaïque offre une tradition orale fondée sur le parallélisme grammatical, et les traits divergents autant que les traits convergents devraient être dégagés par une étude comparative approfondie des variantes régionales.

III. [LE FOLKLORE RUSSE.]

Dans le monde indo-européen, la seule tradition orale actuellement vivante qui utilise le parallélisme grammatical comme principe fondamental pour faire le lien entre vers successifs est la poésie populaire russe, qu'il s'agisse de chansons ou de chants à réciter [3]. Ce principe constitutif du folklore russe fut relevé, pour la première fois, dans

kak osnova drevnetjurkskogo narodnogo èpicheskogo stikha », *Voprosy jazykoznanija*, XIII (1964), 4, et une version allemande de ce dernier article : Viktor Schirmunski, « Syntaktischer Parallelismus und rhythmische Bindung im alttürkischen epischen Vers », *Beiträge zur Sprachwissenschaft, Volkskunde und Literaturforschung - Steinitz Festschrift* (Berlin, 1965).

1. V. M. Jirmunski, « Oguzskij geroicheskij èpos i " Kniga Korkuta " », *Kniga moego deda Korkuta : oguzskij geroicheskij èpos*, éd. par Jirmunski et A. N. Kononov (Moscou-Leningrad, 1962).

2. Nikolaus Poppe, « Der Parallelismus in der epischen Dichtung der Mongolen », *Ural-Altaische Jahrbücher*, XXX (1958), p. 195-228.

3. Dans le folklore des autres peuples slaves, le parallélisme occupe une place plus restreinte, en dépit de sa pertinence dans certains genres poétiques comme les *dumy* ukrainiennes ou les chansons lyriques des Slaves du Sud; cf. Herbert Peukert, *Serbokroatische und makedonische Volkslyrik*, p. 146-158 (Berlin, 1961).

un article consacré au *Kalevala* et publié sans nom d'auteur dans les « Mélanges » d'une revue populaire de Pétersbourg en 1842, avec un sous-titre éloquent : « Le fondement identique de la versification hébraïque, chinoise, scandinave, et finnoise, aussi bien que de la poésie du folklore russe — le Parallélisme [1]. » Du *Kanteletar* finnois, il est dit (p. 59) qu'il présente une ressemblance étroite avec les chants populaires russes « du point de vue du rythme et de la construction » *(ladom i skladom)*.

> La CONSTRUCTION du vers est tout à fait la même que dans les chants archaïques russes. [...] Apparemment, jusqu'à présent, personne ne s'est avisé de ce fait extrêmement intéressant que la CONSTRUCTION de nos chants populaires remonte aux inventions humaines des premiers âges en matière de musique verbale, et se trouve proche parente, d'une part, des systèmes poétiques des scaldes scandinaves et des rhapsodes finnois *(bjarmskikh bajanov)*, et, d'autre part, de la versification des Hébreux d'autrefois et des Chinois d'aujourd'hui. Jusqu'à l'introduction de la musique verbale savante, c'est-à-dire de l'alternance des temps faibles et des temps forts [...] deux principes harmoniques naturels, le PARALLÉLISME et l'ALLITÉRATION, furent sans doute le fondement universel de la poésie [2]. Le terme « parallélisme » fut employé pour la première fois à propos de ce trait relevé par les commentateurs de la Bible comme caractéristique de la versification hébraïque : le second ou le troisième vers d'une strophe offre presque toujours une interprétation, une paraphrase, ou une simple répétition, d'une pensée, d'une figure, d'une métaphore, contenue dans le ou les vers précédents. Nulle part ailleurs on ne pourrait trouver des exemples aussi manifestes et aussi riches de ce procédé que dans nos chants russes, dont la construction est tout entière fondée sur le parallélisme (p. 60 s.).

1. « Kalevala, finskaja jazycheskaja èpopeja », *Biblioteka dlja chtenija* LV (1842), 7, p. 33-65. En passant en revue le contenu des chansons folkloriques finnoises et en observant la difficulté de leur traduction, cet article, comme nous l'a fait aimablement remarquer Mrs. Dagmar Kiparsky, reproduit les grandes lignes de l'étude de Xavier Marmier « De la poésie finlandaise », *Revue des deux mondes*, XXXII (1842), p. 68-96; mais ce dernier ne fait aucune analyse comparative du parallélisme et borne ses observations sur ce procédé finnois à la brève remarque qui suit : « Ces vers sont, en outre, composés en grande partie par un procédé de parallélisme, c'est-à-dire que le second vers de chaque strophe répète en d'autres termes ou représente avec d'autres nuances la pensée ou l'image tracée dans le premier, et il y a parfois dans ces deux vers, qui sont comme le double écho d'un même sentiment, qui se fortifient l'un par l'autre, et s'en vont sur la même ligne sans se confondre, un charme indéfinissable et impossible à rendre » (p. 96).

2. L'analogue scandinave qui est cité ne concerne, semble-t-il, que l'allitération.

L'auteur donne quelques exemples et commente leur aspect, en partie métaphorique, en partie synonymique; il ajoute que de tels agencements, qu'on pourrait tirer par milliers de la poésie populaire russe, constituent son essence véritable. « Ce n'est ni fantaisie ni barbarie, mais un respect parfaitement réfléchi du lien intime, indissoluble, qui unit la pensée et le son, ou, plus exactement peut-être, le sentiment inconscient, instinctif, spontané, d'une logique musicale de la pensée, et, lui correspondant, d'une logique musicale du son » (p. 61 s.). Cet article est d'autant plus remarquable qu'il appartient à une époque généralement inattentive au parallélisme finnois qui, en 1835, n'apparaissait même pas dans la préface d'Elias Lönnrot à sa première édition du *Kalevala* (cf. Steinitz, § 17).

Trente ans plus tard, Olesnitski, écrivant sur le rythme et la métrique de l'Ancien Testament, et discutant la théorie de Lowth sur le *parallelismus membrorum*, se référait à d'autres exemples orientaux du même schéma architectonique, observables dans les inscriptions égyptiennes, dans de nombreux passages de la littérature védique, et, avec une constance particulière, dans la poésie chinoise. Il concluait son examen par une remarque cursive sur « le très riche parallélisme qui se rencontre dans chacun de nos chants populaires et dans chacune de nos bylines », et l'illustrait par deux citations assez longues tirées de chants historiques russes [1].

Dans ses analyses détaillées de la construction linguistique des chants populaires russes, Chafranov [2] combattit la théorie d'Olesnitski, selon laquelle le parallélisme n'est pas un critère pertinent permettant de se prononcer sur les formes poétiques (p. 202, 233 s.) et revint à la distinction de l'auteur anonyme entre le rythme *(lad)* et la construction *(sklad)* dans le chant russe, assignant à celle-ci les fondements rhétoriques et au premier les fondements musicaux (p. 256 s.), et insistant sur la relative autonomie des facteurs (p. 205, 299). Dans le folklore musical russe, il repérait, intimement liés, deux traits constitutifs — la répétition et le parallélisme, le second presque aussi pertinent que dans le lyrisme des anciens Hébreux (p. 205, 284 s.) — et esquissait de façon rapide et approximative, une énumération linguistique des différents modèles de parallélisme (p. 201-204). L'objection de Chtokmar, selon laquelle, dans certains types de chants populaires russes, et spécialement dans les bylines, « les répétitions et le parallé-

1. A. A. Olesnickij, « Rifm i metr v vetkhozavetnoj poèzii », *Trudy Kievskoj dukhovnoj akademii*, III (1872), p. 564-566.

2. S. N. Shafranov, « O sklade narodno-russkoj pesennoj rechi, rassmatrivaemoj v svjazi s napevami », *Zhurnal ministerstva narodnogo prosveshchenija*, 1878-1879, 2, p. 199-305.

lisme sont loin de jouer un rôle aussi considérable », est écartée, dans la mesure où, précisément, dans la structure des poèmes épiques et dans l'enchaînement de leurs vers, le rôle du parallélisme est dominant [1].

Aussi étrange que cela puisse paraître, pendant les quatre-vingt-cinq ans, et plus, qui nous séparent de cette esquisse de Chafranov, aucun effort systématique n'a été fait pour approfondir le système du parallélisme grammatical russe. Dans la monographie de Jirmunski sur l'histoire et la théorie de la rime, le chapitre « La rime dans la Byline » étudie l'homoiotéleute, qui est une espèce dans le genre — parallélisme de type morphologique, particulièrement voyant —, en l'isolant du problème global — la texture en parallélismes dans le folklore épique russe — alors que c'est seulement dans ce contexte que les correspondances phoniques en fin de mots reçoivent leur entière explication [2]. Les statistiques qu'il donne en matière de vers rimés (p. 264) sont à peine utilisables, en l'absence d'indications chiffrées sur l'ensemble des formes de parallélisme dans les bylines. J'ai montré les diverses relations sémantiques qui jouent entre deux propositions parallèles dans des chants de mariage russes [3]. La synonymie dans des vers parallèles a été abordée dans le livre récent d'Evgenjeva sur le langage de la poésie orale [4]. Mais, en règle générale, la production courante sur le folklore russe continue à sous-estimer ou à passer sous silence les fonctions que remplit le parallélisme grammatical dans la structure sémantique et formelle de la poésie orale, soit épique soit lyrique. Avant de me risquer à traiter de façon méthodique l'ensemble du sujet, en me référant de façon précise aux aspects spécifiques qu'il revêt dans différents genres poétiques, j'examinerai la texture complexe des parallélismes sur un exemple unique, de façon à pouvoir observer concrètement le jeu où s'entre croisent les procédés multiples, chacun avec sa tâche et son propos.

1. M. P. Shtokmar, *Issledovanija v oblasti russkogo narodnogo stikhoslozhenija*, p. 116 (Moscou, 1952).
2. V. M. Jirmunski, *Rifma, ee istorija i teorija*, p. 263-296 (Petrograd, 1923).
3. R. Jakobson, « Linguistics and poetics », *Style in language*, éd. par Thomas A. Sebeok, p. 369 s. (Cambridge, Mass., 1960) [trad. fr. *Essais de linguistique générale*, chap. XI (Paris, 1963)]; du même, « Poèzija grammatiki i grammatika poèzii », *Poetics Poetyka Poètika*, p. 401 s. (Varsovie, 1961), qui étudie une parodie populaire russe du style à parallèles (« Foma et Erioma ») et l'utilisation du parallélisme antithétique entre les vers comme ressort de l'intrigue d'une ballade (« Vasili et Sofya ») [trad. fr. ici-même *Poésie de la grammaire*, p. 219-233].
4. Anastasija P. Evgenieva, *Ocherki po jazyku russkoj ustnoj poèzii v zapisjakh XVII-XX vv.*, p. 277-281 (Leningrad, 1963).

IV. [ANALYSE D'UNE CHANSON POPULAIRE RUSSE : CORRESPONDANCES LINGUISTIQUES.]

Le célèbre recueil, datant du XVIIIe siècle, de chants populaires russes, principalement épiques, qui fut copié quelque part dans la Sibérie de l'ouest, et dont le copiste ou le modèle est un certain Kircha Danilov, par ailleurs inconnu, inclut un bref texte musical intitulé : « *Okh v gore zhit' nekruchinnu byt'* » « Oh! vivre dans la douleur, ne pas être malheureux » que je transcris ici, dans les incertitudes orthographiques du manuscrit, et que je fais suivre d'une traduction aussi littérale que possible [1].

[1]A i góre góre — goreván'ice!
[2]A v góre zhít' — nekruchínnu být',
[3]Nagómu khodít' — ne stydítisja.
[4]A i déneg nétu — pered dén'gami,
[5]Pojavílas' grívna — pered zlými dní.
[6]Ne byvát' pleshátomu kudrjávomu,
[7]Ne byvát' guljáshchemu bogátomu.
[8]Ne otróstit' déreva sukhovérkhogo,
[9]Ne otkórmit' kónja sukhopárogo.
[10]Ne utéshiti ditjá bez máteri,
[11]Ne skroít' atlásu bez mástera.
[12]A góre, góre goreván'ice,
[13]A i lýkom góre podpojásalos',
[14]Mochalámi nógi izopútany.
[15]A já ot górja v temný lesá,
[16]A góre <...> prezhde vék zashël;
[17]A já ot górja v pochéstnoj pír,
[18]A góre zashël, — vperedí sidít;
[19]A já ot górja na carëv kabák,
[20]A góre vstrecháet — píva tashchít :
[21]Kák ja nág to stál, nasmejálsja ón.

[1]Et alors la douleur, la douleur — petit endolorissement!
[2]Et vivre dans la douleur — ne pas être malheureux,
[3]Se promener nu — ne pas s'en inquiéter.
[4]Et (s'il n'y a) pas de sou — (c'est) avant les sous,

1. A. P. Evgenieva et B. N. Putilov (éd.), *Drevnie rossijskie stikhotvorenija sobrannye Kirsheju Danilovym*, p. 256, p. 474 (Léningrad, 1958). Cf. les commentaires des éditeurs sur cette collection et sur la seule copie qui s'en soit conservée, et qui date de la fin du XVIIIe siècle, p. 514-565, p. 575-586.

5 (S') il apparut une piécette — (c'est) avant les jours de pénurie.
6 Pas moyen à un chauve d'être frisé,
7 Pas moyen à un débauché d'être riche.
8 Pas moyen de faire grandir un arbre à la cime asséchée,
9 Pas moyen de faire grossir un cheval à la peau desséchée.
10 Pas moyen de consoler un enfant sans mère,
11 Pas moyen de tailler dans un satin sans maître.
12 Et la douleur, la douleur petit endolorissement,
13 Et alors la douleur se ceintura d'écorce,
14 Les pieds sont entourés de filasse.
15 Et je (courus) loin de la douleur vers les sombres forêts,
16 Et la douleur < ... > était arrivée à l'avance;
17 Et je (courus) loin de la douleur à une fête d'apparat,
18 Et la douleur était arrivée — (elle) est assise en face;
19 Et je (courus) loin de la douleur à la taverne du tsar,
20 Et la douleur (me) rejoint, — (elle) tire de la bière :
21 Lorsque je fus nu, elle se gaussa.

L'histoire d'un jeune homme (ou d'une jeune fille) marqué par le destin, persécuté par une Douleur personnifiée, élevée au rang de personnage mythologique, est racontée dans un grand nombre de chansons lyrico-épiques de la Russie, certaines à dominance épique, d'autres à dominance lyrique, comme cette variante de Kircha. La littérature russe du XVIIe siècle a essayé de gommer la frontière qui séparait la littérature écrite de la littérature orale. Les textes poétiques, transmis seulement, selon la tradition, de bouche à oreille, furent mis alors sur le papier, et on vit naître un certain nombre d'œuvres hybrides, à la frontière entre le folklore et la littérature écrite, entre autres le long « Conte de la Douleur et de l'Infortune » *(Povest' o Gore i Zlochastii)*, conservé dans un seul manuscrit des toutes dernières années du XVIIe siècle [1]. On ne peut qu'être d'accord avec les spécialistes de ce poème remarquable, qui a gardé la forme des épopées orales, et en particulier avec Ržiga, qui a comparé ce texte, dans le détail, avec les chansons populaires sur la Douleur [2], — quand ils affirment que la *Povest'* prend dans la poésie orale l'antique motif de la douleur sans fin, et le transforme en une synthèse complexe de littérature livresque et de folklore (p. 314 s.) Il est possible que, sous sa forme écrite, le *Conte* du XVIIe siècle ait eu un effet de choc en retour

1. Voir P. K. Simoni, *Povest'o Gore i Zlochastii* (= *Sbornik Otd. rus. jaz. i slov. I. Akad. Nauk*), LXXXIII (1907), 1. Mes citations renvoient au texte tel qu'il est restitué p. 74-88.
2. V. F. Ržiga, « Povest' o Gore i Zlochastii i pesni o Gore », *Slavia*, X (1931).

sur les chansons populaires de ce cycle, mais tous les traits que la *Povest'* a en commun avec certaines de ces chansons sont caractéristiques du canon poétique du folklore, au lieu qu'aucun des éléments livresques qui sont propres au manuscrit du dix-septième ne se retrouve dans les chansons épiques ou lyriques de la tradition orale. Ainsi l'hypothèse d'une influence profonde exercée par la poésie populaire sur le conte écrit est incomparablement mieux fondée que la supposition inverse.

En particulier, la thèse de Ržiga selon laquelle la version de Kircha serait une œuvre lyrique élaborée sous l'influence de la *Povest'* (p. 313) est tout à fait improbable. On peut difficilement tomber d'accord avec cette opinion que, toutes les fois que la chanson se rencontre avec la *Povest'*, son texte, « manifestement, dérive » du Conte écrit. Au contraire, dans la chanson, les traits qui, par ailleurs, se retrouvent dans la *Povest'*, forment un tout organique avec l'ensemble du contexte, et sont fondés sur les principes traditionnels de l'art oral, tandis que dans le *Conte* ces mêmes traits se manifestent de façon beaucoup plus sporadique, sans cohésion, et en liaison avec un contexte qui leur est étranger. Les formules folkloriques en question ne peuvent être que des emprunts des hommes de lettres du dix-septième siècle à la tradition orale. Certaines de ces formules en forme d'épigrammes faisaient partie, aussi, du répertoire des proverbes populaires. C'est le cas des vers 1 et 2 de la chanson, et du proverbe cité par Dal' : *V gore zhit — nekruchinnu byt' ; nagomu khodit' — ne soromit'sja* [vivre dans la douleur — ne pas être malheureux; se promener nu — ne pas en avoir honte [1]]. En outre, la version de Kircha contient certains motifs qu'on retrouve dans d'autres chansons populaires sur le même thème, et qui sont absents de la *Povest'*. La règle du parallélisme, observée de façon rigoureuse dans ces spécimens du folklore de la douleur, souffre manifestement d'être transférée de la tradition orale dans le cadre du conte écrit, où elle accuse de nombreuses défaillances, compensées par des retouches hétérogènes, et où elle s'accommode de déviations par rapport aux formes habituelles de vers et à leur enchaînement accoutumé [2].

1. V. I. Dal', *Tolkovyj slovar' zhivogo velikorusskogo jazyka*², t. IV, p. 276 (Saint-Pétersbourg - Moscou, 1882).

2. Il y a une différence essentielle entre le parallélisme constant, canonique, de la tradition orale russe et le parallélisme facultatif qui se rencontre dans l'ancienne littérature russe, en partie sous l'influence du Psautier. Cf. D. S. Likhachev, « Stilisticheskaja simmetrija v drevnerusskoj literature », *Problemy sovremennoj filologii* (Moscou, 1965).

La description d'Hightower concernant le parallélisme chinois peut être appliquée aussi bien à la poésie populaire russe. Dans les deux cas, le distique est l'unité structurale de base, « et le premier effet des autres sortes de parallélisme est de renforcer le schéma répétitif. C'est sur l'assise de ce schéma ou de cette série de schémas que les formes plus subtiles de parallélisme, grammatical et phonique, viennent greffer leur contrepoint, suite d'accents et de tensions » (*op. cit.*, p. 61, 69). Le trait caractéristique des textes chinois fondés sur le parallélisme, trait dégagé par notre sinologue — c'est-à-dire la présence occasionnelle de « vers isolés » qui servent essentiellement à signaler le début et la fin d'un texte entier ou de ses paragraphes — se retrouve exactement de la même façon dans la poésie populaire russe, et en particulier dans la chanson de Kircha. Hightower nomme paragraphe une unité structurale relativement étendue, « qui a une double signification : marquer des étapes dans le développement d'un thème, et en même temps déterminer dans une certaine mesure la forme des couplets [distiques] qui le composent ». Des observations analogues sur les vers non couplés dans les runes finno-karéliennes au début d'une chanson ou de ses mouvements successifs ont été faites par Ahlqvist (p. 177). Selon Steinitz (§ 11), sur dix-neuf chants épiques *Kalevala* recensés dans les années 1830 et attribués au rhapsode karélien le plus ancien, Arhippa Perttunen, dix commencent par un vers sans parallèle. Dans la poésie biblique, en particulier dans les Psaumes, « les vers isolés, ou *monostiques* », selon les propres termes de Driver, « ne sont pas inexistants, mais se rencontrent rarement, servant en général à mettre l'accent sur une idée de façon emphatique, au début, ou parfois à la fin, d'un poème [1] ».

La chanson de Kircha se compose de 21 vers, dont trois n'ont pas de répondant. De ces trois vers, 1 commence la chanson, 21 la termine; avec 12 débute le second paragraphe, qui est très différent du premier à la fois par son thème et par sa structure grammaticale. En fait, les vers 1 et 12, qui constituent le refrain de la chanson, introduisent une variante dans le modèle général, mais obéissent encore au souci de parallélisme de l'ensemble : le vers introductif du premier paragraphe ne va avec aucun autre vers de ce même paragraphe, mais il est accouplé au vers presque identique sur lequel s'ouvre le paragraphe suivant.

1. Samuel R. Driver, *An introduction to the literature of the Old Testament*, p. 364 (New York, 1922).

En outre, ces deux vers présentent un parallélisme grammatical interne entre leurs hémistiches, procédé qui se retrouve dans les vers intermédiaires, c'est-à-dire dans tous les vers du premier paragraphe. L'apostrophe répétée est analogue au type prédominant de monostique observé par Steinitz (§ 12, 14), lequel comporte un substantif au nominatif accompagné d'une apposition. Dans la plupart des cas, ces substantifs sont des « noms propres, noms de personnes ou noms mythologiques », et *góre goreván'ice* est proche de cette dernière catégorie [1].

L'indépendance syntaxique des vers 1 et 2 attire l'attention sur la structure interne du vers et, avant tout, sur le parallélisme de ses hémistiches. L'évocation de la Douleur, qui est destinée à devenir l'acteur principal de la chanson, marque l'ouverture du premier vers, et le parallélisme interne est renforcé par le redoublement *góre góre* et par la figure étymologique (paregmenon) qui relie l'apposition *goreván'ice* au déterminé *góre* [2]. Des variantes tautologiques de ce substantif sont courantes en russe dans le langage émotif : *góre gór'koe, góre gorjúchee, góre-górjushko*, etc. ; *Povest'*, $_{296}$ *Govorít sero góre gorínskoe*. Le verbe dénominatif *gorevát'* [endolorir], tiré de *góre* [douleur] a donné à son tour le substantif déverbatif *goreván'e* [endolorissement] qui apparaît ici sous la forme du diminutif *goreván'ice*;

1. Sur *Gore* comme « créature mythologique » dans la *Povest'* et dans les chansons, voir N. I. Kostomarov, « O mificheskom znachenii Gorja-Zlochastija », *Sovremennik*, LIX (1856), 10, p. 113-124, et William Harkins, « The mythic element in the tale of Gore-Zlochastie », *For Roman Jakobson*, p. 201, p. 212 (La Haye, 1956). Les deux synonymes *gore* « douleur » et *zlochastie* « infortune » sont liés par la conjonction *i* « et » dans le titre de la *Povest'* à seule fin de renforcer le sens du couple : $_{292}$ *A mne, górju i zlochastiju, ne v pusté zhe zhit'* [Moi, douleur et infortune, je ne vivrai pas dans le désert]. Cf. A. P. Evgenieva, *op. cit.*, p. 271. Le second mot est en apposition au premier ($_{273}$ *podslúshalo góre-zlochástie* [entendit la douleur-infortune]; $_{394}$ *utéshil on góre-zlochástie* [il consola la douleur-infortune]); il peut se transformer en épithète : $_{378}$, $_{438}$, $_{463}$ *góre zlochástnoe* [douleur infortunée], ou inversement : $_{351}$ *zlochástie gorínskoe* [infortune douloureuse], ou en un simple adjectif : $_{298}$, $_{315}$ *Ino* ZL*o to gore* IZL*ukavilos'* [cette douleur devint perfide]; *zlo* (mal) fait partie de *Zlochástie* (infortune) et $_{432}$ *a chto* ZL*oe gore napered'* *zash*LO [et la douleur méchante est allée en avant]. Inversement, des synonymes couplés se clivent aisément pour former deux personnages indépendants : $_{280}$ *i já ikh, góre, peremúdrilo* [j'ai été, douleur, plus malin qu'eux], $_{281}$*uchinisja im zlochastie velíkoe* [qu'il leur arrive une grande infortune]; ou $_{288}$ *i já ot nikh, góre, minoválosja* [je les ai, douleur, abandonnés], $_{289}$ *a zlochástie na ikh v* [sic] *mogile ostálosja* [et l'infortune est restée dans leur tombe].

2. Austerlitz, p. 80, signale une « importante sous-classe » des vers isolés « qui contiennent la figure étymologique ».

à la virtualité du *nomen agentis* est opposé un *nomen actionis* adouci et presque caressant. Ainsi la nuance d'oxymore qui sera mise en évidence dans les vers suivants est annoncée dès le début. Quiconque connaît la poésie de Serguei Essenine comprend immédiatement pourquoi ce type de contradiction interne devait devenir chez lui une sorte de leitmotiv *(eseninskoe slovco* [1]*)*.

Le nominatif *góre*, relié, par un paregmenon, à la forme dérivée, elle aussi au nominatif, *gorevánʼice*, dans le même vers, — est relié, d'autre part, par un polyptote au locatif *v góre* qui, dans le second vers, occupe la même position métrique que le premier *góre* dans le premier vers. La Douleur, qui deviendra, à la fin de la chanson, une puissance maléfique invincible, est au contraire rapetissée dans les vers du début, qui minimisent son apparition *(góre-góre)* en en faisant d'abord un simple état *(gorevánʼice)*, puis, tout au plus, un déterminant adverbial de manière *(v góre)*. Cet affaiblissement progressif du thème de la souffrance est destiné à justifier l'oxymore du vers 2 : *v góre zhit — nekruchinnu být*, [— vivre dans la douleur] ne pas être malheureux ».

Góre kruchína, s górja — s kruchíny, se présentent fréquemment en russe comme des synonymes accouplés; cf. *Povest'* : $_{358}$ *u górja u kruchíny*. Le rapprochement de mots antonymes est un procédé marquant du parallélisme. Ces « parallèles élémentaires » occupent dans la nomenclature de Kūkai la première place parmi ses vingt-neuf types de parallélisme, et sont recommandés par lui aux débutants avant qu'ils orientent leur pratique vers d'autres variétés.

L'antonymie sert de lien entre les hémistiches dans les vers 2 et 3, ainsi que dans les vers 6 et 7, et se trouve représentée dans cette paire de distiques par deux sortes différentes d'opposition [2]. Les hémistiches de 2 et 3 juxtaposent des contradictoires, tandis qu'en 6 et 7 l'antonymie des hémistiches met aux prises des contraires : $_{6}$ *pleshátomu* : *kudrjávomu* [chauve : frisé], $_{7}$ *guljáshchemu* : *bogátomu* [débauché : riche] [3]. Comme l'a fait remarquer Harkins, *góre* [douleur] « repré-

1. Voir A. B. Nikitina, « Iz vospominanij Anatolija Mariengofa », *Russkaja literatura*, VII (1964), 4, p. 158.

2. Leur différence avec la pratique chinoise a été fort bien étudiée par Janusz Chmielewski, « Język starochinski kajo narzędzie rozumowania », *Sprawozdania z prac naukowych Wydzialu I PAN*, p. 125 s. (1964). Cf. Tchang Tcheng-Ming, *op. cit.*, p. 78-83.

3. Lowth, XX, à propos des Proverbes de Salomon, et, après lui, Davis, p. 412, en ce qui concerne les maximes chinoises, ont remarqué l'un et l'autre que le parallélisme antithétique « est particulièrement bien adapté [...] aux adages, aux aphorismes, aux sentences détachées ». Leur « élégance, leur caractère percutant, leur force », selon Lowth, proviennent en grande partie de la forme antithétique, opposant à la fois le style et le sentiment ».

sente un état physique », tandis que *kruchína* [malheur] « définit l'état psychologique correspondant » (p. 202). La possibilité ou même la nécessité d'une attitude d'indifférence, de la part du sujet, par rapport à une réalité décevante, est hautement proclamée, dans les vers 2 et 3, sous la forme d'une unité de contradictoires, qui est en contraste frappant avec l'incompatibilité des contraires affirmée dans les vers 6 et 7 *Nekruchínnu* [non malheureux] pourrait être aisément remplacé par *véselu* « gai » ou *rádostnu* « joyeux » (cf. *Povest'* : $_{194}$ *kruchínovat, skórben, nerádosten*), mais la transition progressive, insensible, depuis la bravade initiale jusqu'au thème du destin inévitable exige des termes qui soient par eux-mêmes négatifs, impliquant la litote qui conclut à la fois 2 et 3, et qui occupe une place intermédiaire entre l'atténuation du *goreván'ice* (cas typique de « minutio » ou de « meiosis » selon les termes de la rhétorique latine ou grecque) et le libellé de plus en plus négatif des maximes qui suivent [1].

Les vers 4 et, sous la forme d'un rapport inverse, 5, jouent sur l'opposition : absence et présence d'argent. Le manque de moyens est traité comme un contradictoire dans le premier vers de ce distique et comme un contraire dans le second : $_4$ *déneg nétu* « pas de sou » $_5$ *zlými dní* « les jours de pénurie » (cf. le double parallélisme entre antithèses de contradictoires dans le proverbe : *Dén'gi k bogátomu, zlýdni k ubógomu* [Les sous au riche, les jours de pénurie au pauvre]). Ainsi le vers 4 rejoint les vers précédents, construits sur des contradictoires, tandis que le vers 5 comporte le même usage des contraires que le distique qui suit. L'alternance continuelle de réalités opposées, telle qu'elle est énoncée dans le distique 4-5, sert de chaînon intermédiaire entre les vers 2 et 3, avec leur unité réconfortante de contradictoires, et le caractère lugubre et irréconciliable des contraires qui s'affrontent entre hémistiches dans les vers 6 et 7. Le second hémistiche de 4 — *pered dén'gami* [avant les sous] — s'apparente à la gaîté des fin de 2 et 3, tandis que la prédiction sinistre — *pered zlými dní* [avant les jours de pénurie] soude le vers 5 aux formules pessimistes qui suivent.

Dans le distique 2-3, les deux vers, et, à l'intérieur de chacun de ces deux vers, les deux hémistiches, sont syntaxiquement et morphologiquement parallèles. Les quatre hémistiches se terminent (ou sont constitués) par des infinitifs en fonction syntaxique similaire. En russe, la juxtaposition traditionnelle *zhít' da být'* [vivre et être] est suscitée par l'affinité sémantique des verbes, par leur homoiotéleute; et par la

1. Cf. Heinrich Lausberg, *Handbuch der literarischen Rhetorik*, t. I, § 259, § 586-588 (Munich, 1960); J. Gonda, *op. cit.*, p. 93 s.

formule *zhíl byl*, qui est une réinterprétation lexicale du plus-que-parfait formé à l'aide de l'auxiliaire. Une certaine variété est introduite dans les formes parallèles par l'emploi comme copule de $_2$*být'*, en contraste avec le caractère strictement lexical et notionnel des formes verbales $_2$*zhít'* et $_3$*stydítisja*. La voix pronominale de cette dernière est un autre élément de variation. Le parallélisme est renforcé : *1)* par la négation *ne*, sur laquelle s'ouvre le second hémistiche dans chacun des deux vers; *2)* par la similitude phonique des attaques des deux vers : /AVGO*r'e* / ~ /*n*AGO*mu*/; *3)* par les /i/ des cinq autres syllabes accentuées, y compris la répétition de la même suite /d'it'/ dans les deux hémistiches de 3 (/*kho*D'IT'/ ~ /*sty*D'IT'*isja*/). Dans le proverbe cité par Dal', cette figure phonique est remplacée par la correspondance /*nag*ÓMU/ ~ / *sor*ÓM'*itca*/, Symétriques par leur position et identiques du point de vue phonologique, les syllabes accentuées dans $_2$ *v góre* et $_3$ *nagómu* appartiennent en outre à des termes syntaxiquement équivalents : l'un et l'autre sont des déterminants adverbaux dans des propositions infinitives. L'évocation de la douleur, dans le premier vers du distique, est couplée, dans le second, avec le motif similaire et voisin de la pauvreté (cf. le proverbe *Líkho zhít' v núzhe*, *a v góre i togó khúzhe*) [Il est dur de vivre dans le besoin, et encore pire, dans la douleur] et plus précisément avec l'évocation de la nudité, qui est une synecdoque de ce motif. Sémantiquement signifiante, la correspondance entre *góre* et *nagómu* reçoit un traitement analogue, sous forme de paronomases, dans la *Povest'* : $_{311}$ /*za*NAG*ím* TO GÓ*r'e n'epo*GÓN'*itca*/, $_{312}$ /*da n'i*KTÓ *k*NAGÓ*mu n'epr'iv'azhetca*/.

Le distique 2-3 présente, selon l'expression d'Hightower (p. 65), « un double parallélisme » où se trouvent combinées la symétrie entre les deux vers et, à l'intérieur de chacun d'eux, la symétrie entre leurs hémistiches. Ces deux formes de parallélisme sont complétées par une troisième correspondance, encore plus nette, entre le second hémistiche du premier vers et le premier hémistiche du second vers : $_2$ *nekruchinnu být* et $_3$ *nagómu khodít'* forment, du point de vue morphologique, une stricte anadiplose, tandis que, sur ce terrain de la grammaire, la congruence entre hémistiches à l'intérieur de chaque vers et entre hémistiches symétriques, d'un vers à l'autre, dans les limites du distique, est essentiellement épiphorique (ainsi $_3$ *nagómu* n'a aucun équivalent morphologique ni dans le second hémistiche du même vers ni dans le premier hémistiche de 2).

L'anadiplose (*styk*, selon la terminologie russe), habituelle dans les *bylines* et dans les autres variétés de poésie populaire russe, fait de la seconde moitié du couplet une sorte de complément de sa première moitié : l'homme qui manifeste un cœur léger au milieu de la douleur peut se permettre de se promener en haillons sans confusion [1]. Le distique correspondant du *Povest'* : ₃₆₆ *a v góre zhit' — nekruchinnu být'*, ₃₆₇ *a krúchinnu v góre — pogínuti*, [Et (si on doit) vivre dans la douleur — (on n'a que) ne pas être malheureux, Et (si on doit) être malheureux dans la douleur — (on n'a que) périr], — est construit sur un chiasme d'antonymes *(zhít' ~ pogínuti, nekruchínnu ~ kruchínnu)*; le second vers est une rationalisation du premier par le biais d'une motivation causale : « parce qu'autrement on périrait ».

Dans le distique 4-5, le second hémistiche de chacun des deux vers comporte la même préposition : *pered* [avant], suivie d'un instrumental pluriel. Cette correspondance, à la fois morphologique et phonématique : /D'ÉN'*ga*M'I/ ~ /*zl*ÍM'I DN'Í/ est encore renforcée par la paronomase : /D'ÉN'*gi*/ ~ /D'ÉN'/, /DN'Í/ [2]. Les deux hémistiches de 4 sont soudés par le polyptote *déneg/dén'gami*. Les premiers hémistiches, antithétiques l'un de l'autre, de 4 et 5 contiennent les synonymes *dén'gi* et *grivna* (pars pro toto). Les métathèses phoniques, à l'intérieur de ces hémistiches : $_4$/*d'*ÉN'*ek* N'ÉTu/, $_5$/*poja*V'Í*las gr*'ívna/, sont conformes au caractère chiasmique de l'ensemble du distique [3]. Des sept premiers vers de la chanson, le cinquième est le seul à être dépourvu de parallélisme interne. Cette déficience est compensée par l'exceptionnelle cohésion de ses deux hémistiches, grâce à deux paires de voyelles accentuées identiques : deux /í/ ~ deux /í/. L'identité de tous les phonèmes vocaliques accentués caractérise aussi les vers avoisinants : 4, 6 et 7, mais le nombre des voyelles identiques accentuées y est limité à trois : deux /é/ + un /é/ au vers 4; deux /a/ + un /a/ à la fois au vers 6 et au vers 7.

Dans le distique 6-7, le second vers est parfaitement couplé avec le premier sur le plan de la syntaxe et de la morphologie. Chacun contient la négation *ne* et l'infinitif *byvát'*, suivi de deux adjectifs

1. Cf. dans la *byline* de Kirsha : « on Vol'kh Vseslav'evich » : *A vtápory knjagínja ponós poneslá*, || *ponós poneslá i ditjá rodilá*. Shafranov compare cette construction au maillon d'une chaîne qui est en contact à la fois avec l'anneau qui précède et avec l'anneau qui suit (p. 85).

2. Une autre correspondance paronomastique, reliant trois hémistiches impairs, peut être ici décelée : ₂ /AVGÓR'e/ ~ ₃ /nAGómu/ ~ ₅ /GR'ívna/. A propos de cette correspondance, le précepte de Saussure peut être rappelé : « Mais si ce doute peut à tout instant s'élever, de ce qui est le mot-thème et de ce qui est le groupe répondant, c'est la meilleure preuve que tout se répond d'une manière ou d'une autre dans les vers... ». Voir Jean Starobinski, « Les anagrammes de Ferdinand de Saussure », *Mercure de France*, 1964, p. 255 [repris dans *les Mots sous les mots* (Paris, 1971)].

3. Herrman Weyl, *Symmetry*, p. 43 (Princeton, 1952) définit ce procédé : une « similitude en abîme » [« reflexive congruence »].

masculins au datif. Le parallélisme grammatical des deux hémistiches est construit sur ces adjectifs, qui sont morphologiquement équivalents, mais ont des fonctions syntaxiques différentes. Les quatre datifs sont liés entre eux par des rimes disposées en chiasme : $_{6}$ *pleshatomu* ~ $_{7}$ *bogátomu*, et $_{6}$ *kudrjávomu* ~ $_{7}$ *guljáshchemu*; dans le second couple, le /u/ d'avant l'accent est précédé, en début de mot, par une explosive vélaire, et le /á/ accentué est précédé par une liquide palatalisée. Le lien sémantique entre les deux vers est fait des références parallèles à l'incompatibilité de deux contraires, et si le caractère de contrariété de « chauve » et de « frisé » apparaît évident, l'antithèse moins tranchée entre « paresseux » et « riche » est confirmée par le parallélisme formel qui lie le vers au précédent. Le passage correspondant dans la *Povest'* sacrifie le parallélisme formel et le jeu, caractéristique du folklore, sur les antonymes; il transforme le distique en une leçon moralisante : $_{410}$ *ne byváti brázhniku bogátu*, $_{411}$ *ne byváti kostarjú v sláve dóbroj*, « Pas moyen pour un bambocheur d'être riche, Pas moyen pour un joueur d'avoir une bonne réputation ».

Dans les distiques 8-9, 10-11, les deux vers, à chaque fois, présentent une combinaison syntaxique identique des mêmes catégories morphologiques. Les genres y sont les seules variables, et cette variation y fait figure de constante : neutre inanimé *déreva* [arbre] ~ masculin animé *kónja* [cheval]; neutre animé *ditjá* [enfant] ~ masculin inanimé *atlásu* [satin] (rencontre exceptionnelle); féminin animé *máteri* [mère] ~ masculin animé *mástera* [maître].

Chaque distique fait alterner deux objets grammaticaux, dont l'un se réfère au monde animé et l'autre au monde inanimé, et ces quatre représentations métaphoriques évoquent le thème de la destinée lugubre du héros : 8 et 9 exposent l'impossibilité de guérir pour des organismes malades, caractérisés l'un et l'autre par des adjectifs composés, dont le premier élément, dans les deux cas, est *suxo-*, « sec »; 10 et 11 mettent sur le même plan un enfant privé de sa mère et une étoffe précieuse éloignée d'un maître artisan, et la structure phonique souligne la parenté des deux absences par l'accumulation, nuancée d'enfantillage, des dentales palatalisées : /n'e ut' éshit'i d'it'à b'ez mát'er'i/ [1], et par l'allure paronomastique du second vers : $_{11}$/*n'e*S*k*ROÍT' *a*TLÁS*u* *b'ezm*ÁST'*e*R*a*/. Très probablement, le libellé de ce vers dans la *Povest'* : $_{408}$/S T*o* *n'e* KLÁST'*i* SKARLÁT*u* *b'ez* *m*ÁST'*e*RA/, « car il n'est pas question de tailler l'écarlate en l'absence d'un maître artisan », reflète le libellé original du vers en question.

1. La forme plus ancienne qu'on trouve dans la *Povest'*, $_{409}$/d'et'at'i/, peut avoir été celle de la version originale de ce vers.

Ržiga prétend que ces deux vers, dans la chanson de Kircha, « sont surprenants, parce qu'on ne comprend pas pourquoi ils se réfèrent à l'enfant, à la mère et au satin » (p. 313). Il pense en avoir trouvé l'explication dans la *Povest'*, où le jeune homme, au début du distique, rappelle comment, dans son enfance, il a été habillé et admiré par sa mère. Mais cette interprétation psychologique, alors que ces deux vers sont typiquement métaphoriques, rigoureusement parallèles au niveau de la grammaire, de la sémantique et de la phonématique (/*d'it'*Á B'EZMÁT'ER'*i*/ ~ /*atl*A*su* B'EZMÁST'ER*a*/), et liés de façon inséparable à l'ensemble du contexte, dans la chanson de Kircha, — cette interprétation est manifestement une invention tardive, étrangère à la tradition orale, et qui est due, apparemment, à l'écrivain et au lecteur du XVIIe siècle.

Le parallélisme des hémistiches contigus est particulièrement net dans le distique 2-3, avec ses deux infinitifs dans chaque vers. En second lieu, les deux phrases conditionnelles, avec leur organisation en chiasme, donnent au distique 4-5 sa symétrie interne. Dans les trois distiques suivants, chacun des six vers concernés contient une seule proposition, mais distribue entre ses hémistiches deux formes morphologiquement équivalentes : les deux adjectifs au datif en 6 et 7; les deux génitifs de l'objet et de l'« attribut prédicatif » en 8 et 9 *(déreva sukhovérkhogo, kónja sukhopárogo)* [1]; et les deux génitifs, l'un sans, et l'autre avec, préposition, en 10 et 11 *(ditjá bez máteri, atlásu bez mástera)*.

Les deux paragraphes de la chanson diffèrent nettement du point de vue de leur contenu grammatical. Le premier paragraphe (vers 1-11) comprend dix infinitifs et seulement un verbe conjugué (le prétérit 5 *pojavílas'*) contre neuf formes conjuguées et pas d'infinitif du tout dans le second paragraphe (vers 12-21). Il n'y a aucun pronom dans le § I, cinq pronoms personnels, au contraire, dans le § II. A part les trois nominatifs de l'« anacruse » que constitue le vers introductif de chacun des deux paragraphes (vers 1 et vers 12), on trouve dix nominatifs — cinq substantifs et cinq pronoms — dans le § II; un seul dans le § I : $_5$ *pojavílas' grivna*, « il apparut une piécette » (pour être dévorée par la pénurie). Dans l'ensemble des cinq couplets du § I, c'est la seule proposition qui ne soit pas ostensiblement négative. Le caractère négatif du discours s'intensifie progressivement. La négation porte

1. *Opredelenie attributivno-predikativnoe*, selon les termes de A.A. Shakhmatov, *Sintaksis russkogo jazyka*², p. 393 s. (Leningrad, 1941).

sur un adjectif à la fin du vers 2, puis sur un verbe à la fin du vers 3 (il s'agit là d'une négation d'un type particulier, tour négatif à valeur de nexus, selon la terminologie d'Otto Jespersen). Dans le premier hémistiche de 4, la négation *nétu* fonctionne comme prédicat; et 5, comme il a été dit plus haut, peut se définir comme une négation implicite. Toutes les phrases des vers 6 à 11 commencent par la négation *ne*; en outre, les vers 10 et 11 commencent leur second hémistiche par la préposition *bez* [sans].

Dans le § I il y a huit adjectifs : six d'entre eux n'accompagnent aucun substantif; les deux autres fonctionnent comme attributs prédicatifs postposés. Les trois adjectifs du § II sont au contraire des épithètes antéposées.

Dans le § I les sept verbes des trois premiers distiques sont tous intransitifs, en opposition aux quatre verbes transitifs des deux autres distiques. Les quatre infinitifs de ces derniers distiques sont perfectifs; tandis que dans les premiers distiques les six infinitifs sont tous imperfectifs. Chaque vers des cinq distiques évoque une relation entre une condition et son résultat, — soit manifestement dans les phrases conditionnelles avec asyndètes des deux premiers distiques, — soit de façon latente dans les trois distiques suivants, que jalonnent six négations anaphoriques (si on est chauve, alors...; si l'arbre a sa cime asséchée, alors...; si l'enfant est sans mère, alors...). Tandis que tous les vers des trois premiers distiques placent la protase dans le premier hémistiche et l'apodose dans le second, les deux derniers invertissent l'ordre. Les constructions infinitives de ces distiques omettent l'agent, mais désignent le patient, de façon permanente, par des substantifs au génitif. Ce sont non pas des substantifs, mais des adjectifs au datif, qui se combinent avec les infinitifs intransitifs dans le distique précédent.

Les cas obliques se distribuent différemment dans les deux paragraphes. L'accusatif, absent dans le § I, est présent dans le § II à la faveur de trois constructions comportant chacune une préposition suivie d'un substantif et un adjectif épithète. Il n'y a pas de datif dans le § II, tandis que dans le § I ce cas apparaît six fois et se rencontre exclusivement avec des adjectifs substantivés, qui, réciproquement, ne figurent qu'à ce cas. L'instrumental apparaît dans les deux paragraphes, toujours avec préposition dans le § I et toujours sans préposition dans le § II. Le génitif est présent dans les constructions négatives du § I cinq fois sans, et deux fois avec, préposition, tandis que dans le § II — à part l'expression adverbiale *prezhde vék* — ce cas figure une fois au sens partitif et trois fois avec la préposition *ot* [loin de]. Le seul exemple de locatif dans la chanson, ₂ *v góre*, opposé au nominatif ı *góre-góre*, comporte le contraste habituel, syntaxique et morphologique, entre ces deux cas, l'un obligatoirement construit avec une préposition et l'autre toujours sans préposition.

Il n'est rapporté aucun événement dans le § I : il n'est fait que de situations explicitement négatives, indéfiniment permutables (vers 4 et 5), ou découlant nécessairement de prémisses malheureuses. Les infinitifs construits absolument, et tantôt niés directement tantôt accompagnés de mots à valeur négative, expriment des situations intolérables, inconcevables, impossibles [1]. La personne impliquée dans ces constructions infinitives n'est désignée, par l'ensemble des datifs, que comme « l'intéressée » des verdicts prononcés; elle demeure anonyme et seulement qualifiée par des adjectifs. Quand le dernier distique de ce paragraphe introduit de véritables actions transitives, aucun acteur ne se manifeste; seul apparaît le but, sous la forme de substantifs métaphoriques. L'achèvement virtuel de ces actions, énoncées à l'aspect perfectif, est nié; et leur but est marqué du sévère génitif de négation qui gouverne généralement les substantifs dans l'ensemble des distiques du § I; l'occasionnel et éphémère *grívna* [piécette] est le seul à faire exception, si l'on fait l'inventaire, dans ce paragraphe, des substantifs au singulier, tandis que deux pluriels sont à l'instrumental (cas marginal), précédés de la préposition de temps *pered.* La représentation grammaticale d'une sinistre dévastation atteint ici son point culminant.

Faisant contraste avec le style sententieux du § I, le premier distique du § II inaugure d'emblée un ton nouveau, qui est un ton narratif. Chacune des deux propositions en parallèle a pour sujet un substantif au nominatif et pour prédicat un verbe, modifié par un instrumental. Le nombre est employé comme variable expressive : le pluriel des trois mots de 14 *(mochalámi nógi izopútany)* s'oppose au singulier des formes correspondantes de 13 *(lýkom góre podpojásalos')*, et cette variation est appuyée par une opposition entre deux voix verbales apparentées : le réfléchi et le passif. Les deux expressions synecdochiques de la misère (*nagotá i bosotá bezmérnaja*, [un manque absolu de vêtements et de chaussures]) sont liées à la fois par conti-

1. A. M. Peshkovskij, *Russkij sintaksis v nauchnom osvetlenii* ⁷, p. 381 s. (Moscou, 1956), attribuerait aux propositions infinitives des vers 2-3 « une connotation de nécessité subjective », et à celles des vers 6-11 « une connotation de nécessité objective ».

guïté et par similarité. L'association, qui est traditionnelle, entre ces deux instrumentaux, est attestée par le proverbe populaire : *Lýki da mochály, a tudá zh pomcháli* [litt. écorces et filasse finissent par amener au même endroit, c'est-à-dire : la pauvreté ne change rien au sort final]. L'imagerie symétrique de ce distique réapparaît dans les différentes chansons du même cycle étudiées par Ržiga, tandis que la *Povest'* détruit le parallélisme grammatical et lexical et affaiblit le portrait de la douleur en substituant une proposition négative aux traits suggestifs qui, dans les versions populaires du poème, complètent la personnification : $_{361}$ *bóso, nágo, nét na góre ni nítochki,* $_{362}$ *eshche lýchkom góre podpojásano* [pieds et corps nus, pas un fil sur la douleur, / la douleur est encore ceinte d'écorce].

Les deux paragraphes de la chanson de Kircha commencent par le même monostique et offrent une correspondance manifeste entre leurs distiques initiaux. En particulier, l'apparition de la douleur et de la pauvreté, accentuée aux vers 2 et 3, inspire les images des vers 13 et 14, non sans que la misère du personnage douloureux soit transférée, par une métonymie, du personnage douloureux à la douleur elle-même. Alexandre Pouchkine, qui était un lecteur attentif des chansons de Kircha, a relevé l'expression qui fait image : *lýkom góre podpojásalos'*, y voyant « une représentation saisissante de la misère ».

Le second vers du distique dit, de façon ambiguë : *nógi* [les pieds], sans aucun possessif; « les pieds de la douleur » créeraient une violente catachrèse; « les pieds du personnage douloureux » romprait la progressive introduction de la « *fictio personae* ». La personnification, en fait, procède pas à pas. Le vers 13 est le premier à faire apparaître la douleur comme un acteur, en fournissant à *góre* un prédicat, mais ce prétérit au neutre suppose que le sujet soit lui aussi au neutre — un genre éminemment inanimé. L'attention se trouve attirée sur ce genre par les trois mots du vers, y compris le complément neutre *lýkom*, à l'encontre du féminin qui envahit le vers 14 : *mochalámi nógi izopútany*. C'est seulement lorsque *góre* réapparaîtra comme sujet, dans d'autres phrases, que le neutre pronominal $_{13}$ *podpojásalos'* sera remplacé par le masculin actif $_{16}$, $_{18}$ *zashël*. Étape suivante dans ce processus d'animation : *góre* aura pour prédicats des verbes transitifs : $_{20}$ *vstrecháet*, [rejoint], et *tashchít*, [tire]. Le sommet de la courbe est atteint quand le pronom masculin *ón* se substitue à *góre* à l'extrême fin du dernier vers.

Le lien entre les vers 12 et 13 demande à être examiné de plus près. Dans la formule redoublée *góre góre*, attaque du vers qui sert d'introduction à chacun des deux paragraphes, c'est le premier des deux mots identiques qui, au vers 1, correspond par sa position à $_{2}$/VGÓR'E/, tandis que c’est le second de ces mots qui, au vers 12, correspond à $_{13}$ /lýkom GÓR’E/. Cette divergence entraîne une différence de rythme dans les vers 1 et 12. Aux vers 1 et suivants, la coupe (|) entre les deux « mesures verbales » [« speech measures »] [1] tombe entre le second et le troisième des trois accents principaux, et ainsi coïncide avec la coupe (|) entre les deux hémistiches : $_{1}$ *a i góre góre* **|** *goreván’ ice* // $_{2}$ *a v góre shít* **|** *nekruchínnu být’*, // $_{3}$ *nagómu khodít’* **|** *ne stydítisja* etc. En revanche, aux vers $_{13}$ et $_{14}$, la coupe entre les deux mesures verbales ne coïncide pas avec la coupe entre les deux hémistiches. Dans ces vers, les compléments $_{13}$ *lýkom* et $_{14}$ *mochalámi* sont placés devant les sujets $_{13}$ *góre* et $_{14}$ *nógi*, et par suite sont séparés des prédicats $_{13}$ *podpojásalos’* et $_{14}$ *izopútany*. L’hyperbate (séparation de deux mots unis par la syntaxe) implique que la coupe entre mesures verbales tombe entre le complément et le sujet, c’est-à-dire entre le premier et le second des trois principaux accents. Le même rythme, dès lors, peut s’appliquer, tout aussi bien, au vers introductif : $_{12}$ *a góre,* | *góre* | *goreván’ice,* // $_{13}$ *a i lýkom* | *góre* | *podpojásalos’*, // $_{14}$ *mochalámi* | *nógi* | *izopútany*.

La répétition trois fois de suite du mot *góre* ou de mots de même racine, avec d’éventuelles variations synonymiques, se retrouve couramment, liée à des contextes analogues, dans les chansons populaires de même sujet. Dans la chanson de douleur enregistrée par Sreznevskij, on relève les exemples suivants : *K emu górjushko, góre gór’koe, // iz-pod móstichku góre, s-pod kalínovogo, // iz-pod kústyshku, s-pod rakítovogo, // vo otópochkakh góre vo lozóven’kikh // vo obórochkakh góre vo mochál’nen’kikh; // mocháloj góre priopútavsi, // ono lýkom góre opojásavshi* [2]. Dans une variante de la région de Saratov, le passage correspondant se lit ainsi : *Oj ty, góre moe, góre, góre séroe, // lýchkom svjázannoe, podpojásannoe*, et dans une autre variante, elle aussi de Saratov : *okh ti, góre, toská-pechal’* [3]. Cf. la formule traditionnelle : *Akh ja bédnaja gorjúsha goregór’kaja* [4].

Tandis qu’au début de la chanson de Kircha la triple évocation de *góre* joue le rôle d’une apostrophe syntaxiquement isolée, la même séquence, quand elle réapparaît au § II, joue le rôle d’un sujet anticipé, répétitif, par rapport à la proposition $_{13}$ *góre podpojásalos’*. Quelle

1. Voir R. Jakobson, *Selected writings*, t. I, p. 535 (La Haye, 1962).
2. V.I. Varencov, *Sbornik russkikh dukhovnykh stikhov*, p. 131 (Saint-Pétersbourg, 1860).
3. A. I. Sobolevskij, *Velikorusskie narodnye pesni*, t. I, p. 533, 536 (Saint-Pétersbourg, 1895).
4. F. M. Istomin et G. O. Djutsh, *Pesni russkogo naroda*, p. 60 (Saint-Pétersbourg, 1894).

qu'ait pu être la version originale du vers 11 (voir plus haut), la variante de Kircha présente un lien paronomastique entre $_{11}$ /ATLÁSU/ et $_{13}$ /*po*T*poj*ÁSAL*os*/; l'écorce se substitue au précieux satin.

Góre du vers 1 trouvait un écho affaibli dans $_{2}$ *v góre*, puis demeurait absent jusqu'à la fin du § I; dans le § II, au contraire, presque chaque vers se voit pénétré par ce nom. La position métrique du nominatif *góre*, qui est la même, en 13, que celle du SECOND *góre* de 12, continue à être occupée par le génitif $_{15}$, $_{17}$, $_{19}$ *górja*, pendant que le nominatif $_{16}$, $_{18}$, $_{20}$ *góre* occupe de son côté la position du PREMIER *góre* de 12.

Il y a symétrie, à une échelle d'observation très large, entre les deux paragraphes. Leurs distiques initiaux, en conformité avec le diminutif *gorevánʼice* sur lequel s'achève le vers introductif, s'efforcent d'atténuer la douleur. L'homme pauvre et douloureux semble dédaigner sa douleur et sa misère; elles sont sujettes à raillerie (2-3); la pauvreté est présentée comme aussi transitoire que la richesse (4-5). Ce n'est pas l'homme douloureux, mais la douleur elle-même, qui prend figure de miséreux (13-14). Ces efforts pour éliminer le thème tragique cèdent la place dans les deux paragraphes à des groupes de six vers où s'avoue désespérément l'universelle et perpétuelle réprobation. Une constante, dont le rôle est tenu par un anaphorique, fait la soudure entre tous les vers de chacun des deux hexastiques : dans la suite 6-11, chaque vers commence par la négation *ne* attachée à un infinitif; et dans la suite 15-20, chaque vers commence par la conjonction *a* (marquant répétition) suivie d'un nominatif [1]. La même coordination *a*, seule ou combinée avec *i*, commence le monostique de l'un et l'autre paragraphes, ainsi que chacun des distiques « séparés » qui restent extérieurs aux hexastiques, tandis que le second vers de chacun de ces distiques « séparés » est dépourvu de coordonnant. La double coordination *a i* et la simple coordination *a* se présentent en une alternance régulière : $_{1}$ *a i*, $_{2}$ *a*, $_{4}$ *a i*, $_{12}$ *a*, $_{13}$ *a i*, $_{15-20}$ *a*.

L'hexastique 15-20 est construit sur le parallélisme des trois distiques en leur entier. « Le parallélisme des termes dans des vers alternés » occupe la seconde place dans la classification de Kūkai. Les trois vers impairs de l'hexastique ont en commun leur premier hémistiche : $_{15}$, $_{17}$, $_{19}$ *a já ot górja* et le schéma grammatical du second hémistiche : une préposition de lieu $_{15}$, $_{17}$ *v*, $_{19}$ *na*, introduisant un substantif à l'accusatif précédé de son épithète. Les trois vers pairs commencent par *góre* et finissent par un verbe à un mode personnel :

1. Voir A. B. Shapiro, *Ocherki po sintaksisu russkikh narodnykh govorov*, p.71 (Moscou, 1953).

$_{16}$ *zashël* ~ $_{18}$ *sidít* ~ $_{20}$ *tashchít*. Ainsi les trois vers impairs de l'hexastique, d'une part, et ses trois vers pairs, de l'autre, sont liés par deux sortes de correspondances : le parallélisme anaphorique est strictement répétitif, tandis que le parallélisme épiphorique est fondé sur une simple similitude des sens grammaticaux et lexicaux.

Les vers 18 et 20 comportent une forme conjuguée à la fin de leurs deux hémistiches, et présentent ainsi un parallélisme interne; en 16 la fin du premier hémistiche manque vraisemblablement, et l'on peut présumer qu'ici, comme dans les deux autres vers pairs, l'hémistiche était composé d'une proposition complète, par exemple : *a góre* < *uzh tám* >, —[1].

Cet hexastique dissocie explicitement l'homme douloureux et la douleur. Le premier hémistiche, trois fois répété, des vers impairs — *a já ot górja* — admet l'entrecroisement de deux interprétations sémantiques différentes : « affligé par » et « loin de » la douleur. Dans le proverbe *Ot górja bezhál, da v bedú popál*, [courut loin de la douleur mais tomba dans la peine], le sens abstrait de « douleur » est confirmé par la présence à ses côtés de « peine », et les prédicats dans ce cas fonctionnent comme des métaphores. Les déterminants de direction « vers les forêts », « à une fête », « à une taverne », permettraient, de la même façon, de concevoir la douleur comme l'état de l'homme douloureux; mais les vers pairs sont sans appel : ils personnifient la douleur. La confrontation polyptotique du génitif d'éloignement $_{15}$, $_{17}$, $_{19}$ *ot górja* et du nominatif $_{16}$, $_{18}$, $_{20}$ *góre* introduit, du point de vue sémantique, une antithèse cinglante entre le départ de la fuite : loin de la douleur, et son aboutissement : dans les bras de la douleur — omniprésente. Le vers 18 : *a góre zashël — vperedí sidít*, doit son importance particulière à son « bifonctionnalisme » : *vperedí* exprime simultanément priorité dans le temps et priorité par le rang *(mestnichestvo*[2]*)*. Le cercle vicieux évoqué dans chacun de ces trois distiques est préparé par l'antonymie grammaticale des hémistiches de chaque vers impair, qui oppose le génitif *ot górja* en sa fonction ablative et la

1. Une autre conjecture possible est : *a góre prézhde* <*da v*> *vék zashël*, « et la douleur était arrivée à l'avance et pour toujours »; dans cette hypothèse, le parallélisme des hémistiches reposerait sur les deux adverbes de temps *prézhde* [à l'avance] et *vvék (vovék navék)* [pour toujours]. Cf. l'expression similaire dans la *Povest'* : $_{437}$ *ne na chás ja k tebe góre zlochástnoe privjazálosja* [ce n'est guère pour une seule heure que je me suis attaché à toi, douleur infortunée] et dans le chant lyrico-épique du cycle de la douleur recensé par A. F. Hilferding, *Onezhskie byliny*[1], t. 2, n° 177 (Saint-Pétersbourg, 1896) : *i ne na chás ja k tebe góre privjazálosi* et *a j tut ná vek góre rosstaválosi.*

2. Cf. l'allusion dans la *Povest'* : à la fête le garçon s'était assis $_{181}$ *ne v ból'shee mesto, ne v mén'shee* [en un lieu pas plus grand, pas plus petit].

fonction allative des accusatifs *v lesá*, *na pír*, *v kabák*. Dans le § I le parallélisme des hémistiches est antonymique, en contraste avec le parallélisme synonymique des vers. Dans l'hexastique du § II, la correspondance entre vers alternés est synonymique, tandis qu'entre vers contigus elle est antonymique; quant au parallélisme des hémistiches dans cet hexastique, il est synonymique dans les vers pairs, antonymique dans les vers impairs [1].

Les parties organiques de cette structure parallèle triple, avec leur tension croissante et l'image de la taverne comme dernière possibilité de refuge, apparaissent dans la *Povest'* dispersées, arrachées à leur unité : cf. $_{170}$ *prishél molodéc na chésten* et $_{305}$ *Ty pojdí, molodéc, nacarév kabák*, ainsi que $_{353}$ *Ino kínus'ja mólodec v bystrú rekú.*

La scène de l'action est définie et délimitée par trois constructions comportant des prépositions ablatives suivies de génitifs, et par trois constructions comportant, de façon analogue, des prépositions allatives suivies d'accusatifs, — ceux-ci additionnellement caractérisés par des « *epitheta ornantia* ». Le paragraphe est riche en sujets grammaticaux : il introduit d'abord deux substantifs, ayant pour prédicats des verbes; puis il fait débuter l'hexastique par le nominatif *ja* [je], dans un segment sans verbe qui va se répéter; c'est le premier exemple de pronom dans la chanson. Les prédicats de *góre*, dans ce § II, étendent progressivement le champ et l'effet de l'action : du réfléchi (13) ils passent à l'actif (16-20), et du prétérit perfectif (13, premier hémistiche de 18) à un présent imperfectif qui évoque des actions d'une portée illimitée (second hémistiche de 18, 20). Les verbes intransitifs (13-18) cèdent la place à deux verbes transitifs (20), dont le premier apparaît sans objet *(vstrecháet)* [rejoint], alors que le second commande un génitif partitif *(píva tashchít)* [tire de la bière]. Il n'y a dans la chanson aucun accusatif d'objet direct, au lieu que l'image de la dominance complète de la douleur sur le jeune homme est familière à la *Povest'* : $_{349}$ *Akhti mné, zlochástie gorínskoe!* [Ah *sur moi*, infortune douloureuse], $_{350}$ *do bedý menja mólodca domýkalo* [*m*'a amené, moi le brave, au malheur], $_{351}$ *umorílo menja mólodca smért'ju golódnoju* [*m*'a tué, moi le brave, par une mort affamée]. Le glissement des verbes intransitifs aux verbes transitifs est un nouveau trait de parenté entre les deux fins de paragraphes.

1. Robert Austerlitz, « Parallelismus », *Poetics Poetyka Poètika* (Varsovie, 1961), affirme : « Die Spannung, welche zwischen synonymen oder antonymen Parallelwörtern herrscht, verleiht dem Text eine Art von semantischen Rhythmus » [La tension qui s'instaure entre des synonymes ou des antonymes parallèles confère au texte une sorte de rythme sémantique] (p. 441). La tension entre les synonymes et les antonymes parallèles joue à son tour un rôle efficace.

Des trois accents principaux, le second tombe sur /o/ dans tous les vers depuis 12 jusqu'à 19 — sauf dans le vers 16 qui est incomplet — : $_{12, 13}$ *góre* ~ $_{14}$ *nógi* ~ $_{15, 17}$ *górja* ~ $_{18}$ *zashël* ~ $_{19}$ *górja*. Une relation de symétrie en miroir relie par leur texture phonique le premier vers de l'hexastique et le premier vers du distique isolé : $_{13}$ / *lykom* GÓR'*e potpo*JÁ*salos* / ~ $_{15}$ / JÁ *od*GÓR'*a ft'emní* /. Le dernier mot de 13, lié à 11 (comme il a été montré plus haut) par une paronomase, trouve un écho dans le dernier mot de chacun des deux vers qui suivent : $_{13}$ / POTPOJÁSALOS / ~ $_{14}$ / *iz*OP*u*T*ani* / ~ $_{15}$ / L'*e*SÁ /.

La progression constante qui se fait jour dans les activités de la douleur trouve une expression éloquente dans la distribution des lexèmes et des phonèmes tout au long de l'hexastique. Les deux extrémités de 16 — *a góre* [...] *zashël* — sont repris et rapprochés dans le premier hémistiche de 18 — *a góre zashël* —, tandis que le second hémistiche, dont l'unité est faite de la répétition de sa syllabe accentuée — / *fp'er'e*D'í *s'i*D'í*t* / — trouve un écho dans le double /i/ de l'hémistiche correspondant de $_{20}$/ p'íva tashchít /. Les voyelles accentuées de l'hémistiche trois fois répété *a já ot górja* sont reprises en ordre inverse dans la seconde moitié de $_{19}$ *na carév kabák*, ainsi que dans l'hémistiche contigu de $_{20}$ *a góre vstrecháet* : /áó/ ~ /óá/ ~ /óá/.

Le monostique qui conclut la chanson, $_{21}$ *kák ja nág to stál, nasmejálsja ón*, diffère grammaticalement, mais aussi métriquement (voir plus bas) du reste du texte ; il englobe deux sujets différents ayant chacun son prédicat ; ce sont les seules propositions hypotaxiques de la chanson, et le dernier mot du vers est l'unique pronom anaphorique de la chanson. Ce vers non couplé présente un parallélisme interne sous forme de chiasme : dans le premier hémistiche le sujet est suivi, dans le second il est précédé, par un prétérit perfectif masculin.

La texture phonique relie ce vers final au premier vers du distique contigu : $_{19}$ / kabák / ~ $_{21}$ /kák ja nák /; et les deux hémistiches du vers terminal sont manifestement reliés entre eux : / JA NÁK to S*t*ÁL / ~ / NAS*m'e*JÁL*sa* /. De façon générale, la confrontation entre les deux hémistiches de ce vers isolé est particulièrement fructueuse. Pour la première fois les sujets qui désignent les deux héros apparaissent à proximité l'un de l'autre. Leur dissymétrie est évidente. *Ja*, au contraire de *ón*, occupe un temps faible et appartient à une proposition subordonnée. C'est la seule fois que *ja* appartient à une proposition munie de verbe, mais ce verbe, en revanche, est une simple copule qui ne fait que doter le sujet d'un nouveau prédicat adjectival, tandis que sept verbes notionnels indépendants se rattachent à la « douleur ». Aucun verbe d'action ni aucun substantif ne renvoient, dans toute la chanson, à son unique héros humain, dont le moi lyrique ne trouve à s'exprimer que dans les distiques gnomiques impersonnels du § I, puis dans le récit de sa persécution, récit épique où il se perd. Les formes conjuguées simples des verbes notionnels ont toutes des sujets à la troisième personne du singulier : 5, 13, 16, 18, 20, 21.

Le thème de la nudité apparaît pour la troisième fois : d'abord, $_{3}$ *nagómu khodít'*, [se promener nu]; puis les images qui traduisent l'absence de vêtements aux vers 13 et 14; et ici $_{21}$ *kák ja nág to stál*, [lorsque je fus nu]. Au point de départ, l'homme douloureux et nu était forcé de se moquer de sa propre douleur et misère; plus tard, il se récriait que c'était en réalité la douleur qui était pitoyable et en haillons; mais finalement c'est la douleur (« qui rira le dernier [a] ») qui se gausse du dépouillement du misérable homme de douleur, non sans une transparente réminiscence, par le biais d'une paronomase, de la ceinture d'écorce : $_{14}$ / *potpo*JÁSAL*os* / ~ $_{21}$ / *n*ASm'*e*JÁLSA /. Le cycle, ouvert sur la triple apostrophe à la douleur, s'achève sur le pronom $_{21}$ *ón*, qui se réfère à la même fatale apparition.

V. [PARALLÉLISME MÉTRIQUE DANS LA MÊME CHANSON.]

La chanson de Kircha est écrite dans le mètre de l'épopée orale, avec sa dominante trochaïque traditionnelle et ses six temps forts séparés par cinq temps faibles [1]. Le temps fort initial forme avec le temps faible qui précède l'attaque (anacruse) du vers, et le temps fort final forme avec le temps faible qui précède la résolution (coda); la séquence qui va du premier temps fort intérieur au dernier temps fort intérieur a été appelé le tronc du vers. Les temps forts les moins marqués, c'est-à-dire les temps forts extérieurs — le temps final de la résolution, et surtout le temps initial de l'attaque — sont occupés, dans la plupart des cas, par des syllabes non-accentuées, ou faiblement accentuées. Des temps forts intérieurs (appartenant au tronc), les plus marqués sont le premier et le dernier; l'un et l'autre sont presque toujours occupés par des syllabes fortement accentuées. La courbe qui, selon le propre du vers russe, y décrit ses ondulations à partir de la fin, préside à la distribution des accents parmi les temps forts intérieurs, en affaiblissant le pénultième et en renforçant l'anté-pénultième, en sorte que le troisième des temps forts intérieurs comporte rarement

1. Cf. R. Jakobson, *Selected writings*, t. IV, p. 434 s. (La Haye, 1965.)

a. En français dans le texte.

une syllabe accentuée, tandis que le second de ces temps forts coïncide la plupart du temps avec un accent de mot. Ainsi, c'est le premier, le second et le quatrième des temps forts intérieurs qui portent les trois accents majeurs du vers [a].

Le vers 1 de la chanson de Kircha — *A i* { *góre góre gorevánʼ* } *ice* (avec le tronc entre accolades) — obéit strictement au modèle métrique qui vient d'être décrit. Sur les vingt et un vers, dix respectent le modèle hendécasyllabique, six sont ramenés à dix syllabes, et trois à neuf; au vers 8, une douzième syllabe est introduite; le vers 16, pour sa part, avec ses huit syllabes, comporte vraisemblablement une lacune. Dans la grande majorité des cas (14 sur 21), le troisième des quatre temps forts intérieurs est immédiatement précédé par une frontière de mot; tous les vers qui sont dans ce cas se terminent par un segment de cinq syllabes (exemple : *gorevánʼice*).

Les variations dans le modèle métrique sont étroitement liées à la composition de la chanson et à sa division en groupes de vers unis par des parallélismes. Une fois que la *douleur* est introduite au premier vers, toute nouvelle apparition de *góre* ou de *ja* (au voisinage immédiat de *góre*), au commencement du tronc du vers, réduit l'attaque, de façon emphatique, à une seule syllabe : $_{2}$ *a v góre*, $_{12, 16, 18, 19}$ *a góre*, $_{15, 17, 19}$ *a já ot górja*. Même réduction au vers 3 : *nagómu*, par suite du parallélisme phonématique avec $_{2}$ *a v góre*. Les autres vers conservent leur attaque dissyllabique. — Par ailleurs, il faut tenir compte d'une particularité du vers russe : fréquemment, le schéma syllabique est gardé, mais la position des accents s'écarte du modèle métrique. Dans une première série d'exemples : $_{3}$ *nagómu khodítʼ*, $_{8}$ *ne otrostítʼ*, $_{9}$ *ne otkormítʼ konjá*, on peut faire entrer en ligne de compte les accents dialectaux : *otróstitʼ*, *otkórmitʼ*, *kónja* [1]. Mais on est bien forcé d'admettre un décalage entre les ictus et les accents de mots dans des cas comme $_{18}$ *a góre zashël* ou l'hendécasyllabe $_{20}$ *a góre vstrecháet*, *píva tashchít*, où la scansion exigerait normalement *goré* et *pivá*.

Les trois distiques sur lesquels s'ouvre la chanson sont à la fois

1. Voir A. M. Selishchev, *Dialektologicheskij ocherk Sibiri*, p. 137 (Irkoutsk, 1920) : *róstitʼ*, etc., et S. P. Obnorskij, *Imennoe sklonenie v sovremennom russkom jazyke*, t. I, p. 244 (Léningrad, 1927) : *kónjaʼ*; *kónju*. Un accent dialectal sur la désinence est très probable en $_{14}$ *mochalámi*; cf. Obnorskij, t. II, p. 384 s. (Léningrad, 1931).

a. L'ensemble de cette description peut se schématiser ainsi :

(/) / / (/) / (/)
— ∪ — ∪ — ∪ — ∪ — ∪ —
anacruse tronc coda

soudés intérieurement et mutuellement différenciés par les fins dissemblables des hémistiches initiaux. Le modèle de vers présenté par le vers exemplaire qui sert d'introduction est tout entier, strictement, respecté par le second de ces trois distiques (4-5); les deux vers qui précèdent écourtent leur premier hémistiche en lui donnant une terminaison masculine [a] — $_2$ *zhít'* ~ $_3$ *khodít'* — à quoi répond la fin du vers $_1$ *být'*. Inversement, le dernier de ces trois distiques allonge le premier hémistiche de chacun de ses deux vers en lui conférant sept syllabes, grâce à une terminaison dactylique englobant le temps fort anté-pénultième du tronc du vers, — mais, en compensation, raccourcit le second hémistiche en ne lui donnant que quatre syllabes. Le distique suivant revient au modèle pentasyllabique de l'hémistiche final, mais néanmoins, en 8, il conserve, pour l'hémistiche initial, le schéma heptasyllabique adopté par les vers 6 et 7, — tout en restaurant la mesure de l'hexasyllabe en 9. Il est possible que les hémistiches initiaux, dans les deux vers de ce distique, présentent aussi un glissement des accents (voir ci-dessus). Dans le dernier distique du premier paragraphe (vers 10 et 11) l'hémistiche pair a la même forme tétrasyllabique que dans le distique anté-pénultième (6-7), tandis que dans le pénultième (8-9) et dans l'anté-/anté-/pénultième (4-5), il a la forme pentasyllabique. La nouveauté rythmique de ce distique 10-11 est dans la fin de l'hémistiche impair; en 10 c'est le seul exemple de toute la chanson à déplacer l'accent de mot du second temps fort intérieur au troisième *(Ne utéshite ditjá)*; en 11 la syllabe qui devrait être marquée du troisième temps fort intérieur est manquante.

Le distique initial, fortement teinté d'épopée, du second paragraphe (vers 13-14), avec sa construction au prétérit de narration — $_{13}$ *A i lýkom góre podpojásalos'* — retrouve la forme typiquement épique du vers 1 (le vers qui donne le ton à tout l'ensemble) et du distique 4-5 (le seul distique du premier paragraphe qui ait un verbe au passé), et développe précisément le thème sur lequel se termine ce distique : celui de la pénurie imminente. Ces deux distiques apparentés sont, avec le vers-préambule (vers 1), les seuls dans toute la chanson à commencer par l'anacruse *a i* (le manuscrit de Kircha écrit *ai*) caractéristique des *bylines*.

L'hexastique 15-20 diffère profondément de ce qui précède. La syllabe finale de chacun de ses vers porte un accent de mot, pertinent du point de vue de la syntaxe, qui frappe cinq fois des dissyllabes, une fois seulement un monosyllabe ($_{17}$ *pír*). Les deux exemples d'accent

a. On se rappellera que, pour la critique anglaise, les expressions « rime masculine », « coupe masculine », etc., signifient que la syllabe à la rime, ou précédant la coupe, est accentuée.

final qui se rencontrent dans le reste du texte concernent des monosyllabes faibles, qui sont virtuellement des enclitiques : au vers 2, la copule, dans le tour : *nekruchínnu být'*; au vers 5, la deuxième partie de *zlýdni* (« jours de pénurie »), mot composé de façon assez lâche, qui se décompose en deux éléments déclinables : *pered zlými dni.*

L'attaque réduite de ces vers et la tension particulière qui y oppose le modèle syllabique et le modèle accentuel a été commenté plus haut. On peut noter l'absence de syllabe frontière entre les hémistiches aux vers 15 et 17-19. Le taux élevé des syllabes accentuées est remarquable dans cet hexastique, et, de façon encore plus frappante, dans le monostique final de la chanson. Les deux temps forts extérieurs — *Kák* et *ón* — sont occupés par des monosyllabes accentués. Trois syllabes sur onze comportent des temps forts accentués au premier vers de la chanson, et cinq sur dix au dernier vers. — Le vers épique de la poésie slave, et en particulier de la poésie russe, fondé sur une asymétrie interne, cède la place, ici, à un parallélisme métrique parfait entre des hémistiches pentasyllabiques [1]. L'hémistiche impair, qui se compose exclusivement de monosyllabes, aussi bien aux temps forts qu'aux temps faibles, — *Kàk ja nág to stál* (ces cinq mots isolés par l'écriture dans le manuscrit de Kircha, qui soude toujours les proclitiques au mot suivant) — signale le dénouement du développement rythmique. L'amplitude du mouvement diminue, le contraste marqué entre les sommets et les creux s'affaiblit. L'étonnante dramatisation, et la variété picturale, des figures rythmiques prennent fin brutalement sous la raillerie meurtrière du persécuteur omniprésent.

On pourrait conclure ces remarques rapides sur le parallélisme métrique dans la chanson de Kircha en rappelant à nouveau l'observation de Hightower sur la poétique chinoise : « C'est sur le soubassement de ce modèle ou de cette série de modèles que les formes plus subtiles du parallélisme grammatical et phonique brochent leur contrepoint : une suite d'accents et de tensions. »

VI. [CONCLUSION THÉORIQUE.]

Dans son introduction à son essai de traduction des œuvres chinoises fondées sur le parallélisme, Hightower définit leur lecture comme un « exercice de polyphonie verbale » (p. 69). « L'extraordinaire exubérance, du point de vue de la quantité et du point de vue de la variété, du

1. Cf. R. Jakobson, *op. cit.*, p. 425 s.

parallélisme répétitif de la Chanson de Déborah » a été signalée par Albright, dans son article sur le *Psaume d'Habacuc*, et accusée de verser dans un « rococo chananéen [...] qui a dû être répandu dans la première moitié du douzième siècle avant notre ère ». L'« excès de parallélisme et de correspondances phoniques » dans l'art oral du récitant *(skazitel')* Kalinin, dont les *bylines* ont été transcrites par Hilferding, ont suggéré à Jirmunski une comparaison avec le style baroque (p. 337). De tels exemples pourraient être aisément multipliés; ils vont à contre-courant de cette opinion fantaisiste mais encore bien vivace, qui voit dans le parallélisme la survivance d'un moyen d'expression primitif, mélange d'impuissance et de balbutiements. Même Miklosich expliquait les procédés à base de répétition et de parallélisme dans la tradition épique slave par l'incapacité du récitant *des Naturepos* à se dégager immédiatement d'une idée, et par conséquent par la nécessité d'énoncer « *einen Gedanken oder ganze Gedankenreihen mehr als einmal* » [une idée ou une série d'idées plusieurs fois de suite], et se référait au parallélisme finnois comme à un exemple typique [1].

L'hypothèse d'une origine du parallélisme dans une technique d'interprétation antiphonale des vers couplés est contredite par l'écrasante majorité des systèmes de parallélisme qui ne présentent aucune trace de chant à deux voix. Les efforts répétés pour faire dériver le parallélisme d'un automatisme mental qui serait sous-jacent à toute littérature orale, et de procédés mnémotechniques sur lesquels l'exécutant serait forcé de se reposer [2], sont démentis par deux ordres de faits : d'un côté, l'existence de nombreuses traditions populaires qui sont, dans leur entier, totalement étrangères à ce parallélisme généralisé, ainsi que l'existence, à l'intérieur d'un même système folklorique, de différents genres poétiques qui s'opposent l'un à l'autre par la présence ou par l'absence de ce procédé; d'un autre côté, la persistance, depuis tant de milliers d'années, de traditions écrites, comme celle de la Chine, qui adhèrent aux règles du parallélisme, pendant que celles-ci sont, pour une part, oubliées dans le folklore du pays (Jabłoński, p. 22).

Herder, qui fut, selon ses propres termes (p. 24), « le grand avocat du parallélisme », s'en prit résolument à cette idée — maintes fois répétée

1. Franz Miklosich, « Die Darstellung im slavischen Volksepos », *Denkschriften der K. Akademie der Wissenschaften in Wien*, Philos.-hist. Cl., XXXVIII (1890), 3, p. 37 s.

2. Voir, par exemple, Marcel Jousse, *Études de psychologie linguistique. — Le style oral rythmique et mnémotechnique chez les verbo-moteurs*, chap. X, XII, XV-XVIII (Paris, 1925); Gevirtz, *op. cit.*, p. 10.

après lui — que « le parallélisme est monotone et se présente comme une perpétuelle tautologie » (p. 6) et que « si quelque chose doit être dit deux fois, alors, la première fois, il faut ne le dire qu'à moitié et de façon imparfaite » (p. 21). Par sa brève réplique : « *Haben Sie noch nie einen Tanz gesehen?* » [N'avez-vous jamais vu une danse?], qu'il fait suivre d'une comparaison entre la poésie hébraïque et cette sorte de danse, Herder faisait passer le parallélisme grammatical de la catégorie des débilités congénitales et des moyens d'y remédier à celle des procédés poétiques intentionnels. Ou, pour citer un autre maître et théoricien du langage poétique, G. M. Hopkins : tout l'art de la poésie « se ramène au principe du parallélisme »; des entités équivalentes se mettent mutuellement en valeur en venant occuper des positions équivalentes.

N'importe quelle forme de parallélisme est un mélange d'invariants et de variables. Plus la distribution des premiers est rigoureuse, et plus les variations sont perceptibles et efficaces. Le parallélisme généralisé active inévitablement tous les niveaux de la langue : traits distinctifs — qu'ils soient propres au mot ou sous la dépendance de la prosodie —, catégories et formes morphologiques et syntaxiques, unités lexicales — dans leurs différentes classes sémantiques, soit convergentes soit divergentes, — acquièrent une valeur poétique autonome. Cet accent mis sur les structures phonologiques, grammaticales et sémantiques dans le jeu multiforme de leurs relations ne se cantonne pas aux limites des vers parallèles mais, à travers leur distribution, s'étend au contexte tout entier; d'où, dans les œuvres fondées sur le parallélisme, le caractère particulièrement signifiant de la grammaire. Les symétries entre vers couplés suscitent par contagion un double jeu de corrélations, d'une part, sur une échelle plus réduite, entre les hémistiches couplés, et d'autre part, dans un cadre plus large, entre les distiques successifs. Enfin, le principe dichotomique qui est à la base du distique peut se communiquer à des suites beaucoup plus longues, comme les deux paragraphes de la chanson de Kircha.

Le parallélisme généralisé de la poésie orale atteint à un tel raffinement dans le domaine de la « polyphonie verbale » et de son potentiel sémantique que le mythe de la sécheresse primitive et de l'indigence créatrice trahit une fois de plus son manque de pertinence [1]. Gonda est dans le vrai quand il soutient que dans toutes ces compositions symétriques, le « champ est libre pour toutes sortes de variétés (p. 49). » Le choix d'éléments linguistiques plus contraints ou plus variables, l'établissement d'une hiérarchie entre les uns et les autres, diffèrent

1. Cf. Claude Lévi-Strauss, *La Pensée sauvage* (Paris, 1962).

de système à système. Les hypothèses schématiques, qui affirment une dégradation progressive du parallélisme canonique, à mesure que l'on passe des temps primitifs jusqu'aux formes hautement développées, ne sont que des constructions arbitraires.

Le parallélisme généralisé qui est mis en œuvre pour la construction de suites entières de vers doit être soigneusement distingué des procédés analogues isolés qui accompagnent le thème des chansons lyriques. Vésélovski [1] a séparé radicalement le premier procédé, qu'il nomme « parallélisme rythmique » et qui est « familier à la poésie hébraïque, chinoise, finnoise », — et le second, qu'il appelle « parallélisme psychologique » ou « parallélisme du signifié » *(soderzhatel'nyj)* (p. 142). Il y a cependant des incohérences dans cette distinction de Vésélovski entre les différents types de parallélisme. Quoique des similarités qui rapprochent des paysages ou des événements de la vie humaine soient très fréquents dans les modèles de parallélisme généralisé en poésie, Vésélovski considère que de tels parallèles sont des exemples typiques de parallélisme « du signifié », tandis que tout « relâchement dans les corrélations intelligibles entre les éléments en parallèle » est flétri comme une décadence, une dégradation de ce qui était originellement un parallélisme du signifié. Le résultat prétendu est « une série de séquences rythmiques sans aucune correspondance au plan du signifié, au lieu d'une alternance d'images liées de l'intérieur » (p. 142, 163). Les objections surgissent inévitablement contre cette idée préconçue d'une filiation génétique entre les deux types de parallélisme, et contre les exemples de Vésélovski visant à illustrer un simple balancement « rythmico-musical », notamment la chanson chuvash qui en est, à ses yeux, l'illustration majeure : « La vague s'enfle pour atteindre le rivage, la jeune fille se pare pour séduire le fiancé; la forêt grandit pour devenir haute, la promise grandit pour devenir adulte, elle pare ses cheveux pour être belle. » Les verbes de croissance et de progrès se présentent comme orientés vers le but le plus élevé. Ces vers seraient devenus un exemple évident de parallélisme du signifié, de parallélisme métaphorique, si Vésélovski avait appliqué sur ce cas le critère perspicace qui, plus tard, révéla sa pertinence dans l'enquête de Propp sur les lois structurales des contes de fées traditionnels [2] : « L'important n'est pas l'IDENTIFICATION de la vie humaine et de la vie de la nature, ni la COMPARAISON qui présuppose une insistance sur la séparation des réalités comparées, mais une JUXTAPOSITION sur la base

1. A. N. Veselovskij, « Psikhologicheskij parallelizm i ego formy v otrazhenijakh poèticheskogo stilja », *Poètika*, t. I, p. 130-225 (Saint-Pétersbourg, 1913).

2. V. Ja. Propp, *Morfologija skazki* (Leningrad, 1928) [trad. fr. : *Morphologie du conte* (Paris, Seuil, 1970)].

de l'action. [...] Le parallélisme des chansons populaires repose d'abord et avant tout sur la catégorie de l'action. » La similarité qui donne lieu au parallèle est déterminée non pas tant par les réalités qui participent au procès que par les relations qui s'expriment entre elles par le biais de la syntaxe. La chanson chuvash en question peut servir de leçon pour mettre en garde contre l'inattention à l'égard des correspondances latentes; des invariants, qui passent inaperçus de l'observateur sous la surface des variables, occupent en fait une place signifiante dans la topologie des transformations en jeu dans le parallélisme.

Malgré toute sa complexité, la structure de la poésie fondée sur le parallélisme apparaît transparente dès qu'elle se trouve soumise à une analyse linguistique serrée, portant tout à la fois sur les distiques parallèles et sur leurs relations avec un contexte élargi. L'hexastique ch. 4, v. 8 du Cantique des Cantiques, commenté par Bertholet [1] et par Albright [2], est censé contenir « des allusions à un mythe des origines indubitablement chananéen », et faire partie des textes poétiques les plus archaïques de la Bible. La transcription qui suit est accompagnée d'une traduction qui correspond, à peu de chose près, à l'interprétation d'Albright :

$_{1}$ˀ/ittī millәbānōn kallāh
$_{2}$ˀ/ittī millәbānōn tābōˀī
$_{3}$tāšūrī mērōˀš/ămānāh
$_{4}$mērō/ˀ/š śәnīr wәḥermōn
$_{5}$mimmә/ˀ/ōnōt ˀărāyōt
$_{6}$mēharәrēy nәmērīm

$_{1}$Avec moi, du Liban, ma fiancée,
$_{2}$avec moi, du Liban, viens!
$_{3}$Pars de la cime de l'Amana,
$_{4}$de la cime du Sanir et de l'Hermon,
$_{5}$des tanières des lions,
$_{6}$des montagnes des léopards!

L'hexastique tout entier est soudé par les six occurrences de la préposition « de », et par la présence d'un substantif en seconde position dans chaque vers. Chacun des trois distiques a ses propres caractères structuraux qui le distinguent des deux autres. Le premier est le seul qui répète certains mots en des positions métriques analogues : les deux premiers mots de 1 sont repris en 2, et quoique les mots en troisième position dans les deux vers appartiennent à des parties du

1. Alfred Bertholet, « Zur Stelle Hohes Lied 4^{8} », *Beihefte zur Zeitschrift für die alttestamentliche Wissenschaft*, XXXIII (1918), 18, p. 47-53.
2. W. F. Albright, « The Psalm of Habakkuk », p. 7 (voir plus haut).

discours différentes, ils rentrent pourtant dans le modèle du parallélisme, puisque la fonction vocative du substantif final en 1 et la fonction impérative du verbe final en 2 appartiennent l'une et l'autre au même niveau conatif de la langue [1]. Ainsi ce premier distique — qui est le seul dans ce cas sur les trois du fragment — obéit au schéma directeur de l'ancien parallélisme hébraïque : *abc* — *abc* (ou plus exactement : abc^1 — abc^2). De la même façon, la chanson populaire russe traite les impératifs comme susceptibles d'être mis en parallèle avec des vocatifs, par exemple : *Solovéj ty mój solovéjushko! || Ne vzvivájstja ty vysokókhon'ko!* [Rossignol, ô mon petit rossignol. Ne t'envole pas dans les hauteurs [2]]. « Rossignol » et « Ne t'envole pas! », « Oncle! » et « Viens! », « Frère! » et « Galope! », figurent dans des formules binaires de chants de mariage russes.

Les quatre vers suivants sont tous unis par la syntaxe, et diffèrent du premier distique par la présence de substantifs en fonction de compléments de nom. Le second distique est le lieu de glissements caractéristiques dans la position des mots. Les deux verbes de l'hexastique ressortent avec vigueur sur l'arrière-plan des douze substantifs; ils sont à la fois similaires du point de vue morphologique et syntaxique, et polaires au sein de la même classe sémantique — « viens » avec un sens allatif, « va-t'en » avec un sens ablatif. Ensemble ils forment une anadiplose : le premier distique s'achève sur l'un des verbes, et le second commence par l'autre; le premier verbe est précédé, et le deuxième suivi, par une construction avec préposition. Quant à *mērōˀs*, qui est au centre du vers 3, il est repris au début du vers 4. Par ce glissement, la place centrale occupée par le second distique au sein de l'hexastique trouve sa raison d'être la plus claire : dans un jeu de dichotomies et de trichotomies, la même préposition « de », qui est à l'attaque des trois vers terminaux, heptasyllabiques, exclusivement formés de substantifs, est préfixée au mot central dans les trois vers initiaux, plus longs que les précédents.

Ce glissement est lié à un trait stylistique significatif, que le *Nāṭyaśāstra* de Bharata, qui remonte au second siècle de notre ère, nomme *dīpaka*, « condensation », en le rangeant sur le même plan que trois autres figures de style : la comparaison, la métaphore et la répétition. Discutant des exemples typiques de cette contraction de la phrase habilement mise en œuvre par la poétique des Vedas, Gonda observe

1. Cf. Jakobson, « Linguistics and poetics », p. 355 (voir plus haut) : « L'orientation vers le DESTINATAIRE, la fonction CONATIVE, trouve son expression grammaticale la plus pure dans le vocatif et l'impératif » [trad. fr. p. 216].

2. P. V. Shejn, *Velikorus' v svoikh pesnjakh, obrjadakh, obychajakh, verovanijakh, skazkakh, legendakh*, nº 1659 (Saint-Pétersbourg, 1900).

que « si l'idée exprimée par le verbe dans deux unités successives est identique, le verbe est très souvent omis » (p. 397 s., 66, 226) [1]. Or, justement, ce type de répétition écourtée est à la base des « parallélismes incomplets » que l'on trouve dans la Bible, par exemple dans les distiques relevés par Neuman (p. 142) dans Amos, du genre de celui-ci : « Et-j'ai-fait-se-lever quelques-uns-de-vos-fils comme-prophètes, // et-quelques-uns-de-vos-jeunes-gens comme /-Naziréens ». Indiscutablement, cette variété de parallèles peut être qualifiée d'« incomplète » *(abc-bc)*, mais seulement si le verbe-zéro elliptique (a^{o}) des vers 4, 5 et 6 n'est pas compté parmi les termes couplés [2]. Du point de vue métrique, le vers 4, comparé au vers 3, serait incomplet sans la « compensation » qui lui est assurée par le dédoublement d'un substantif unique en deux formes coordonnées (abc^{1} — bc^{2} / c^{3}; c'est la seule conjonction de tout l'hexastique); en revanche, les vers du troisième distique demeurent, métriquement, des binomes, tout en étant, du point de vue de la syntaxe, des trinomes, — si l'on compte le verbe-zéro : *(tāšūrī) mimmə ˀōnōt ˀărāyōt* etc. C'est dans ce clivage entre le binome métrique et le trinome grammatical virtuel que réside l'originalité de ce troisième distique, qui, au surplus, oppose ses quatre pluriels au douze singuliers (dont quatre noms propres) des deux premiers distiques. Les relations formellement identiques entre le substantif initial et son complément de nom, dans le distique du milieu et dans le distique final, diffèrent du point de vue sémantique : au lien de la partie et du tout, dans les vers 3 et 4, les vers 5 et 6 opposent un rapport d'habitat et d'habitants.

En fin de compte, chaque vers contient deux éléments contigus ayant des correspondants isosyllabiques dans le vers parallèle; mais à la fois leur position dans le vers et leur nombre de syllabes varient de distique à distique :

I	II	III
$2\;4\;\genfrac{}{}{0pt}{}{2}{3}$	$\genfrac{}{}{0pt}{}{3}{2}\;2\;3$	$4\;3$

Quant aux deux asymétries syllabiques — 2 contre 3 dans le premier distique, 3 contre 2 dans le second, — elles sont fondées sur une opposition entre verbes trisyllabiques et substantifs dissyllabiques.

1. Cf. Lausberg, *op. cit.*, § 737 : un isocolon construit sur le schéma : $q(a^{1}b^{1}/a^{2}b^{2})$ où *q* désigne « den klammerartigen gemeinsamen Satzteil » [l'élément de la phrase qui est en facteur commun et qui subit l'ellipse].
2. R. Jakobson, *Selected writings*, t. II, p. 221 s. (La Haye, 1971).

Le trait frappant de la texture phonique est la profusion des nasales (21) et leur distribution symétrique : trois dans chacun des trois premiers vers, quatre dans chacun des trois vers suivants.

La rime a été maintes fois définie comme un parallélisme condensé; mais une comparaison rigoureuse de la rime et du parallélisme généralisé montre qu'il existe une différence fondamentale. L'équivalence PHONÉMATIQUE des mots à la rime est contraignante, tandis que le niveau linguistique de n'importe quelle correspondance entre deux termes parallèles est sujet à un libre choix. La distribution flottante des différents niveaux linguistiques entre variables et invariants confère un caractère hautement diversifié à la poésie à base de parallélisme et lui fournit de nombreuses possibilités d'individualiser les parties, ou au contraire de les grouper, en tenant compte des ensembles. Sur l'arrière-plan de vers totalement congruents, la concurrence occasionnelle entre une équivalence à un niveau linguistique et une dissonance à un autre niveau fonctionne comme un procédé d'une efficacité puissante. Dans le distique de la chanson populaire russe (Shejn, Nos. 1510, 2128), un parallélisme négatif superpose à l'image de la trompette qui sonne tôt le matin *(ne trúbon'ka trúbit ráno pó utru)* ou dès la première rosée *(ráno pó rose)* l'image d'une jeune fille qui pleure ses nattes *(pláchet ráno pó kose)*. *Po utru* ou *po rose*, et, de l'autre côté, *po kose*, sont des constructions au datif avec la même préposition *po*; mais leurs fonctions syntaxiques sont entièrement différentes. Avec un premier vers différent, on rencontre le même second vers dans un distique cité par Vésélovski : *Plávala vútica pó rose, || plákala Máshin'ka pó kose* [Le caneton nageait dès la première rosée, Machin'ka pleurait ses nattes] (p. 166). Le parallélisme syntaxique s'arrête avant le dernier mot, tandis que la correspondance est complète sur le plan de la structure morphologique, du nombre des syllabes, de la distribution des accents et des frontières de mots, sans compter une ressemblance phonématique saisissante entre les mots des deux extrémités des vers : *plávala* ~ *plákala*, *pó rose* ~ *pó kose*. Les deux vers répètent respectivement les consonnes /v/ et /k/ qui différencient leurs mots initiaux : *plávala* ~ V*útica*; *pláKala* ~ *Máshin'*K*a* ~ *pó* K*ose*. Le jeu d'images de la première variante, fondé sur un contraste entre images auditives — son de la trompette et pleurs — a cédé la place, cette fois-ci, à une chaîne plus banale d'images liquides : l'eau évoquée, de façon allusive, par le canard nageant, la rosée, et les larmes de la jeune fille.

Une analyse linguistique rigoureuse du parallélisme généralisé réduit le nombre des termes non-couplés à l'intérieur des distiques; en outre, un grand nombre de vers en apparence non-couplés témoignent de correspondances mutuelles. Les deux termes d'un accord syntaxique forment manifestement un couple solide. Ce genre de parallélisme, observé par Gevirtz dans la poésie biblique et dénommé par lui « épithétique » (p. 26, 49), est très fréquent dans les chansons populaires russes. Evgenjeva en cite un exemple typique : *Záin'ka, popytájsja u vorót, || Séren'koj, popytájsja u novýkh*, littéralement : « Lièvre, tâte la porte, Gris, tâte la neuve ». De même, les termes régissants et les termes régis se révèlent fonctionner comme des formes symétriques « quand ils sont solidement encastrés dans un contexte par ailleurs impeccablement parallèle », s'il est permis d'appliquer également à de telles occurrences la formule parfaitement mesurée d'Hightower (p. 63). La remarque de Driver sur le second vers qui « de différentes façons agit comme supplément ou complément » du premier vers du distique s'applique aux relations entre mots déterminés et mots déterminants, mais l'étiquette de « parallélisme synthétique ou constructif » qu'il attache à cette définition apparaît ici dans un sens qui n'a rien de commun avec le sens originel assigné à la même expression par Lowth et par ses successeurs [1].

Un vers formé de deux prédicats synonymes, couplé avec un vers formé de deux accusatifs à peu de chose près synonymes — un complément d'objet direct et son apposition —, dans un distique d'une complainte de mariée de la Russie du Nord, offre un exemple typique d'un parallélisme fondé sur un lien de rection syntaxique : *Ugljadila, uprimítila || Svoegó kormíl'cja bátjushka*, [Je vis, j'aperçus Mon père nourricier [2]]. Un autre distique contenant un complément d'objet direct en son second vers n'appartient pas, cependant, à ce type : *Tut sidéla krásna dévica || I chesála rúsy kóson'ki* [Ici se tenait une jolie fille, Et peignait ses tresses rousses]. Les deux substantifs et leurs épithètes fonctionnent comme des parallèles morphologiques,

1. *Op. cit.*, p. 363. Le parallélisme « ascendant », comme Driver, qui a lancé l'expression, le définit, apparaît comme une simple combinaison du tour répétitif et du tour mentionné ci-dessus, qui, dans le second vers, « complète » le premier. Ainsi, dans l'exemple qu'il emprunte au Psaume 29, v. 8 : « La clameur du Seigneur secoue le désert; || Le Seigneur secoue le désert de Cadès », le début du second vers reprend la fin du premier vers et ajoute : « de Cadès ». Le procédé répétitif peut se réduire ou bien à une anadiplose, comme dans l'exemple ci-dessus, ou bien à une anaphore comme dans d'autres exemples de parallélisme « ascendant » cités par Driver. La conception élargie du tour ascendant, qui est exposée par C. F. Burney, dans son édition du *Livre des Juges*, p. 169 s. (Londres, 1918), sera discutée d'un point de vue linguistique par l'auteur du présent article dans un autre contexte.

2. B.-M. et Ju. M. Sokolov, *Skazki i pesni belozerskogo kraja*, Chanson nº 73 (Moscou, 1915).

avec une équivalence remarquable entre les deux cas directs : nominatif et accusatif.

Non seulement l'accord ou la rection, mais occasionnellement le lien entre sujet et prédicat, peuvent être à l'origine de vers parallèles : *K tebé idút da zhálujut || Tvoi mílye podrúzhen'ki*, [Viennent à toi et te respectent Tes chères camarades] (Shejn, No. 1470). Au niveau sémantique, nous savons que les parallèles peuvent être soit métaphoriques soit métonymiques, fondés respectivement sur la similarité ou la contiguïté. De la même façon, le niveau syntaxique du parallélisme offre deux types de couplage : ou bien le second vers offre un modèle SIMILAIRE du précédent, ou bien les deux vers se complètent l'un l'autre en tant qu'éléments CONTIGUS d'une même construction grammaticale.

Enfin, en dernière analyse, un vers isolé environné par des distiques parallèles peut être un « monôme parallèle », selon l'expression en apparence paradoxale de Vésélovski (p. 205). Un monostique de ce genre peut refléter ou bien une similarité réduite à une pure et simple métaphore par complète omission de l'élément clé, généralement familier au public et facile à deviner, — ou bien une formule double qui est répétée avec suppression elliptique de l'un de ses membres. Au cours de sa complainte, la mariée s'adresse d'abord à son père : *Podojdú ja, molodéshen'ka, || Ja sproshu, gorjúkha bénnaja* [Je vais venir, moi la toute jeune, Je vais demander, moi la pauvre malheureuse], — puis se tourne vers sa mère en redoublant sa plainte : *Ja eshchó, gorjúkha bénnaja, || Pogljazhú da, molodéshen'ka* [Maintenant je vais, moi la pauvre malheureuse, Promener mes regards, moi la toute jeune]; mais par la suite, quand elle en appelle à ses frères puis à ses sœurs, elle réduit la formule à un seul vers : *Ja eshchó pojdú, molodéshen'ka*, [Maintenant je vais aller, moi la toute jeune] (Sokolov, Nos. 73-76). Des monostiques de ce genre, qui reposent sur une association par contiguïté avec le contexte total, constituent les extrêmes abrégés de la *dīpaka* de Bharata : l'« expression condensée ».

Assistant à une discussion de philologues qui se demandaient quelle sorte de déterminant peut être, en poésie, considéré comme épithète, Vladimir Maïakovski intervint pour affirmer qu'à son avis tout déterminant quel qu'il soit, dès qu'il fait son apparition en poésie, devient automatiquement une épithète [1]. De façon analogue, tout mot ou toute proposition qui entre dans un poème construit sur le parallélisme généralisé se trouve, sous la contrainte du système, immédiatement incorporé dans la phalange serrée où sont soudées

1. R. Jakobson, *O cheshskom stikhe*, p. 105 (Berlin-Moscou, 1923).

formes grammaticales et valeurs sémantiques. L'image métaphorique des « vers orphelins » est une invention de gens pressés, voyant les choses de loin, — à qui un art de correspondances ininterrompues demeure, sur le plan esthétique, totalement étranger. Les vers orphelins, dans une poésie fondée sur un parallélisme généralisé, sont une contradiction dans les termes : quel que soit le statut d'un vers, toute sa structure, toutes ses fonctions, sont indissolublement conjoints au contexte verbal proche et lointain, et la tâche de l'analyse linguistique est de mettre à nu le mécanisme de cet ensemble de rouages. Vue de l'intérieur du système du parallélisme, cette prétendue condition d'orphelin, comme le statut de tout autre constituant, se métamorphose en un réseau d'affinités multiples et contraignantes [1].

Traduit de l'anglais par
ANDRÉ JARRY

1. Cf. « Lettres de Ferdinand de Saussure à Antoine Meillet », publiées par Émile Benveniste, *Cahiers Ferdinand de Saussure*, 1964, 21, p. 110 : « Il est d'emblée accordé que l'on peut se rattraper pour un couple sur le vers suivant, et même sur l'espace de plusieurs vers. »

Structures linguistiques subliminales en poésie [a]

Que le critique d'une part, et que le versificateur d'autre part, le veuille ou non.

FERDINAND DE SAUSSURE

Chaque fois que je discute de la texture phonologique et grammaticale de la poésie, et quelles que soient la langue et l'époque des poèmes examinés, la même question surgit parmi mes lecteurs ou mes auditeurs : les mécanismes dégagés par l'analyse linguistique ont-ils été visés délibérément et rationnellement dans le travail créateur du poète? Celui-ci est-il conscient de leur existence?

Un calcul des probabilités, aussi bien qu'une comparaison précise des textes poétiques avec d'autres sortes de messages verbaux démontrent que les particularités frappantes qui caractérisent la sélection, l'accumulation, la juxtaposition, la distribution, et l'exclusion, en poésie, de diverses classes phonologiques et grammaticales, ne peuvent pas être tenues pour des accidents négligeables régis par le seul hasard. Toute composition poétique significative, qu'elle résulte de l'improvisation ou soit le fruit d'un long et pénible travail, implique un choix orienté du matériel verbal.

C'est en particulier quand on compare les variantes existantes d'un poème que l'on peut se rendre compte de la pertinence pour l'auteur du cadre phonématique, morphologique et syntaxique. La nature exacte des éléments pivots peut bien rester — et c'est fréquemment le cas — en dehors de la conscience de l'auteur, mais, même s'il n'est pas capable de toucher du doigt les procédés pertinents, le poète, tout comme le lecteur réceptif, appréhende néanmoins spontanément les avantages artistiques d'un contexte doté de ces composants sur un contexte similaire dont ils sont absents.

Le poète est plus habitué à abstraire les structures linguistiques et tout particulièrement les règles de versification, qu'il suppose être

a. « Subliminal verbal patterning in poetry ». La première version anglaise de cette étude a été publiée dans *Studies in General and Oriental Linguistics Presented to Shirô Hattori*, p. 302-308 (Tokyo, 1970).

obligatoires, tandis que des mécanismes facultatifs, soumis à variations, se prêtent moins aisément à une interprétation et à une définition séparées. De toute évidence, une délibération consciente peut intervenir et jouer un rôle bénéfique dans la création poétique, comme Baudelaire l'a bien montré dans le cas d'Edgar Allan Poe. Toutefois, la question reste ouverte de savoir si, dans certains cas, des phénomènes de latence verbale intuitive ne précèdent pas et ne sont pas sous-jacents même à une telle connaissance consciente. La prise de conscience de la structure peut très bien surgir chez l'auteur après coup, ou ne jamais surgir du tout. L'échange de vues bien connu entre Gœthe et Schiller ne peut pas être mis de côté dogmatiquement. D'après l'expérience *(Erfahrung)* de Schiller, qu'il décrit lui-même dans sa lettre du 27 mars 1801, le poète commence *nur mit dem Bewusstlosen.* Dans sa réponse du 3 avril, Gœthe dit qu'il va même plus loin *(ich gehe noch weiter).* Il affirme que la création authentique d'un poète authentique *unbewusst geschehe,* alors que tout ce qui est fait rationnellement *nach gepflogner Überlegung* arrive *nur so nebenbei.* Gœthe ne croit pas que les réflexions supplémentaires d'un poète soient capables de corriger ni d'améliorer son œuvre.

Velimir Khlebnikov (1885-1922), le grand poète russe de ce siècle, alors qu'il se rappelait, des années après, son bref poème *la Cigale*, composé autour de 1908, se rendit subitement compte que, dans la première phrase — *ot tochki do tochki*, « entre deux pauses principales » — chacun des sons *k*, *r*, *l*, et *u*, apparaît cinq fois « indépendamment de toute volonté de la part de celui qui écrivit ce non-sens » *(pomimo zhelanija napisavshego ètot vzdor)*, comme il le confesse lui-même dans ses essais de 1912-1913, rejoignant ainsi tous les poètes qui ont reconnu qu'un mécanisme linguistique complexe peut être inhérent dans leur œuvre indépendamment de leur appréhension ou de leur volonté *(que le versificateur... le veuille ou non)* ou — pour se référer au témoignage de William Blake — « sans Préméditation et même contre ma Volonté ». Pourtant, même dans ses réflexions ultérieures, Khlebnikov ne réussit pas à reconnaître le champ beaucoup plus vaste de ces récurrences phonologiques régulières. En fait, toutes les consonnes et voyelles qui appartiennent au thème trisyllabique du pittoresque néologisme initial, *krylyshkúja*, dérivé de *krýlyshko* « petite aile », présentent la même « structuration quintuple », de sorte que la phrase, divisée par le poète, tantôt en trois, tantôt en quatre vers, comprend cinq /k/, cinq vibrantes /r/ et /r'/, cinq /l/, cinq continues chuintantes (/zh/, /sh/) et cinq continues sifflantes (/z/, /s'/), cinq /u/, et, pour chacune des deux propositions, cinq /i/, dans les deux variantes contextuelles, antérieure et postérieure, de ce phonème :

Krylyshkúja zolotopis'móm tonchȃjshikh zhíl,
Kuznéchik v kúzov púza ulozhíl
Pribrézhnykh mnógo tráv i vér.
(voir en particulier *Sobranie proizvedenij V. Khlebnikova*, t. V, p. 191 [a]).

Dans ce tercet, présentant une continuité de 16 pieds doubles, principalement trochaïques, chaque vers comporte quatre syllabes accentuées. Sur les phonèmes accentués, cinq voyelles bémolisées (arrondies), trois /ú/ et deux /ó/, s'opposent à leurs cinq corrélats non-bémolisés (non-arrondis), deux /í/ et trois /é/; d'autre part, ces dix phonèmes non-compacts sont divisés en cinq voyelles diffuses (fermées), trois /ú/ et deux /í/, et en leurs corrélats, cinq phonèmes non-diffus (médians), deux /ó/ et trois /é/. Les deux /á/ compacts occupent la même position, la seconde à partir de la fin parmi les voyelles accentuées, dans les premier et quatrième vers, et ils sont tous deux précédés d'un /ó/ : *pis'móm tonchÁjshikh — mnógo trÁv*. Les cinq oxytons du tercet, se terminant tous sur une syllabe fermée, complètent la structure « pentamérique ».

La chaîne de quintuplets qui domine la structuration phonologique de ce passage ne peut être ni fortuite ni poétiquement insignifiante. Ce n'est pas seulement le poète, originellement inconscient de cet artifice [*contrivance*] sous-jacent, mais c'est aussi le lecteur sensible qui perçoit l'intégrité étonnante des vers cités, sans avoir à mettre à jour leurs fondations.

Discutant des exemples de « discours autonomes » *(samovitaja rech')* qui montrent une prédilection pour une « structure à cinq rayons » *(pjatiluchevoe stroenie)*, Khlebnikov détecta cette tendance dans la phrase capitale de son poème de jeunesse *la Cigale* — qui, notons-le, fut écrite à la même époque que les études hardies de Saussure sur les anagrammes poétiques — mais il ne fit pas attention au rôle de guide joué de ce point de vue par le gérondif *Krylyshkúja*, le néologisme initial du poème. C'est seulement quand il revint sur les mêmes vers dans un essai plus tardif (1914) que l'auteur fut charmé par l'anagramme caché dans ce gérondif : d'après Khlebnikov, le mot *ushkúj* (« navire pirate », métonymiquement

a. Voici la traduction que donne Luda Schnitzer de ces vers (V. Khlebnikov, *Choix de poèmes*, 1967) :

Aileillant de l'écridorure des plus ténues veinules
le grillon entasse dans la caisse de la panse
quantité d'herbes et de roseaux riverains.

« pirate ») se tient dans le poème « comme dans le cheval de Troie » : KRYLySHKUJA [aileillant].

*s*KRYL *u*SHKÚJA *derevjánnyi kón'* le cheval de bois [a caché le pirate]. Le héros apparaissant dans le titre KUZ*Néch*IK, à son tour, est associé par paronomase avec *ush*KÚ*j*NIK « pirate », et la désignation dialectale de la cigale, *konjók*, doit avoir soutenu l'analogie de Khlebnikov avec le cheval de Troie. Les liens vivants de mots apparentés *kuznéchik*, littéralement « petit forgeron », *kuznéc* « forgeron », *kózni* « machinations », *kovát'*, *kujú* « forger », et *kovarnyi* « perfide », renforcent l'imagerie, et l'étymologie poétique, une des sources latentes de la création de Khlebnikov, rattache *kuznéchik* à *kúzov* « panier, vide », rempli de quantité d'herbes et de roseaux riverains ou peut-être de divers intrus étrangers. Le cygne évoqué dans le néologisme qui conclut le même poème, « *Ó lebedívo — Ó ozarí!* », « envoie la lumière! » semble une indication supplémentaire de l'origine homérique de son imagerie ambiguë : une prière au cygne divin qui engendra Hélène de Troie. *Lebed-ívo* est modelé sur *ogn-ívo* [briquet], la métamorphose de Zeus en un cygne flamboyant appelant à l'esprit le changement du silex en feu. La forme *ljubedi* qui apparaît dans la première esquisse de *la Cigale* était un mot-valise suggestif de *lébedi* « cygnes » avec la racine *ljub-* « amour », qui est une racine favorite dans les mots forgés par Khlebnikov. *Krylyshkúja*, le mot-clé du poème, a dû en inspirer spontanément, « par pure folie » *(v chistom nerazumii)*, et en diriger entièrement toute la composition.

Le métalangage du poète peut rester très en retard sur son langage poétique, ce que prouve Khlebnikov, non seulement par les lacunes importantes qui restent dans ses observations sur la structure « quintuplée » du tercet discuté, mais plus encore quand, dans la phrase suivante du même essai, il déplore le manque d'un arrangement semblable dans son quatrain militant — *Búd'te grózny kak* O*str*Á*nica*, // P*l*Á*tov i* B*akl*Á*nov*, // P*ólno vam kl*Á*njat'sja* // R*ozhe basurm*Á*nov* — perdant ainsi de vues les cinq quintuplets qu'on y trouve : cinq *a* accentués; cinq voyelles bémolisées (arrondies), /ó/, /ú/, et /u/ non-accentué; cinq occlusives labiales, initiales toutes les cinq, /b/, /p/; cinq occlusives vélaires, /g/, /k/; cinq occlusives dentales, /t/, /t'/; cinq sibilantes sifflantes, /z/, /s/, /c/. Ainsi, près de la moitié de cette séquence de phonèmes participe de la structure « à cinq rayons »; en plus des voyelles et des obstruantes citées, les sonnantes linguales présentent une symétrie ciselée — /r n r n' // l l n // l n l n' // r r n/ — et toutes les sonnantes du quatrain sont divisées également en huit liquides et huit nasales.

Dans la préface de 1919 à son projet d'Œuvres complètes,

Khlebnikov voyait le bref « Cigale » comme une « entrée menue du dieu du feu » *(malyj vykhod boga ognja)*. Le vers se trouvant entre le tercet initial et la prière finale, *Pín'-pín'tararákhnul* (originellement *Tararapín'pín'knul) zinzivér*, étonne par la combinaison du violent coup de tonnerre de *tararakh* avec le faible pépiement de *pin'* et par l'assignement de cet oxymoron au sujet *zinzivér* qui, comme d'autres variantes dialectales *zenzevér*, *zenzevél'*, *zenzevéj*, est un mot d'emprunt apparenté à l'anglais *ginger* [au français *gingembre*], mais signifiant « guimauve » en russe. Incité par la double lecture que Khlebnikov donne de *krylyshkúja*, on pourrait soupçonner une pareille association paronomastique entre *zinzivér* et le tonnant *Zevés* « Zeus » : /z'ɪnz'ɪvÉr/ — /z'ɪvÉs/.

Quand Khlebnikov observa et étudia les fréquentes répétitions quintuples de sons en poésie, particulièrement dans les variétés libres, transmentales [*zaumnye*], ce phénomène l'amena à faire des comparaisons avec les cinq doigts ou les cinq orteils, ou avec la disposition semblable des étoiles de mer et des alvéoles d'abeilles. Combien le regretté poète, l'éternel chercheur d'analogies imprévues n'aurait-il pas été fasciné d'apprendre que la question troublante de la prévalence des symétries à cinq éléments dans les fleurs et les extrémités humaines a donné naissance à des discussions scientifiques récentes, et que, d'après l'article de synthèse de Victor Weisskopf — « The role of symmetry in nuclear, atomic, and complex structures » (*Contribution au Symposium Nobel*, 26 août 1968) — « une étude statistique des formes des bulles dans l'écume a révélé que les polygones qui sont formés sur chaque bulle par les lignes de contact avec les bulles adjacentes, sont principalement des pentagones et des hexagones. En fait, le nombre moyen des angles de ces polygones est de 5.17. Un assemblage de cellules devrait avoir une structure similaire et il est suggestif que les points de contact peuvent donner naissance à des processus de croissance spéciaux qui peuvent refléter la symétrie de l'arrangement de ces points ».

Le folklore nous fournit des exemples particulièrement éloquents de structures verbales lourdement chargées et hautement efficaces, en dépit de son indépendance habituelle de tout contrôle de la part du raisonnement abstrait. Même des constituants aussi obligatoires que le nombre de syllabes dans un vers syllabique, la position constante de la césure, ou la distribution régulière des traits prosodiques ne sont pas induits ni reconnus en soi par le porteur de la tradition orale. Quand celui-ci, narrateur ou auditeur, est mis en présence de deux versions d'un vers, dont l'une viole les contraintes métriques, il est capable de signaler la variante déviante comme moins convenable ou même totalement inacceptable, mais d'habitude il se montre incapable de définir la nature d'une déviation donnée.

Quelques spécimens choisis parmi les formes brèves du folklore russe présentent des figures phoniques et grammaticales serrées, étroitement unies à une méthode de structuration décidément subliminale.

> Shlá sv'in'já iz Pítera,
> vsjá spiná istykana.
>
> Un cochon venait de St-Pétersbourg,
> avec son dos tout percé.

La réponse à cette devinette folklorique est *Napjórstok* « dé »; elle est suggérée par des indices sémantiques évidents : ce genre d'article vient à la campagne de la métropole industrielle et a une surface rugueuse, comme la peau d'un cochon, et trouée. Une stricte symétrie phonologique relie les deux vers heptasyllabes : la distribution des frontières de mots et des accents est exactement la même (—/ ∪—/ ∪— ∪ ∪); six des sept voyelles successives sont identiques (/á i á i í.a/); à part la glide /j/ dans /sv'in'já/, le nombre de phonèmes consonantiques devant chacune des sept voyelles est égal dans les deux séquences (2. 2 . 1 . . 2. 1 . 1.), avec de nombreux traits partagés par les segments parallèles : les continues préconsonantiques initiales /s/ et /v/; deux paires de /s/ préconsonantiques (/sv'i/ — /sp'í/ et /sp'i/ — /stí/); deux paires d'occlusives non-voisées autour de /i/ (/p'ít'/ — /tík/); deux sonantes, /r/ et /n/, devant la finale /a/. Il y a des correspondances grammaticales : les féminins *shlá — vsjá*; les noms féminins sujets, *svin'já — spiná*; la préposition et le préfixe *iz*. Les groupes consonantiques initiaux des deux sujets allitérants sont répétés dans l'autre vers : /sp'/ dans *spiná* et *iz Pítera* et /sv'/ — /vs'/ dans *svin'já et vsjá* avec métathèse des consonnes et maintien de la palatalisation de la deuxième consonne, la prévocalique.

Le mot-réponse est présent sous forme anagrammatique dans le texte de la devinette. Chaque hémistiche du second vers se termine sur une syllabe semblable au préfixe /na-/ de la réponse : /sp'iná et /istikana/. La racine /p'órst-/ et le dernier hémistiche du premier vers de la devinette /isp'it'íra/ présentent un ensemble équivalent de consonnes en ordre inversé : A) 1 2 3 4; B) 3 1 4 2 (les deux premiers phonèmes de l'ensemble A correspondent aux phonèmes pairs de l'ensemble B et les deux derniers phonèmes de A correspondent aux phonèmes impairs de B). Le dernier hémistiche de la devinette /istikána/ fait écho à la séquence consonantique contenue dans la syllabe finale de la réponse /-stak/. Évidemment, *Piter* a été choisi, parmi les autres noms de villes appropriés, précisément pour sa valeur anagrammatique. De semblables anagrammes sont familiers aux devinettes populaires; cf. *chjórnyj kón' || prýgaet v ogón'* « le cheval noir saute dans le feu » : comme O. M. Brik l'a indiqué dans son essai historique sur la texture phonique de la poésie russe, les trois syllabes de la réponse *kochergá* « tisonnier » apparaissent toutes, compte tenu bien entendu des alternances automatiques des variétés accentuées /kó/, /chór/, /gá/ et de leurs corrélats inaccentués. De plus,l es phonèmes prévocaliques des quatre syllabes accentuées de la devinette suggèrent les quatre phonèmes consonantiques de la réponse : /chó/ — /kó/ — /rí/ — /gó/.

La dense texture phonologique et grammaticale des devinettes populaires est, en général, très impressionnante. Deux trisyllabes grammaticalement et prosodiquement parallèles et rimant (— / ∪ —) — *kón' stal'nój, || khvóst l'njanój* « un cheval d'acier, une queue de lin » (= une aiguille avec du fil) — comptent chacun trois voyelles identiques /ó a ó/ au moins dans cette variété prépondérante du russe qui conserve le /a/ prétonique dans des formes telles que /l'n'anój/; dans les autres dialectes l'équivalence des deux voyelles inaccentuées est maintenue seulement au niveau morphophonématique. Les deux vers commencent par une vélaire non-voisée. L'intervalle entre les deux voyelles accentuées est rempli dans chaque vers par cinq phonèmes consonantiques identiques :/n'st.l'n/ (1 2 3 . 4 5) — /stl'n'.n/ (2 3 4 1 . 5). La position de /n'/ crée la seule différence séquentielle entre les deux séries. Un trait syntaxique fréquent dans les devinettes et les proverbes russes est l'absence de verbes, absence qui efface la différence entre les adjectifs prédicatifs à copule zéro et les épithètes.

Une autre devinette sur le même thème et jouant sur le même contraste entre le corps et la queue de l'animal présente deux paires de dissyllabes rimant — *Zverók s vershók, || a khvóst sem' vjórst* « une petite bête est longue de deux pouces et une queue de sept verstes ». Ces quatre colons varient une séquence de /v/ ou /v'/ plus /o/ ou un /e/ inaccentué et un /r/ postvocalique après un /v'/ prévocalique; sous l'accent cette série se conclut par le groupe consonantique /st/, tandis que dans une syllabe inaccentuée elle commence par une consonne sifflante : /zv'er/ — /sv'er/ — /vóst/ — /v'órst/.

Toutes ces énigmes remplacent le nom inanimé de la réponse par un nom animé du genre opposé : masc. *napjórstok* « dé » par fém. *svin'já* « cochon », et inversement, fém. *iglá* « aiguille » par masc. *kón'* « cheval » ou *zverók* « petite bête » et, de même, fém. *nít'* « fil » par masc. *khvóst* « queue », synecdoque d'un être animé. Cf., par exemple, fém. *grúd*,« sein » représenté par *lébed'* « cygne », animé de genre masculin, au début de la devinette — *Bélyj lébed' na bljúde né byl* « le cygne blanc n'était pas sur un plat » — avec commutation systématique des /b/ et des /l/ palatalisés et non-palatalisés : /b' . l./ — /l'.b'.d'/ — /n. bl'. d'./ — /n'.b.l/. Dans cette séquence les douze occurrences des quatre constituants consonantiques présentent toutes un réseau de relations symétriques : six (4 + 2) occurrences de deux sonnantes et six (4 + 2) de deux obstruantes; trois de ces quatre archiphonèmes apparaissent chacun dans le même nombre de variétés palatalisées et non-palatalisées : 2 /l'/ et 2 /l/; 1 /n'/ et 1 /n/; 2 /b'/ et 2 /b/, tandis que l'occlusive aiguë (dentale) n'apparaît que dans sa variété palatalisée — une fois voisée /d'/ et une fois avec une perte contextuelle de son voisement morphophonématique *(lébed')*.

Aucun de ceux qui proposent ou devinent une énigme n'identifient des procédés tels que, dans la devinette du tisonnier, la présence des trois syllabes de la réponse dans les trois mots initiaux de la devinette, ou le rythme binaire, avec deux accents frontières dans chaque vers du distique, ou encore les trois /o/ suivis de trois nasales dentales (1 2 4), ainsi que la consonne vélaire prévocalique dans chacun des trois mots terminaux (2 3 4). Mais chacun sentirait que le remplacement de *chjórnyj kón'* par son synonyme *vóron kón'* ou par *zheléznyj kón'* « cheval de fer » ne fait qu'affaiblir la vigueur épigrammatique de cette petite pièce poétique. Une apparence de symétries prosodiques, de répétitions de sons, et un substrat verbal — *les mots sous les mots*, selon l'expression heureuse de Jean Starobinski — affleurent sans avoir à être soutenus par une quelconque conception spéculative des méthodes de procédure en jeu.

Les proverbes rivalisent avec les énigmes par leur concision mordante et leur qualité verbale : *Serebró v bórodu, bés v rebró* « [Quand] l'argent (métaphore des cheveux gris devenue métonymie de la vieillesse) [entre] dans la barbe, un diable (la concupiscence) [entre] dans la côte (allusion à la connexion biblique entre la côte d'Adam et l'apparition de la femme) ». Les deux paires nominales forment un tenace parallélisme grammatical : des cas correspondants dans des fonctions syntaxiques semblables. Sur ce fond commun, les genres contrastés deviennent particulièrement frappants : le masculin animé *bés* en face du neutre inanimé *serebró*, et, d'autre part, le neutre inanimé *rebró* en face du féminin inanimé *bórodu*, et ces genres entrent en une baroque collision avec la connotation virile de *bórodu* et le symbolisme féminin de *bés*. L'adage tout entier constitue une chaîne paronomastique; cf. la rime entre les mots *serebró — rebró*, dont le deuxième est entièrement contenu dans le premier; toute la permutation de phonèmes semblables qui relie le début du proverbe *serebró v* à la fin *bés v rebró*; dans la proposition initiale la correspondance entre la fin du premier mot et le début du second : *serebró — bórodu.* La forme prosodique exquise du proverbe est basée sur un double contraste entre les deux propositions : la première flanque deux syllabes accentuées contiguës de deux paires de syllabes inaccentuées, tandis que la seconde flanque une seule syllabe inaccentuée de deux uniques syllabes accentuées, exhibant ainsi un sous-multiple antisymétrique de la première proposition. La présence de deux accents est la constante métrique des deux propositions :

∪ ∪ — — ∪ ∪
— ∪ —

L'anthropologue polonais K. Moszyński, dans son *Kultura ludowa Słowian*, t. II, deuxième partie (Cracovie, 1939), p. 1384, admire « la grande condensation formelle » du proverbe humoristique russe :

$_1$Tabák da bánja,	$_1$Tabac et bain,
$_2$kabák da bába —	$_2$bistro et femme —
$_3$odná zabáva.	$_3$le seul plaisir.

(Si, toutefois, on a un accent plus fort sur *odná* ou sur *zabáva* plutôt que d'avoir deux accents égaux sur les deux mots du dernier vers, alors le sens de ce vers est « même plaisir » dans le premier cas, et « rien que du plaisir » dans le second.)

Une cohésion rigoureuse de tout le tercet est obtenue grâce à divers moyens. Le schéma rythmique tout à fait uniforme, trois fois ∪—/∪—∪, porte sur cinq /a/ alternativement accentués et inaccentués (noter le vocalisme de la Russie du Sud /adná/!). Le début des trois vers diffère de toutes les syllabes suivantes : le dernier vers commence par une voyelle, tandis que les quatorze autres voyelles du tercet sont précédées par une consonne; les deux premiers vers commencent par des consonnes non-voisées qui se révèlent être les seuls segments non-voisés sur les 32 phonèmes du proverbe (noter le voisement régulier de /k/ devant /d/!). Sur 17 consonnes, il n'y a que deux continues, qui apparaissent dans les syllabes inaccentuées du nom prédicatif terminal. L'inventaire grammatical restreint de cette œuvrette, limité à cinq noms et un pronom, tous les six au nominatif, plus une conjonction réitérée, est un exemple frappant du style syntaxique élaboré propre aux proverbes et qui avait été entrevu dans la perspicace esquisse de P. Glagolevskij « Syntaksis jazyka russkikh poslovic », *Zhurnal Ministerstva Narodnogo Prosveshchenija* (1871) — mais n'a plus jamais été étudié de près depuis. Le vers central comporte les deux noms culminants — d'abord *kabák*, qui est intrinsèquement un palyndrome, et ensuite *bába*, avec sa syllabe redoublée */ba/ ; kabák* rime avec l'antécédent *tabák*, tandis que *bába* forme une rime approximative avec le *zabáva* final, tout en partageant le /bá/ avec tous les noms du proverbe : cinq /bá/ en tout. Des réitérations et de légères variations des autres consonnes accompagnent la même voyelle tout le long du tercet :

$_{1}$/ta/ — /da/ — $_{2}$/da/ — $_{3}$/ad/ — /za/;
$_{1}$/ák/ — $_{2}$/ka/ — /ák/;
$_{1}$/n'a/ — $_{3}$/ná/.

Tous ces traits répétitifs, obsédants, lient ensemble les quatre types de plaisirs énumérés et donnent un cadre à la disposition en chiasme des deux paires : des outils du plaisir, *tabák* et *bába*, juxtaposés à des lieux du plaisir, *kabák* et *bánja*. Le caractère métonymique de ces noms, substitués à des désignations directes du plaisir, est mis en relief par le voisinage contrastif, à l'intérieur d'un même vers, de termes locatifs et instrumentaux, lequel est, de plus, souligné par la dissimilarité des oxytons masculins et des paroxytons féminins.

Tout en restant distinctes des brefs dictons par le choix des procédés, les chansons populaires, à leur tour, révèlent une structure verbale subtile et variée. Deux quatrains d'une chanson populaire polonaise sont un exemple approprié :

$_{1}$Ty pójdziesz górą	$_{1}$Tu iras le long de la colline
$_{2}$a ja doliną,	$_{2}$et moi le long de la vallée
$_{3}$ty zakwitniesz różą	$_{3}$tu fleuriras comme une rose
$_{4}$a ja kaliną.	$_{4}$et moi comme un oubier.
$_{5}$Ty będziesz panią	$_{5}$Tu seras une dame
$_{6}$we wielkim dworze,	$_{6}$à une grande cour,
$_{7}$a ja zakonnikiem	$_{7}$et moi un moine
$_{8}$w ciemnym klasztorze.	^{8}dans un sombre monastère.

Si on exclut le troisième vers des quatrains, qui est hexasyllabe, tous les vers comptent cinq syllabes, et les vers pairs riment entre eux. Les deux strophes révèlent une rigoureuse sélection des catégories grammaticales utilisées. Chaque vers se termine par un nom à un cas marginal, instrumental ou locatif, et ce sont les seuls noms du texte. Chacun des deux seuls pronoms utilisés, l'un de la seconde et l'autre de la première personne, apparaît trois fois et, en opposition avec les cas marginaux et la position finale des noms, tous ces pronoms sont au nominatif et tous apparaissent au début du vers : *ty* « tu » dans la première syllabe des vers impairs 1 — 3 — 5, et *ja* « je, moi », précédé régulièrement par la conjonction adversative *a*, dans la seconde syllabe des vers 2 — 4 — 7. Les trois verbes, tous les trois à la seconde personne du singulier du présent perfectif à sens futur, suivent immédiatement le pronom *ty*, tandis que les formes verbales correspondantes de la première personne après le pronom *ja* sont effacées par ellipse. En plus des huit noms (six à l'instrumental et deux au locatif), des six occurrences des pronoms personnels au nominatif, des trois verbes finits, et de la conjonction trois fois répétée *a*, le texte du second quatrain contient deux variantes contextuelles de la préposition « dans » (${}_6$*we*, ${}_8$*w*) et deux adjectifs épithètes des deux formes locatives des noms.

Un parallélisme antithétique est sous-jacent aux trois paires de propositions : les vers 1 — 2 et 3 — 4 dans la première strophe, et les deux couplets dans la deuxième strophe. Ces trois paires, à leur tour, sont reliées par un étroit parallélisme formel et sémantique. Toutes les trois, ces antithèses confrontent les destinées hautes et brillantes auxquelles est promis le destinataire aux perspectives plus sombres qui attendent le destinateur; elles emploient d'abord l'opposition symbolique de la colline et de la vallée, et ensuite le contraste métaphorique de la rose et de l'obier. Dans l'imagerie traditionnelle du folklore des Slaves occidentaux, *kalina* (dont le nom remonte au slave commun *kalŭ* « boue ») est ostensiblement lié aux régions marécageuses; cf. le préambule d'une chanson populaire polonaise : « *Czego, kalino, v dole stoisz? || Czy ty się letniej suszy boisz?* » « Pourquoi, obier, te tiens-tu dans la vallée? As-tu peur de la sécheresse d'été? » Un chant morave apparenté fournit le même motif d'abondantes figures de sons : *proč, kalino, v* STrUZE STOJÍŠ? *Snad se* TUZE SU*cha b*OJÍŠ? « Pourquoi, obier, te tiens-tu dans le courant? As-tu tellement peur de la sécheresse? » La troisième antithèse prédit un haut statut au destinataire et un avenir sombre au destinateur; en même temps, les noms personnels aux genres féminin et masculin annoncent le sexe des deux personnages. L'instrumental, utilisé systématiquement en opposition aux nominatifs invariables *ty* et *ja*, présente tous ces noms contrastés comme de simples contingences qui sépareront les deux victimes infortunées jusqu'à ce que, reposant dans un même tombeau, elles évoquent ensemble leur « amour disjoint » *(niezłączona miłość)*.

Les trois paires de propositions antithétiques, avec leurs instrumentaux finaux, forment ensemble un triple parallélisme de constructions grammaticales vastes et complexes, et, sur le fond de leurs constituants congruents, la dissimilarité fonctionnelle significative des trois instrumentaux apparaît en pleine lumière. Dans le premier couplet, les instrumentaux dits d'itinéraire — *górą* et *doliną* — assurent la fonction d'adjoints adverbaux; dans le deuxième couplet, les instrumentaux de comparaison — *różą* et *kaliną* — jouent le rôle de prédicatifs accessoires, tandis que dans le second quatrain les instrumentaux *panią* et *zakonnikiem*, combinés à la copule *będziesz* et au *będę* omis elliptiquement, forment de vrais prédicats. L'importance de ce cas augmente progressivement selon que, partis des deux niveaux de pérégrination métaphorique, en passant par la comparaison des deux personnes avec des fleurs de qualité et d'altitude différentes, on en arrive finalement à placer les deux héros sur deux échelons distants de l'échelle sociale. Cependant, l'instrumental, dans ces trois différentes applications, conserve son trait sémantique constant de pure marginalité et devient particulièrement palpable par contraste avec les variations contextuelles produites. Le médium à travers lequel se meut l'agent est défini comme instrumental d'itinéraire; l'instrumental de comparaison confine la validité de la comparaison à une seule manifestation des sujets, à savoir leur floraison dans le contexte cité. Finalement, l'instrumental prédicatif tient compte d'un unique aspect, supposé temporel, assumé par le sujet; il anticipe la possibilité d'un aspect ultérieur, quoiqu'il s'agisse ici d'un changement posthume qui réunira les amants séparés. La dernière paire d'instrumentaux dépouillant ce cas de toute connotation adverbiale, les couplets de la seconde strophe fournissent tous deux au prédicat composé un nouvel adjoint adverbial, à savoir deux locatifs d'habitation, limitatifs et statiques — *we wielkim dworze* et *w ciemnym klasztorze* — qui apparaissent en contraste manifeste avec les instrumentaux dynamiques d'itinéraire évoqués dans le couplet initial.

Le lien étroit entre les deux premiers des trois parallélismes est marqué par l'assonance supplémentaire des vers 1 et 3 *(górą—różą)*, fidèle au schéma polonais traditionnel des rimes partielles, c'est-à-dire de rimes juxtaposant des obstruantes voisées à des sonantes, et spécialement /ż/ à /ř/, eu égard aux alternances de ce dernier phonème avec /ż/ < /ř/. Les deux derniers parallélismes commencent et se terminent par des groupes correspondants de phonèmes :$_{3}$/zakv'itn'eš/ — $_{7}$/zakon'ik'em/, et, avec une métathèse : $_{4}$*kaliną* /kal/ — $_{8}$*klasztorze* /kla/ (cf. aussi la correspondance entre $_{6}$*wielkim* /lkim/ et $_{8}$*ciemnym klasztorze* /imkl/.)

Les vers consacrés à la triste destinée de la première personne diffèrent nettement de leurs allègres contreparts. Sous l'accent de mot les instrumentaux comportent une voyelle postérieure ($_{1}$, $_{3}$/u/, $_{5}$/a/) dans les vers qui concernent le destinataire, mais présentent seulement des /i/ dans les vers traitant du destinateur apparemment désavantagé et déprécié : *dolina*, *kalina*, *zakonnikiem*. Les noms assignés à la fille sont tous les quatre dissyllabiques — *górą*, *różą*, *panią*, *dworze* — en contraste avec les noms plus longs et volumineux des vers autobiographiques — *doliną*, *kaliną*, *zakonnikiem*, *klasztorze*. Ainsi, les vers à la seconde personne ont une césure avant la pénultième qui manque aux vers à la première personne.

La phonologie et la grammaire de la poésie orale offrent un système de correspondances complexes et élaborées qui naissent, prennent effet et sont transmises de génération en génération sans que quiconque ait conscience des règles qui gouvernent ce réseau compliqué. La capacité à saisir immédiatement et spontanément les effets sans dégager rationnellement les processus par lesquels ils sont produits n'est pas confinée à la tradition orale et à ceux qui la transmettent. L'intuition peut jouer comme le principal et même, souvent, comme le seul élément créateur des structures phonologiques et grammaticales compliquées dans les écrits des poètes individuels. De telles structures, particulièrement puissantes au niveau subliminal, peuvent fonctionner sans assistance aucune du jugement logique ou de la connaissance patente, aussi bien dans le travail créateur du poète que dans sa perception par le lecteur sensible, ou *Autorenleser*, pour reprendre le juste néologisme de ce courageux investigateur des structures phoniques en poésie, Eduard Sievers.

Traduit de l'anglais par
NICOLAS RUWET

Lettre à Haroldo de Campos sur la texture poétique de Martin Codax[a]

Grâce à Luciana Stegagno Picchio et à son infaillible discernement littéraire, mon attention fut attirée sur les *Cantigas* envoûtantes du troubadour galicien-portugais. La monographie fondamentale de Celso Ferreira da Cunha, *O Cancioneiro de Martin Codax* (Rio de Janeiro, 1956), et une conversation captivante avec Francis Rogers m'ont ouvert une perspective sur ces créations merveilleuses d'une époque vraiment surprenante dans l'histoire de l'art verbal européen.

Étant un admirateur de cette extrême clairvoyance touchant les liens internes entre son et sens, clairvoyance qui sous-tend et nourrit l'audace de votre expérimentation poétique et de vos fascinantes découvertes, et qui inspire votre façon de transposer des poèmes apparemment intraduisibles à partir de langues totalement différentes, je voudrais vous faire partager mes observations rapides, sur l'une de ces orfèvreries verbales du XIIIe siècle : la cinquième des sept *Cantigas d'amigo* de Martin Codax.

Quantas sabedes amar amigo
treydes comig' a lo mar de Vigo
    e banhar nos emos nas ondas.

Quantas sabedes amar amado
treydes comig' a lo mar levado
    e banhar nos emos nas ondas.

Treydes comig'a lo mar de Vigo
e veeremo' lo meu amigo
    e banhar nos emos nas ondas

Treydes comig' a lo mar levado
e veeremo' lo meu amado
    e banhar nos emos nas ondas.

La traduction française de François Dehouche, *Chansons d'Ami traduites du portugais* (Bruxelles, 1945), p. 79, suit de près le texte original :

a. *La poétique la mémoire*, Change, 6 (Paris, 1970) p. 53-59.

Vous toutes qui savez aimer un ami
venez avec moi à la mer de Vigo
   et nous nous baignerons dans les flots.

Vous toutes qui savez aimer un aimé,
venez avec moi à la mer agitée
   et nous nous baignerons dans les flots.

Venez avec moi à la mer de Vigo,
et nous verrons mon ami,
   et nous nous baignerons dans les flots.

Venez avec moi à la mer agitée,
et nous verrons mon aimé,
   et nous nous baignerons dans les flots.

Chacune des quatre stances contient : 1) un distique fait de deux décasyllabes rimés, 2) un refrain non rimé de neuf syllabes (ou, dans la nomenclature portugaise traditionnelle qui ne compte pas la syllabe finale non-accentuée : 1) deux *eneassilabos graves* et 2) un *octosilabo grave*). Le vers du refrain et un vers de chaque distique présentent une image marine, alors que l'autre vers de chaque distique traite d'un thème d'amour. La coupe [1] divise les vers d'amour en deux membres *(colons)* égaux (5 + 5) par exemple : *Quantas sabedes / amar amigo*, alors que les « colons » des vers marins sont asymétriques : (4 + 6) dans les distiques — *Treydes comig' / a lo mar de Vigo* — et (6 + 3) dans le refrain — *E banhar nos emos / nas ondas.*

LE MONTAGE des composantes répétitives et mobiles apporte un critère différent pour diviser les vers rimés : chacun se compose de deux segments — le premier de sept syllabes, que nous appellerons base et le second de trois syllabes que nous nommerons coda.

Chaque vers rimé contient quatre temps forts, qui tombent sur les premières, quatrièmes, septièmes et neuvièmes syllabes : *Quantas sabedes amar amado.* Ainsi la pénultième de la coda et la syllabe finale de la base sont toujours accentuées. Les trois temps forts de la base sont séparés les uns des autres par des temps faibles de deux syllabes. L'invariant structural de chaque colon dans les vers du distique est son double *temps fort*, alors que la division de ces vers en base et coda est marquée par la différence entre les deux *temps faibles* dissyllabiques et internes, pour la base, et les deux temps faibles monosyllabiques et externes pour la coda.

Quant au refrain, le modèle d'accentuation de son premier colon hexasyllabique décalque le dernier colon hexasyllabique du vers marin précédent : *a lo mar de Vigo/ / e banhar nos emos.* Le vers entier

1. *Coupe* : terme que Meillet a raison de distinguer nettement du terme *césure.*

du refrain est construit sur une alternance régulière de quatre temps faibles — deux dissyllabiques et deux monosyllabiques — séparés les uns des autres par trois temps forts.

La composition des codas partage la *Cantiga* en deux strophes IMPAIRES et deux strophes PAIRES. A l'intérieur de chacun de ces deux couples, les codas sont identiques, alors que les strophes impaires et paires présentent deux couples différents de mots rimés. Dans chacun de ces deux couples (de mots rimés) un mot est amoureux et l'autre appartient au thème marin. Ainsi *amigo* rime avec *de Vigo* dans les strophes impaires, et *amado* avec *levado* dans les strophes paires. Dans la séquence phonologique finale VCVCV des codas, seul le second couple de V(oyelle) et C(onsonne) différencie ces deux rimes, alors que le reste de la séquence reste invariable : *am..o — ev..o.*

Les deux strophes ANTÉRIEURES (I et II) de la *Cantiga* diffèrent des deux strophes POSTÉRIEURES (III et IV) par la composition de leurs bases aussi bien que par l'ordre des bases et codas. La base porteuse d'image marine dans chaque distique est invariable tout au long des quatre strophes *(treydes comig' a lo mar)*, alors que l'autre base, au thème amoureux, reste la même dans chaque couple de distiques, mais distingue les strophes antérieures (I, II *quantas sabedes amar*) des strophes postérieures (III, IV *e veeremo' lo meu*). Dans les strophes antérieures la base variable précède l'invariante base marine, alors que dans les strophes postérieures l'ordre des deux bases, et de façon correspondante l'ordre des deux codas rimées est inversé. Ainsi la base invariante est suivie dans les strophes postérieures comme dans les strophes antérieures par les mêmes codas. Dans les distiques antérieurs, on trouve une annonce *(protase)* amoureuse sous forme de subordonnée *(Quantas)* et une réponse *(apodose)* marine : par opposition, dans les distiques postérieurs, l'annonce marine est suivie d'une proposition coordonnée (*e*) comme réponse amoureuse; ou, si l'on se réfère au refrain constant, le motif amoureux apparaît enveloppé dans les métaphores marines de telle sorte que les deux thèmes se fondent.

Les fins de la base riment dans les distiques antérieurs *(amar — a* lo *mar)* et, dans les distiques postérieurs ont en commun une séquence de trois phonèmes (a *lo m*ar — *lo m*eu). Ainsi les vers aux thèmes dissemblables (marins par opposition à amoureux) sont liés phonologiquement non seulement par leurs codas mais aussi par leurs bases. D'autre part, les premiers mots autonomes des deux « hémistiches » marins, invariants et hexasyllabiques, à l'intérieur des quatre strophes, riment entre eux : *a lo mar — e banhar.*

De plus, dans les strophes impaires l'avant-dernier mot de la base invariante (le second mot accentué en partant de la fin), *comig'* < *comigo* forme une rime riche potentielle avec la coda de la ligne adjacente *amigo*, alors que dans les strophes paires le verbe en position correspondante de la base invariable forme une rime grammaticale avec le verbe de la ligne suivante : II sab*edes* — tr*eydes* et IV veer*emo'* — *emos*. Ainsi, à travers toutes les variations de la base et de la coda, la texture du son lie intimement le vers amoureux avec les vers voisins aux images marines.

Le refrain avec son trait nasal répété cinq fois et les quatre mots terminés par /s/, fait un rapprochement en forme de jeux de mots de *nos* et *nas*. Le o*ndas* final du refrain répond aux mots premiers des quatre strophes — I, II Qua*ntas* et III, IV Trey*des*. La structure interne de chaque vers à l'intérieur des quatre distiques, avec leurs dix-huit nasales labiales, offre une répétition du /m/ et de la voyelle qui le précède ou des deux voyelles qui l'entourent : dans les quatre bases invariantes — c*om*ig' a l*o m*ar, et dans l'autre vers des quatre distiques, les strophes antérieures montrent une figure étymologique — I *am*ar *am*igo, II *am*ar *am*ado — et les strophes postérieures III, IV renversent l'ordre des voyelles adjacentes — veer*emo'* l*o me*u. Ainsi la nasale grave relie la famille de mots *amar* (I, II), *amigo* (I, III), *amado* (II, IV) avec le mot métonymique, mais surtout métaphorique *mar* (I, IV) et avec certaines catégories grammaticales sémantiquement subjectives telles que la première personne du pluriel de la forme future en *emos* (I, II, III bis, IV bis); et spécialement avec la première personne du singulier des pronoms *comig'* (I-IV) et *meu* (III, IV). Presque dénués d'autres nasales, les distiques diffèrent d'une façon frappante du refrain culminant avec ses nasales, surtout celles à ton haut, les quatre /n/ et /ɲ/.

Si l'on accepte la lecture de la base marine proposée par J. J. Nunes dans sa *Crestomatia arcaica* (Lisbonne, 1906), p. 343 — *treydes vos mig'* avec une construction verbale réfléchie parallèle à la forme grammaticale du refrain (cf. Cunha, p. 69) — la texture du son dans ce vers s'enrichit d'un nouveau lien entre la base et la coda : trey*de*s *v*os — *de V*igo / l*e*va*do*. Ainsi le vers excelle en redoublement des phonèmes consonantiques. Il y en a six couples dans la variante impaire et six dans la variante paire : T*r*ey*des vos m*ig a lo *mar d*e *V*igo (2 /r/, 2 /d/, 2 /s/, 2 /v/, 2 /m/ et 2 /g/); T*r*ey*des vos m*ig a *l*o *mar l*e*v*a*d*o (2 /r/, 2 /d/, 2 /s/, 2 /v/, 2 /m/ et 2 /l/). En résumé, dans les deux variantes paire et impaire de ce vers, douze sur treize phonèmes consonantiques adjacents à une voyelle se divisent en couples redoublés.

Par opposition avec le temps fort final du refrain — *ondas* — les temps forts à l'intérieur des distiques ne tombent jamais sur des voyelles arrondies (bémolisées) et sont liés à trois syllabiques seulement : douze /á/, douze /é/, et huit /í/, avec une distribution remarquablement symétrique des contrastes vocaliques entre les quatre distiques du poème et entre les quatre temps forts de ses huits décasyllabes :

Distiques	*Intér.*	*Extér.*	*Antér.*	*Postér.*	*Pairs*	*Impairs*
a	6	6	8	4	8	4
e	6	6	4	8	6	6
i	4	4	4	4	2	6
Temps forts	*Intér.*	*Extér.*	*Antér.*	*Postér.*	*Pairs*	*Impairs*
a	6	6	2	10	4	8
e	6	6	10	2	4	8
i	4	4	4	4	8	—

Le couple des distiques extérieurs (I, IV) présente la même distribution des trois voyelles à temps fort que le couple de distiques intérieurs (II, III), c'est-à-dire la moitié exactement du nombre total de chacune de ces voyelles dans les quatre distiques de la *Cantiga.* Six /á/ et six /é/ apparaissent dans chacun de ces deux couples. Nous observons un équilibre vocalique étonnamment semblable entre les deux temps forts extérieurs et intérieurs des huit vers des distiques ou, en d'autres termes, entre les débuts et les fins de leurs deux colons.

Les deux autres oppositions entre distiques, leur division entre couples de distiques antérieurs (I, II) et postérieurs (III, IV) et en couples de distiques impairs (I, III) et pairs, donne aux deux couples corrélatifs une différence inverse dans la fréquence des /á/ d'une part, des /é/ ou des /í/ d'autre part. On trouve dans les distiques antérieurs quatre /á/ de plus et quatre /é/ de moins que dans les distiques postérieurs, alors que le nombre de /í/ reste le même dans les deux couples de distiques. D'une façon parallèle il y a dans les distiques pairs quatre fois plus de /á/ et quatre fois moins de /í/ que dans les distiques impairs, alors que le nombre de /é/ reste le même dans les deux couples de distiques.

Une opposition analogue dans la fréquence entre /a/ et une des voyelles palatales (aiguës) détermine la relation entre temps forts antérieurs et postérieurs, et entre temps forts pairs et impairs. Mais dans ces cas-là la différence dans la fréquence est égale à huit et la direction est inverse quant à la prévalence numérique, si on la compare à la distribution de ces mêmes voyelles entre distiques antérieurs, postérieurs et entre distiques pairs, impairs. Les temps forts antérieurs comprennent huit /á/ de moins et huit /é/ de plus que les temps forts postérieurs, alors que le nombre de /í/ reste le même comme nous le constatons dans le cas des distiques antérieurs et postérieurs. Entre les temps forts pairs et impairs la relation de fréquence est la même, quatre à huit, pour /á/ et /é/ de telle sorte que les temps forts pairs présentent huit /á/ et /é/ de moins et huit /í/ de plus que les temps forts impairs. L'absence totale de /í/ dans les temps forts impairs rend ce contraste particulièrement efficace alors que l'alternance des rimes finales met en lumière la prédominance de deux phonèmes doublement opposés, /á/ dans les distiques pairs et /í/ dans les distiques impairs.

La sélection rigoureuse et la distribution symétrique des classes grammaticales jouent un rôle significatif. On ne trouve pas de noms-sujets dans la *Cantiga.* A la fin des quatre vers amoureux, on se sert des noms comme de compléments d'objet direct, gouvernés par des verbes transitifs alors que dans les huit vers marins, les noms communs ont pour fonction d'être des compléments circonstanciels de lieux introduits par une préposition : dans le refrain ils terminent le vers *(nas ondas)*, mais dans les distiques ils sont suivis par un déterminant final accolé au nom — le nom propre *(de Vigo)* ou l'adjectif *(levado).* Chaque vers contient une forme verbale personnelle toujours au pluriel. Dans les distiques le masculin singulier de tous les noms contraste avec le pluriel des verbes et avec le genre féminin des interlocutrices auxquelles se réfèrent ces formes verbales et qu'exprime le pronom relatif *Quantas.* Contrairement aux vers rimés, le refrain étend le nombre et le genre désignés par le verbe tout au long du vers, par son féminin pluriel *ondas.*

Seules deux formes verbales apparaissent dans le poème : la seconde personne du pluriel du temps présent *(sabedes* et, peut-être, avec une connotation impérative, *treydes*) et la première personne du pluriel du temps futur *(veeremo'* et *banhar nos emos).* Chacune de ces deux variations de temps et de personne apparaît six fois, mais la première apparaît quatre fois dans les strophes antérieures et seulement deux fois dans les strophes postérieures, alors que la seconde présente un ordre inverse : deux fois dans les strophes antérieures et quatre fois dans les strophes postérieures. La distribution des pronoms se rapportant à la première personne du singulier (deux fois dans les strophes antérieures et quatre fois dans les strophes postérieures) indique la même tendance vers l'inclusion graduelle et la promotion du moi féminin de celle qui parle : *e veeremo' lo meu amigo / amado.*

Ce vers amoureux des deux strophes postérieures avec ses temps forts aigus, à ton haut, et la prédominance de ses voyelles et de ses consonnes résonnantes contre une seule consonne bruyante à la fin — /g/ ou /d/ —, ce vers donne une réponse extatique à l'abondance des septs consonnes bruyantes dans le colon *Quantas sabedes*, qui forme l' « incipit » de la Cantiga.

Traduit de l'anglais par
MARIE-ODILE ET JEAN PIERRE FAYE

Vocabulorum constructio dans le sonnet de Dante « Se vedi li occhi miei »[a]

0.1. Dante était parfaitement conscient du sens étymologique du mot *versus*[1], tel qu'il se manifeste, en toute clarté, dans son équivalent italien *volta*, « retour », — auquel, dit Dante, nous avons recours *cum vulgus alloquimur* [*quand nous nous adressons au profane*] (*De vulgari eloquentia* II, x, 2 [2]).

La récurrence d'une même structure formelle sert de guide à sa description des unités métriques et strophiques dans cet admirable traité : *Cantio est conjugatio stantiarum* (II, IX, 1 ; cf. VIII, 6). La disposition des parties *(partium habitudo)* y est considérée comme la tâche primordiale de l'art (II, XI, 1); et cela comprend l'articulation des vers *(contextum carminum)* et les relations entre les rimes *(rithimorum relationem)*. Selon la théorie de Dante, (I, VI, 4), la forme du langage *(forma locutionis)* englobe le sens lexical des mots *(rerum vocabula)*, leur construction *(vocabulorum conxtructionem [3])* enfin la manifestation de cette construction *(constructionis prolationem [4])*. Une haute sélectivité *in vocabulis atque constructione* est chose requise en poésie (II, VI, 7).

1. Les auteurs remercient Gianfranco Contini, Maria Corti, Riccardo Picchio, Aurelio Roncaglia, Cesare Segre et Maria Simonelli pour leurs suggestions précieuses.

2. Cf. A. Marigo (éd.), *De Vulgari Eloquentia* (Florence, 1957[1]), note 24 à II, x, 4.

3. Est enim sciendum, quod constructionem vocamus regulatam compaginem dictionum, ut « Aristotiles phylosophatus est tempore Alexandri ». Sunt enim quinque hic dictiones compacte regulariter, et unam faciunt constructionem [Il faut savoir en effet que le nom de construction est donné à un assemblage réglé de mots; par exemple : « Aristote fut philosophe au temps d'Alexandre. » Il y a là en effet cinq mots jointoyés ensemble régulièrement, et ils forment une seule construction.] II, VI, 2.

4. Cf. Marigo, *op. cit.*, note 27 à I, VI, 4.

a. « Vocabulorum constructio in Dante's sonnet " Se vedi li occhi miei " », *Studi Danteschi*, XLIII (1966), p. 7-33. Écrit en collaboration avec P. Valesio.

0.2. Pour illustrer cet art suprême de la texture grammaticale — *quam supremam vocamus constructionem* — à partir de la poésie même de Dante, le sonnet suivant, qui date des premières années du XIVe siècle, sera ici analysé :

$_{1}$Se vedi li occhi miei di pianger vaghi
$_{2}$per novella pietà che 'l cor mi strugge,
$_{3}$per lei ti priego che da te non fugge,
$_{4}$Signor, che tu di dal piacere i svaghi :

$_{5}$con la tua dritta man, cio è, che paghi
$_{6}$chi la giustizia uccide e poi rifugge
$_{7}$al gran tiranno del cui tosco sugge
$_{8}$ch'elli ha già sparto e vuol che 'l mondo allaghi,

$_{9}$e messo ha di paura tanto gelo
$_{10}$nel cor de' tuo' fedei che ciascun tace;
$_{11}$ma tu, foco d'amor, lume del cielo,

$_{12}$questa vertù che nuda e fredda giace,
$_{13}$levala su vestita del tuo velo,
$_{14}$ché sanza lei non è in terra pace [1].

0.3. Une traduction, aussi littérale que possible, demande à figurer ici :

$_{1}$Si tu vois mes yeux à pleurer inclinés
$_{2}$Par une angoisse nouvelle qui le cœur me consume,
$_{3}$Par celle (je t'en supplie) qui de toi ne déserte,
$_{4}$Seigneur (ô toi), de tel plaisir délivre-les :

$_{5}$De ta droite (c'est-à-dire), châtie
$_{6}$Celui qui la justice tue et puis déserte
$_{7}$Au grand tyran, dont le poison il suce,
$_{8}$Poison qu'il a de longtemps répandu, et dont il veut
[le monde noyer;

$_{9}$Il a glissé d'effroi une telle glace
$_{10}$Au cœur de tes fidèles, que chacun se tait;
$_{11}$Mais toi, brasier d'amour, flambeau du ciel,

$_{12}$Cette vertu qui nue et glacée gît,
$_{13}$Relève-la, vêtue de tes voiles,
$_{14}$Car sans elle il n'est pas, sur la terre, de paix.

1. Cf. Dante Alighieri, *Rime*, éd. par G. Contini (Turin, 1965), p. 180.

[GÉNÉRALITÉS : LE CODE ARCHITECTURAL DU SONNET ; LE CODE MÉTRIQUE.]

1.1. Le sonnet a le même nombre de strophes qu'une tétrade de quatrains; dans les deux cas, trois oppositions binaires sont sous-jacentes à la *conjugatio stantiarum* [assemblage des strophes], permettant de chercher, semblablement, trois types de correspondances entre les structures internes, et en particulier entre les structures grammaticales, des quatre strophes. Les strophes impaires (I, III) peuvent entrer en opposition avec les strophes paires (II, IV), et à l'intérieur de chacun de ces couples des correspondances peuvent se faire jour d'une strophe à l'autre. Les strophes extrêmes (I, IV) sont susceptibles de mettre en œuvre des traits communs, à l'opposé des caractéristiques grammaticales qui font, au contraire, l'unité des strophes moyennes (II, III). Enfin, les strophes initiales (I, II) sont à même de s'opposer dans leur texture grammaticale, aux strophes finales (III, IV), propres à trouver une unité dans des similarités distinctives. Si bien qu'un poème de quatre strophes possède virtuellement trois jeux de correspondances entre ses strophes distantes : impaires (I, III); paires (II, IV); extrêmes (I, IV), — et, pareillement, trois jeux de correspondances entre les strophes adjacentes : initiales (I, II); finales (III, IV); moyennes (II, III).

1.2. En revanche, le sonnet présente des différences importantes avec un poème de quatre quatrains. Dans ce dernier, toutes les strophes sont symétriques les unes des autres, et les trois types de correspondances qui viennent d'être mentionnés peuvent se retrouver, à un niveau micro-structural, entre les quatre vers de chacune des strophes. Le sonnet, au contraire, du point de vue du nombre des vers, combine une parité, à l'intérieur de chacun des deux couples que forment les deux strophes initiales et les deux strophes finales, et une disparité, entre ces deux couples. C'est ce mélange ingénieux de symétries et de dissymétries, et en particulier de structures binaires et de structures ternaires au niveau des relations entre strophes, qui a valu sa permanence dans le temps et son expansion dans l'espace au sonnet italien [1].

1.3. Quand on analyse, dans le sonnet, les correspondances grammaticales entre les quatrains et les tercets, il est important de se rappeler que le second vers à partir du début (+ 2) et le second vers à

1. Cf. L. Biadene, « Morfologia del Sonetto nei sec. XIII e XIV », *Studi di Filologia Romanza*, IV (1889); E. H. Wilkins, *The Invention of the Sonnet and Other Studies* (Rome, 1959), p. 11-39; M. Fubini, *Metrica e poesia* (Milan, 1962), chap. III.

partir de la fin (— 2)[a] sont distincts dans le quatrain, mais se confondent dans le tercet. La prédilection de Dante pour les tercets est en relation, manifestement, avec le fait qu'ils possèdent un vers médian; pour la même raison, les mètres parisyllabiques, dépourvus de syllabe médiane, lui semblaient inférieurs aux modèles imparisyllabiques, autant que peut l'être la matière, élément brut, par rapport à la forme, organisée, centrée (*quemadmodum materia forme*, II, v, 7). Parmi ces mètres impairs, l'hendécasyllabe, c'est-à-dire le pentamètre ïambique, passait aux yeux de Dante (II, v, 3, 8) pour la forme poétique la plus noble *(suberbissimum carmen)*, en raison de sa force sémantique, grammaticale et lexicale *(capacitate sententie, constructionis et vocabulorum)*, et, plus que tout, pour sa disposition dans le temps *(temporis occupatione)* qui dote le vers d'un pied médian et flanque cette syllabe médiane de deux ailes impaires, pentasyllabiques [1].

Ainsi, du point de vue syllabique, dans le vers, le centre principal (signalé dans le schéma suivant par un rond o) tombe sur le troisième des cinq temps forts; et les centres accessoires (signalés dans le schéma par un point •) coïncident avec le second et le cinquième des six temps faibles; en bref, dans la séquence, chaque syllabe multiple de trois — la troisième, la sixième, la neuvième (c'est-à-dire la troisième à partir de la fin) — supporte l'un des trois centres, et le second des trois est le centre principal. Ce *celeberrimum carmen* [la plus glorieuse des formes poétiques] répond à un schéma métrique réversible :

```
          •       o       •
⇄ ∪ — ∪ — ∪ — ∪ — ∪ — ∪
```

La plupart des vers du poème signalent le pied médian par une diérèse après la sixième, ou (plus rarement) avant la cinquième syllabe; en outre, la fin du mot s'accompagne généralement d'une pause syntactique.

1. Cf. F. Koenen, « Dantes Zahlensymbolik », *Deutsches Dante-Jahrbuch*, VIII (Berlin, 1924), p. 26-46 : « Le chiffre le plus riche de sens est le Trois. Il est, de tous, le plus parfait parce qu'il a un début, un milieu et une fin, sans pouvoir être divisé en deux parties égales. Telle est la position de Hugues de Saint-Victor » (p. 26)... « quant à Martianus Capella, qui a été très lu au Moyen Age, il attribue l'Unité au Dieu Créateur, le Deux à la Matière, le Trois aux Formes Idéelles » (p. 31). Koenen renvoie à Cassiodore, qui définit le Onze comme le « chiffre de l'abondance », mais il soutient que Dante, malgré son insistance à faire l'éloge de l'hendécasyllabe, ne mentionne pas cette interprétation; or, justement, une totale *abundantia* est attribuée à ce mètre dans le passage ici cité de ce traité de Dante.

a. Un « moins » devant le numéro du vers, entre parenthèses, indique que le compte des vers part de la fin de la strophe.

[STRUCTURE GLOBALE : LES RIMES.]

2.1. La *rithimorum habitudo* [disposition des rimes] répond à l'un des schémas habituels : *abba abba cdc dcd*; les quatrains et les tercets y obéissent, les uns et les autres, aux deux principes de la symétrie et de l'antisymétrie, mais selon un ordre hiérarchique différent [1]. Les deux quatrains sont symétriques l'un de l'autre, tandis que le tercet *dcd* répond de façon anti-symétrique à *cdc*. En revanche, les couplets intérieurs aux quatrains sont anti-symétrique *(ba-ab)*, tandis que les couplets qui sous-tendent l'ensemble des deux tercets sont symétriques (*cd-cd-cd*).

2.2. Le schéma *abba (rime incrociate)* [rimes embrassées] qui commande l'organisation, dans les quatrains, des deux quadruples rimes, s'étend ici à chacune des deux rimes prise isolément. Dans la série : $_1$*vaghi* ~ $_4$*svaghi* ~ $_5$*paghi* ~ $_8$*allaghi*, les extrêmes : $_1$*vaghi* ~ $_8$*vuol che 'l mondo allaghi* sont sémantiquement apparentés (« inclinés » ~ « veut », « pleurer » ~ « noyer »), tandis que les moyens : $_4$*che tu* [...] *svaghi* ~ $_5$*che paghi* sont liés par un parallélisme grammatical étroit. De même, la seconde rime met en relation des éléments extrêmes qui sont apparentés sémantiquement : $_2$*cor mi* S*trugge* ~ $_7$*tosco sugge* [qui le cœur me consume ~ dont le poison il suce] (cf. aussi les correspondances phoniques : CO*r* ~ *tos*CO, S*trugge* ~ S*ugge*), tandis que les termes moyens mettent en jeu le même verbe, avec ou sans préfixe : $_3$*fugge* ~ $_6$RI*fugge*. En revanche, les rimes contribuent à faire l'unité de chaque quatrain selon des procédés variés : $_2$*strugge*, $_3$*fugge* ont pour sujets des féminins, $_6$*rifugge* et $_7$*sugge* des masculins; $_1$*vaghi*, $_4$*svaghi* sont liés par une rime « dérivée [2] ». Dans le second et le quatrième vers de la seconde strophe, les termes à la rime; $_6$*rifugge*, $_8$*allaghi*, appartiennent au schéma trisyllabique si cher à Dante (cf. II, VII, 5). En sorte qu'il n'y a que les vers pairs du quatrain pair qui s'achèvent sur un mot comportant un nombre impair de syllabes, tandis que les vers impairs de toutes les strophes, tous les vers des strophes impaires, et le vers pair du tercet pair, se terminent tous sur un dissyllabe.

1. Rappelons que les deux volets d'un diptyque sont symétriques quand chacun d'eux représente, par exemple, une femme suivie par deux enfants, et qu'ils sont anti-symétriques quand à une telle représentation est apparié un enfant suivi par deux femmes. Cf. A. Shubnikov, *Simmetrija i antisimmetrija konechnykh figur* (Moscou, 1951).

2. Cf. Biadene, *op. cit.*, p. 157 s.

2.3. Dans les tercets, les mots à la rime reflètent distinctement deux séries opposées d'images : une série négative, une série positive. Il s'agit de $_{9}$*gelo* face à $_{11}$*cielo*, $_{13}$*velo*; et de $_{10}$*tace*, $_{12}$*fredda giace* face à $_{22}$*pace*. [« glace » face à « ciel » et « voile » : « se tait », et « froide gît » en face de « paix »]. La seconde série constitue, par rapport à la première, une anti-symétrie en miroir[1] : −++/−−+. Mais en même temps, la succession des rimes (et celle des vers en leur entier), dans l'ensemble de ces deux tercets, se présente dans une relation similaire et néanmoins inverse : −−+/−++. Le combat dramatique, évoqué dans les strophes finales du sonnet, entre le bien et le mal, trouve son expression, à un niveau « plastique », dans ces deux anti-symétries en miroir.

2.4. La *rithimorum relatio* [les relations entre les rimes], quand on passe des quatrains aux tercets, laisse(nt) apparaître une divergence frappante, et en même temps une correspondance structurale remarquable. La rime initiale des quatrains et la rime finale des tercets ont ceci de particulier que la première commence et que la deuxième s'achève sur un mot qui, dans un cas comme dans l'autre, diffère des autres mots de la série. L'adjectif $_{1}$*vaghi* s'oppose aux verbes $_{4}$*svaghi*, $_{5}$*paghi*, $_{8}$*allaghi*; le nom $_{14}$*pace* s'oppose aux verbes $_{10}$*tace*, $_{12}$*giace*; et ce sont là les seuls écarts par rapport aux constantes grammaticales qui se rencontrent dans les rimes du sonnet. Dans les quatrains, les sept autres mots à la rime sont tous des verbes d'action. A ces verbes conjugués, ainsi qu'à la complète absence de substantifs, aux rimes des quatrains, les rimes des tercets opposent quatre substantifs et deux verbes d'état ($_{10}$*tace*, $_{12}$*giace*) [« se tait » et « gît »]. Ce désaccord radical, au niveau des réalités grammaticales que véhiculent les rimes, entre les deux strophes initiales et les deux strophes finales, dessine la courbe du poème dans son profil le plus global.

[STRUCTURE GLOBALE : LES ÉLÉMENTS GRAMMATICAUX.]

3.1. Le caractère d'exception que présente, dans le premier et dans le dernier vers du sonnet, le statut grammatical du mot à la rime n'est

1. Face à l'image précédemment citée : une femme suivie par deux enfants, la symétrie en miroir donnerait : deux enfants suivis par une femme; et l'anti-symétrie en miroir : deux femmes suivies par un enfant. L'ordre des signes et les deux signes eux-mêmes sont inversés tout à la fois : reflet dans un « miroir magique », selon les termes de E. P. Wigner, « Violations of Symmetry in Physics », *Scientific American*, décembre 1965, p. 28-36.

pas le seul trait distinctif de ces deux vers ; à côté d'unités appariées, le rôle joué par un vers non-apparié *(carmen incomitatum)* était parfaitement reconnu par Dante. Dans l'ensemble du poème, le premier vers est le seul où le mètre se présente sous une forme entièrement régulière : alternance constante de temps faibles non-accentués et de temps forts accentués, avec pause syntactique après le troisième temps fort : $_{1}$*Se vedi li occhi miei* || *di pianger vaghi.* D'autre part, parmi tous les temps forts du sonnet, le troisième temps fort du dernier vers est le seul qui soit séparé du temps faible qui suit par un hiatus (dialepha) : $_{14}$*non è in terra.*

3.2. En outre, les vers qui constituent le cadre du sonnet — le premier et le quatorzième — diffèrent du reste du poème par leur texture grammaticale, et c'est en se détachant sur ce fond de décor contrastant que la figure grammaticale des douze vers intérieurs prend son relief. C'est seulement dans le vers initial qu'on rencontre : un indicatif à la deuxième personne *(vedi)*, un infinitif *(pianger)*, un adjectif pluriel *(vaghi)*, et le seul substantif qui soit suivi d'un élément adjectival *(occhi miei di pianger vaghi)*. Le vers final contient une proposition avec un substantif sujet *(non è in terra pace)*, qui est la seule construction nom-verbe de tout le sonnet, puisque ailleurs ce ne sont pas des sujets lexicaux, mais seulement des sujets grammaticaux (sujets pronominaux soit explicites soit implicites) qui se combinent avec les seize autres verbes conjugués qui se rencontrent dans le poème. Cette répugnance pour les substantifs en position de sujet est particulièrement frappante là où elle se détache sur l'arrière-plan de verbes construits avec des substantifs-objets directs, soit dans six occurrences : $_{1}$*vedi li occhi* [tu vois mes yeux], $_{2}$*che 'l cor mi strugge* [qui le cœur me consume], $_{6}$*chi la giustizia uccide* [qui la justice tue], $_{7}$*tosco sugge* [le poison il suce], $_{8}$*mondo allaghi* [le monde noyer], $_{9}$*messo ha* [...] *tanto gelo* [il a glissé ... une telle glace]. La proposition terminale substantif-verbe constitue la seule assertion universelle du sonnet ; son verbe, simple entité grammaticale, ne fait que poser une existence ; encore n'apparaît-il que dans une construction négative *(non è)* [il n'est pas]. Les dix-sept verbes conjugués de notre texte sont au singulier.

La tendance à disjoindre les verbes des substantifs, et en même temps à employer toutes les formes conjuguées au singulier, s'avère un artifice si manifeste que, dans sa traduction, André Pézard, a essayé de remonter les transformations syntaxiques de Dante, en rétablissant les propositions substantifs-verbes qui leur sont sous-jacentes *($_{1}$mes yeux de pleurs ont soif, $_{8}$mon cœur se détruit, $_{9}$leur guerre a mis telle glace d'effroi)*, et en substituant des verbes au pluriel aux implacables singuliers de l'italien (*$_5$ceux qui justice tuent, et s'en refuient, $_6$ils sucent poisons, $_{10}$tous se taisent* [1]).

3.3. L'inventaire grammatical du sonnet laisse apparaître un choix très rigoureux. Toutes les formes verbales simples d'indicatif, de subjonctif, d'infinitif, ainsi que les verbes auxiliaires dans les formes composées ($_{8,9}$ le *ha* des « *passato prossimo* ») [le « a » des passés composés], appartiennent exclusivement au présent non-épique. Et ce sont des termes purement relationnels : pronoms relatifs, pronoms ou adjectifs démonstratifs, pronoms personnels (explicites ou implicites) ou adjectifs possessifs, qui dessinent le lyrisme du poème.

3.4. L'ensemble du texte est fait d'une seule période [2], avec deux propositions principales, ayant pour verbes : 1) $_3$*priego* à l'avant-dernier vers (— 2) de la strophe initiale : il s'agit là d'un verbe « exercitif » (cf. ci-dessous 7.5), à la première personne du présent; il est suivi de deux propositions qui lui sont étroitement subordonnées, avec des subjonctifs à la deuxième personne : $_3$*che tu* [...] *svaghi*, $_4$[...] *che paghi*; 2) l'impératif *levala* à l'avant-dernier vers (— 2) de la strophe finale. Les autres propositions sont directement ou indirectement subordonnées à ces deux propositions principales, dont les verbes sont le premier à la première personne et le second à la deuxième.

3.5. Deux synecdoques, suivies d'adjectifs possessifs, renvoient au héros à la première personne : $_1$*occhi miei* [mes yeux], avec, un peu plus loin, son substitut pronominal $_4$*i* [les]; $_2$*cor mi* [mon cœur]. Quant au héros à la deuxième personne, après la proposition introductive au conditionnel : $_1$*se vedi*, il est apostrophé au dernier vers (— 1) de la strophe initiale, et de nouveau au dernier vers (— 1) de la troisième strophe, par des syntagmes au vocatif dont le premier est simple et dont le second est double : $_4$*Signor*, $_{11}$*foco d'amor*, *lume del cielo*, accompagnés dans les deux cas de $_4$, $_{11}$*tu*, et suivis les deux fois par des formes conatives. Subjonctif double : $_4$*svaghi*, $_5$*paghi*, après le vocatif simple; et impératif simple : $_{13}$*leva*, après le vocatif double. L'une et l'autre apostrophes avoisinent avec des formes pronominales obliques ou possessives : $_3$*ti*, *da te*, $_5$*tua*; $_{10}$*tuo*, $_{13}$*tuo*.

3.6. En outre, le sonnet introduit deux acteurs à la troisième personne, l'un et l'autre relégués dans des propositions subordonnées :

1. Dante, *Œuvres complètes*. Traduction et commentaires par A. Pézard (Bibliothèque de la Pléiade, 1965), p. 213.

2. Le point devant la conjonction adversative $_{11}$*ma* se justifie difficilement, et quoique il s'agisse là de la ponctuation habituelle, quand on arrive au bout du dixième vers, on est naturellement porté par le mouvement du texte à ne pas respecter, du point de vue de l'intonation, la fin de la phrase, et à lui substituer la fin d'une simple proposition, intégrée dans une phrase qui se poursuit.

celui « $_{6}$qui la justice tue et puis s'enfuit » auprès de l'autre infâme, « $_{7}$le grand tyran dont le poison il suce, $_{8}$Poison qu'il [*elli*] a de longtemps répandu, et dont il veut le monde noyer ». On est en droit de se demander si ce *elli* renvoie au premier ou au second de ces deux *dramatis personae*; et si le pronom désigne le « *gran tiranno* », on se trouve affronté à une seconde question, celle de savoir si le prédicat $_{9}$*messo ha* est coordonné à $_{8}$*ha sparto e vuol* ou à $_{7}$*sugge*. La possibilité de telles hésitations démontre assez que les acteurs dont il est fait mention dans ces propositions subordonnées de troisième ou de quatrième rang sont à dessein maintenus dans l'ombre.

3.7. Au niveau le plus bas de cette hiérarchie hypotaxique, apparaît un dernier personnage, désigné par le pronom *Ciascun*, « chacun ». Le rôle de ce genre de « totalisateur singularisé » a été parfaitement défini par Sapir : « L'expression « chaque *a* » ne met l'accent sur un *a* singulier que pour insister sur le fait que tous les autres *a* du même ensemble [dans le cas présent : les fidèles] ne diffèrent aucunement de lui [1] ». Toute action, dans le sonnet, est présentée comme ayant à son origine un acteur singulier; mais moins l'agent est spécifique, et moins il apparaît actif; en sorte que *ciascun* est immobilisé par la glace et écrasé de silence.

[STRUCTURE GLOBALE : LE NIVEAU SÉMANTIQUE.]

4.1. On a dit de ce poème que, de toutes les *Rime* de Dante, il était le seul sans héroïne ni référence au culte de l'Amour. L'héroïne, cependant, est évoquée dans toutes les strophes du sonnet. Un substantif féminin abstrait émerge, de façon symétrique, au vers antépénultième (— 3) de chaque strophe : $_{2}$*pietà*, $_{6}$*giustizia*, $_{9}$*paura*, $_{12}$*vertù*, [angoisse, justice, effroi, vertu], ces mots comportant tous les quatre un accent sur la seconde syllabe. Le rapprochement de ces quatre substantifs fait apparaître un réseau de relations binaires très percutantes. Selon leur fonction syntaxique et leur sens lexical, ces quatre mots clés se divisent en deux couples, qui se répartissent entre les strophes impaires et les strophes paires. Dans les strophes paires : « justice » intervient comme objet direct ($_{6}$*giustizia uccide*) [qui la justice tue], la « vertu » comme apposition à un objet direct ($_{12}$*questa vertù* [...] $_{13}$*levala*) [cette vertu [...] délivre-la]; les deux concepts apparaissent comme les deux facettes d'une seule et même substance; et l'accent de chacun des deux mots tombe sur le temps fort du vers. Dans les strophes impaires : l' « angoisse », l' « effroi » se manifestent

1. E. Sapir, *Totality*, Language Monographs VI (Baltimore, 1930), p. 12.

avec accompagnement de prépositions et avec une emphase due à l'absence d'article : $_{2}$*per novella* PIETÁ *che 'l* COR *mi strugge* [Par l'angoisse nouvelle qui le cœur me consume], $_{9}$*e messo ha di* PAURA *tanto gelo* $_{10}$*nel* COR *de' tuo' fedei* [Il a glissé d'effroi une telle glace Au cœur de tes fidèles que chacun se tait].

L'*Enfer*, chant I, présente ces mots jumeaux dans un contexte similaire (cf. ci-dessous, 5.1.) :

> $_{15}$Che m'avea di PAURA il COR compunto, [...]
> $_{19}$Allor fu la PAURA un poco queta
> $_{20}$Che nel lago del COR m'era durata
> $_{21}$La notte ch'i' passai con tanta PIETÀ.
>
> $_{15}$Qui m'avait pénétré le cœur d'effroi, [...]
> $_{19}$Pour lors fut apaisé un peu l'effroi
> $_{20}$Qui au lac de mon cœur s'était durci
> $_{21}$En cette nuit passée en telle angoisse.

Dans le sonnet, l'affinité des deux termes est soulignée par leur position identique : leur accent tombe sur le second temps fort du vers. L' « angoisse » et l' « effroi » sont les réponses respectives du poète et de chacun, réponses indissociables des souffrances infligées à la justice-vertu. Il y a déplacement métonymique de la représentation de la vertu martyrisée à l'image des fidèles se sentant concernés par son martyre. Les références directes et les références déplacées à la vertu se succèdent selon une alternance régulière. Le pronom anaphorique « celle » dans la proposition : $_{3}$*per lei ti priego* [par celle je t'en supplie] renvoie autant à $_{2}$*pietà* qui précède qu'à $_{6}$*giustizia* qui suit, dans la mesure où l'angoisse que suscitent les souffrances de la justice est, tout autant que la justice elle-même, un sentiment pieux, lié au Seigneur *($_{3}$da te non fugge)* [qui loin de toi ne fuit].

Aussi bien dans sa poésie que dans sa théorie, Dante recherchait la symétrie entre les extrêmes : *extremas desinentias convenit concrepare* [il faut faire s'entrechoquer les éléments extrêmes] (II, XIII, 9). Le lien étroit qui s'établit entre *pietà* et *vertù*, dans les strophes extrêmes qui mettent en jeu ces féminins, est encore resserré par la similitude de structure que présentent ces deux indéclinables, l'un et l'autre dissyllabes et oxytons; parallèlement, dans les strophes moyennes, les trisyllabes paroxytons *giustizia* et *paura* conservent leur affinité, malgré la contraction du dernier mot du fait de la synalèphe.

4.2. *Giustizia* et *vertù* sont en relation avec les féminins : $_{5}$ *la tua dritta man*, au premier vers (— 1) du second quatrain, et : $_{14}$ *in terra pace*, au dernier vers (— 1) du second tercet. Il ne peut y avoir de justice sans la droite du Seigneur, ni, sur la terre, de paix sans la vertu, que le divin « brasier d'amour » ($_{11}$*foco d'amor*) est prié de ressusciter. Ainsi les trois thèmes les plus nobles de la poésie — *illa magnalia que sint maxime pertractanda* (II, II, 8) — sont abordés dans ce poème : *virtus*, *salus*, et « le brasier d'amour » *(amoris accensio)*.

4.3. Les mots clés féminins du sonnet perdent leur abstraction en raison de leur emploi continuel au sein de constructions métaphoriques qui les mettent en rapport avec des verbes, des substantifs et des adjectifs concrets : $_{2}$ *pietà che 'l cor mi strugge* [l'angoisse qui le cœur me consume]; $_{6}$ *chi la giustizia uccide* [qui la justice tue]; $_{9}$ *e messo ha di paura tanto gelo* [il a glissé d'effroi une telle glace]; $_{12}$, $_{13}$ *questa vertù che nuda e fredda giace, levala su vestita del tuo velo* [Cette vertu qui nue et glacée gît, Relève-la, vêtue de tes voiles].

[CORRESPONDANCES BINAIRES ENTRE STROPHES DISTANTES.]

5.1. Les strophes impaires sont liées par un ensemble de correspondances frappantes. La référence à l'angoisse [*pietà*] dans la strophe I (— 3) et à l'effroi [*paura*] dans la strophe III (— 3) amène, par association, dans les deux cas, l'évocation du « cœur »; et l'occurrence répétitive de *cor* est soulignée par une rime dissyllabique : I (+ 2) chE 'L COR, III (+ 2) nEL COR. Au verbe qui intervient, ensuite, en I (— 2) : *priego*, répond en III (— 2) son antonyme : *tace*, qui renforce la correspondance phonémique entre I (+ 2) : pieTÀ chE 'l COR, et III (+ 2) : nEL COR [...] TAce. La souffrance du cœur, déplorée au second vers de chacune des deux strophes, suscite des réponses en sens contraire de la part du poète et de la part de chaque homme. Ce qui n'empêche que *cum tacent, clamant* [ce silence est un cri]. Ce silence contraint est contredit (cf. le $_{11}$ *ma*) par un nouvel appel au Seigneur, mais cette fois-ci sans référence à celui qui le lance. Dans les deux cas, le vocatif : I (— 1) *signor*, III (— 1) *foco d'amor*, renforcé par le pronom *tu* sur le temps fort voisin, rime avec *cor* : I (— 1) signOR, che TU, III (— 1) ma TU foco d'amOR. La rime intérieure — *rithimorum repercussio* (II, XII, 8) — est au nombre des procédés favoris de l'art de Dante.

Le vers final de chacune de ces strophes impaires ouvre la voie, dans les deux cas, à l'appel au Seigneur, cependant que le tour conatif ne s'achève qu'ensuite, dans le premier vers comportant la même rime, c'est à savoir le premier vers du quatrain pair *($_{4}$ svaghi — $_{5}$ paghi)*, et le second vers du tercet pair *($_{11}$ cielo — $_{13}$ velo)*.

5.2. Dans les strophes paires, comme il a été noté plus haut (4.2), les mots clés, à savoir : II (— 3) *la giustizia*, IV (— 3) *questa vertù*, apparaissent accompagnés par des mots féminins qui leur sont associés dramatiquement, Un *è* sous forme de parenthèse affirmative et un *è* sous la forme d'une assertion existentielle négative affleurent dans les mêmes vers que ces mots féminins : II (+ 1) *tua dritta man, cio è*; IV (— 1) *non è in terra pace*. En opposition à la synonymie des mots clés, les verbes transitifs qui les commandent : II (+ 2) *uccide*, IV (+ 2) *levala su*, signalent l'antonymie de l'ensemble des deux strophes. Et en particulier, le masculin *mondo*, tout rempli de poison infernal en II (— 1), s'oppose au féminin *terra*, aspirant à la paix en IV (— 1).

5.3. Il existe dans toutes les strophes une séquence (et une seule) composée d'une préposition et d'un substantif féminin. On peut déceler une certaine affinité sémantique entre les prépositions des strophes initiales : $_{2}$ *per*, $_{5}$ *con*, et entre celles des strophes finales; $_{9}$ *di*, $_{14}$ *in*. Ces séquences sont construites sur les mots clés dans les strophes impaires : I (— 3) *pietà*, III (— 3) *paura*; — et sur leurs associés féminins dans les strophes paires : II (+ 1) *man*, IV (— 1) *terra*.

5.4. Les deux seules propositions qui ne soient pas subordonnées dans tout le sonnet figurent à l'avant-dernier vers des deux strophes extrêmes : I (— 2) *per lei ti priego*, IV (— 2) *levala su*, alors que les mots clés se rencontrent au vers précédent : I (— 3) *pietà*, IV (— 3) *vertù*. La première strophe commence, et la dernière s'achève, sur une proposition subordonnée qui joue le rôle d'un préalable, et qui dépend, dans les deux cas, d'une forme verbale à valeur conative : I (+ 1) exprime une condition subjective : *se vedi li occhi miei di pianger vaghi*, et dépend du subjonctif *svaghi*; IV (— 1) traduit un lien de causalité ayant valeur universelle : *ché sanza lei non è in terra pace*, et dépend de l'impératif *levala*. La construction : préposition suivie du pronom *lei* [celle/elle] appartient à la seconde partie de cette relation hypotaxique, et apparaît au troisième vers de chacune des deux strophes. Dans les œuvres poétiques de Dante, en règle générale, la répétition d'un mot (cf. 5.1. ce qui concerne $_{2}$, $_{10}$ *cor*) suppose, et en même temps signale, des parallélismes complexes; dans l'une et l'autre strophe, le contexte, dans la suite du vers, fait apparaître la négation qui ne se rencontre nulle part ailleurs dans le sonnet. C'est seulement dans chacun de ces vers que les temps forts des trois pieds intérieurs tombent sur la même voyelle, à savoir : /e/ [1], accentué ou inaccentué (dans *che*); et le dernier de ces temps forts, qui, dans

1. Sur les triples figures vocaliques et sur les autres procédés triadiques dans la poésie de Dante, voir I. Belza, « Zametki o zvukovom stroe dantovskogo stikha », *Izvestija Akademii Nauk SSSR*, série Littérature et langage, XXIV (1965), p. 489-491.

la première strophe, est sur le pronom *te*, se trouve placé, dans la quatrième strophe, sur la syllabe « correspective [1] » : I (+ 3) *per lei ti pri*E*go ch*E *da t*E NON *fugge*; IV (+ 3) *ché sanza l*E*i* NON È *in* TE*rra pace* (où la particule négative est renforcée par la préposition négative *sanza*, et par la présence des quatre /n/ qui redouble la double nasale de *non* : *sa*N*za lei* NON è IN terra).

5.5. Loin d'être ornementale, la texture phonique, dans la poésie de Dante, est en relation étroite avec le niveau sémantique [2]. Le thème introductif de l'angoisse et de la supplication par le nom de l'héroïne du poème, et d'un autre côté, en fin de poème, l'apothéose cosmique de cette même héroïne, entremêlent des figures phoniques convaincantes. Le premier mot clé *pietà* est entouré d'une chaîne de mots faisant écho — selon les propres termes de Dante : *velut eco respondens* (II, XII, 8) — à son attaque, c'est-à-dire au /p/ initial, seul ou accompagné de la semi-voyelle /i/, avec, à l'occasion, un /r/ expressif qui vient soit d'insérer entre les deux soit s'ajouter en fin de mot : $_1$ PI*anger* ~ $_2$ P*e*R ~ PI*eta* ~ $_3$ P*e*R ~ PRI*ego* ~ $_3$ PI*ace*R'. Le dernier mot clé *vertù* est manifestement anagrammisé [3] : sa séquence initiale consonne-voyelle est deux fois répétée : $_{12}$ VErtu ~ $_{13}$ VEstita ~ VElo, tandis que sa syllabe finale réapparaît dans une rime intérieure : $_{11}$ ma TU ~ $_{12}$ questa verTU ~ $_{13}$ levala SU. En outre, les deux premiers vers du second tercet reproduisent les constituants de la syllabe initiale de ce mot : 1) la labiale continue, 2) la voyelle /E/, 3) la liquide dans des ordres variés : FREdda (1-3-2), LEVa (3-2-1), VElo (1-2-3); enfin, les mots avoisinants abondent en correspondances phoniques : $_{12}$ QUESTA ~ $_{13}$ VESTITA [4]. Un tour inhabituel et inattendu, voisin de l'oxymore, marque le début et la fin du sonnet. D'agent ou d'instrument de la vue, les yeux deviennent l'objet de la vue : $_1$ SE *vedi li occhi* [si tu vois les yeux]. D'autre part, la formule funèbre : $_{12}$ *nuda e fredda giace* a pour prolongement habituel : *in terra*, ou : *in pace* [nue et froide gît... en terre, ou en paix] : or la séquence finale : $_{14}$ *in terra pace* va à l'encontre de cette tonalité de requiem.

1. Cf. « Les anagrammes de Ferdinand de Saussure » par J. Starobinski, *Mercure de France*, 1964, p. 248.
2. Cf. E. G. Parodi, « La rima e i vocaboli in rima nella Divina Commedia », *Bollettino della Societa Dantesca Italiana*, III (1896), p. 87 s. : « La maîtrise absolue que Dante a de la rime se manifeste même au niveau des relations qui unissent les images à leur contexte; en sorte qu'il ne s'agit pas seulement d'un son ni d'un simple ornement, mais bien plutôt d'une détermination et d'une illustration de la pensée, et d'un élément du discours qui tantôt ramène jusqu'au point de départ, tantôt fournit de nouveaux éléments permettant d'avancer. »
3. Cf. F. de Saussure : « mot que je dis anagrammisé » (*op. cit.*, p. 255).
4. Sur le *Bisticcio* qui lie ces deux termes, voir Biadene, *op. cit.*, p. 162 s.

[CORRESPONDANCES BINAIRES ENTRE STROPHES ADJACENTES.]

6.1. Les correspondances entre strophes adjacentes sont fondées sur un certain parallélisme entre la fin de la strophe antécédente et le début de la strophe subséquente — *quod non aliud esse videtur quam quedam ipsius stantie concatenatio pulcra* [comme si la strophe s'enchaînait sans effort avec elle-même] (II, XIII, 6). Chaque strophe en position seconde commence par la répétition, sous une forme inversée, de la construction grammaticale représentée au vers final de la strophe précédente. Les vers contigus des strophes voisines sont étroitement liés, mais aucun de ces vers ne dépend de l'autre.

6.2. Les vers frontières des strophes moyennes contiennent des verbes transitifs à la troisième personne d'un « passé composé » mais en II (— 1) l'auxiliaire se trouve précédé par l'objet et suivi par le participe : *ch'elli ha già sparto*, tandis que III (+ 1) offre l'ordre inverse : *e messo ha di paura tanto gelo*.

6.3. Les deux strophes initiales sont liées par la présence d'une coordination entre deux subjonctifs à la deuxième personne; I (— 1) *svaghi*, II (+ 1) *paghi*; l'ordre du verbe transitif et de l'objet direct affecte, d'un vers à l'autre, la forme d'un chiasme; le pronom objet précède le premier subjonctif, tandis que le second subjonctif se trouve suivi par la proposition subordonnée objet qui occupe II (+ 2).

6.4. Dans les deux strophes finales, les vers charnières contiennent des appositions à des pronoms personnels : en III (— 1), l'apposition est précédée par le pronom : *ma tu*, *foco d'amor*, *lume del cielo*, tandis qu'en IV (+ 1), l'apposition : *questa vertù che nuda e fredda giace* précède le pronom IV (+ 2) *la* auquel elle se rapporte.

6.5. Les correspondances entre vers frontières dans chaque couple de strophes adjacentes sont renforcées par la présence d'éléments morphologiques ou syntaxiques qui ne se rencontrent pas dans le reste du sonnet : « passé composé » pour les deux strophes moyennes, subjonctif à la deuxième personne pour les deux strophes initiales, appositions pour les deux strophes finales.

Le dernier vers du premier tercet est, en outre, relié à la strophe suivante par des termes antonymes : III (— 1) *foco* ~ IV (— 1) *fredda* qui reprend III (— 1) *gelo*; III (— 1) *cielo* ~ IV (— 1) *terra*. Enfin les deux tercets se terminent l'un et l'autre sur une série de nasales qui ne se retrouve nulle part ailleurs dans le sonnet : nasales graves en III (— 1) avec M*a*, *a*M*or*, *lu*M*e*; nasales aiguës en IV (— 1) avec le quadruple /n/ (cf. ci-dessus 5.4.). Ces deux séries de sonorités semblables forment le cadre de la prière de quatre vers qui fait la conclusion de tout le sonnet. Ces quatre vers occupent une place à part du reste du poème, également, par leur rythme. Ils tendent à déplacer l'accent de mot du temps fort au temps faible qui précède, ce qui donne naissance à cinq choriambes d'un type particulier, où un temps faible vient se placer sous l'accent initial du mot. On en trouve deux dans le onzième vers, et un dans chacun des suivants. Dans le dernier tercet, l'accent se place sur le premier temps faible de chacun des vers; dans le onzième vers, au contraire, les deux temps faibles accentués coïncident avec des syllabes intérieures, faisant suite à des pauses syntaxiques [1], ce qui pousse la hardiesse jusqu'à mettre en contact deux syllabes porteuses d'un accent de mot : $_{11}$ *ma tú, fóco d'amór, lúme del ciélo* $_{12}$ *quésta vertú*, $_{13}$ *lévala sú*, $_{14}$ *ché sanza léi* [2] La diérèse après le second temps fort dans les deux derniers vers est manifestement formée sur le modèle de $_{12}$ *quésta vertú* (cf. ci-dessus 5.5.).

[ORGANISATION QUATERNAIRE, ORGANISATION TERNAIRE. CONCLUSION.]

7.1. Chacune des quatre strophes possède des traits grammaticaux qui lui sont propres et peut se caractériser par la prédominance d'un certain type de discours. Le lyrisme subjectif du premier quatrain le dote des trois seules formes (une forme verbale, deux formes pronominales) de la première personne, et de la fréquence la plus grande en matière de pronoms (39 % du chiffre total).

Le second quatrain, où culmine l'épique, avec ses huit verbes conjugués (44 % par rapport à l'ensemble du sonnet) et les deux seuls adverbes de temps ($_1$*poi*, $_1$*già*), compte cinq articulations successives en matière de propositions subordonnées, contre une ou deux dans les autres strophes.

La troisième strophe, à dominance contemplative, fait descendre le nombre de verbes conjugués à un seul couple, mais atteint le nombre maximum de substantifs, soit huit (36 %), répartis en quatre couples, dont chacun est formé d'un constituant principal (déterminé) et d'un déterminant, d'où la présence de quatre tropes substantivaux [3].

1. Cf. R. Jakobson, « Linguistics and Poetics », *Style in Language* (MIT Press, 1960), p. 363 s. [trad. fr. : *Essais de linguistique générale*, chap. XI (Paris, 1963)].
2. N. Zingarelli, *Nuovo Vocabolario della lingua italiana* (Bologne, 1961), émet l'hypothèse que *sanza* représente *senza* « en position de proclitique ».
3. Sur les *sostantivi seriati* dans les sonnets de Dante, voir G. Contini, « Esercizio d'interpretazione sopra un sonetto di Dante », *L'Immagine*, V (1947), p. 294.

Le tercet final est une strophe de métamorphoses incantatoires, construites sur les oppositions : $_{12}$ *giace* $\sim$ $_{13}$ *levala*, et : $_{12}$ *nuda* $\sim$ $_{13}$ *vestita*, et préparées par le jeu des antonymes: $_{9}$ *gelo* $\sim$ $_{11}$ *foco*. Il contient trois des sept formes adjectivales utilisées dans le sonnet (deux adjectifs proprement dits et un participe); et, à la différence des quatre adjectifs qui se rencontrent dans les strophes précédentes, tous trois fonctionnent en relation non pas avec des substantifs, mais avec des propositions tout entières : $_{12}$ *che nuda e fredda giace*, $_{13}$ *levala su vestita*, conformément au caractère dynamique et transfiguratif de cette série de motifs.

7.2. La *partium habitudo* [disposition respective des parties], dans le sonnet, telle que la fondent les relations architectoniques entre les strophes, peut être, dorénavant, mise en lumière :

PREMIER QUATRAIN : Angoisse et prière personnelles du poète; il implore l'intercession divine pour retrouver la paix.

SECOND QUATRAIN : Requête en vue de la punition de l'assassin; évocation de la justice assassinée.

PREMIER TERCET : Effroi général et silence; mais en contre-partie, invocation à l'amour divin.

SECOND TERCET : Aspiration à un triomphe de la vertu, devant inaugurer, sur la terre, la paix.

7.3. « Elle », thème principal, et véritable leitmotiv, dans le sonnet, — que ce « elle » s'appelle *Vertu*, *Justice* (ses manifestations les plus humaines [1]) ou, au contraire, *Angoisse*, *Effroi* (réponses humaines au martyre de la vertu) —, apparaît liée, de façon indissoluble, à la divinité, et trouve son salut dans le « brasier d'amour ». Le troisième vers du tercet final rapproche trois féminins riches de sens qui annoncent son triomphe, en union triadique avec d'une part la *terre*, illuminée par la « lumière du ciel », et d'autre part la *paix*, en tant qu'objet d'aspiration (remarquer l'inversion, et par suite, l'accentuation de ce mot, qui conclut le sonnet et y figure comme le seul sujet substantif (cf. 3.2.) et comme le seul substantif féminin au *nominatif* [2]). Ces deux substantifs terminaux se signalent, par ailleurs, par l'absence d'article.

Selon la terminologie de Sapir [3], on peut dire que les « existants » prennent le pas sur les « occurrents », comme le montre, dans les

1. *Convivio* I, XII, 9 : « Ainsi, pour aimable que soit toute vertu dans l'homme, plus aimable est en lui celle qui est plus humaine; et celle-ci est justice. »

2. Les autres substantifs féminins et le pronom « elle » n'apparaissent qu'aux *cas obliques*.

3. *Op. cit.*, p. 3; cf. E. Sapir, *Selected Writings* (Univ. of Calif. Press, 1949), p. 123.

tercets, la prédominance, à la rime, des substantifs, en opposition avec les verbes à la rime dans les quatrains (cf. ci-dessus 2.4), et comme le montre l'inventaire grammatical total des deux strophes moyennes, qui met en évidence, en un contraste frappant, l'abondance des verbes dans le quatrain et celle des substantifs dans le tercet (cf. ci-dessus 7.1). En outre, la contingence des subjonctifs dans le premier appel au Seigneur (condition restrictive, dépendance par rapport au verbe principal, caractère subjectif de la requête) contraste nettement avec la seconde invocation, et le caractère indépendant et inconditionné de son impératif. Les compléments d'objet (qui sont tous des pronoms) de ces formes conatives sont riches d'enseignement : tandis que les subjonctifs sont tournés vers les yeux du suppliant : $_{4}$*i*, et vers l'offenseur : $_{6}$*chi*, — l'impératif est orienté vers la vertu : $_{13}$*la*, comme vers son but le plus direct. La multiplicité des correspondances entre ces deux points hauts du sonnet et la phase de transition entre quatrains et tercets doit être rapprochée des préférences de Dante, attribuant une plus haute perfection formelle aux nombres impairs, *(numeris imparibus)* et particulièrement aux triades, dans la structure de ses œuvres poétiques, à l'encontre de la *ruditas* supposée des arrangements par paires (cf. ci-dessus, 1.3 [1]).

7.4. En relation avec la prédilection du poète pour *lo numero del tre*, il est particulièrement remarquable que la texture morphologique du sonnet en question fasse apparaître, entrecroisée avec la double dichotomie analysée plus haut, une autre *partium habitudo*, à savoir une composition en trois parties, qui confère au sonnet un centre et deux ailes de cinq vers. Les quatre vers centraux, 6-9, s'opposent aux cinq qui les précèdent, 1-5, et aux cinq qui les suivent, 10-14, en ce que les verbes conjugués qui s'y rencontrent sont tous à la troisième personne, ainsi que les pronoms, et en ce que ces pronoms sont tous du genre masculin, au lieu que tous les vers du « quintette » initial et du « quintette » final offrent des pronoms de la première ou de la deuxième personne et/ou du genre féminin. Dans ces quintettes, cinq verbes sont à la première ou à la seconde personne; sur les six verbes à la troisième personne, quatre renvoient à des féminins, et les deux autres, qui se réfèrent à des masculins, figurent dans les vers de tran-

1. Cf. A. Schmarsow, *Kompositionsgesetze in der Kunst des Mittelalters*, t. III (Bonn-Leipzig, 1922). Le sonnet italien est considéré par l'auteur comme « une forme poétique dérivée du principe gothique de l'élévation [...] Les deux quatrains forment une base à la fois dominée et résumée par le sizain, que celui-ci s'érige en un tout autonome, ou qu'il soit en étroite relation avec l'ensemble des deux strophes précédentes, — mais de telle façon que le dessin général, loin d'être celui d'une chute, soit celui d'une élévation ».

sition qui sont à la frontière de la partie centrale : $_{5}$*ció è*, $_{10}$*ciascun tace*.

Les sept verbes des quatre vers centraux sont des formes à la troisième personne, renvoyant à des masculins. Tous les verbes, tous les pronoms, de cette partie centrale, sont reliés à l'assassin de la justice ou à son complice, ce qui n'est le cas d'aucun autre verbe ni d'aucun autre pronom dans le reste du sonnet. Les deux vers qui sont le noyau de ce passage et de l'ensemble du sonnet, 7-8, ayant pour cadre une constellation phonique un peu flottante : AL Gran [...] ALLAGHi, et pour foyer les venimeuses activités des deux malfaiteurs, nomment l'un d'entre eux le « grand tyran », — mais pour dénoncer le complot des ennemis dans les chaînons ultimes du cycle hypotaxique, ils ont recours à des pronoms relatifs en fonction de compléments : $_{7}$*cui*, $_{8}$*ch(e)*, qui ne se rencontrent nulle part ailleurs dans le poème. Le dernier vers de ce distique nucléaire est marqué par une série de trois verbes conjugués : $_{8}$ *ha sparto - vuol - allaghi*.

7.5. Le seul verbe conjugué qui soit à la première personne$_{3}$: *priego*, s'oppose à tous les autres verbes du sonnet, dans la mesure où il s'agit d'un verbe « performatif » face à des verbes « constatifs », selon la classification et la terminologie de J.-L. Austin, utilisée et adaptée pour les besoins de la linguistique par E. Benveniste, et précisée ultérieurement par le premier grâce à l'introduction de la notion d' « exercitif [1] ».

Les verbes à la seconde personne sont absents des propositions assertives, et n'apparaissent que dans les souhaits et énoncés conditionnels ($_{1}$*se vedi* ; les subjonctifs $_{4}$ *svaghi*, $_{5}$ *paghi*; l'impératif $_{13}$ *leva*), tandis que les verbes à la troisième personne figurent en règle générale dans des assertions posant un état de fait, — à l'exception du subjonctif $_{8}$ *che 'l mondo allaghi*, qui forme un contraste sémantique vigoureux avec le subjonctif à la seconde personne $_{5}$ *che paghi* par quoi le destinateur confie son vœu à son destinataire céleste.

7.6. Les deux occurrences du pronom *lei* [celle/elle] constituent une rime intérieure avec le vers initial de chacun des deux « quin-

1. E. Benveniste, *Problèmes de linguistique générale* (Paris, 1966), p. 274 : « Un énoncé est performatif en ce qu'il *dénomme* l'acte performé, du fait qu'Ego prononce une formule contenant le verbe à la première personne du présent. [...] Ainsi un énoncé performatif doit nommer la performance de parole et son performateur. » — J.-L. Austin, *How to Do Things with Words* (Cambridge, Mass., 1962), p. 154 : « Il y a exercitif lorsqu'on formule un jugement (favorable ou non) sur une conduite, ou sur sa justification. Il s'agit d'un jugement sur ce qui devrait être plutôt que sur ce qui est... » [trad. fr. : *Quand dire c'est faire*, Paris, Seuil, 1970, p. 157].

tettes » : ₁ *occhi mi*EI - ₃ *per l*EI ; et ₁₀ *tuo' fed*EI - ₁₄ *sanza l*EI. Les substantifs qui désignent les êtres souffrants riment avec les pronoms qui renvoient à la cause de leur souffrance. A part le ₄*i*, substitut de *occhi miei*, les deux séquences en question, avec le /ó/ et le /éi/ respectivement sur le second et le troisième temps fort, sont les seules occurrences, dans le sonnet, de substantifs et de pronoms pluriels.

Chacun de ces deux substantifs est le lieu d'une synecdoque mettant en jeu le nombre (au sens grammatical) : *pro multo unus vel pro uno multi ponuntur* [1]. En tant que *pars pro toto*, le pluriel « mes yeux » (en fait, un ensemble naturel composé de deux éléments) vient prendre la place du singulier « Je ». Dans la séquence *nel cor de tuo' fedei*, le singulier *cor* est une synecdoque à la fois grammaticale et lexicale par rapport au pluriel *fedei*, et, à l'inverse, quand il est promu au statut de sujet, ce pluriel prend la forme d'un « totaliseur singularisé » : *ciascun tace* (cf. ci-dessus 3.7).

Ainsi, les exceptions apparentes à l'hégémonie exercée dans le sonnet par le singulier confirment, en définitive, la tendance générale, qui est de présenter toute entité dans sa singularité, et viennent servir d'illustration aux règles strictes et toutes-puissantes qui modèlent la texture grammaticale des *Rime* de Dante.

7.7. La variété, la profusion, l'extrême clarté et la charge symbolique considérable des symétries et des correspondances, tant sémantiques que formelles, rattachent, manifestement, cette poésie à l'art d'un Giotto [2], ou à l'art de sculpteurs aussi différents qu'Arnolfo di Cambio et Giovanni Pisano. Parmi les représentations allégoriques que ce dernier a consacrées aux arts libéraux et qui ornent la fontaine monumentale de Pérouse, les statues de la Grammaire et de la Géométrie se ressemblent étroitement. L'affinité entre ces deux disciplines du savoir était-elle saisie par les sculpteurs comme elle l'était par le scolastique Robert Kilwardby [3]? Dans le *Banquet*, la comparaison entre l'ordre céleste et l'ordre scientifique insiste sur la propriété commune à la Grammaire et à la Géométrie, qui est leur tension interne : *La Geometria si muove intra due repugnanti ad essa, siccome*

1. Cf. H. Lausberg, *Handbuch der literarischen Rhetorik* (Munich, 1960), § 573.
2. Il est véritablement difficile de ne pas penser à Dante et à notre sonnet quand on regarde des œuvres de Giotto ou quand on lit des remarques critiques du type de cette réflexion de Schmarsow : « On songe ici à la peinture, qui n'influe sur le spectateur que par une construction architectonique fondée sur un jeu de symétries et de proportions qui oblige la vue à s'arrêter dans sa contemplation », *Italienische Kunst im Zeitaler Dantes* (Augsburg, 1928), p. 111.
3. Voir R. Jakobson, « Poésie de la grammaire et grammaire de la poésie » [ici-même, p. 228].

tra il punto e 'l cerchio, [...] *tra principio e fine* [La Géométrie se meut entre deux réalités qui luttent, de part et d'autre contre elle : c'est le point et le cercle [...], son principe et sa fin] (II, XIII, 26-27); et, de façon analogue, les contrastes lunaires du clair-obscur de la Grammaire *(luce or di qua or di là)* [elle luit tantôt sur une face et tantôt sur une autre] sont désignés comme étant redevables au caractère constamment transmutable et convertible de ses constituants (II, XIII.9-10).

La Grammaire de la Poésie, avec sa sélection et sa combinaison de *certi vocaboli*, *certe declinazioni*, *certe costruzioni* [niveau lexématique, morphologique, syntaxique] et, dans le domaine des arts visuels, la Géométrie, avec *sua ancella*, *che si chiama Prospettiva* [sa servante, qui s'appelle Perspective] offrent un champ à la fois nouveau et immense à une étude comparative. La Poésie du *dolce stil novo*, avec sa structure grammaticale complexe et saisissante, et, d'autre part, les arts plastiques de la même époque, tout pénétrés des lois contraignantes de la construction géométrique [1], posent la question cruciale, et cependant inexplorée, de l'importance du parallélisme dans les procédés structuraux qui informent les chefs-d'œuvre de la littérature, de la peinture et de la sculpture, dans les premières années du Trecento.

Traduit de l'anglais par
ANDRÉ JARRY

1. « Le rythme spatial qui fait pénétrer le mouvement dans la surface plane et lui donne une souplesse séduisante » a été défini comme faisant la « maîtrise consommée » de Giotto : V. Lazarev, *Proiskhozhdenie italjanskogo Vozrozhdenija*, t. I (Moscou, 1956), p. 185.

« Si nostre vie »
Observations sur la *composition & structure de motz* dans un sonnet de Joachim Du Bellay [a]

A la mémoire de Maria Rosa Lida de Malkiel

Cette visée, ja la dis Transposition — Structure, une autre.
L'œuvre pure implique la disparition élocutoire du poète, qui cède l'initiative aux mots, par le heurt de leur inégalité mobilisés; ils s'allument de reflets réciproques...
STÉPHANE MALLARMÉ, Variations sur un sujet

I $_1$Si nostre vie est moins qu'vne iournée
$_2$En l'eternel, si l'an qui faict le tour
$_3$Chasse noz iours sans espoir de retour,
$_4$Si perissablé est toute chose née,
II $_1$Que songes-tu mon amé emprisonnée?
$_2$Pourquoy te plaist l'obscur de nostre iour,
$_3$Si pour voler en vn plus cler seiour,
$_4$Tu as au dos l'aele bien empanée?
III $_1$La, est le bien que tout esprit desire,
$_2$La, le repos ou tout le mondé aspire,
$_3$La, est l'amour, la le plaisir encore.
IV $_1$La, o mon amé au plus hault ciel guidée!
$_2$Tu y pouras recongnoistre l'Idée
$_3$De la beauté, qu'en ce monde i'adore.

C'est le texte du sonnet tel qu'il fut publié pour la première fois par Du Bellay à Paris vers la fin de 1550, dans *L'OLIVE avgmentée depvis la premiere edition* de 1549. Ce sonnet porte le numéro *CXIII* parmi les 115 sonnets numérotés de cette série élargie. Nous gardons l'orthographe originale du texte avec les *e* barrés mis en usage par Clément Marot pour indiquer l'élision des *e* finals devant la voyelle initiale du mot suivant et pour faire ressortir le mètre syllabique du vers. Or, à la fin du sonnet, sous l'influence de la graphie II$_2$ *le monde aspire*, le *e* fut employé par mégarde devant un *i* qui n'est ici qu'une variante graphique du *j*, IV$_3$ *en ce monde i'adore*, et nous enlevons la barre erronée.

a. *Quaderno dell' Academia nazionale dei Lincei* (Rome, 1973).

SOURCES [1].

A plusieurs reprises on a indiqué quelques poèmes italiens qui se reflètent directement ou indirectement dans le sonnet *CXIII* : le *Canzoniere* de Pétrarque avec son sonnet *CCCLV*, le huitième *versus* dans *Arcadia* de Jacopo Sannazaro et surtout le sonnet de Bernardino Daniello publié par Giolito dans la collection des *Rime diverse di molti eccellentiss, auttori nuovamente raccolte*, I (Venise, 1546), ainsi qu'un vers d'Aurelio Vergerio dans la seconde partie de la même collection (1548, f. 159 — *S'ogni cosa creata è col suo fine*) reflété non seulement dans *L'Olive CXIII*, I_4 *Si perissable est toute chose née*, mais aussi, à peu près en même temps, c'est-à-dire dans le troisième quart de 1550, dans les vers écrits par du Bellay à Jean Salmon Macrin « sur la mort de sa Gelonis » : *Tout ce qui prent naissance Est perissable aussi* (*Poësies*, I, p. 309). Les deux vers antérieurs du sonnet ($I_{2,3}$) correspondent à un autre passage du même poème commémoratif : *L'An qui en soy retourne, || Court en infinité. || Rien ferme ne sejourne || Que la Divinité.* Parmi les sources de *L'Olive CXIII* on cite également quelques vers français d'Antoine Héroët dans sa *Parfaicte Amye* de 1542 (v. sur toutes ces questions Vianey, 1901, 1909; Merril, 1925, 1926; Gambier, 1936; Chamard, 1939-40; Hervier dans *Poësies*, V/1954; Spitzer, 1957). Ce grand « travail de refonte artistique », comme l'appellent les critiques, loin de contredire l'assertion avancée par Du Bellay dans sa préface à *L'Olive* de 1550, soutient et étaye son avertissement au lecteur : « Je ne me suis beaucoup travaillé en mes ecriz de ressembler aultre que moymesmes » (*Poësies*, I, p. 75).

SUJET.

Quand les commentateurs abordent le sonnet *CXIII* comme tel, ils s'appliquent à résumer son sujet. Selon leur enseignement, Du Bellay « nous parle d'une âme emprisonnée, aspirant plus haut » (Bourciez, p. 109); « emprisonnée ici-bas, elle aspire à sortir du séjour ténébreux, à briser tous les liens qui l'attachent à la terre, pour s'envoler d'un coup d'aile vers un monde éclatant de lumière, et pour goûter, dans son éternelle essence, le pur amour au sein de la

1. Dans nos citations de *L'Olive CXIII*, et des autres sonnets les chiffres romains indiquent l'ordre des strophes, les chiffres romains en italique, les numéros des pièces, et les chiffres arabes, la place du vers dans la strophe.

Beauté divine » (Chamard, I, p. 236). Les critiques, l'un après l'autre, croient pouvoir déceler dans le texte du sonnet « l'aspiration de l'âme vers les demeures éternelles » (Vianey, 1930, p. 42) et le pouvoir du poète de la « faire rêver [...] de l'Idée même de beauté » (Saulnier, p. 58), et pourtant, dans le sonnet, les questions que Du Bellay pose à son âme nous disent au contraire qu'elle se plaît dans *l'obscur de nostre iour* malgré la possibilité de s'envoler *en vn plus cler seiour.*

Le poète continue ses apostrophes à l'âme toujours silencieuse et après ses questions inaugurales il procède dans la partie conclusive du sonnet à un exposé sur le *cler seiour* que l'âme a hésité à rejoindre. En vain chercherait-on dans ses lignes le sens que Leo Spitzer essaye de leur imposer dans son interprétation du poème (1957, p. 219-223). *Indeed the whole second half of the sonnet represents*, nous dit-il, *the fulfillment of the desires described in the first half*, bien que la première moitié du sonnet mît en cause précisément l'absence de tels désirs. On se demande pourquoi la division usuelle du sonnet en deux quatrains et deux tercets doit produire *in our particular case an effect of accelerando.* Et où voit-on que, dans le prétendu envol de l'âme vers les cieux, *it does what the French call* « *brûler les étapes* »? Et qu'est-ce qui pourrait nous faire croire que les tercets aux rimes plates mis en vogue par les sonnettistes français *give the impression* of a double *wing beat* [1], d'autant plus que *l'aele* métaphorique dans *CXIII* apparaît au singulier! L'interprétation du texte proposée par Spitzer est basée non pas sur l'analyse des vers mais sur sa propre « réaction kinesthésique » empêchée de recevoir le *consensus omnium* par le manque *of training at school of our general public in kinesthetic matters.*

Dans le dernier tercet, le discours du poète apprend à son âme qu'*au plus hault ciel guidée* elle y pourra III_2 *recongnoistre l'Idée* $_3$*De la beauté.* Le vers final dramatise l'issue du monologue : si mon âme s'élève jusqu'à l'empyrée elle pourra reconnaître l'idée de la beauté, mais quant à moi, l'homme d'ici-bas, c'est la beauté elle-même, IV_3*qu'en ce monde i'adore.* Les deux attitudes — la cognition et l'adoration — sont nettement distinguées et c'est précisément à l'époque du travail sur *L'Olive* que Du Bellay a formulé sa propre manière d'aborder le mythe platonicien familier à la Pléïade. En évoquant, d'après l'*Orator*, de Cicéron, *ces Idées que Platon constituoit en toutes choses aux queles, ainsi qu'à une certaine espece imaginative* [*cogitatam speciem*], *se refere tout ce qu'on peut voir*, le poète déclare :

1. L'interprétation sémantique de ces six vers chez Vianey (1903, p. 84) est également arbitraire. Il admire « les deux rimes plates marquant comme les premiers coups d'aile et le quatrain à rimes entrelacées montrant l'âme qui plane ».

Cela certainement est de trop plus grand scavoir & loysir que le mien (*Deffence*, II, chap. I).

Spitzer croit *that the aesthetic secret of the sonnet lies mainly in the fact that the motif of the soul's striving toward the Platonic idea is not only* STATED *but* EMBODIED *by rhythmical devices.* Or le prétendu « secret esthétique » du sonnet est uniquement « affirmé » sans être véritablement démontré *(embodied)* dans l'essai du chercheur. Outre cela, l'essence du poème, loin de pouvoir être réduite à la prétendue poursuite de l'idée platonicienne, nous offre, comme les autres exploits du même auteur, un écheveau subtil de motifs antithétiques. Jacqueline Risset, dans son sagace essai sur la *Délie* de Maurice Scève (p. 30), a bien compris les contradictions sous-jacentes du poème *CXIII* de *L'Olive* : en particulier, « c'est le *je* du dernier vers qui ancre rétrospectivement tout le sonnet, révélant derrière la volonté de l'ascension le poids de l'attraction terrestre et de l'impuissance nostalgique ». La façon dont Spitzer paraphrase cet épilogue ne trouve aucun appui dans le texte du poète : *the soul, casting its glance back on the stretch of way it has wandered, is able to discern now on this earth,* CE MONDE, *reflections or copies of the archetype of the Idea of beauty.*

Au lieu de chercher à imposer au sonnet de *L'Olive* un cliché philosophique on retiendra la leçon de R. V. Merrill qui rappelle à plusieurs reprises dans son étude sur le platonisme de Joachim du Bellay que celui-ci ne fut ni un homme de science, ni un philosophe, mais rien qu'un poète : *he took from any available source whatever struck his imagination, without abstract interest, or coherent method.* D'ordinaire, l'emploi d'un terme philosophique par Du Bellay n'implique ni l'adoption, ni même la compréhension de la doctrine que ce terme pourrait nous suggérer : *his poetic consistency is more important to himself and to his reader than his philosophy* (p. 18 s.).

« Il famoso *Sonnet de l'Idée* di Du Bellay », comme l'appelle Spitzer dans son « testament spirituel » de 1960 (p. 121), est composé de *topoi*, formules lyriques enracinées dans l'œuvre du jeune poète et dans son ambiance littéraire et privées de rapport intrinsèque au platonisme « ascensionnel » (pour le sobriquet, v. Risset, p. 22). Ainsi le thème de l'aile métaphorique et de l'envol trouve la même terminologie et phraséologie différemment appliquée dans les sonnets qui succèdent au *CXIII*. Dans *CXIV* Du Bellay apostrophe l'Amour : III $_1$*O toy, qui tiens le vol de mon esprit,* $_2$*Aveugle oiseau, dessile un peu tes yeux,* $_3$*Pour mieulx tracer l'obscur chemin des nues.* IV $_1$*Et vous mes vers delivres & legers,* $_2$*Pour mieux atteindre aux celestes beautez,* $_3$*Courez par l'air d'une aele inusitée.* Le sonnet suivant qui conclut

L'Olive avgmentée interroge Ronsard, II $_1$*Quel cigne* [...] $_1$*Te prêta l'aele? & quel vent jusqu'aux cieulx* $_3$*Te balança le vol audacieux* [...]?

Le sonnet *LVIII* de *L'Olive* exaltant la *doulce cruaulté* de la femme élue remanie jusqu'à le rendre grotesque le vocabulaire du *CXIII* : I $_1$*mon œuil qui* ADORE — $_4$*Mon feu, ma mort, & ta rigueur* ENCORE. III $_1$*De mon* ESPRIT *les* AELES *sont* GUIDÉES $_2$*Jusques au seing des* PLUS HAUTES IDÉES $_3$ID*olatrant ta celeste* BEAULTÉ. Dans le premier quatrain du sonnet *LXXXI* de la même collection, *Celle qui tient* L'AELE *de mon desir* [...] *achemine ma trace au* [...] *divin* SEJOUR *du Dieu de mon* PLAISIR. Selon le second quatrain, $_1$LA *les* AMOURS [...] $_2$LA EST *l'honneur* [...] $_3$LA *les vertus* [...] $_4$LA *les* BEAUTEZ, *qu'au ciel on peut choisir.* III $_1$*Mais* SI *d'un œuil foudroyant elle tire* $_2$[...] *quelque traict de son ire*, $_3$*J'abisme au fond de* L'ÉTERNELLE *nuit* et les conséquences sont dépeintes dans les vers du dernier tercet, toutes les trois avec l'adverbe LA à leur début, par exemple IV $_2$LA *mon* ESPOIR *& se fuit & se suit.*

Le sonnet *LXIII* dont le numéro dans *L'Olive avgmentée* se termine par *XIII* comme celui du *CXIII* partage également certains traits marquants de son lexique, notamment dans une plainte contre le cruel Amour qui, lorsque *je n'avoy' de son feu* CONGNOISSANCE, a choisi III$_3$ AU PLUS HAULT CIEL LA BEAUTÉ, *qui me tue* : IV$_1$ LA, *fault chercher* LE BIEN QUE *tant* JE *prise.*

Il est à remarquer que le sonnet *CXIII* se trouve lié à plusieurs poèmes écrits par Du Bellay au début des années cinquante par un rapport qu'on pourrait appeler de ressemblance antithétique. Le dernier des *XIII Sonnetz de l'Honneste Amour* joints au *Quatriesme livre de l'Eneide* et imprimés en 1552, a dû être écrit peu avant sa publication, car son dernier tercet paraphrase le « Vœu » mis en tête de la *Continuation des Erreurs amoureuses* que Pontus de Tyard a fait paraître en 1552. Le sonnet en question partage avec le *CXIII* de *L'Olive avgmentée* non seulement le chiffre *XIII* du numéro que celui-ci porte dans le recueil, mais aussi les quatre rimes masculines à l'intérieur des quatrains, toutefois dans un ordre inverse : *CXIII tour — retour — iour — seiour; XIII seiour — iour — retour — tour.* L'ordre de ces rimes dans *CXIII* remonte à son modèle italien, le sonnet de Bernardino Daniello, *giorno — ritorno — intorno — soggiorno*, avec la seule permutation *tour — iour* tendant à l'unification des rimes à l'intérieur de chaque quatrain et à la dissimilation des deux quatrains. Dans le dernier des *XIII Sonnetz*, évidemment associé au sonnet *CXIII* du cycle antérieur, l'auteur ne se borne pas à inverser l'ordre des rimes mais transforme tout le cours de l'action. Aux deux motifs rivaux du sonnet de 1550 — *l'obscur de nostre jour* et *un plus cher seiour* aux cieux — Du Bellay, dans le sonnet de 1552, oppose l'image charnelle de sa Dame, *ce corps*, *des graces le seiour*, bâti par *la main de la saige nature*

> Pour embellir le beau de nostre iour
> Du plus parfaict de son architecture.

Au motif de 1550, celui de *l'an qui faict le tour et chasse noz iours sans espoir de retour*, le sonnet de 1552 oppose l'image spirituelle de la même Dame :

> [...] le ciel trassa la protraiture
> De cet esprit, qui au ciel faict retour,
> Habandonnant du monde le grand tour
> Pour se reioindre à sa vive peincture.

La question du sonnet *CXIII* — II$_2$ *Pourquoy te plaist l'obscur de nostre iour* — muni d'un oxymore et d'un contraste sémantique entre les deux « compagnes » mutuelles de la rime, comme on disait à l'époque (ou *rime fellows*, d'après le terme synonyme de Gerard Manley Hopkins), l'obscurité *de nostre iour* d'ici-bas et le *plus cler seiour* d'au-delà, trouvent à l'intérieur du même recueil, dans les deux tercets du sonnet *C*, une transposition massive de toutes ces composantes :

> Au fond d'enfer va pleurer tes ennuiz,
> Parmy L'OBSCUR des ÉTERNELLES nuitz :
> POURQUOY TE PLAIST d'Amour le beau SEIOUR?
> Si la CLERté les ombres épouvante,
> Ose tu bien, ô charongne puante!
> Empoisonner LE SERAIN DE MON IOUR!

Le jeune du Bellay, à la suite de Maurice Scève (v. *Délie*, XLVIII, CVI, CXLVIII, CCLXII, CCCIV, CCCLVI) fait rimer *seiour* avec *iour*, en variant le rapport sémantique des deux noms dont l'un inclut la connotation du stable ou du duratif et l'autre comporte plutôt une notion du transitoire. Ce couple se trouve attaché non seulement au thème de l'ascension, mais aussi à celui de la descente, par exemple dans l'*Ode II* qui fait partie des *Vers lyriques* ajoutés à *L'Olive* de 1549 (v. *Poësies*, t. I, p. 158) :

> Le chemin est large & facile
> POUR DESCENDRE EN L'OBSCUR SEIOUR :
> Pluton tient de son Domicile
> La porte ouverte Nuit et IOUR.

Le polémiste Barthélemy Aneau dans son *Quintil Horatian*, attaque anonyme contre Du Bellay, lui dit avec ironie : *tu peux sembler tou célestin.* Et vraiment le motif ascensionnel a parfois failli dissimuler l'esprit d'antithèse, lui aussi faisant partie intégrante de l'œuvre du poète. Mais la polarité des deux plans — le *plus hault ciel* et celui *de la beauté qu'en ce monde i'adore* — assume un aspect singulier dans la « spirituelle palinodie » intitulée *A une Dame* et insérée dans le *Recueil de poësie* qui parut au début de 1553 (v. Chamard, p. 194 s.; *Poësies*, t. III, p. 74 s., et t. V, p. 159 s.). Cette fois-ci les deux termes de l'opposition se trouvent divisés entre $_{129}$*Quelque autre* qui *la terre dedaignant // Va du tiers ciel les secrets enseignant* et le « moi » $_{133}$*qui plus terrestre suis.* Ce poème reprend et met sens dessus dessous le lexique imagé du sonnet *CXIII* et de *L'Olive* en général. Si celle-ci (*XXXII*, III) prévenait sa dédicataire que *De ton printemps les fleurettes seichées // Seront un iour de leur tige arrachées, // Non la vertu, l'esprit, & la raison*, dans la palinodie de 1553 Du Bellay tourne à rebours la rhétorique de ses sonnets :

N'attendez donq' que la grand' faux du Temps
Moissonne ainsi la FLEUR DE VOS PRINTEMPS,
Qui rend les Dieux, & les hommes contents :
LES ANS QUI peu SEIOURNENT
Ne laissent rien, que regrets, & souspirs,
Et EMPENNEZ de noz meilleurs desirs.
Avecques eux emportent noz PLAISIRS,
Qui jamais ne RETOURNENT.

L'épître, adressé *à une Dame* et allergique au temps long, exhorte la destinataire à ne pas allonger la durée de l'attente jusqu'aux jours, $_{161}$*quand les hyvers nuisans // auront seiché la fleur de vos beaux ans, //* [...] $_{164}$*Quand vous verrez encore //* [...] $_{166}$De ce beau sein *l'ivoyere s'allonger*. Or c'est la strophe finale qui révèle la différence foncièrement stylistique entre deux emphases, l'une sur $_{135}$*le plus subtil qu'en amour* [...] *s'appelle jouissance* et l'autre sur le $_{58}$*Paradis de belles fictions, // Deguizement de nos affections :*

Si toutefois tel style vous plaist mieux,
Je reprendray mon chant melodieux,
Et VOLERAY jusqu'au SEIOUR des Dieux
D'une AELE mieux GUIDÉE :
Là dans le sein de leurs divinitez
Je choisiray cent mille nouveautez,
Dont je peindray voz PLUS grandes BEAUTEZ
Sur la PLUS belle IDÉE.

Si l'alternance de la manière *(style fardant)* pétrarquiste et des vers polémiques contre *l'art de Petrarquizer* présente, selon Chamard (p. 199), « une de ces contradictions dont on trouve tant d'exemples » dans l'œuvre de Joachim du Bellay, une pareille « suite d'antithèses » se trouve également à l'intérieur de ses poèmes. Parmi les *Cinquante Sonnetz à la louange de L'Olive*, parus en 1549, plusieurs pièces telles que *XXVI* ou *XXVIII*, fidèles au patron du *Canzoniere*, offrent des échantillons d'une « composition antithétique » manifeste (v. *Poësies*, t. V, p. 56) — *XXVI*, I ₁*La nuit m'est courte, & le jour trop me dure,* // ₂*Je fuy l'amour, & le suy' à la trace,* // [...] II ₃*Je veux courir, & jamais ne deplace,* // ₄*L'obscur m'est cler, & la lumiere obscure.* Et plus tard, surtout les sonnets supplémentaires de *L'Olive avgmentée*, qui datent de la fin de 1550, entrelacent des oppositions variées pour créer à partir d'elles des labyrinthes sans issue prévue. Le sonnet *CXIII* est un bel exemple de ce jeu simultané de plusieurs antithèses que l'artiste — là on peut véritablement appliquer l'expression de Spitzer — *not only stated but embodied.*

Vianey (1930, p. 140 s.) signale le procédé cardinal développé par Du Bellay : « L'antithèse est l'instrument ordinaire de son esprit, et il connaît toutes les manières de construire une opposition ». La faculté du poète d'édifier le sonnet sur une antithèse et de diversifier ce procédé de construction est illustrée par un bref renvoi à des sonnets où le poète oppose visiblement les deux tercets aux deux quatrains ou les deux strophes paires aux deux impaires. Après avoir mentionné quelques grosses antithèses thématiques, Vianey finit par se poser la question, « à quoi bon multiplier les exemples ». Cependant, ce procédé de composition englobe tous les aspects de la structure verbale et exige une analyse systématique et détaillée. Même à l'intérieur d'une seule forme strophique telle que le sonnet, le procédé en question présente à côté des propriétés communes maints traits différenciateurs qui reflètent la diversité des langues, des époques, des écoles poétiques et des poètes individuels [1].

1. Cf. R. Jakobson et P. Valesio, « *Vocabulorum constructio* in Dante's Sonnet ' Se vedi, li occhi miei ' », *Studi Danteschi*, XLIII (1962), p. 7 s. [trad. fr. : ici-même, p. 299-318]; N. Ruwet sur un sonnet de Louise Labé, *Langage, musique, poésie* (Paris, 1972), p. 176 s.; R. Jakobson, « The Grammatical Texture of a Sonnet from Sir Phillip Sidney's " Arcadia " », *Studies in Language and Literature in Honour of Margaret Schlauch* (Varsovie, 1966), p. 165 s.; R. Jakobson et L.-G. Jones, *Shakespeare's Verbal Art in « Th'Expence of Spirit »* (La Haye-Paris, 1970), [trad. fr. : ici-même p. 356-377]; R. Jakobson et C. Lévi-Strauss, « " Les Chats " de Charles Baudelaire », *L'Homme*, II (1962), p. 43 s., [ici-même, p. 401-419]; N. Ruwet, « La Géante » et « Je te donne ces vers... » de Baudelaire, *Langage, musique, poésie* (Paris, 1972), p. 218 s. et 228 s.; J. Geninasca, *Analyse structurale des Chimères de Nerval* (Neuchâtel-Suisse, 1971); A. Serpieri, « Hopkins. Due sonetti del 1877 : appunti sul parallelismo, etc. », *Hopkins - Eliot - Auden : saggi sul parallelismo poetico* (Bologne, 1969); S. Avalle, « " Gli orecchini " di Montale », *Saggi su Montale* (Turin, 1970).

STROPHES.

Dans le répertoire des formes poétiques, aucune autre innovation italienne n'a joui d'une expansion à travers le temps et l'espace pareille à celle du sonnet. La combinaison d'une bipartition symétrique des deux moitiés du sonnet avec la dissimilitude de ses deux moitiés quant au nombre des vers et à leur organisation strophique ouvrait de vastes possibilités au jeu des parallélismes et contrastes. On trouve dans le rapport entre les quatre strophes du sonnet les trois types de correspondances binaires analogues à ceux que nous prête une paire de rimes dans les limites d'un quatrain (cf. Richards, p. 589) : 1) celles qu'on nomme suivies ou plates *(aabb)*, 2) alternantes ou croisées *(abab)* et 3) entrelacées ou embrassées *(abba)*. La concordance et l'opposition des strophes dans le sonnet du modèle italien ou français nous permet de discerner trois classes similaires.

1. SUCCESSION (*aabb*) : les traits communs des deux strophes INITIALES (quatrains) les opposent à ceux des deux strophes FINALES (tercets).

2. ALTERNANCE (*abab*) : les deux couples de strophes alternantes, c'est-à-dire, celui des strophes IMPAIRES (I et III) et celui des strophes PAIRES (II et IV), sont opposés l'un à l'autre par leurs caractères spécifiques et différentiels.

3. ENCADREMENT (*abba*) : les deux strophes encadrantes ou, en d'autres termes, EXTERNES (I et IV) et les deux encadrées ou INTERNES (II et III) forment deux couples réciproquement opposés.

La cohésion des quatrains d'une part et des tercets de l'autre est soutenue par l'homogénéité et la contiguïté des deux strophes de chaque couple, tandis que le contraste des deux couples est renforcé par la différence de leur longueur : un huitain suivi d'un sixain.

Dans le groupement des strophes alternantes, les deux couples, celui des strophes paires et celui des strophes impaires, présentent un caractère discontinu, et finalement, dans le rapport des strophes externes et internes, le premier couple est discontinu par opposition à la contiguïté des strophes internes. Or le trait commun aux couples des strophes impaires, paires, externes et internes c'est leur constitution isométrique; chaque couple comporte un septain (4 + 3). Le rôle foncier que la structuration du sonnet assigne au nombre sept pourrait être confronté avec la signification des septains dans la tradition byzantine, si l'origine du *sonetto* se rattache véritablement à la *Scuola siciliana*.

La tension dialectique que Mönch (1955, p. 33 s.; cf. 1954, p. 379), se référant à la leçon berlinoise de A.-W. Schlegel, 1803-1804, découvre dans la structure interne du sonnet comme tel et spécialement dans sa dualité *(Zweiteilung)* architectonique, assigne aux composants de chaque strophe du *CXIII* plusieurs valeurs simultanées basées sur les correspondances ternaires entre toutes les strophes du poème.

Citons, à titre d'exemple, le rapport entre le discours interrogatif des deux quatrains initiaux et le discours énonciatif des deux tercets finaux : le huitain est rempli de questions et de leurs prémisses, tandis que le sizain offre une assertion suivie d'une synthèse. Le rôle prédominant du facteur temps dans les strophes initiales et du facteur espace dans les strophes finales se manifeste avec une netteté particulière dans les deux strophes externes du sonnet. Les deux extrêmes se trouvent spontanément confrontés, d'abord sur le plan temporel du premier quatrain où *une iournée* se heurte avec *l'eternel*, et ensuite sur le plan spatial du dernier tercet qui nous emmène aux deux pôles de l'axe vertical, *au plus hault ciel* et *en ce monde*. Chacune de ces deux strophes comporte une antinomie surprenante et recourt aux moyens expressifs pour l'accentuer. Le début du sonnet traite de la contradiction entre le cours cyclique du temps et la fugacité désespérée de *nos iours*; le poème se termine par une confrontation des deux faces *de la beauté* — l'une cognitive et lointaine *(La, o mon ame au plus hault ciel guidée! Tu y pourras)*, l'autre adorative, terrestre, subjective *(qu'en ce monde i'adore)*, et c'est celle-ci qui clôt le sonnet. Parmi les caractères qui lient les deux strophes internes, notons surtout le motif du *plaisir* qui dans la question culminante du deuxième quatrain attache l'âme à *l'obscur de nostre iour* et qui, d'autre part, sert d'ajout conclusif aux attraits de l'au-delà énumérés dans le premier tercet *(la le plaisir encore)*.

Le parallélisme concerté des deux strophes paires et celui des deux strophes impaires s'accompagnent d'un contraste prononcé entre ces deux couples. Les strophes impaires opposent leur vue objective et panoramique au cachet franchement personnel, lyrique, et affectif des strophes paires. Il suffit de comparer les propositions qui commencent par *si* — celles du premier quatrain reflètent la fatalité universelle, alors que celle du deuxième, subjective et ouverte vers l'avenir, donne à entendre la liberté du choix : *Si pour voler* [...] *Tu as*. Le même rapport distingue les propositions qui commencent par *la* : aux images énumératives du premier tercet la réponse du deuxième est une visée individuelle : *Tu y pouras*. Ce qui rend particulièrement manifeste le parallélisme entre le deuxième quatrain et le deuxième tercet, c'est l'identité des deux apostrophes et de leur disposition (II$_1$ *mon ame emprisonnée* — IV$_1$ *mon ame* [...] *guidée*), identité étayée par la correspondance des circonstants (II$_2$ *en un plus cler seiour* — IV$_1$ *au plus hault ciel*) et par la similarité syntaxique des constructions antonymes : II$_2$ *l'obscur de nostre iour* — IV $_2$*l'Idée* $_3$*De la beauté*).

Dans le sonnet *CXIII* de *L'Olive*, nous avons un bel exemple de la symétrie et l'antithèse que tout sonnet d'art, selon les réflexions de Schlegel et Mönch, parvient à unifier *in hőchster Fűlle und Gedrangtheit*. Dans le langage serré de ce poème, la parataxe supprime les conjonctions coordonnantes et l'antithèse réussit à abolir les mots négatifs. Ce sont deux classes grammaticales entièrement écartées de notre texte. D'après Stravinsky, « procéder par élimination — savoir *écarter*, comme on dit au jeu —, telle est la grande technique du choix. Et nous retrouvons ici la recherche de l'*Un* à travers le *Multiple* » (p. 47).

SIGNIFICATIONS GRAMMATICALES.

« Language of Poetry », l'étude de Leo Spitzer discutée ci-dessus et centrée sur le sonnet *CXIII* de *L'Olive*, tranche la question sémantique et entrevoit sa difficulté causée par le caractère vague et vacillant propre aux significations lexicales : « Even when the context is given, all the speakers don't always mean exactly the same when using a particular word. » Par conséquent, la compréhension ne dépend que du noyau sémantique des mots sur lequel tous les sujets parlants d'une langue se trouvent être d'accord, « while the semantic fringes are blurred » (p. 202). Or à côté des significations lexicales et phraséologiques, toute langue donnée dispose d'un riche système de significations grammaticales, et ces significations formelles — morphologiques aussi bien que syntaxiques — sont obligatoires et indispensables pour la compréhension ainsi que pour la production du discours. Elles n'admettent aucune « marge indécise », à l'exception des ambiguïtés soit brachylogiques, soit intentionnelles.

L'Illustrateur de la langue francoyse, comme Joachim du Bellay se présentait lui-même, ou « grammairien de génie », d'après le surnom dont le dote Remy de Gourmont (p. 316), a développé un grand art dans ce qu'il appelait *composition & structure de motz* (*Deffence*, III, chap. X). Il est, comme l'a dit ce critique perspicace (p. 325), « le poète le plus pur du XVIe siècle; et ses hardiesses et ses intempérances se poussent toujours dans le sens de la beauté linguistique ». Le thème qui jusqu'à présent a fait défaut dans l'étude de son œuvre, c'est précisément l'organisation des figures et tropes grammaticaux et leur signification dans la composition des poèmes que Du Bellay, sûr de l'avenir de ses écrits, a légués à la postérité. On empruntera donc le terme *facture* aux traités de l'époque de Henri II sur l'art poétique et on essayera de soumettre à l'analyse linguistique la facture du sonnet *CXIII* : « achievement of a classic which produces great result », selon l'opinion justifiée de Spitzer (p. 226). On doit y souscrire sans accepter toutefois la conclusion hâtive d'après laquelle ce résultat n'aurait demandé à l'artiste qu'un « minimum amount of material effort ». Une telle affirmation nous semble résolument contredite par le riche ensemble des divers procédés artistiques que le tout et les parties de ce poème permettent d'entrevoir.

PHRASES ET PROPOSITIONS.

Les deux strophes initiales (quatrains), ainsi que les deux strophes finales (tercets), consistent en deux phrases. Chacune de ces unités syntaxiques comporte un nombre entier et impair de vers, et les phrases paires ne peuvent dépasser en longueur les phrases impaires. Chacune des phrases paires contient trois vers : donc les deux phrases occupent 5 + 3 vers dans les quatrains et 3 + 3 dans les tercets.

La première phrase des quatrains est composée de trois propositions *(clauses)* paratactiques (1 ¹/₂ + 1 ¹/₂ + 1 vers) et subordonnées à la proposition indépendante qui suit (1 vers). La seconde phrase commence par une proposition d'un vers, indépendante et suivie d'une proposition subordonnée de deux vers. Par conséquent, dans les deux quatrains un quart, c'est-à-dire deux vers sur huit, appartient aux propositions indépendantes. Inversement dans les deux tercets un quart, autrement dit trois hémistiches sur douze, est pris par les propositions subordonnées. Ainsi les deux strophes initiales et les deux strophes finales sont soumises à la même règle numérique, mais les termes de l'opposition — groupes indépendants et groupes subordonnés — changent de place et forment par conséquent un rapport antisymétrique. On aperçoit un autre type de correspondance, notamment celui d'une symétrie miroir : QUATRE vers du premier quatrain se trouvent composés de TROIS propositions parallèles, chacune introduite par la même conjonction de subordination *si*; et par contre les TROIS vers du premier tercet englobent QUATRE propositions parallèles dont chacune commence par le même adverbe *là*. D'autre part, dans les deux QUATRAINS nous trouvons TROIS vers disposés symétriquement — 1, 4, et 7 — qui tous commencent par l'invariable *si*, tandis que dans les deux TERCETS sont QUATRE vers voisins — 1, 2,

3, 4 — dont chacun débute par l'invariable *là*. Les deux premières propositions en *si* dans le quatrain sont égales en longueur (chacune compte trois hémistiches), ainsi que les deux premières propositions en *là* (dont chacune couvre deux hémistiches), et dans le cas du *si* de même que du *là* la troisième proposition se raccourcit d'un hémistiche : elle constitue deux hémistiches dans le quatrain *(Si perissable | est toute chose née)* et un seul dans le tercet *(La, est l'amour |)*. La finale des propositions parallèles, la dernière de la phrase et de la strophe paire, est la plus longue : ce sont les deux vers terminaux du second quatrain et les trois vers du second tercet. La longueur totale des propositions en *si* (6 vers) égale celle des propositions en *là* (6 vers).

Le parallélisme dans l'organisation des deux strophes externes se manifeste dans le traitement similaire des deux premiers et des deux derniers vers du sonnet : dans les deux cas le premier hémistiche du second vers se rattache étroitement par la construction syntaxique au vers précédent et la virgule à la fin de cet hémistiche pointe le rejet (cf. la graphie IV$_3$ *beauté qu'en* avec le manque de tout signe dans I$_2$ *l'an qui* et III$_1$ *le bien que*). Dans les deux spécimens du rejet le désaccord saillant entre la délimitation métrique et grammaticale — I$_1$ *une iournée* // $_2$*En l'eternel* et IV $_3$*l'Idée* // $_2$*De la beauté* — met en question le rapport entre le complément adnominal et le nom complémenté, notamment l'association entre l'éternel et le temporel, ainsi qu'entre la beauté et l'une des Idées *qu'on ne puysse ny des yeux, ny des oreilles, ny d'aucun sens apercevoir, mais comprendre seulement de la cogitation et de la pensée*, comme nous l'explique la *Deffence* (II, chap. I). Bref les irrégularités et asymétries illusoires que Spitzer croit discerner dans certaines sections du texte comme « reflets de notre inquiétude » nous révèlent au contraire une structuration profondément paralléliste du sonnet entier.

VERBES.

Les quatre strophes du sonnet comportent seize formes verbales dont treize formes conjuguées *(verbum finitum)*, deux infinitifs et un participe qui se distingue fonctionnellement des adjectifs verbaux (I $_4$*née*, II $_1$*emprisonnée*, $_4$*empanée*) par le fait qu'il régit un circonstant : IV $_1$*au plus haut ciel guidée*. Toutes les formes conjuguées du sonnet appartiennent au système du temps présent (y compris le « futur » IV $_2$*pouras*, c'est-à-dire, le présent du mode prospectif qui énonce une « expérience éventuelle »).

L'opposition des strophes impaires et paires, les unes d'un caractère narratif et objectif, les autres subjectives et lyriques, se reflète nettement dans le tri et la répartition des formes verbales, ainsi que dans leur agencement symétrique à l'intérieur de chacun des deux couples de strophes. Chaque strophe impaire contient quatre verbes de la « troisième personne », suivant la nomenclature conventionnelle, ce qui veut dire que la forme grammaticale du verbe ne contient aucune information ni sur l'émission ni sur la réception du message et que cette forme fonctionne comme le terme non-marqué de l'opposition personnel/non-personnel :

I ${}_1$est ${}_2$faict ${}_3$chasse ${}_4$est
III ${}_1$est ${}_1$desire ${}_2$aspire ${}_3$est

Le verbe « abstrait » (grammatical) *est* encadre chacune de ces deux strophes, mais dans le premier quatrain il se trouve réduit à sa fonction de copule, tandis que le premier tercet lui donne « le sens faible de l'existence comme chose » : cf. M. Merleau-Ponty (p. 203) sur le rapport entre les propositions *la table est* ou *est grande*. On notera également la différence entre les deux verbes « concrets » (lexicaux) du quatrain et ceux du tercet. Les deux verbes d'action exercée par le sujet (I ${}_2$*l'an qui* [NB] *faict* [...] et ${}_3$*chasse*) et hostile à ${}_4$*toute chose née* cèdent la place aux deux verbes exprimant une sentation dirigée vers III *le bien que* [NB] *tout esprit desire*. Le contraste entre le centrifuge I ${}_3$*chasse* et le centripète III ${}_2$*aspire* est saillant.

Dans les quatre cas le verbe *est* se trouve détaché et mis en relief. Bien que l'auteur de la *Deffence* (Livre II, chap. IX) voie un défaut *de tres mauvaise grace* dans le manque d'un arrêt notable à la coupe des décasyllabes *(en la quadrature des vers heroïques)*, il assigne à la copule *est* la cinquième syllabe des vers I${}_{1,4}$ et dans ${}_4$*Si perissable est* il sépare cette copule de l'attribut. Le même chapitre de la *Deffence* demande aux poètes français de n'admettre dans leurs vers rien de ce qui fait hiatus — rien de *hyulque*, comme le dit l'auteur en imitant la terminologie cicéronienne (*Quintil Horatian* remplace cet emprunt par sa traduction : *mal joinct*). Tout en tendant à éviter la rencontre des voyelles à la limite des mots, Du Bellay cherche néanmoins à placer le verbe *est* après une voyelle accentuée : I ${}_1$*Si nostre vie est moins* III ${}_1$*La, est le bien*; ${}_3$*La, est l'amour* (la séparation des deux mots contigus est renforcée par une virgule). Parmi les procédés de la mise en relief, on notera également le fait que dans les propositions énonciatives de *CXIII* le verbe *est* se trouve être la seule forme prédicative antéposée au sujet grammatical : I${}_4$ *perissable est toute chose*; III ${}_1$*La, est le bien*; ${}_3$*La, est l'amour*.

Dans chacune des deux strophes paires le premier et le dernier verbum finitum est représenté par des formes de la 2e et 1re personnes : II $_1$*songes-tu* — $_4$*Tu as* et IV $_2$*Tu y pouras* — $_3$*i'adore*. La seule forme de la 3e personne régit le pronom de la 2e personne : II$_2$ *te plaist*; et c'est la seule forme prédicative qui se rapporte à un sujet adjectif et la seule qui transgresse le principe des deux verba finita dans chaque strophe paire. La présence de l'allocutaire ou du locuteur dans le rôle de l'un des actants caractérise toutes les formes prédicatives dans les deux strophes paires et les distingue de tous les verbes qui apparaissent dans les deux strophes impaires.

En somme toutes les formes verbales des deux strophes paires sont mutuellement liées par un parallélisme étroit. Ainsi l'action exprimée par II $_2$*te plaist* et par le participe passif IV $_1$*guidée* s'exerce vers l'allocutaire qui dans les deux cas est apostrophé de la même manière : II$_1$ et IV$_1$ *mon ame*. La troisième des quatre formes verbales dans chacune des deux strophes paires est un infinitif qui désigne un procès virtuel, et la similarité des seules constructions infinitives dans *CXIII* est soulignée par la paronomase : II$_3$ POUR *voler* [...] TU AS — IV$_2$ TU *y* POURAS *recongnoistre*.

Le « *Sonet a Maurice Sceve* » de Pontus de Tyard, publié comme poésie d'ouverture dans son recueil *Erreurs amoureuses* en novembre 1549, près d'un an avant *L'Olive avgmentée*, contient un rapprochement de deux constructions infinitives offrant une ressemblance frappante avec le couple que nous venons de relever. Notons d'abord la correspondance entre la *docte plume* qui, selon Tyard, permet à Scève de *haulser le vol jusques aux cieux* (cf. l'apostrophe à Scève dans le sonnet *CV* de *L'Olive* : II $_3$*J'ai*ME, *j'*ADM*i*RE, *et* ADORE *pourtant* $_4$*Le hault voler de ta plu*ME DOR*ée*) et d'autre part *l'aele bien empanée*, c'est-à-dire, garnie de plumes, qui, d'après *L'Olive CXIII*, procure à l'âme du poète la faculté de voler « au plus hault ciel ». Dans le texte de Pontus de Tyard on observe l'affinité sémantique et phonique entre les vers II$_2$ (— 3) *Pour voir l'ardeur qui me brule et consume* et III$_1$ (— 3) *Tu y pourras recongnoitre la flame* : il est peu probable que la similarité du lien entre ces vers et du rapport entre les vers II$_3$ (— 2) et IV$_2$ (— 2) de *L'Olive CXIII* soit fortuit. Une *immitation* de la part du chantre de *L'Olive* est d'autant plus vraisemblable que les *Erreurs Amoureuses* ont laissé maintes traces dans sa poésie (cf. Chamard, 1900, p. 192 s.; *Poësies*, V, p. 117); dans l'épître dédicatoire d'un recueil paru en 1552 Du Bellay va jusqu'à déclarer les œuvres de sa propre invention indignes *de se monstrer au jour pour comparaistre* devant les *divins espris* tels que Tyard (*Poësies*, II, p. 18). Le rapprochement ci-dessus est un des nombreux exemples de la haute maîtrise avec laquelle le jeune *immitateur* angevin, ou d'après l'expression condescendante du critique américain, « a large-handed pilferer » (Merrill, 1925, p. 41), arrivait à remanier, souder et replacer les fragments variés et disparates, fréquemment calqués sur des modèles italiens et latins ou bien basés sur la poésie française de l'époque et en partie sur les propres trouvailles de l'auteur, abondamment perpétuées. « *Vrayment je confesse avoir imité Petrarque & non luy seulement* » (Préface à la première édition de *L'Olive*). Du Bellay réussit à convertir tous ces matériaux dissemblables en des œuvres « de son propre style », d'une originalité et d'une cohérence surprenante. *L'Olive* et d'autres sonnets apparentés du même poète remportent un véritable triomphe dans l'art recherché du centon. La faculté créatrice de transmettre *la proprieté & structure d'une langue à l'autre* (*ibid.*, p. 16) est le rare don de Joachim du Bellay [1].

Notons incidemment que le bref intervalle entre la parution des *Erreurs Amoureuses* et celle de *L'Olive avgmentée* nous permet de dater la composition du sonnet *CXIII* et, selon toute probabilité, celle des autres sonnets à la fin du même recueil.

Pour revenir aux verbes abstraits du sonnet *CXIII*, rappelons que l'un de ces deux verbes, le transitif *avoir*, a été défini à juste titre par L. Tesnière (1966, p. 73 s.), « comme un verbe *être* retourné ». La deuxième personne et la transitivité opposent le dernier verbe de la seconde strophe II_4 *tu as*, à la troisième personne et au caractère intransitif du dernier verbe des strophes impaires, I_4 et III_3 *est*. D'autre part, le dernier verbe de la quatrième strophe et du sonnet entier, IV_3 *i'adore*, seul exemple de la première personne dans le sonnet et seul verbe concret à la clôture des strophes, partage la transitivité avec le verbe final de la strophe II et l'oppose à l'intransitivité des deux autres verbes finaux.

Pour résumer ces observations sur l'agencement verbal dans le sonnet *CXIII* on notera que la quintessence du mouvement dramatique de chaque strophe se trouve attachée à son verbe final : I_4 *perissable est toute chose née;* II_3 *Tu as au dos l'aele;* III_3 *La, est l'amour;* IV_3 *la beauté, qu'en ce monde i'adore*. Le caractère plane des strophes impaires, munies du même verbe abstrait, intransitif, et non-personnel, à leur début et à leur fin, cède la place au contour courbe des strophes paires dont chacune est close par un verbe transitif avec un complément direct. Ces deux verbes sont les termes marqués de l'opposition

1. Cf. Mönch, 1955, p. 122 : « So sind in vielen Fällen Du Bellays Bearbeitungen geniale Neuformungen, im besten Sinne schöpferische Nachdichtungen. »

verbale, personnel/non-personnel, mais la strophe terminale (IV) y ajoute une marque supplémentaire, celle de la première personne par rapport à la seconde dans l'opposition locuteur/allocutaire [1]. De plus, cette strophe, en tant que point culminant et clef de toute la pièce, se termine par un verbe concret, en contraste avec les verbes abstraits qui concluent les trois strophes antécédentes :

I	$_1$est	$_4$est
II	$_1$*songes-tu*	$_4$*Tu as*
III	$_1$*est*	$_3$*est*
IV	$_1$*guidée*	$_3$*i'adore*

La diversité des quatre verbes à l'intérieur de la strophe dédouble à son tour les strophes alternantes et oppose la composition polymorphe des strophes paires à l'uniformité des strophes impaires dont chacune comporte quatre formes de la troisième personne. Mais tandis que la strophe II réunit deux formes de la 2e personne, toutes deux disposées symétriquement à l'ouverture et à la clôture du quatrain (II $_1$*Que songes-tu* — $_4$*Tu as*), avec une forme de la 3e personne et un infinitif, le tercet terminal s'écarte davantage de l'ordre symétrique rigoureusement suivi dans les strophes impaires et assortit un participe, un verbe à la 2e personne qui est dans tout le texte le seul exemple du mode prospectif, un infinitif et, à la fin, le seul verbe a la 1re personne — *i'adore* — que son ambivalence rend particulièrement suggestif : il sert à l'expression simultanée d'une sensation amoureuse et d'une action sacramentelle. Le finale du sonnet *CXIII*, *la* BEAU*té*, qu'*en ce monde i'*ADORE, trouve des correspondances textuelles dans les autres sonnets de *L'Olive avgmentée* : sonnet *CXI*, I $_4$*ces* BEAUX *yeulx*, QUE J'ADORE (le seul verbe à la 1re personne dans tout le poème); sonnet *CXVIII*, IV $_2$*Vos deux* BEAUX *yeux*, *deux flam*BEAUX QUE J'ADORE (avec le passage parallèle et rimant, III$_2$ *que j'honnore*, les seuls

1. « Das Präsens ist mit zwei " Personkorrelationen " versehen. 1. Persönliche Formen (merkmalhaltig) ~ unpersönliche Formen. Als grammatische unpersönliche Form fungiert die sog. Form der " dritten Person ", die an sich die Bezogenheit der Handlung auf ein Subjekt nicht ankündingt. [...] 2. Die persönlichen Formen verfügen über die Korrelation : Form der " ersten Person " (merkmalhaltig) ~ Form, die die Bezogenheit der Handlung auf die sprechende Person nicht ankündigt. Es ist die sog. Form der " zweiten Person ", die als merkmallose Kategorie fungiert » (Jakobson, p. 9). Cf. *op. cit.*, p. 134, 137; Benveniste, chap. XVIII et XX; Damourette et Pichon, § 55; Tesnière, chap. LIII.

verbes à la 1re personne). Finalement, dans le vers IV$_2$ du sonnet *CXV — Pour mieux haulser la Plante que j'adore* — le seul verbe à la 1re personne dans le poème clôt la chaîne verbale de toute *L'Olive avgmentée*. Cette seule forme de la 1re personne dans le dernier sonnet du recueil n'est séparée du même verbe dans *CXIII* que par son antonyme d'inspiration horacienne dans le sonnet *CXIV*, I$_2$ *O que je hay ce faulx peuple ignorant!* La composition artistique du recueil et en particulier la question du rapport entre ses divers sonnets mériterait d'être abordée.

PRONOMS ET ADJECTIFS PRONOMINAUX.

Le sonnet contient cinq pronoms personnels adverbaux atones, cinq adjectifs possessifs et cinq autres adjectifs pronominaux. Les pronoms personnels, tous les cinq au singulier, désignent l'une des deux premières parmi les trois personnes grammaticales — II $_{1,4}$*tu*, $_2$*te* et IV $_2$*tu*, $_3$*j* — autrement dit, l'un des deux interlocuteurs, et tous ces cinq pronoms sont répartis entre les strophes paires. Les cinq possessifs se rapportent à la première personne. Dans deux de ces cas — l'apostrophe II$_1$ et IV$_1$ *mon ame* qui inaugure les deux strophes paires en renforçant leur style subjectif — c'est « moi », la première personne du singulier, qui fonctionne comme possesseur. *Mon ame* en tant que synecdoque, PARS PRO TOTO, prépare le renvoi au TOTUM *i'adore* qui va surgir à l'extrême fin du poème. Dans les trois autres exemples du possessif, celui-ci réfère au pluriel « nous », c'est-à-dire « nous autres mortels ». Il se trouve inséparablement lié à la famille morphologique de mots qui servent à créer une triple métaphore, mettant en relief le caractère éphémère, passager, crépusculaire de la vie humaine : I $_1$NOSTRE VIE *est moins qu'vne* IOURNÉE $_2$*En l'eternel* (autrement dit, « la vie de nous tous, êtres humains, par rapport à l'éternité, paraît avoir une moindre étendue que l'espace d'un jour par rapport à notre vie »); I $_2$*l'an qui faict le tour* $_3$*Chasse* NOZ IOURS *sans espoir de retour* (« les ans dans leur rythme cyclique reviennent l'un après l'autre, tandis que les jours de notre vie l'un après l'autre disparaissent à jamais »; le seul échantillon du pluriel dans le sonnet — *noz iours* — fait ressortir le caractère continu et graduel de cet anéantissement); II $_2$*Pourquoy te plaist l'obscur de* NOSTRE IOUR (où le style luxuriant du quatrain pair vient ajouter à la métaphore du jour fugace de notre vie l'oxymore unissant l'image du jour à celle des ténèbres). Le lexique des quatrains orienté vers l'idée fixe de la fuite du temps disparaît dans les tercets qui lèvent l'antinomie du permanent et du momentané [1].

L'agencement des autres adjectifs pronominaux reflète les mêmes principes architecturaux de la pièce. Les trois exemples du quantitatif « tout », désignant chaque fois d'une manière différente l'ensemble des êtres humains, tombent sur les strophes impaires, toutes les deux centrées sur la totalité collective : I$_4$ *Si perissable est* TOUTE *chose née*; III$_1$ *La, est le bien que* TOUT *esprit desire*, $_2$*La, le repos ou* TOUT *le monde aspire* (selon E. Sapir, 1930, p. 10 s., « singularized totalizers » dans les deux premiers cas et « totality of a whole aggregate » dans le troisième). Il importe de mentionner le concours étroit et frappant de deux faits : la présence du dit adjectif pronominal et celle du verbe *être* exclusivement dans les deux strophes du sonnet (cf. en particulier I$_4$ *perissable* EST TOUTE *chose* et III$_1$ *La*, EST *le bien que* TOUT *esprit desire*).

A la fin du texte, le démonstratif « ce » rejoint le pronom de la première personne — IV$_3$ *De la beauté qu'en* CE *monde l'adore* — et se trouve juxtaposé à l'adverbe d'éloignement III$_{1-3}$, IV$_1$ « là » et son anaphorique IV$_2$ « y », ainsi qu'avec le pronom IV$_2$ « tu ». Ces contrastes font ressortir et triompher, à l'improviste, la beauté d'ici-bas et son adorateur.

SUBSTANTIFS.

Chaque strophe impaire contient six noms et chaque strophe paire deux noms sans préposition. Ces deux noms dans chaque strophe paire incluent un cas régime (II $_4$*aele*, IV $_2$*Idée*) et un vocatif (II $_1$ et IV $_1$ *ame*) et de plus, deux pronoms personnels au cas sujet (II $_{1,4}$*tu*; IV $_2$*Tu*, $_3$*i'*), tandis que dans les strophes impaires, tout l'ensemble des noms sans préposition ou au moins leur majorité est au cas sujet I $_3$*vie*, *iournée*, $_2$*an*, $_4$*chose* (en face de deux exemples du cas régime — $_2$*tour*, $_3$*iours*) et III $_1$*bien*, *esprit*, $_2$*repos*, *monde*, $_3$*amour*, *plaisir*. On notera que la fonction de sujet grammatical est toujours remplie par le nom dans les strophes impaires du sonnet mais jamais dans les strophes paires où cette fonction se trouve transmise au pronom ou bien, — dans II $_2$*l'obscur* — à l'adjectif substantivé.

Par opposition aux strophes impaires où les phénomènes narrés,

1. Spitzer qui s'est bien aperçu de l'alternance *between collective and individual* dans la suite des strophes du sonnet (p. 220 s.), s'est mépris sur le rôle du *nostre* qui, en fait, ne participe pas à l'opposition sémantique des strophes impaires et paires mais uniquement à la caractérisation des quatrains vis-à-vis des tercets.

présentés comme choses existantes dominent les interlocuteurs, les strophes paires suggèrent une transcendance des personnages de l'entretien imaginaire. Dans les strophes impaires la moyenne des substantifs est de deux par vers, donc au total huit dans le premier quatrain et six dans le premier tercet. Chaque strophe paire comporte un substantif de moins que la strophe impaire qui la précède, c'est-à-dire qu'il s'en trouve sept dans le deuxième quatrain et cinq dans le deuxième tercet. On observe donc une régression arithmétique des substantifs au long du poème : I — 8 noms, II — 7, III — 6, IV — 5. Il s'ensuit un équilibre entre les treize (8 + 5) substantifs dans les strophes externes et derechef treize (7 + 6) dans les strophes internes.

Chacune des strophes impaires contient plusieurs substantifs verbaux avec cette seule différence que ceux de la troisième strophe énoncent des sensations ou des sentiments (III ₂*le repos*, ₃*l'amour* et *le plaisir*), tandis que dans la première strophe trois des quatre substantifs verbaux se rapportent directement aux concepts temporels (I ₁*vie*, ₂*tour*, ₃*retour*) et s'entrelacent avec les termes de calendrier (I ₁*iournée*, ₂*an*, ₃*iours*). et le substantif restant — I ₃*espoir* — désigne évidemment une émotion qui est toutefois intimement liée au facteur temps. Ce lexique qui évoque l'axe du temps trouve son dernier écho dans les compléments indirects dont se sert la rime masculine du deuxième quatrain (II ₂*de nostre iour* — ₃*en vn plus cler seiour*). L'emploi des divers substantifs temporels dans les deux quatrains et un autre trait de ces strophes, la substitution des adjectifs substantivés I ₂*l'eternel* et II ₂*l'obscur* aux substantifs adjectivaux « l'éternité » et « l'obscurité » (v. ci-dessous), se voient contrebalancés par l'absence des substantifs temporels et par l'apparition des substantifs adjectivaux dans les deux tercets (III ₁*le bien*, IV ₂*la beauté*). Les substantifs originaires et non relatifs au temps s'accumulent dans les strophes paires (II ₁*ame*, ₄*dos*, *aele*; IV ₁*ame*, *ciel*, ₂*Idée*, ₃*monde*), tandis que dans les strophes impaires ils n'apparaissent qu'accompagnés du déterminatif « tout » (I ₄*toute chose*, III ₁*tout esprit*, ₂*tout le monde*).

ADJECTIFS.

« En principe le rôle de l'épithète est tenu par un adjectif, » constate Tesnière (p. 145) qui procède en enregistrant les divers types de « l'épithète non adjective », (p. 150 s.), ainsi qu'en décrivant les autres fonctions de l'adjectif en dehors de son rôle d'épithète (155 s., 411 s.). Le sonnet *CXIII* fait voir une véritable rupture entre l'épithète et l'adjectif pur et simple, un procédé qui d'ailleurs, présente divers correspondants dans la poésie française de la même époque. Dans le sonnet en question, l'adjectif qui fonctionne comme épithète, c'est le comparatif analytique qu'emploient les strophes paires : elles introduisent le motif d'une supériorité d'abord relative et ensuite absolue — II $_3$*en vn plus cler seiour* et IV $_1$*au plus hault ciel* (— 3) (cf. Gougenheim, p. 61, 165) — par opposition au niveau d'infériorité exprimé à l'aide du comparatif synthétique dans le premier prédicat du sonnet (I $_1$*nostre vie est moins qu'vne iournée*). La correspondance bizarre entre I $_1$*moins qu'vne* et II *vn plus* (les seules occurrences de ce numéral et de cet article dans le sonnet) fait ressortir le contraste des deux niveaux.

D'autre part l'épithète se sert du participe passé qui fonctionne comme tel dans le dernier tercet (IV $_1$*au* [...] *ciel guidée*) mais qui, le long des quatrains, se trouve versé dans la classe des adjectifs verbaux : I $_4$*née*, II $_1$*emprisonnée*, $_4$*empanée*. Cf. les observations fines de Jacqueline Risset (p. 96) sur les épithètes adjectives qui dans le poème de Scève « se rattachent plutôt aux verbes » et qui, selon l'observatrice, « sont le prolongement du substantif vers le verbe »; Ruwet (p. 90) note les termes « qualifiés dynamiquement » dans le sonnet de Louise Labé. Un rôle similaire est assumé par les propositions relatives que Tesnière (p. 154) interprète comme propositions subordonnées à valeur d'adjectif épithète. Dans les tercets le nom régissant sert d'actant passif (III $_1$*le bien que tout esprit desire*; $_2$*le repos ou tout le monde aspire*; IV $_3$*la beauté, qu'en ce monde i'adore* : le désir de tout esprit vise le bien tout comme l'aspiration se dirige vers le repos et mon adoration vers la beauté). Au contraire, dans le quatrain c'est du nom régissant que sort l'action (I $_2$*l'an qui faict le tour*). En outre, un substantif adnominal précédé par la préposition *de* et faisant à l'égard du nom régissant « office d'épithète au même titre que les adjectifs » (Tesnière, p. 150) apparaît au début et à la fin du sonnet comme l'une des correspondances manifestes entre les deux strophes externes : I $_3$*sans espoir de retour* — IV $_2$*l'Idée* $_3$*De la beauté*.

Les adjectifs verbaux sont les seules formes simples d'adjectifs employées comme épithètes dans le sonnet *CXIII* et on n'en trouve que dans ses quatrains. C'est aussi et uniquement dans les quatrains que l'adjectif apparaît dans d'autres rôles que celui d'épithète. On y notera un adjectif déverbatif servant d'attribut et renforcé par une inversion affective : I $_4$*Si perissable est toute chose née*. A côté des adjectifs attributs les quatrains nous offrent deux exemples d'adjectifs substantivés, « procédé cher à Pétrarque », puis repris pour être constamment appliqué, par Scève, adopté, à sa suite, par la Pléiade (v. Brunot, p. 189) et attesté dans les deux quatrains du sonnet analysé : I

$_2$*En l'eternel* et II $_2$*l'obscur de nostre iour* (avec une inversion du régi et du régissant, proprement dit, « notre jour obscur »; cf. *Olive*, *C*, III $_2$*Parmy l'obscur des eternelles nuitz*). Du Bellay donne son assentiment à cette substitution, *pourveu que telle maniere de parler adjoute quelque grace Et vehemence* (*Deffence*, II, chap. IX), et il en fait usage surtout « pour mettre en valeur l'idée » et la rendre moins abstraite (v. *Poësies*, t. V, Index grammatical, p. 266) Toutes ces variantes expressives du penchant pour l'adjectif sont liées à l'allure animée des deux quatrains interrogatifs en contraste avec la complète suppression des adjectifs dans le discours succinct des tercets.

GENRES GRAMMATICAUX.

Les genres grammaticaux des noms et des adjectifs substantivés sont soumis dans leur distribution à des règles strictes. L'apostrophe — II $_1$ et IV $_1$*ame* — et le sujet des propositions attributives — I $_1$*vie* et *iournée* (« terme du premier actant dédoublé », suivant Tesnière, p. 354); I $_4$*chose* — sont au féminin. Les noms fonctionnant comme sujets dans les autres classes de propositions, sont au masculin — I $_2$*an*, II $_2$*obscur*, III $_1$*bien*, *esprit*, $_2$*repos*, *monde*, $_3$*amour*, *plaisir*. Si le sujet est au masculin, l'objet direct l'est également — I $_2$*tour*, $_3$*iours*; autrement (c'est-à-dire après le pronom *Tu* qui réfère au féminin *ame*) l'objet direct est au féminin — II $_4$*aele*, IV $_2$*Idée*. Les circonstants sont tous au masculin : I $_2$*En l'eternel*, $_3$*sans espoir*, II $_3$*en vn plus cler seiour*, $_4$*au dos*, IV $_3$*en ce monde*. Le genre grammatical des substantifs adnominaux correspond à celui du nom (ou de l'adjectif substantivé) qui les régit : I $_3$*espoir de retour*, II $_2$*l'obscur de nostre iour* (cf. la correspondance entre I$_1$ *vie* et *iournée*), IV $_2$*l'Idée* $_3$*De la beauté*.

A l'intérieur du premier et du second quatrain les noms féminins encadrent le double nombre des noms masculins (y compris un adjectif substantivé) : 3/6 = 2/4. La troisième strophe ne contient que trois paires de noms masculins, en contrastant surtout à cet égard, avec la strophe suivante, la seule à renverser l'enchaînement et le rapport numérique entre ses féminins et ses masculins :

f f	f		
m m m	m m	m m	f m
m m m	m	m m	f
f	m f	m m	f m

La séquence des noms féminins assume une position particulière dans le développement dramatique du sonnet — *nostre vie*, *vne iournée*, *toute chose née*, *mon ame*, *l'Idée De la beauté*. Nul de ces noms ne prend de part active dans un procès et d'un autre côté ces entités ne subissent d'action directe et immédiate de la part d'aucun agent nommé. II $_4$*Tu as* [...] *l'aele* ne fait pas exception parce que « avoir » n'est pas un verbe d'action, mais d'état (comme l'ont bien vu Tesnière, p. 73 s. et Benveniste, p. 193 s.). Dans IV $_3$la distance entre la « beauté » et son « adoration » est marquée par le pronom relatif « que » et dans la graphie, elle est signalée par la virgule qui le précède : *la beauté, qu'en ce monde i'adore*. Notons aussi l'anonymat de l'agent dans IV $_1$*ame* [...] *guidée*. Pourrait-on nier la signifiance constructive du fait que c'est le genre féminin qui inaugure le premier et le dernier vers du sonnet et qui finit par prédominer dans sa strophe ultime?

VERS.

Tous les sonnets de *L'Olive* sont écrits en décasyllabes (4 + 6), « vers héroïques », suivant la terminologie de la *Deffence*, ou « vers communs », comme les baptisera Ronsard en 1555. L'examen rythmique du sonnet *CXIII* nous permet d'observer qu'à côté des deux syllabes obligatoirement accentuées, c'est-à-dire la quatrième et la dixième, les autres syllabes paires de ses vers portent l'accent du mot plus souvent que les syllabes impaires. Le premier hémistiche des tercets fait exception : sa seconde syllabe reste toujours atone et dans leurs cinq premiers vers c'est la syllabe initiale qui attire l'accent (comme le souligne la virgule après l'adverbe « *La* », au début des vers III$_1$-IV$_1$), alors que dans les deux quatrains l'accent vise quatre fois la deuxième syllabe et une seule fois la première. Par contre, le profil du second hémistiche ne présente qu'une différence minime entre les quatrains et les tercets : dans ceux-là l'accent frappe 56 % et dans ceux-ci 50 % des syllabes internes paires (6e et 8e) et respectivement 12,5 % et 11 % des syllabes impaires (5e, 7e et 9e). Les débuts des strophes évitent l'accent sur les syllabes impaires du second hémistiche, tandis que le vers pénultième ou le vers ultime de chaque strophe et, dans la dernière strophe, ces deux vers reculent l'accent d'une des deux ou des deux syllabes internes paires sur la syllabe impaire voisine.

Le pénultième de la première strophe, un vers masculin avec des intervalles dissyllabiques entre ses quatre temps forts, constitue — peut-être en dehors de toute intention consciente de l'auteur — un palindrome prosodique pareillement scandable dans le sens direct et inverse (→ ∪∪—∪∪—∪∪— ←), comme si le contour prosodique du vers ripostait à son jugement sur l'irréversibilité de notre temps qui s'écoule : I$_3$(-$_2$)*ChAsse noz iOUrs sans espOIr de retOUr.* Les avant-derniers vers des strophes liminaire (I) et terminale (IV) correspondent dans leur répartition des syllabes accentuées et atones : IV $_2$(-$_2$) TU *y pourAs recongnOIstre l'Idée.* Ce vers est le dernier dans les tercets à accentuer la syllabe initiale, et le vers I$_3$(-$_2$) est à l'intérieur des quatrains le seul à le faire. Quant au second hémistiche — IV $_2$*recongnOIstre* | *l'IdÉe* — le vers suivant est dans tout le sonnet le seul qui répète le même mouvement rythmique (jusqu'à l'emplacement de la coupe facultative); IV $_3$*qu'en ce mONde* | *i'adOre*, et cette clôture similaire des deux derniers vers du sonnet met en relief le finale du poème. Si dans le sonnet l'intervalle de deux syllabes entre le dernier temps fort de chaque hémistiche et l'accent précédent, crée un lien rythmique entre les vers pénultièmes des deux strophes externes, d'autre part, les vers ultimes des deux strophes internes sont, à leur tour, sensiblement liés entre eux par l'accentuation de la syllabe qui ouvre le second hémistiche : II $_4$*Tu As au dOs* | *l'AEle biEN empanEe* — (— 1) III $_3$*LA, est l'amOUr,* | LA *le plaisIr encore* (— 1). Les accents qui adhèrent des deux côtés à la coupe médiane de ces vers leur donnent une apparence particulière, encore soulignée dans II$_4$ par l'accentuation des deux syllabes impaires voisines (*l'AEle biEN*). On ne peut que rappeler le jugement de Saulnier (p. 148) qui note chez Du Bellay un art vraiment unique « d'animer le vers par les accents et les coupes ».

RIMES.

Pour Du Bellay la « *contraincte de la rime* » est une composante majeure du sonnet. L'enchaînement des rimes dans les quatrains est commun à tous les sonnets rimés du poète (ABBA ABBA), tandis que l'ordre des rimes dans les tercets admet quelques variations. Les tercets marotiques CCD EED qui, dans *L'Olive* de 1549, avec sa cinquantaine de sonnets, n'apparaissent que neuf fois, l'emportent plus tard en fréquence sur tous les autres arrangements de rimes à l'intérieur des tercets. Ainsi sur les soixante-quatre sonnets rimés qui ont été publiés pour la première fois dans *L'Olive avgmentée* de 1550, il y en a 41 qui élisent cette forme, comme c'est le cas en particulier du sonnet *CXIII*, et elle finit par occuper une place hors pair dans les recueils ultérieurs de l'auteur (cf. Ziemann, p. 114 s.). Déjà en 1548, dans son *Art Poétique François*, Thomas Sibilet enseigne que les six derniers vers du sonnet *sont sugetz a diverse assiette : mais plus souvent lés deuz premiers de cés sis fraternizent en ryme platte. Les 4 et 5 fraternizent aussy en ryme platte, mais differente de celle dés deuz premiers : et le tiers et siziéme symbolisent aussy en toute diverse ryme dés quatre autres.*

La règle d'alternance, d'après laquelle deux rimes de la même classe (c'est-à-dire, deux rimes masculines ou deux rimes féminines), ne peuvent se succéder, fut reconnue par Du Bellay comme principe facultatif ou, dans ses propres termes, une *diligence fort bonne, pourveu que tu n'en faces point de religion* (*Deffence*, t. II, chap. IX). — *Toutesfois affin que tu ne penses que j'aye dedaigné ceste diligence*, ajoute-t-il dans l'avis « Au lecteur » de ses *Vers lyriques*, inclus dans *L'Olive* (*Poësies*, t. I, p. 151), *tu trouveras quelques Odes, dont les Vers sont disposez avecques tele Religion.* On remarquera que dans *L'Olive CXIV*, parmi les sonnets du poète, le seul qui soit en vers blancs (ou « libres », comme il les nomme), la séparation syntaxique des quatre strophes et la distribution canonique des clausules féminines et masculines sont fidèlement observées : I $_1$*Populaire*! — $_2$*ignorant*! — $_3$*vers* — $_4$*Muses.* II $_1$*Déesse*, — $_2$*immortalizer*, — $_3$*d'Amour* — $_4$*image.* III $_1$*esprit*, — $_2$*yeux*, — $_3$*nues.* IV $_1$*legers*, — $_2$*beautez*, — $_3$*inusitée.*

Les infractions délibérées à la « *religion* » des métriciens donnent au poète la possibilité de mettre en valeur l'antithèse des vers masculins et féminins. Ainsi dans *CXIII* la suite des rimes dans les quatrains *aBBa aBBa*, au lieu d'aboutir à l'ordre canonique *CCd EEd*, entraîne une série uniforme de six vers féminins *ccd eed* et fait ressortir d'autant plus l'opposition entre les quatrains et les tercets du sonnet (cf. Vianey, 1930, p. 43; Mönch, 1955, p. 122). Cependant l'unité de composition des quatre strophes reste en vigueur : chacune commence et se termine par un vers féminin : I $_1$*iournée* — $_4$*née*; II $_1$*emprisonnée* — $_4$*empanée*; III $_1$*desire* — $_3$*encore*; IV $_1$*guidée* — $_3$*i'adore.*

Dans *Les Regrets*, on observe quelques sonnets composés en vers exclusivement féminins et consacrés aux dames, telles que Diane de Poictier *(CLIX)* ou bien *Cette princesse & si grande & si bonne* — Catherine de Medicis *(CLXXI)*; d'autre part, on y trouve des sonnets dont toutes les rimes *(LII)*, ou du moins celles de leurs quatrains *(CLX)*, sont masculines : ces poèmes rendent hommage à Jean du Bellay, *Seigneur mien*, et à Jean de Saint-Marcel, seigneur d'Avanson. Il serait à propos de rappeler la vue d'alors émise en 1548 par Thomas Sibilet sur la terminaison spécifique du vers nommé masculin *a cause de sa force et ne say quéle virilité qu'il ha plus que le fémenin.*

En dépit du fait que les rimes unissent les deux quatrains du sonnet, la correspondance entre les membres de la rime à l'intérieur d'une strophe tend à être plus étroite que la connection entre les deux quatrains : I $_2$*tour* et $_3$*retour* ou II $_2$*iour* et $_3$*seiour* sont plus intimément liés que les deux paires entre elles; notons également une étroite cohésion phonique et sémantique entre II· $_1$*emprisonnée* et $_4$*empanée* et l'allitération des chuintantes initiales renforçant le rapport entre I $_1$*iournée* et $_4$*chose née*. Ce procédé nous autorise à diviser les deux rimes quadruples en quatre relations binaires et à discerner SEPT rimes dans le sonnet, conformément au principe sous-jacent du sonnet (cf. plus haut) : $a^1B^1B^1a^1$ $a^2B^2B^2a^2$ *ccd eed*. La répartition de ces sept rimes amène à une confrontation des sept vers impairs du poème avec ses sept vers pairs : 1./4.; 2./3.; 5./8.; 6./7.; 9./10.; 11./14.; 12./13. Deux rimes se trouvent représentées dans chacune des quatre strophes : chaque quatrain contient deux rimes entières et chaque tercet une rime complète plus un vers de la seconde rime.

La distribution des rimes entre les strophes exhibe plusieurs caractères symétriques. Le sonnet *CXIII* comporte quatre rimes plates, une par strophe : deux rimes masculines dans les quatrains et deux rimes féminines dans les tercets.

Dans huit cas — quatre vers masculins des quatrains et quatre vers féminins des tercets — la voyelle accentuée de la rime est suivie d'un /r/ et en particulier la seconde rime de chaque strophe comporte ce phonème. Tous les vers du sonnet dépourvus de ce /r/ dans leur rime, se terminent en *-ée*.

La distribution des rimes dans le sonnet est soumise à une règle supplémentaire : deux rimes étant représentées dans chaque strophe, la voyelle accentuée de la première de ces deux rimes oppose toujours une voyelle aiguë non-bémolisée (palatale non-arrondie) à la voyelle grave bémolisée (vélaire arrondie) de la seconde rime. Bref, à l'intérieur de chaque strophe, les voyelles accentuées des deux rimes présentent un double contraste de tonalité qui suit constamment la direction du haut au bas : *-ée/ -our* dans les quatrains; *-ire/ -ore* et *-ée/ -ore* dans les tercets. La rime qui ouvre le second tercet correspond à celle qui inaugure le premier quatrain et rapproche une fois de plus la fin et le début du sonnet. D'autre part, la même consonne d'appui /d/, inconnue des autres strophes, lie les trois vers du second tercet *(gui*D*ée — I*D*ée — i'a*D*ore)*, tout comme la finale commune *(-re)* unit tous les vers du premier tercet *(desi*RE *— aspi*RE *— enco*RE*)*.

De la seconde rime du premier quatrain *(B¹)* jusqu'à la première rime des tercets *(c)*, les deux mots confrontés présentent la même sous-classe (nombre, temps et personne dans les verbes; nombre et genre dans les noms et dans les adjectifs verbaux). Dans la première rime de la strophe liminaire *(a^1)* et aussi de la strophe terminale *(e)* les parties du discours diffèrent mais le nombre et le genre sont identiques : I $_1$*iournée* — $_4$*née*; IV $_1$*guidée* — $_2$*l'Idée*[1]. Enfin, la rime finale *(d)* entrelaçant les deux tercets par-dessus la limite des phrases, cette seule rime purement interstrophique est de plus la seule à introduire un mot invariable et à écarter toute correspondance morphologique et aussi, toute consonne d'appui : III $_3$*encore* — IV $_3$*i'adore* (le seul spécimen verbal de la première personne dans le texte du sonnet). La seule autre rime sans consonne d'appui immédiate, la remplace cependant par des séries de phonèmes apparentés et faisant partie de contextes parallèles dans leur structure grammaticale et sémantique : III $_1$TOUT *e*SPRI*t* D*es*IRE — $_2$TOU*t le mon*D*e a*SPIRE. La réduction ou même la suppression de tout parallélisme grammatical dans les rimes du début et de la fin du poème est l'une des concordances significatives entre ses deux strophes externes.

Dans les quatrains, l'un des deux mots de chaque rime est d'une syllabe plus long que l'autre, alors que dans les tercets tous les vers se terminent par un dissyllabe. Donc, en contraste avec les rimes toujours imparisyllabiques des quatrains, toutes les rimes des tercets sont parisyllabiques : III $_1$*desire* — $_2$*aspire*, IV $_1$*guidée* — $_2$*l'Idée*, III $_3$*encore* — IV$_3$ *i'adore*. Cette règle engendre une coupe obligatoire après la huitième syllabe et une interdiction de la coupe (un « zeugma ») après la neuvième syllabe, dans tous les vers des tercets. Ces traits contribuent à la divergence rythmique entre les tercets et les quatrains. Dans ceux-ci, la coupe peut suivre la neuvième syllabe du vers (I $_4$*Si perissable est toute chose née*; II $_2$*Pourquoy te plaist l'obscur de nostre iour)* et n'apparaît que sporadiquement après la huitième syllabe. Dans les rimes masculines un monosyllabe correspond au mot dissyllabique du vers qui suit (I $_2$*tour* — $_3$*retour*; II $_2$*iour* — $_3$*seiour*), alors que, dans les vers féminins de chaque quatrain, c'est le premier mot de la rime (son *premier unisonant*, selon la terminologie du seizième siècle) qui se trouve être d'une syllabe plus long que le second et, de plus, dans le deuxième quatrain, les deux mots de la rime féminine sont d'une syllabe plus longs que dans le premier quatrain : I $_1$*iournée* — $_4$*née*, II $_1$*emprisonnée* — $_4$*empanée*. Ainsi les vers féminins des quatrains varient systématiquement le nombre des syllabes prétoniques dans leurs mots finaux : I$_1$ une syllabe — I$_4$ zéro (à l'opposé du rapport I$_2$ zéro — I$_3$ une syllabe); II$_1$ trois — II$_4$ deux syllabes.

Dans les quatre rimes des quatrains et, de plus, dans la rime intérieure du second tercet *(e)* l'un des deux mots qui riment ensemble

1. Dans les rimes féminines les seuls substantifs sont suivis d'un rejet : I $_1$*iournée* / $_2$*En l'éternel*; IV $_2$*L'Idée* // *De la beauté.*

se trouve inclus dans la chaîne phonique de l'autre; le premier fait partie du second dans les rimes masculines, tandis que dans les rimes féminines c'est le second qui est incorporé dans le premier : d'un côté I $_2$*tour* — $_3$*retour*, II $_2$*iour* — $_3$*seiour*, et de l'autre I $_1$*iournée* — $_4$*née* et IV $_1$*guidée* — $_2$*idée*; finalement, dans la rime II $_1$*emprisonnée* — $_4$*empanée* le second mot recouvre plus ou moins le début et la fin du premier mot : EMP*rison*NÉE. Dans ses poèmes du Bellay fait grand usage des diverses rimes inclusives qu'il expérimente depuis son *Recveil de poësie*, de la fin de 1549, où, dans le *Dialogue d'un amoureux & d'echo*, celui-ci répond en répétant la fin des questions lancées par le héros : *le devoir? — de voir*; *devenuz? — nuds*; *couraige? — ragie*; *obscure? — cure*; *j'endure? — dure*; etc. (v. *Poësies*, t. I, p. 279).

Dans les deux rimes masculines du sonnet, le poète joue sur l'opposition d'une racine sans et avec préfixe, mais il n'y a pas de racines identiques dans les rimes inclusives féminines du même poème. On notera que les rimes des mots simples *avecques leur composez, comme un* BAISSER & ABAISSER sont rejetées dans la *Deffence* : tant que les composés *ne changent ou augmentent grandement la signification de leurs simples, me soient chassez bien loing* (t. II, chap. VII). Les rimes masculines de notre sonnet procèdent du simple au composé, tandis que les autres rimes inclusives qui sont dépourvues de racine commune entre les deux mots correspondants, traitent le second d'entre eux comme un écho plus bref que l'appel auquel il répond.

Toutes les rimes inclusives, soit munies soit privées de racine commune, combinent une certaine affinité sémantique avec un sous-entendu d'antithèse ou « *contreposition* », selon le terme introduit par Jacques Peletier (t. I, chap. IX). Ainsi dans le couple I $_2$*tour* et $_3$*retour*, le premier des deux mots implique le second, mais en même temps l'an qui fait le tour, ou suivant l'épître à Salmon Macrin, écrite également en 1550, *L'An qui en soy RETOURNE* (*Poësies*, t. I, p. 311), rend impossible le retour de nos jours. Les mots de la rime II $_2$*iour* et $_3$*seiour* désignent tous les deux un espace de temps, mais « séjour » apparaît dans ces vers comme un saut d'une durée passagère vers une image spatio-temporelle, celle d'un espace visé pour y séjourner et, par conséquent, comme une transition de la temporalité des quatrains à la spatialité des tercets. Une paronomase particulière crée une association étroite entre I $_4$*née* et la fin homophone du mot $_1$*iournée*; celui-ci devient une sorte de croisement entre le noyau de la rime interne, I $_3$*noz iourz* [...] *sans* [...] *retour*, et d'autre part $_4$*toute chose née*, le seul être vivant admis (non sans être humilié) dans le texte du premier quatrain. Elle court à sa perte mais en même temps permet au poète d'envisager son refuge II$_3$ *en vn plus cler seiour*.

Le passage du deuxième quatrain au tercet voisin, c'est-à-dire des questions adressées à l'âme emprisonnée dans l'obscur de notre jour aux réflexions de l'interrogateur sur les avantages d'un plus clair séjour, recourt au procédé que la technique du cinéma appelle « fondu-enchaîné ». Le dernier vers du quatrain s'évanouit et cède la place à une image sémantiquement distante mais similaire dans ses contours phoniques et graphiques (*tant en voix qu'en écriture*, selon l'expression du poète) : II_4L'AELE BIEN *empanée* — III_1LA, EST LE BIEN *que tout esprit desire*. Le double /l/ de *l'aele* se répand dans le tercet qui contient une dizaine de latérales contre les treize /l/ attestés dans l'ensemble des trois autres strophes. Le maximum — 5 /l/ — tombe sur le dernier vers de ce tercet et en fait un vrai « vers lettrisé » : III_3 L*a*, *est* L'*amour*, L*a* L*e* *p*L*aisir encore*.

Le rapprochement du substantif et de l'adverbe — BIEN — n'est pas la seule figure étymologique qui soude les deux strophes internes. Elles confrontent le verbe avec le substantif de la même racine : $\text{II}_{2(-3)}$ PLAI*st* L'*obs*C*u*R et III_3LE PLAI*sir en*C*o*R*e*. Les deux formes apparentées sont aussitôt suivies d'un adverbe qui entretient avec elles un rapport d'étymologie poétique : II_1 et $\text{IV}_{1-(3)}$ PLUS. Le sonnet *XCIII* du même recueil nous fait voir ces trois unités dans une succession analogue : I_2 *Si l'un me* PLAIST, *l'autre me* PLAIST *aussi*; $\text{II}_{3(-2)}$ *Ce m'est* PLAISIR *de demeurer ainsi*; IV_2 *Le* PLUS *heureux des hommes je demeure*. La proximité de « plaisir » et de « plus » est soutenue dans *XCIII* par la concomitance du verbe II_3 *demeurer* et IV_2 *je demeure* rimant avec IV_1 *je meure* et concordant avec III_1 *Amour* et IV_3 *amer*; de même l'association des mots allitératifs « plaisir » et « plus » dans *CXIII* se trouve renforcée par l'affinité paronomastique des noms voisins : III_3 *l'*AM*our*, *la le* PL*aisir* — IV_1 AM*e au* PL*us*. (Cf. aussi les contiguïtés de II_2 PLAI*st* [...] *i*OUR et III_3 *am*OUR [...] PLAI*sir*). Une affinité semblable est mise en relief dans le sonnet *CXI* du recueil : II_2 *Si* L'AM*e n'est par* L'AM*our enf*LAM*mée*. Ce sonnet est associé avec le Vendredi saint, jour de la rencontre de Pétrarque et de Laure à l'office divin dans une église d'Avignon et *des lauriers tousjours verds* qui en surgirent (sonnets *CXV* et *I*), mais avant tout I_1 *jour que l'eternel amant* $_2$*Fist par sa mort vivre sa bien aimée*. Les vers de ce sonnet, *CXI*, dans une chaîne de paranomases pénétrantes, célèbrent la fusion de L'AMOUR avec celui IV_3 *Qui en* MOUR*ant triomphe de* LA MOR*t*. Plaints sont tous ceux, I_3 *Qui telle* MORT *au cœur n'a imp*R*i*M*ée*, ceux qui ne peuvent pas II_1 *sentir ce doulx* TORM*ent* et pleurer III_1 *de sa* MOR*t la me*MO*i*R*e*.

Le lien étroit entre le dernier vers du premier tercet et le premier vers du second, loin d'être un fait isolé, nous incite à observer des rapports analogues entre les autres vers des deux tercets : III$_2$ *La, le* RePos — IV$_2$ *Tu y* POuRas; III$_1$ LA *est le* Bien — IV$_3$ *De* LA Beauté (la seule forme « la » de l'article dans *CXIII*). Ainsi une symétrie en miroir sous-tend ces correspondances : III$_1$/IV$_3$, III$_2$/IV$_2$, III$_3$/IV$_1$.

La liaison notée ci-dessus entre la fin et le début des deux strophes internes (II$_4$ et III$_1$), trouve un pendant dans la corrélation entre le début et la fin des deux strophes externes. L'action de la première proposition du sonnet se passe *en l'eternel* alors que celle de sa dernière proposition demeure *en ce monde*. Les trois /ã/ du premier quatrain suivent le thème de la vie désespérément passagère. Dans le second hémistiche du deuxième vers L'AN renverse l'ordre des deux phonèmes qui ouvrent ce vers — I$_2$ EN L'*eternel* (/ãl/ — /lã/) — conformément à l'inclination du poète pour « *l'inversion de lettres* » (*Deffence*, t. II, chap. VIII). A son tour le second hémistiche du dernier vers — IV$_3$ QU'EN C*e monde* intervertit les phonèmes de I$_2$ *l'*AN QU*i fait le tour* (/ãk/ → /kã/) ainsi que ceux de I$_3$ SAN*s espoir* (/sã / → /ãs/).

Certaines paronomases se perpétuent le long du sonnet. Ainsi le groupe d'un /p/ et d'un /r/ précédés ou suivis d'une sifflante, seconde le motif du désespoir et de l'espérance : I $_3$*sans e*SPoi*R — $_4$PeRiSS*able* — II $_1$*em*PRiS*onnée* — $_3$S*i* POuR *voler* — II $_1$*e*SPRit — $_2$RePOS *ou tout le monde a*SPiRe. Cf. l'accumulation des /p/ deux fois suivis et ensuite, dans le second hémistiche, deux fois précédés d'un /r/ dans le vers facétieux à la fin du sonnet *LII* des *Regrets* : *et* PeRdre *sans* PR*ofit le* RePos *et* RePas.

Dans le premier tercet, l'évocation des êtres munis d'esprit et aspirant au repos bienfaisant, succède à l'image dense du premier quatrain, celle des êtres doués de vie : le TOUR du temps qui *chasse nos* JOURS *sans espoir de re*TOUR *et* condamne à la perte TOU*te chose née*. *L'âme emprisonnée* est placée devant une alternative et la triste destinée de *toute* CHOSE N*ée*, déplorée à la fin de la première strophe, entraîne, au début de la strophe suivante, la question téméraire : II$_1$ *Que* SONGES-*tu* [...]? Les deux hémistiches voisins combinent une similarité phonique avec une permutation baroque de quelques traits distinctifs qui mène à un changement réciproque des chuintantes et sifflantes et à un transfert de la nasalité de la consonne à la voyelle. Les strophes internes continuent de faire écho au mot conducteur du premier quatrain, le monosyllabe TOUR, en répétant sa voycllе avec la consonne initiale ou finale : II$_2$ // POUR*quoy* [...] *i*OUR // , $_3$//*Si p*OUR [...] *sei*OUR // ; III $_1$|*que* TOU*t*, $_2$|*ou* TOU*t*, $_3$*l'am*OUR.

VUE D'ENSEMBLE.

Deux circonstants encadrent le poème : l'un domine la première et l'autre la dernière proposition du sonnet. Le circonstant du temps illimité et impitoyable envers « nos jours », I_2 *En l'eternel*, cède le pas au circonstant du lieu qui est restreint et qui nous appartient, IV_3 *en ce monde*.

Les êtres doués de vie sont tous signalés dans le texte par des formes pronominales, c'est-à-dire par des pronoms véritablement personnels (dans leur variante adverbiale) ou bien par des substantifs accompagnés d'un adjectif pronominal. L'auteur du sonnet est le seul individu de la classe des animés présent dans le contexte du poème. Sous son aspect intégral il y figure comme « locuteur » et sous l'aspect fractionnaire comme « allocutaire », d'après les termes lancés par Damourette & Pichon. Le sujet parlant est désigné par le pronom de la première personne qui n'apparaît qu'une seule fois, tout au bout du sonnet, où il forme une combinaison emphatique et significative avec le circonstant terminal : *qu'en ce monde i'adore*. D'autre part c'est l'apostrophe II_1, IV_1 *mon ame* et les formes du pronom $\mathrm{II}_{1,4}$ IV_2 *tu* et II_2 *te* qui s'adressent à l'interlocuteur silencieux [1].

En dehors des deux participants de ce dialogue interne, seule la totalité ou chacun de ceux qui appartiennent à la totalité des êtres animés, trouve une désignation dans le sonnet à l'aide de la forme pronominale « tout », soit dépourvue soit munie d'un déterminant et ajoutée à un nom dont le sens propre n'est pas braqué sur les êtres humains : I_4 *toute chose née*, III $_1$*tout esprit*; $_2$*tout le monde*. Seuls les deux derniers de ces trois sujets synonymes produisent une action, tandis que celui de la première strophe, le seul marqué d'un terme dépréciateur, tombe victime de la roue du temps. D'autre part, le

1. Le rôle remarquable que joue chez les poètes de l'époque la disposition des pronoms de la 1re et 2e personne singulier et des possessifs qui se rapportent à ces deux pronoms personnels trouve une belle illustration dans deux sonnets. dédiés à Maurice Scève, l'un par Pontus de Tyard au début des *Erreurs amoureuses* publiées vers la fin de 1549, l'autre par Du Bellay, *L'Olive avgmentée* (fin 1550), *CV*. Leurs strophes sont centrées tour à tour sur le destinataire et le destinateur de l'éloge. Règles de distribution. — Chez Tyard : A) I, III pronom et possessif 2e pers.; II, IV pronom (et IV possessif) 1re pers.; B) I, III absence de pronom et de possessif 1re pers.; II, IV absence de pronom (et IV possessif) 2e pers.; C) I, II présence, et III, IV absence des pronoms personnels au cas régime. — Chez du Bellay, *CV* : A) I, III pronom (I) ou possessif (III) 2e pers.; II, IV pronom et possessif 1re pers.; B) I, III absence de pronom et de possessif 1re pers.; II, IV absence de pronom (et IV possessif) 2e pers.

« monde » conçu dans la troisième strophe comme l'ensemble des êtres humains va être changé, dans la strophe suivante, de sujet de la proposition en un simple circonstant attaché au dernier sujet — « je » — et s'approprie la signification d' « ici-bas », la terre avec ses habitants, par opposition *au plus hault ciel.* C'est avec le contraste du céleste et du terrestre — $\text{II}_{3/2}$(— 3) et IV_1(— 3)/$_3$ — que s'associe l'antithèse du mouvement ascendant et d'un état immuable (cf. II_3 *voler en vn plus cler seiour* et IV_3 *qu'en ce monde i'adore*). Les deux aspects polaires de l'humanité — l'individu et l'universel —, sont exprimés dans le sonnet au moyen des pronoms ou adjectifs pronominaux : *je, tu, mon* d'un côté et *tout*, *ce* de l'autre.

Tout le reste des noms dans le sonnet se compose d'abstraits impalpables, à l'exception du vers qui clôt les quatrains. Ses deux substantifs sont ostensiblement matériels et de plus, le second d'entre eux a une épithète d'un caractère parfaitement tangible : II_4 *Tu as au dos l'aele bien empanée.* Or la signification notoirement métaphorique de l'aile (!) bien empennée (!) parant le dos (!!) de l'âme est, sans aucun doute, un élément grotesque intentionnel.

Dans un aperçu ingénieux *Sur la typologie des langues naturelles : essai d'interprétation psycho-linguistique* (à paraître : La Haye-Paris), l'illustre mathématicien René Thom (Institut des hautes études scientifiques) évalue la « densité sémantique » relative des catégories grammaticales. Suivant cette approche, « la densité sémantique du verbe est — en principe — inférieure à celle du substantif », et « l'adjectif est intermédiaire en densité entre substantif et verbe; il partage avec le substantif son caractère invariant, indépendant du temps ». Ce qui nous intéresse particulièrement dans l'analyse comparée des catégories grammaticales mobilisées par l'auteur de *L'Olive CXIII*, ce sont les avis du topologue sur les fluctuations de densité et leurs différences qualitatives à l'intérieur d'une même catégorie. « Ainsi, un substantif abstrait d'action (tel que *danse* de danser, *course* de courir... etc.) n'est guère plus dense que le verbe dont il est issu. Plus le substantif devient abstrait, moins dense il est sémantiquement. »

Les termes abstraits, dont la majorité consiste en noms verbaux, et les mesures du temps, bref le corpus fondamental des substantifs du sonnet, font tous paraître une réduction de densité et s'approchent du verbe. De même on observe une baisse de densité dans les deux substantifs adjectivaux dont chacun est mis en relief par le parallélisme des propositions relatives en *que* aux flancs du sizain final : III_1 *le bien que tout esprit desire* — IV_3 *la beauté qu'en ce monde i'adore* (— 1).

Les frontières à dessein imprécises caractérisent non seulement les noms par rapport à l'adjectif et au verbe, mais aussi les adjectifs du sonnet qui cherchent à abandonner leur fonction usuelle d'épithète et se font remplacer dans ce rôle par des participes adjectivés ou purs. Le seul adjectif qui sert d'attribut, I_4 *perissable*, est un dérivé verbal. D'autre part les adjectifs substantivés contribuent à atténuer la limite entre l'adjectif et la couche la plus profonde du système grammatical, celle du substantif.

Les adverbes, caractérisés par Thom comme une catégorie moins dense que celle des substantifs, adjectifs et verbes, servent à quantifier les épithètes du sonnet — II $_4$*bien empanée*, $_3$*plus cler*, IV_1 *plus hault*. Dans la construction — I_1 *est moins qu'vne* — l'adverbe de gradation supprime ou remplace l'adjectif attribut.

Les deux crêtes du système grammatical, le nom et le verbe, l'un traitant le mot comme signe d'une entité et l'autre comme signe d'un procès (*existent* et *occurrent*, selon la dichotomie de Sapir), jouent un rôle foncier dans la STRUCTURE du sonnet tout en « s'allumant de reflets réciproques » et en nous révélant des TRANSPOSITIONS féériques. La maxime de Stéphane Mallarmé m'engage à citer l'autre grand symboliste, Alexandre Blok qui, dans la préface au poème *Châtiment (Vozmezdie)*, met à jour « la conscience tragique du total inalliable et indissoluble dans ses contradictions qui demeurent irréconciliables et simultanément exigent leur solution ». Ainsi, parmi les contradictions capables de rendre perplexe l'âme qui y songe, l'antinomie soulevée dans *CXIII* entre l'adoration terrestre de la beauté et l'appréhension spirituelle de son Idée *au plus hault ciel*, celle *qu'on ne puysse ny des yeux*, *ny des oreilles*, *ny d'aucun sens apercevoir*, reste insoluble, en dépit de son acuité.

Cherchant à éviter de mettre dans le texte de l'œuvre ce qui n'y est pas, notons que son tercet final comporte sept paires de concepts opposés qu'il manie pour dérouler un parallélisme antithétique des deux faces de la beauté :

> *— La, o mon ame au plus hault ciel guidée !*
> *Tu y pouras recongnoistre l'Idée De la beauté*
> *— beauté, qu'en ce monde i'adore.*

1. L'initiation graduelle au pouvoir de *recongnoistre l'Idée De la beauté* est soudain confrontée dans la dernière proposition du sonnet avec l'acte passionné de l'adoration spontanée.

2. L'actualité de *i'adore* vient remplacer le cachet potentiel du verbe *pouras*.

3. Par rapport au présent $_3$*i'adore* la forme antérieure $_2$*pouras recongnoistre* marque une action envisagée pour l'avenir et donc distante dans le temps.

4. Les deux circonstants désignent l'un — $_1$*au plus hault ciel* — la distance maximum et l'autre — $_3$*en ce monde* — la proximité la plus intime dans l'espace.

5. La beauté en chair et en os, adorée *en ce monde* par le poète, succède dans le dernier vers du sonnet à l'*espece imaginative* qu'on *puysse*, comme le dit la *Deffence* (II, chap. I), *comprendre seulement de la cogitation et de la pensée.* Dans le composé *l'Idée De la beauté* le substantif adnominal révèle la nature partitive de la synecdoque. Suivant l'argumentation de René Thom, « c'est là la situation générale : dans un génitif de forme *X de Y*, le concept Y subit en général une sorte de *destruction sémantique*, qui abolit presque tout le contenu signifié pour n'en conserver qu'un lien verbal ou spatio-temporel avec X ». Là *l'Idée* est superposée à *la beauté*, alors qu'à l'intérieur du dernier vers c'est *la beauté* qu'on trouve syntaxiquement superposée à celui qui l'adore.

6. Des deux rangs d'images le dernier finit par désigner la première personne, le « je » de l'auteur (IV$_3$ *i'adore*), tandis que le texte antérieur ne signale que le « tu » de la deuxième personne. Jusqu'au vers penultième (IV$_2$ *Tu y pouras*) c'est le destinataire du message qui est mis au point, alors que le locuteur lui-même reste hors du texte.

7. L'apostrophe qui spécifie la deuxième personne, IV$_1$ *mon ame*, change le rapport entre le destinateur du message et son destinataire en une relation d'un tout et de sa partie; le « moi », corps et âme, s'adresse à l'âme seule qui devient une sorte de synecdoque par rapport à l'individu total qui ne se fait connaître qu'au dernier vers du sonnet.

Cette opposition septuple du proche ou indivis et du lointain ou séparé que nous observons dans l'épilogue du sonnet diffère foncièrement du tableau qu'en donne Leo Spitzer dans son essai de 1957 et dans sa rétrospective présentée et publiée à Rome en 1960 :

> « Voici trente ans, j'y avais découvert un rythme qui, dans la lecture, contraint la voix à s'élever continuellement jusqu'à la fin : quand l'idée platonicienne — l'idée de la Beauté — apparaît, comme en l'épiphanie d'une déesse; et ce dessin vocal m'avait paru caractéristique de l'idée platonicienne qui s'élève au-dessus de la terre, sur une cime qui n'est plus terrestre d'adoration. »

Le sonnet révèle la beauté dans un unanime conflit des deux prises de vues que le poète lui-même désunira dans son message satirique « A une dame » :

> 153Si vous trouvez quelque importunité
> En mon amour, qui vostre humanité
> Préfère trop à la divinité
> De vos graces cachées, ...
> 206Je choisiray cent mille nouveautez,
> Dont je peindray vos plus grandes beautez
> Sur la plus belle Idée.

Rome-Fontainebleau

PUBLICATIONS UTILISÉES ET CITÉES

1. *Éditions de Joachim Du Bellay et des auteurs français de son temps.*

L'Olive avgmentée depuis la premiere edition (Paris, 1550). — Le sonnet *CXIII* est cité ci-dessus d'après cette édition.

Poësies. Texte établi et annoté par M. Hervier, 5 volumes (Paris, 1954-1956).

La deffence, *et Illustration de la Langue Francoyse* (Paris, 1549). — Édition critique par Henri Chamard (Paris, 1904); — Nouvelle édition (Paris, 1948).

[Barthélemy Aneau], *Le Quintil Horatian sur la « Deffence et Illustration de la Langue Francoyse »* (Lyon, 1550). — Reproduit d'après l'édition de Paris, 1555, par Ém. Person dans La *Deffence et illustration de la langue francoyse*, [...] *suivie du Quintil Horatian* (Paris, 1878), p. 187-212.

Héroët (Antoine), *La Parfaicte Amye* (Lyon, 1542). Cf. *Œuvres poétiques.* Édition critique par F. Gohin (Paris, 1909).

Peletier (J.), *L'Art poëtiqve* (Lyon, 1555). Cf. Publications de la Faculté des Lettres de l'Université de Strasbourg, LIII (1930).

Scève (Maurice), *Œuvres poétiques complètes.* Édition établie par Hans Staub, t. I (Bussière, Saint-Amand, 1971).

[Thomas Sibilet], *Art Poétique François. Pour l'instruction des ieunes studieux & encor peu auancez en la poësie françoise* (Paris, 1548).

Pontus de Tyard, *Les Erreurs Amoureuses.* Édition critique par J.-A. McClelland (Genève, 1967).

2. *Études relatives à Du Bellay et son époque.*

Addamiano (N.), *Delle opere poetiche francesi di Joachim du Bellay e delle sue imitazioni italiane* (Cagliari, 1921).
Æbby (H.), *Von der Imitation zur Originalität, Untersuchungen am Werke Joachim du Bellays* (Zurich, 1942).
Bourciez (É.), *Les Mœurs et la Littérature de cour sous Henri II* (Paris, 1886).
Brunot (F.), *Histoire de la langue française*, t. II : *Le seizième siècle* (Paris, 1922[1]).
Chamard (H.), *Joachim du Bellay, 1522-1560 = Travaux et Mémoires de l'université de Lille*, VIII. — Mém. nº 24 (Lille, 1900).
Chamard (H.), *Histoire de la Pléiade*, t. I, IV (Paris, 1939-1940 ou 1961[2]-1963[2]).
Cléments R.-J., « Anti-petrarchism of the Pléiade », *Modern Philology*, XXXIX (1941), p. 15 s.
Gambier (H.), *Italie et Renaissance poétique en France* (Cedam-Padoue, 1936).
Gougenheim (G.), *Grammaire de la langue française du seizième siècle* (Lyon-Paris, 1951).
Gourmont (Remy de), « Du Bellay grammairien », dans ses *Promenades philosophiques*, t. I (Paris, 1913[5]).
Kupisz (K.), « U źródeł dziejów sonetu we Francji », *Zeszyty naukowe Uniwersytetu Lódzkiego*, nauki humanistyczno-społeczne, Ser. I, nº 41 (1965), p. 153 s.
Merrill (R. V.), *The Platonism of Joachim du Bellay* (Chicago, 1925).
Merrill (R. V.), « A Note on the Italian Genealogy of du Bellay's *Olive*, Sonnet CXIII », *Modern Philology*, XXIV (nov. 1926), p. 163 s.
Mönch (W.), « Le sonnet et le platonisme », *Actes du congrès de Tours et de Poitiers* (Paris, 1954).
Mönch (W.), *Das Sonett. Gestalt und Geschichte* (Heidelberg, 1955).
Richards (I. A.), « Jakobson's Shakespeare — The subliminal structures of a sonnet », *Times Literary Supplement* (28.5.70), p. 589 s.
Risset (Jacqueline), *L'Anagramme du désir — essai sur la* Délie *de Maurice Scève* (Rome, 1971).
Ruwet (N.), « Analyse structurale d'un poème français : un sonnet de Louise Labé », in *Langage, musique, poésie* (Paris, 1972).
Saulnier (V. L.), *Du Bellay. L'homme et l'œuvre* (Paris, 1951).
Schlegel (A. W.), « Petrarca », dans ses *Kritische Schriften und Briefe*, t. IV (Stuttgart, 1965).
Spitzer (L.), « Language of Poetry », *Language : an Enquiry into its Meaning and Function* (New York, 1957), p. 201 s.
Spitzer (L.), « Sviluppo di un metodo », *Cultura Neolatina*, XX (1960), p. 109 s.
Vaganay (H.), *Le Sonnet en Italie et en France au XVIe siècle* (Lyon, 1903).
Vianey (J.), « Les sources italiennes de l'Olive », *Annales internationales d'histoire*, Congrès de Paris 1900, 6e section (Paris, 1901), p. 71 s.
Vianey (J.), « Les origines du Sonnet régulier », *Revue de la Renaissance* IV (1903), p. 74 s.

Vianey (J.), *Le Pétrarquisme en France au XVIe siècle* (Montpellier, 1909).
Vianey (J.), *Les Regrets de Joachim du Bellay* (Paris, 1930).
Villey (P.), *Les Sources italiennes de la « Deffence et Illustration de la Langue Françoise » de Joachim du Bellay* (Paris, 1908).
Ziemann (G.), *Vers- und Strophenbau bei Joachim du Bellay* (Königsberg, 1913).

3. *Travaux généraux.*

Benveniste (É.), *Problèmes de linguistique générale* (Paris, 1966).
Damourette (J.) Pichon (E.), *Des mots à la pensée. — Essai de grammaire de la langue française*, t. I (Paris, 1911-1927).
Jakobson (R.), *Selected writings*, t. II (La Haye-Paris, 1971).
Merleau-Ponty (M.), *Phénoménologie de la perception* (Paris, 1945).
Sapir (E.), *Totality*. Language Monographs, t. VI (Baltimore, 1930).
Strawinsky (I.), *Poétique musicale sous forme de six leçons* (Cambridge, Mass., 1942).
Tesnière (L.), *Éléments de syntaxe structurale* (Paris, 1966[2]).

L'art verbal dans « Th'expence of spirit » de Shakespeare[a]

Qu'est-ce que la figure ? Qu'est-ce que la figure ?
Peines d'amour perdues, V, I, 63.

I. LE SONNET 129.

Le cent vingt-neuvième des 154 sonnets qui furent composés par Shakespeare au seuil du XVIIe siècle et imprimés dans le Quarto de 1609 peut être lu comme suit :

I $_{1}$Th'expence of Spirit | in a waste of shame
$_{2}$Is lust in action, | and till action, lust
$_{3}$Is perjurd, murdrous, | blouddy full of blame,
$_{4}$Savage, extreame, rude, | cruel, not to trust,
II $_{1}$Injoyd no sooner | but dispised straight,
$_{2}$Past reason hunted, | and no sooner had
$_{3}$Past reason hated | as a swollowed bayt,
$_{4}$On purpose layd | to make | the taker mad.
III $_{1}$Mad[e] In pursut | and in possession so,
$_{2}$Had, having, and in quest, | to have extreame,
$_{3}$A blisse in proofe | and provd | a[nd] very wo,
$_{4}$Before a joy proposd | behind a dreame,
IV $_{1}$All this the world | well knowes | yet none knowes well,
$_{2}$To shun the heaven | that leads | men to this hell [b].

I $_{1}$Le gaspillage d'Esprit, en une dilapidation de pudeur,
$_{2}$<C'>est <la> luxure en acte; et jusqu'à <l'>acte, <la> luxure
$_{3}$Est parjure, assassine, sanguinaire, pleine de blâme,
$_{4}$Sauvage, extrême, violente, cruelle, à ne pas <s'y> fier;

a. *Shakespeare's verbal art in « Th'expence of spirit »* (La Haye-Paris, 1970), 34 p. Écrit en collaboration avec Lawrence G. Jones.

b. Les traductions des poèmes analysés dans ce volume doivent être comprises comme une simple recherche d'équivalences, destinée à permettre au lecteur de suivre plus aisément la démarche des auteurs. Équivalences syntaxiques (d'où la précaution de faire figurer certains mots entre crochets obliques); équivalences du point de vue de l'ordre des mots; équivalences au plan des relations sémantiques qui, par le biais de l'étymologie, unissent certains mots.

II $_1$Pas plus tôt savourée mais dédaignée soudain;
$_2$Sans raison poursuivie, et, pas plus tôt saisie,
$_3$Sans raison détestée, comme, happé, un appât,
$_4$Avec intention disposé pour rendre le gobeur fou.

III $_1$Fou en <la> chasse, et en <la> prise autant;
$_2$Ayant saisi, saisissant, et en quête de saisir, extrême,
$_3$Une félicité en <l'>épreuve, et, éprouvée, une vraie calamité,
$_4$Avant, une saveur attendue, après, un rêve;

IV $_1$Tout cela, le monde bien le sait; pourtant nul ne sait bien
$_2$Fuir le ciel qui mène <les> hommes à cet enfer.

II. LES ÉLÉMENTS MÉTRIQUES : RIMES, STROPHES ET VERS.

Cet exemple de *sonnet anglais* se compose de trois quatrains, dont chacun a ses propres rimes masculines[a] alternées, et d'un couplet final, à rime masculine plate. Sur les sept rimes, seule la première, qui met en relation deux substantifs précédés de la même préposition, *(of shame - of blame)*, est une rime grammaticale. La seconde commence, elle aussi, par un substantif, mais lui oppose une autre partie du discours. La troisième et les trois dernières inversent cet ordre : un non-substantif est suivi par un substantif. En revanche, la quatrième, qui occupe, parmi les sept, la position médiane, ne fait intervenir aucun substantif, et unit le participe *had* et l'adjectif *mad*. Le premier mot à la rime, dans la seconde, ou dans l'unique, rime de chaque strophe, se retrouve ailleurs dans le sonnet : I$_2$ *lust* - *lust*; II$_2$ *had* - III$_2$ *Had*; III$_2$ *extreame* - I$_4$ *extreame*; IV$_1$ *well* - *well*. Dans la seconde strophe, le second mot à la rime, dans cette même seconde rime, se trouve, lui aussi, répété : II$_4$ *mad* - III$_1$ *Mad*. (Sur cette répétition, cf. plus bas, Section 7.)

Les quatre strophes donnent lieu à trois sortes de correspondances binaires : 1) une correspondance alternée, (abab), qui lie les deux strophes impaires (I, III), et les oppose aux strophes paires (II, IV), elles-mêmes liées l'une à l'autre; 2) une correspondance embrassée (abba), qui rejoint les strophes extérieures, enveloppantes (I, IV), et les oppose aux deux strophes intérieures, enveloppées (II, III), unies, à leur tour, l'une à l'autre; 3) une correspondance par voisinage, (aabb), instaurant un couple de strophes antérieures (I, II) et un couple de strophes postérieures (III, IV) qui s'opposent l'un à l'autre. A ces trois relations symétriques, virtuellement présentes dans toute composition de quatre strophes, les sonnets shakespeariens ajoutent un

a. Sur la définition de la rime masculine en prosodie anglaise, cf. p. 268, note.

contraste effectif, asymétrique, entre le couplet final et les trois quatrains, caractérisés comme strophes non-finales (aaab).

Le sonnet 129 montre clairement comment, en plus des convergences structurales qui se font jour entre les strophes en leur entier, les vers eux-mêmes peuvent mettre en jeu, de façon manifeste, leurs propres correspondances binaires. Les pentamètres ïambiques de ce poème de quatorze vers présentent une différence frappante entre le dessin des sept premiers, — centripètes, afférents, orientés vers le centre du poème —, et celui des sept derniers, — centrifuges, efférents, orientés de manière à s'éloigner de ce centre. Dans les vers centripètes, le troisième pied du pentamètre ïambique est marqué par une coupe, — frontière de mot obligatoire —, qui tombe exactement au milieu du vers, après la cinquième syllabe. A cette césure entre le temps faible et le temps fort du troisième pied (ou pied médian), les sept vers centrifuges opposent une diérèse masculine marquant le début et/ou la fin du pied médian : début *et* fin dans cinq occurrences, début *ou* fin dans les deux autres. Cette coupe tombe après la quatrième syllabe (en temps fort) et/ou après la sixième syllabe (également en temps fort). (Cf. ci-dessus, section 1, notre transcription du sonnet avec ces coupes indiquées par des barres verticales.)

III. ORTHOGRAPHE ET PONCTUATION.

Dans notre lecture du sonnet nous suivons l'*editio princeps* mais renonçons à son emploi de *i* en fonction de *j* aussi bien que de *i* (*periurd*, *inioyd*, *ioy)*, ainsi qu'à son emploi de *u* en fonction de *v* non-initial *(sauage*, *hauing*, *haue*, *proud*, *heauen)*; on est allé jusqu'à se poser la question ridicule de savoir si le *i* dans des mots comme *ioy*, etc. se prononçait comme il était écrit. Nous conservons les oscillations orthographiques à l'époque élizabéthaine, parce que dans certains cas elles révèlent des particularités de l'ancienne prononciation ou offrent un support visuel aux rimes de Shakespeare, par exemple : III *so - extraeme - wo - dreame*. Nous avons recours aux crochets droits [ ] pour signaler deux erreurs manifestes : III$_3$ *and very wo* s'est substitué à *a very wo*, sous l'influence d'une assimilation avec les *and* qui précèdent dans le même vers et dans les deux premiers vers du même quatrain; et en III$_1$, l'adjectif *mad* doit être lu à la placc du participe *made*. Kökeritz (p. 126 s., 164, 175) indique qu'occasionnellement *made* se prononce *mad* et *mad* se prononce *made* dans les pièces de Shakespeare; et il fait référence aux calembours que fait le poète sur ces deux mots.

La syncope du *e* participial, répandue dans l'anglais du XVIe et du XVIIe siècle, se manifeste dans la première édition du sonnet par l'omission de ce *e*. C'est seulement après *ow* que ce *e*, traditionnellement, est maintenu dans l'orthographe : II_3 *swollowed* (cf. aussi IV_1 *knowes*, deux fois); et on peut difficilement se ranger à l'avis des critiques qui soutiennent que ce participe, qui occupe deux temps du vers, « a dû compter pour un mot de trois syllabes ». Seule exception : la forme *dispised*, en II_1 dont l'orthographe (entraînant de toute évidence la prononciation) se retrouve telle quelle en d'autres lieux du corpus shakespearien *(Othello*, I, I, 162 : *And what's to come of my despised time).* Il est possible que cette forme conservatrice s'explique dans le sonnet par une tendance dissimilatrice qui s'est donné pour but de faire alterner les finales *-d* et *-ed* dans les vers du second quatrain, particulièrement riche en participes : $_1$*injoyd - dispised*, $_2$*hunted - had*, $_3$*hated - swollowed* (= *swollow'd*).

On ne peut que souscrire à la thèse de George Wyndham qui justifie structuralement les anomalies de ponctuation dans le Quarto de 1609 et spécialement dans « le magnifique sonnet 129 ». Ainsi, la distribution très particulière des virgules à l'intérieur des vers s'explique par la fonction hybride qui, si souvent, dans l'usage des poètes, se manifeste comme un compromis entre l'articulation syntaxique et le dessin rythmique; c'est ainsi que, dans les vers centrifuges, la virgule qui serait imposée par la syntaxe est considérée comme superflue chaque fois que la pause syntaxique coïncide avec la coupe, en sorte que le dessin rythmique suggère la segmentation voulue. Inversement, la virgule apparemment inattendue en III_2 *Had, having, and in quest,* | *to have extreame* est nécessaire pour signaler la coupe à la fin du pied médian, dès lors que a) il n'y a pas de coupe au début de ce pied, alors que b) au vers précédent, il existe une coupe au début, mais qu'il n'y en a pas à la fin du pied médian : *Mad In pursut* | *and in possession so*, et dès lors que c) la coupe signalée par la virgule est motivée seulement par le lexique et non par la syntaxe. Les deux vers en question sont les seuls, parmi l'ensemble des vers centrifuges, à comporter une coupe au début *ou* à la fin du pied médian, quand les autres ont une coupe à la fois au début *et* à la fin du pied médian. Quant aux vers centripètes, l'absence de virgule après *blouddy* dans une suite de quatre adjectifs parallèles : *Is perjurd, murdrous,* | *blouddy full of blame*, sert à souligner l'importance plus marquée de la précédente frontière de mot qui coïncide avec la coupe obligatoire tout au long de la première moitié du sonnet.

IV. INTERPRÉTATION.

Cet aperçu sur l'utilisation de la virgule dans la première édition du sonnet et l'analyse comparative de ses quatre strophes nous amènent à en tenter une paraphrase aussi littérale que possible :

I En acte, la luxure est une dépense d'énergie vitale (esprit et semence) en une dilapidation de pudeur (chasteté et organes génitaux), et avant l'acte, la luxure est délibérément déloyale, assassine, sanguinaire, coupable, sauvage, excessive, brutale, cruelle, perfide;

II pas plus tôt savourée que sur-le-champ dédaignée, pas plus tôt stupidement recherchée que stupidement détestée, comme un appât happé qui avait été intentionnellement disposé (en vue de la fornication et du piégeage) pour rendre le gobeur fou.

III Fou à la fois en la chasse et en la prise, excessif après avoir saisi, quand il saisit, et tant qu'il est en quête de saisir ce qui est une félicité pendant le temps de la mise à l'épreuve, mais une véritable calamité lorsque l'épreuve est faite, ce qui est à l'avance une saveur attendue, après coup un simulacre;

IV tout cela est bien connu du monde mais personne n'a assez de connaissance pour fuir le ciel qui mène les hommes à cet enfer.

Parmi les prédictions si avisées que fit Charles Sanders Peirce, on peut citer une note ancienne (p. 343) dans laquelle il soutenait qu' « en mettant en lumière, en de nombreux passages, des calembours jusqu'ici passés inaperçus », l'étude de la prononciation de Shakespeare nous permettrait de « comprendre des vers jusqu'ici inintelligibles ». A présent, des chercheurs comme Kökeritz ou Mahood ont mis en évidence la fréquence et la pertinence des jeux de mots, ambiguïtés lexicales, et calembours dans l'œuvre de Shakespeare. Ces procédés doivent être interprétés — et l'ont été — (en particulier dans la monographie passionnante de Sœur Miriam Joseph) — en fonction de la rhétorique et de l'*ars poetica* de l'époque élizabéthaine, même si leur puissance créatrice dépasse infiniment toutes les recettes et tous les répertoires. Une sorte de « parole double », impliquant la présence dans les mêmes mots d'un sens raffiné et d'un sens cru, semblable à ce que Kökeritz (p. 58 s.) a découvert dans *Comme il vous plaira*, se rencontre également dans le Sonnet 129. *Spirit*, [Esprit], dans le vocabulaire de l'époque shakespearienne, désignait une puissance vitale, source de vie, se manifestant dans l'esprit, mais dans la semence aussi bien; concurremment, *shame* [pudeur] comportait à la fois le sens de chasteté et celui d'organes génitaux comme objets de la pudeur. Le rapprochement des deux mots se trouve, chez le poète, ailleurs que dans ce sonnet *(Cymbeline*, V, III, 35 s. : *guilded pale lookes : Part shame, part spirit renew'd)* [ils faisaient rayonner les plus blêmes visages, en y ranimant à la fois la honte et l'ardeur] [a]. De même les deux caractères négatifs, à peu près synonymes, de la *luxure en acte : expence* et *waste*, se retrouvent côte à côte dans l'œuvre dramatique (*Lear*, II, I, 100 : *To have th'expense and waste of his revenues* [Pour profiter du gaspillage et de la dilapidation de ses revenus]). Le rapport étroit entre le sang et la semence dans la physiologie et la littérature de la Renaissance anglaise a été relevé par Hilton Landry, et le voisinage du *sang* et de la *luxure* est tout à fait banal dans la phraséologie shakespearienne. Les doubles sens attachés au lexique de l'auteur sont loin, cependant, de détruire la construction thématique extrêmement homogène et solide de ses poèmes, et en particulier de ce sonnet.

V. LES CONSTANTES.

Les nombreuses variables qui constituent un réseau remarquable d'oppositions binaires entre les quatre strophes ressortent d'autant mieux qu'elles se détachent sur la toile de fond d'un certain nombre de traits constants, qui sont communs aux quatre strophes. Ainsi, chaque strophe est caractérisée par des catégories verbales privilégiées, mais d'un autre côté, chacune des strophes est dotée d'un infinitif qui se rencontre dans l'un de ses vers pairs : le quatrième vers de I et II et le second de III et IV. Tous ces infinitifs, qui appartiennent à des verbes transitifs, diffèrent par leur rôle syntaxique, et le premier et le dernier d'entre eux semblent même transgresser les normes grammaticales de l'époque élizabéthaine :

I $_3$*Is* [...] $_4$*not to trust* [à ne pas s'y fier]
II $_4$*layd to make the taker mad* [disposé pour rendre le gobeur fou]
III $_2$*in quest to have* [en quête de saisir]
IV $_1$*none knowes well*, <how> $_2$*To shun the heaven* [nul ne sait bien <comment> Fuir le ciel] — proposition elliptique décrite par Puttenham (p. 175) comme la « figure du manque ».

a. Il est impossible, dans ce contexte, de conserver à *Spirit* et à *shame* les mêmes équivalents français (« Esprit », « pudeur ») qui ont été employés jusqu'ici.

Une constante caractéristique est l'absence manifeste de certaines catégories grammaticales tout au long du poème. Sur les 154 sonnets du Quarto de 1609, c'est le seul qui ne contienne aucun pronom personnel ni aucun adjectif possessif correspondant. Dans les sonnets 5, 68, 94, on ne rencontre que des pronoms à la troisième personne, tandis que le reste des sonnets fait un usage très large des pronoms de la première et de la deuxième personne. Le sonnet 129 évite les épithètes : à l'exception de III$_3$ *very wo* [vraie calamité], qui est un déterminant assertorique plutôt que qualificatif, les adjectifs ne sont pas employés comme déterminants, mais seulement en fonction de prédicats, et une seule fois — en II$_4$ *to make the taker mad* [pour rendre le gobeur fou] — comme attribut du complément. A l'exception de *men* [les hommes] au dernier vers, il n'y a dans le sonnet que des singuliers. Le poème ne comporte de forme conjuguée qu'à la troisième personne du singulier du temps présent.

Chaque vers présente, de façon remarquable, une allitération ou une répétition de séquences phoniques ou de morphèmes ou de mots entiers :

$_1$*expense of Spirit* (sp-sp)
$_2$*lust in action — action, lust*
$_3$*blouddy — blame*
$_4$*extreame — trust* (str — tr.st)
$_5$*sooner — straight*
$_6$*hunted — had*
$_7$*hated — bayt* (/ɛyt/ — /ɛyt/)
$_8$*make — mad*
$_9$*pursut — possession*
$_{10}$*had, having — had*
$_{11}$*proof — provd*
$_{12}$*before a — behind a*

La structure largement répétitive des deux derniers vers sera analysée plus bas, dans la Section 9 consacrée au couplet final.

Le poème, qui commence par une contraction caractéristique de deux voyelles contiguës, *Th'expence*, est entièrement dépourvu de hiatus. Les mots à voyelle initiale, que cette voyelle soit ou non aspirée (h ou ∅) sont distribués symétriquement dans le sonnet. Dans chaque distique, l'un des deux vers commence par une attaque de ce type, qui, dans les strophes impaires, marque le début des deux vers intérieurs, et, dans les strophes paires, celui du premier vers, et, lorsqu'il s'agit d'un quatrain, celui du quatrième :

$_{2}$*Is*
$_{3}$*Is*
$_{5}$*Injoyd*
$_{8}$*On*
$_{10}$*Had*
$_{11}$*A*
$_{13}$*All*

Parmi l'ensemble de leurs temps forts, chaque quatrain comporte trois, et le couplet final, deux, attaques vocaliques : huit fois, la voyelle est /æ/; et dans les quatre strophes, le second des temps forts est toujours doté d'une attaque de ce type :

I $_{2}$*in action, and till action* (/æ/ — /æ/ — /æ/)
II $_{2}$*hunted, and no sooner had* (/hʌ/ — /æ/ — /æ/)
III $_{2}$*having and in quest to have* (/hæ/ — /æ/ — /hæ/)
IV $_{2}$*heaven* [...] *hell* (/hɛ/ — /hɛ/)

Le leitmotiv sémantique de chaque strophe est la prédestination tragique : *lust* [...] *is perjurd* (II$_{2,3}$) [la luxure est parjure], c'est-à-dire délibérément déloyale. C'est un appât assassin, disposé avec intention (II) et donnant à attendre une félicité apparemment savoureuse et céleste, à seule fin de la transformer en une vraie calamité. La terminologie de cette situation dramatique est en liaison étroite avec le vocabulaire du théâtre de Shakespeare :

O passing traitor, perjurd and unjust!
[O traître éhonté, parjure et fourbe!] (*3 Henry VI*, V, I, 106)

There's no trust [cf. sonnet 129, I$_{4}$: *not to trust*], No faith, no honesty in men; all perjurd.
[On ne peut se fier à personne [cf. sonnet 129 : à ne pas s'y fier], Il n'y a ni bonne foi ni honnêteté parmi les hommes; tous des parjures.] (*Roméo et Juliette*, III, II, 85 s.)

Perjurie, in the high'st Degree; Murther, stern murther.
[cf. sonnet 129, I$_{3}$: *perjurd, murdrous*]
[Le parjure au plus haut Degré; L'assassinat, l'impitoyable assassinat]
[cf. sonnet 129 : parjure, assassine] (*Richard III*, V, III, 197 s.)

What to ourselves in passion we propose
The passion ending, doth the purpose lose.
[cf. sonnet 129, II$_{4}$: On *purpose* layd — III$_{4}$ Before a joy *proposd*]
[Ce à quoi nous tendons dans la passion, quand la passion est terminée, ne répond plus à aucune intention.]
[cf. sonnet 129 : avec intention disposé; avant, une saveur attendue]
(*Hamlet*, III, II, 204-205)

L'affinité phonique de *perjud* et de *purpose* est prolongée par le parallélisme de ce dernier mot et de *proposd* dans le dernier vers de II et le dernier vers de III; et la parenté étymologique de ces deux mots retrouve vie grâce au poète. Si le premier vers centrifuge du sonnet introduit le héros, *the taker* [le gobeur], tout en voyant en lui moins un agent qu'une victime, le dernier vers centrifuge met en scène le prévenu malfaisant, *the heaven that leads men to this hell* [le ciel qui mène les hommes à cet enfer], et découvre de la sorte par quel être parjure la saveur était offerte comme objet d'attente, et le leurre disposé. Comme le remarque judicieusement D. Bush, « le *ciel* et l'*enfer* sensuels de l'amant sont des souvenirs ironiques et grinçants de leurs analogues religieux » (p. 18), au lieu que l'hypothèse émise par Riding et Graves (p. 80), selon laquelle, dans ce sonnet, « le *Ciel* est, pour Shakespeare, l'aspiration à une stabilité momentanée », ne trouve aucun appui dans le texte du poète.

VI. STROPHES IMPAIRES CONTRE STROPHES PAIRES.

Les multiples correspondances qui relient d'un côté les strophes impaires et d'autre part les strophes paires, ainsi que le contraste entre ces deux ensembles, mettent en jeu les symétries les plus poussées de tout le sonnet; or c'est précisément la hiérarchie des trois types de corrélations inter-strophiques (cf. plus haut, Section 2) qui individualise et qui diversifie les poèmes de quatre strophes de n'importe quel artisan en matière littéraire. La présentation du thème dans les strophes impaires du sonnet 129 est une confrontation d'une logique serrée entre les différents stades de la luxure *(before, in action, behind)* [avant, en acte, après], au lieu que les strophes paires sont centrées sur le processus même de la métamorphose (II_2 *hunted, and no sooner had* $_3$*Past reason hated* [poursuivie, et, pas plus tôt saisie, sans raison détestée]; et en IV le chemin qui mène du *ciel* à l'*enfer*). On pourrait comparer les strophes paires à un film dont le déroulement narratif serait purement linéaire, tandis que les strophes impaires introduisent des retours en arrière et un survol des événements : I_2 *In action, and till action* [en acte, et jusqu'à l'acte]; III_2 *Had, having, and in quest, to have extreame* [ayant saisi, saisissant, et en quête de saisir, extrême]. Ces deux quatrains recherchent l'essence inaltérable de la passion dépeinte : III_1 *Mad In pursut and in possession so* [Fou en la chasse et en la prise autant].

Les strophes impaires, contrairement aux strophes paires, sont riches de substantifs et d'adjectifs : dix-sept substantifs (9 + 8) contre six (2 + 4); dix adjectifs (8 + 2) contre un (1 + ∅). La strophe I, pour sa part, aligne huit substantifs (sur neuf) dans son premier distique, et ses huit adjectifs dans le second; la strophe III, au contraire, rassemble ses adjectifs dans son premier distique, et la plus grande partie de ses substantifs dans le second. Les dix-sept substantifs des strophes impaires sont tous abstraits, les six substantifs des strophes paires sont tous concrets, à condition de mettre à part les trois abstraits de II qui font partie d'expressions adverbiales ($II_{2,3}$: *Past reason*; $_4$*On purpose*) [Sans raison; Avec intention]. Les abstraits se répartissent en deux catégories : A) des nexus apparentés à des verbes : cinq en I, quatre en III (I : *expence*, *waste*, *action*, *action*, *blame*; III : *pursut*, *possession*, *quest*, *proofe*) [I : gaspillage, dilapidation, acte, acte, blâme; III : chasse, prise, quête, épreuve]; B) des noms de sentiments, d'états, de facultés : quatre en I, quatre également en III (I : *Spirit*, *shame*, *lust*, *lust*; III : *blisse*, *wo*, *joy*, *dreame*) [I : Esprit, pudeur, luxure, luxure; III : félicité, calamité, saveur, rêve]. La symétrie entre I et III s'avère totale si l'on ne fait porter la comparaison qu'entre III et le premier distique (ne comportant que des substantifs) de I. Ce distique contient précisément quatre nexus verbaux, au lieu que dans le second distique, doté de huit adjectifs, l'unique substantif qui y figure fonctionne comme un simple déterminant du dernier adjectif : *full of blame* = blameful [plein de blâme = blâmable].

C'est seulement dans les strophes impaires que des substantifs se présentent comme des déterminants d'autres substantifs ou d'adjectifs (6 + 4). Dans les strophes impaires, les formes verbales (3 + 5) sont dépourvues de déterminants. Dans les strophes paires les formes verbales (7 + 4) exigent des déterminants à l'exception d'une seule (II_3 : *a swollowed bayt*) [avalé, un appât]. Ces régularités forment un ensemble qui manifeste la différence très marquée entre les strophes impaires et les strophes paires : les strophes paires sont dynamiques, dominées par des verbes, ou par des formes impersonnelles de verbes, qu'elles surimposent aux autres parties du discours; les strophes impaires sont le lieu d'une tendance beaucoup plus statique et beaucoup plus synthétisante, et par suite s'organisent autour de substantifs abstraits et d'adjectifs. La dominance des verbes dans les strophes paires peut être précisée comme suit : le couplet final est construit sur les trois seules formes conjuguées, appartenant à des verbes concrets, de tout le poème; le second quatrain, d'autre part, est caractérisé : a) par ses participes que leurs déterminants distinguent nettement des adjectifs; b) par les deux substantifs concrets déverbatifs *taker* [gobeur] et *bayt* [appât]. — Que Shakespeare ait été conscient, en ce qui concerne ce dernier mot, de son apparentement avec des verbes, la phrase suivante (*Beaucoup de bruit pour rien*, II, III, 114) permettra de s'en convaincre : « *Bait the hook well; this fish will bite* » [Appâtez bien l'hameçon : le poisson mordra].

Les deux substantifs animés du sonnet, ceux qui renvoient à des personnes (humaines) fonctionnent l'un et l'autre comme des objets directs au dernier vers de chaque strophe paire : II *taker* [gobeur], IV *men* [hommes]. En règle générale, l'agent non-marqué d'un verbe est un animé, renvoyant le plus souvent à une personne; sa visée non-marquée est un inanimé. Mais dans les deux constructions en question, présentant des verbes transitifs, l'ordre nucléaire est inversé. Les deux seuls substantifs personnels du poème caractérisent les êtres humains comme des visées passives d'actions venues de l'extérieur : horizon non-humain ou in-humain. Il est significatif que le substantif déverbatif *taker*, muni d'un suffixe personnel agentif, mais complément du verbe *to make*, caractérise cet être humain comme celui qui subit l'action. La correspondance phonique et sémantique entre les verbes *make* et *take* est soulignée par la première rime *make* - *take* du sonnet 81 et par la rime finale *take* - *make* du sonnet 91.

Les conjonctions sont uniquement copulatives dans les strophes impaires (1 + 3); principalement adversatives dans les strophes paires (1 + 1). La proximité des conjonctions et des négations est un phénomène étranger aux strophes impaires mais régulier dans les strophes paires : II$_1$*no sooner* [...] *but*; $_2$*and no sooner* [pas plus tôt mais; et pas plut tô]; IV$_1$*yet none* [pourtant nul]. Ces différences entre les conjonctions et leur emploi dans les deux paires de strophes sont caractéristiques de la tension dramatique plus élevée qui est celle des strophes paires.

Seules les strophes paires présentent des constructions hypotaxiques et se terminent par des structures « progressives » à étagement, c'est-à-dire des constructions comportant une cascade de subordonnées, chacune d'entre elles se trouvant postposée au segment qui la subordonne (cf. Yngve et Halliday) :

II A) *hated* B) *as a swollowed bayt*, C) *on purpose layd* D) *to make* E) *the taker* F) *mad*.
[A) détestée B) comme, happé, un appât, C) avec intention disposé D) pour rendre E) le gobeur F) fou.]

IV A) *none knowes well*, B) *to shun* C) *the heaven* D) *that leads* E) *men* F) *to this hell*.
[A) nul ne sait bien B) fuir C) le ciel D) qui mène E) les hommes F) à cet enfer.]

Les éléments qui, dans ces deux structures progressives, sont en position pénultième sont les seuls substantifs animés du sonnet (II$_4$ *the taker*, IV$_2$ *men*); et les deux constructions s'achèvent sur les seuls tropes substantivaux qu'on y rencontre : *bayt* et *taker* [appât, gobeur], d'une part; et, d'autre part, *heaven* et *hell* [ciel, enfer], pour désigner le souverain du ciel et le tourment infernal.

Entre le dernier vers de II et le dernier vers de IV existe une étroite parenté du point de vue de la texture consonantique :

II *layd* (l.d) *to* (t) *make* (m) *the* (ð) *taker* (t) *mad* (m.d)
IV *that* (ð.t) *leads* (l.d) *men* (m) *to* (t) *this* (ð) *hell* (l)

L'avant-dernier vers de II et l'avant-dernier vers de IV révèlent également des éléments de similarité : II *swollowed* - *knowes well.*

L'extrême affinité de I et de III se manifeste dans les rimes. La première rime de I et la dernière de III se terminent en *m*, et les unités lexicales à la rime sont, dans les deux cas, dissyllabiques : *of shame* - *of blame*, *extreame* - *a dreame*, tandis que l'autre rime de I apparie des unités lexicales dont le nombre de syllabes est inégal, et que les autres unités à la rime sont toutes monosyllabiques. De la même façon, le premier sonnet à la Dame Brune, n° 127, possède une rime se terminant en *m* dans chacun de ses quatrains impairs : I $_2$*name* - (et ici encore) $_4$*shame*; III $_2$*seeme* - $_4$*esteeme*; en outre, la rime III $_1$*so* - $_3$*wo* de 129 se retrouve (dans l'ordre inverse) dans le couplet final de 127 (et aussi dans celui de 90). Dans l'intervalle entre les deux vers affectés de la rime en *m*, les strophes impaires montrent des éléments de symétrie : le premier hémistiche et le début du second en I$_2$ s'accordent aux éléments correspondants de III$_3$:

	2		3	1
I	$_2$*Is lust* (l.s)	<when lust is>	*in action,*	| *and*
	2		3	1
III	$_3$*A blisse* (l.s)	<when lust is>	*in proofe*	| *and*

Ainsi, *lust* en I$_2$ joue le rôle d'une substance [c'est la luxure < quand la luxure est > en acte], et *bliss* en III$_3$ celui d'un accident [une félicité <quand la luxure est> en l'épreuve]. On remarquera chemin faisant que la préposition *in* [en] n'apparaît que dans les strophes impaires : deux fois en I, quatre fois en III. Par ailleurs, le mot *extreame*, qui est à la rime en III$_2$, figure une première fois en I$_4$, où les deux adjectifs complémentaires *Savage*, *extreame*, forment, au début du vers ïambique, un segment quasi-choriambique (cf. la discussion préliminaire de Jespersen), auquel répond la seule autre attaque choriambique : III$_1$*Mad In pursut*, suivi à son tour de l'adjectif complémentaire *extreame*, le premier adjectif commençant et le dernier se terminant, en *m*. Dans le premier vers de la troisième strophe, la préposition *in* se rencontre deux fois au temps fort, et il se peut que la majuscule de *In* dans l'*editio princeps* ait pour fonction de signaler le temps fort régulier du schème métrique. Les segments de I_4 *extreame* (kstr) [...] *not to trust* (tt.tr.st) et de III_2 *in quest, to have* (k.stt.) *extreame* (kstr) comportent l'un et l'autre un infinitif. Le distique débordant d'adjectifs sur lequel se conclut la première strophe abonde en répétitions expressives complexes :

> *Is perjurd, murdrous, blouddy full of blame,* (rdm.rdr,bl,bl.m)
> *Savage, extreame, rude, cruel, not to trust,* (kstr.mr.d,kr,tr,st).

Dans le vers initial de I et dans le vers initial de III, le dernier temps faible du premier hémistiche et les deux temps forts qui l'entourent forment deux chaînes similaires de phonèmes consonantiques : I_1 *Spirit* (sp.r.t) *in* - III_1 *in pursut* (p.rs.t).

VII. STROPHES EXTÉRIEURES CONTRE STROPHES INTÉRIEURES.

Comme on peut le constater dans de nombreux poèmes de quatre strophes, dans la littérature mondiale, les strophes extérieures ont un rang syntaxique supérieur aux strophes intérieures. Les strophes intérieures sont dépourvues de formes conjuguées, mais comportent onze (7 + 4) participes. A l'inverse, les strophes extérieures sont privées de participes, mais chacune de ces strophes contient une forme conjuguée qui apparaît deux fois dans des propositions coordonnées liées par une conjonction : I $_1$*Th'expense* [...] $_2$*Is lust* [...] *and* [...] *lust* $_3$*Is perjurd* [Le gaspillage... c'est la luxure... et... la luxure est parjure]; IV_1 *the world well knowes yet none knowes well* [le monde bien le sait, pourtant nul ne sait bien]. Dans chacune de ces phrases, les deux propositions font jouer une métathèse : I_2 *Is lust in action - till action lust* [c'est la luxure en acte - jusqu'à l'acte la luxure]; IV_1 *well knowes - knowes well* [bien le sait - ne sait bien]. Dans la première strophe, *lust* a successivement deux fonctions syntaxiques différentes. Dans la quatrième strophe, l'adverbe *well*, selon qu'il se trouve préposé ou postposé, est affecté de deux nuances sémantiques distinctes : « sait parfaitement » dans le premier cas, « ne sait suffisamment » la deuxième fois. Les formes conjuguées des deux strophes extérieures diffèrent à la fois morphologiquement et syntaxiquement; aux deux copules de la première strophe s'opposent, dans la quatrième, trois transitifs : deux fois *knowes* [sait] au vers 1; *leads* [mène] au vers 2. Dans ses propositions principales, chacune de ces strophes a deux sujets, et deux prédicats conjugués; la quatrième comporte en outre une subordonnée; avec un sujet et un prédicat conjugué au lieu que dans les strophes intérieures, on ne rencontre aucun sujet et, comme on l'a noté, aucun prédicat conjugué. Du point de vue du rythme, la dernière moitié du dernier vers de la dernière strophe (*léads mén to this héll* : ´ ´ - - ´) présente une relation de symétrie en miroir avec la première moitié du dernier vers de la première strophe (*sávage, extréame, rúde* : ´ - - ´ ´); ce sont les deux seules occurrences d'un monosyllabe accentué coïncidant avec un temps faible intérieur.

Les traits typiques des strophes intérieures sont, pour reprendre les termes de Sœur Miriam Joseph (p. 296) : « des figures grammaticales qui agissent par défaut, et par suite aboutissent à des raccourcis d'expression ». Ces strophes sont composées de courtes propositions dépourvues de formes conjuguées et possédant effectivement des fonctions indépendantes : cf. les remarques pertinentes de Barbara Strang sur la « grammaire disjonctive ». Et les objections formulées (voir, par exemple, B.-H. Smith, p. 183) contre le point « injustifié » qu'on trouve dans le quarto de 1609 à la fin de la seconde strophe sont difficilement soutenables. L'effacement des limites entre la fonction adjectivale et la fonction adverbiale peut être retenu comme un trait spécifique des strophes intérieures : II$_1$ *dispised straight* [dédaignée soudain] (adjectif adverbialisé); III$_1$ *in possession so* [en la prise autant] (adverbe adjectivé). Les strophes intérieures excellent l'une et l'autre dans ce que le *Timon* de Shakespeare appelle « des contraires déconcertants » : II $_1$*injoyd - dispised* [savourée - dédaignée]; $_2$*Hunted* - $_3$*hated* [poursuivie - détestée]; III $_1$*pursut* - *possession* [chasse - prise]; $_3$*blisse* - *wo* [félicité - calamité].

La figure que Puttenham appelle « *redouble* » (un mot achevant un vers est repris au début du vers suivant) est typique des liens étroits qui unissent les strophes intérieures : II finit, III commence, par l'adjectif *mad* [fou], utilisé la première fois comme déterminant grammatical pour spécifier la phase ultime de la luxure, et la seconde fois en guise de déterminé pour caractériser l'ensemble des stades de ce mal obsédant. Le participe *had* (qui forme une fois une rime finale et une fois une rime initiale avec *mad*) conclut II$_2$ et ouvre III$_2$. La construction II$_4$ *on purpose*, qui précède le *mad* final, et la construction III$_1$ *in pursut*, qui fait suite au *mad* initial, se correspondent par la nasale de la préposition et par le préfixe identique. L'usage du « *translacer* », pour reprendre le mot dont Puttenham désignait la répétition d'une même racine avec des affixes différents, est fréquent dans les strophes intérieures : *Injoyd*, premier vers de II, *joy*, dernier vers de III [savourée, saveur]; *Had, having, to have*, en III$_2$ [ayant saisi, saisissant, de saisir]; *proofe* et *provd* en III$_3$ [épreuve, éprouvée];

II$_4$ *purpose* - III$_4$ *proposd* [intention - attendue]. L'ensemble de ces figures composent une correspondance complexe entre les strophes intérieures : II $_1$*Injoyd*, $_2$*had*, $_4$*On purpose* [...] *mad* - III $_1$*Mad*, $_2$*Had*, $_4$*joy proposd*. Chacune de ces deux séquences en correspondance contient deux participes, un substantif et un adjectif. Les strophes intérieures sont en outre reliées par une chaîne paronomastique : II$_1$*dispised straight* (d.sp.z.d / str.t), II$_{2,3}$*Past reason* (p.str.z.n), $_4$*On purpose* (np.rp.s), III $_1$*In pursut* (np.rs.t), $_4$*proposd* (pr.p.zd).

VIII. STROPHES ANTÉRIEURES CONTRE STROPHES POSTÉRIEURES.

Les deux premières et, de façon analogue, les deux dernières, strophes présentent un nombre remarquablement restreint de correspondances spécifiques, et parmi les trois types de relations entre les strophes, l'opposition des strophes antérieures et des strophes postérieures joue un rôle subalterne, de troisième plan, dans le sonnet 129. Les strophes antérieures font apparaître une alternance interne des articles définis et des articles indéfinis : un *the* suivi d'un *a* en I, un *a* suivi d'un *the* en II, tandis que les strophes postérieures ne contiennent ou bien que des articles indéfinis (quatre en III) ou bien que des articles définis (deux en IV). Cependant, le trait le plus pertinent dans la distribution des articles définis et indéfinis est plutôt l'absence d'articles indéfinis qui oppose le couplet final aux trois quatrains.

Mises à part les rimes en *m*, qui se répartissent entre les deux strophes impaires, les trois autres rimes des strophes antérieures se terminent par une dentale plosive, cependant que les rimes des strophes postérieures manquent de bruissantes. Aux neuf diphtongues identiques des deux premières strophes - I *waste*, *shame*, *blame*; II *straight*, *hated*, *bayt*, *layd*, *make*, *taker* - ne répond, dans les strophes postérieures, aucune diphtongue semblable.

A l'intérieur des deux couples de strophes contiguës, antérieur/postérieur, les contrastes grammaticaux entre les strophes voisines jouent un rôle incomparablement plus important dans leur structure grammaticale que les similarités spécifiques.

Malgré la relative indépendance des strophes intérieures par rapport aux strophes extérieures, ces dernières occupent une position dominante dans la texture grammaticale du poème. Par suite, les deux couples de strophes contiguës offrent deux types opposés de gradation : la première strophe, extérieure et impaire, domine de haut la strophe paire qui suit, et claironne l'essence inaltérablement assassine de la luxure; la strophe finale, tout au contraire, à la fois extérieure et paire, détache, dans le couple des strophes postérieures, la vigoureuse conclusion qu'offre le thème de l'issue inéluctable et infernale.

IX. COUPLET CONTRE QUATRAINS.

Le couplet final présente un nombre considérable de traits entièrement étrangers aux trois quatrains. Il est dépourvu d'adjectifs, de participes, d'articles indéfinis (contre onze adjectifs, onze participes, et six articles indéfinis dans les quatrains), et de verbes relationnels (à valeur simplement grammaticale). C'est la seule strophe qui comporte un substantif pluriel, des formes conjuguées notionnelles (à valeur lexicale), des substantifs pronominaux, des adjectifs pronominaux, et une proposition relative. Les quatre noms de IV sont de purs substantifs, tandis que dans les quatrains la plupart des substantifs sont en relation profonde avec des verbes : I *expence* [gaspillage], *Spirit* [Esprit] (dont la relation avec le latin *spirare* et avec des verbes à préfixes comme *respire*, *inspire*, *expire*, pouvait difficilement échapper à l'attention du poète), *waste* [dilapidation], *action* [acte], *blame* [blâme]; II *bayt* [appât], *taker* [gobeur]; III *pursut* [chasse], *possession* [prise], *quest* [quête], *proofe* [épreuve]. Les substantifs du couplet sont au contraire ce qu'on appelle des « uniques » (cf. Christophersen, p. 30 s., 77) : dans l'univers du discours auquel se réfère le poète, il n'y a qu'un monde, qu'un ciel, qu'un enfer; une telle particularisation contextuelle confère un article défini à *the world* et à *the heaven that leads men to this hell* [le monde, le ciel qui mène <les> hommes à cet enfer]; ce dernier mot, envisagé sous l'angle « d'une étroite affinité avec les noms propres », est dépourvu d'article, mais pourvu, en revanche, d'un déterminant anaphorique. des articles définis du couplet, en tant que variété spécifique du rôle « particularisant » de cette partie du discours, diffèrent visiblement des mêmes articles utilisés dans les quatrains, où ils remplissent une fonction « non-particularisante » : substantif employé pour désigner l'espèce en I$_1$ *Th'expence of Spirit* [Le gaspillage d'Esprit]; substantif figurant comme individu de sa classe en II$_4$, où *the taker* [le gobeur] représente toute la classe des gobeurs qui sont leurrés par un appât (cf. Strang, p. 125 s.). Dans le couplet, les substantifs de large portée sémantique se trouvent apparentés aux totalisateurs pronominaux (selon la terminologie de Sapir) : IV$_1$ *all*, *none* [tout, nul].

Le couplet final oppose des substantifs concrets, originaires, aux substantifs abstraits et/ou déverbatifs des quatrains. De façon analogue, les formes conjuguées concrètes du couplet final diffèrent de l'abstrait *is* de I et des formes dérivées, participiales, de II et III. Il vaut la peine de remarquer que, dans l'un des « plus magnifiques des sonnets généralisants », pour reprendre les termes judicieux qui servent à Barber pour définir ce « grand poème » — loué par certains critiques comme « le plus grand du monde » (cf. Rollins, p. 331), — les effets sémantiques les plus profonds, dans les quatrains, sont obtenus par le recours, presque exclusif, à des éléments qui, depuis Bentham et Brentano, ont été traités de simples « fictions linguistiques », et qui, par les linguistes d'aujourd'hui, sont relégués parmi les structures de « surface ». La voie qui mène des quatrains au couplet serait ainsi, selon les termes de Jérémie Bentham et de ses héritiers réalistes, celle d'un itinéraire entre « des noms d'entités fictives » et « des noms d'entités mythiques ».

Le sonnet s'organise autour de deux sujets : la luxure, le luxurieux, et omet la désignation du premier dans la strophe terminale, et celle du second dans la strophe initiale. L'appellation abstraite du premier entraîne une chaîne d'autres substantifs abstraits. La première strophe caractérise la luxure en elle-même; la seconde aligne une série de participes passifs en y mêlant une allusion à la *dramatis persona* non encore nommée, et finit par se référer au *gobeur* de l'*appât*; la troisième strophe emploie des participes actifs pour décrire la conduite du gobeur et met en œuvre des images de la luxure en y montrant le but à quoi tendent les efforts du luxurieux. L'adjectif *extreame* [extrême], appliqué dans la première strophe à la luxure, est transféré, dans la troisième, au luxurieux. De simples pronoms anaphoriques renvoient, dans le couplet final, à la représentation précédente de la luxure, et la notion du luxurieux grandit jusqu'à devenir une idée généralisée des *hommes* et de leur damnation. Le vers final semble faire allusion au dernier rôle, le personnage céleste qui condamne l'humanité.

Le couplet tout entier est fait de monosyllabes, pour une part accentuables, pour une part proclitiques; mais qu'on prête attention à Puttenham : « Dans les mots monosyllabiques [...], l'accent est indifférent et peut compter pour bref ou au contraire pour long et lourd à notre gré » (p. 92)! On relève un arrangement pareillement lapidaire du couplet final dans plusieurs autres sonnets de Shakespeare, par exemple 2, 18 et 43. Une telle structure donne une particulière netteté au rythme à deux temps des vers en question :

> All this | the world | well knowes | yet none | knowes well,
> To shun | the heaven | that leads | men to this hell.

Ce dessin métrique est annoncé par les oxytons qui remplissent les deux vers précédents, en sorte que huit pieds sur dix sont expressément signalés dans chacun des deux derniers distiques :

III ₃A blisse | in proofe | and provd | a very wo,
₄Before | a joy | proposd | behind | a dreame, [...]

La texture phonique du couplet est particulièrement dense : en position initiale, on relève cinq occurrences de /ð/, trois de /w/ (contre deux /ð/ et deux /w/ tout au long des douze vers des quatrains). Dans les mots accentués, /n/ initial et final figurent sept fois et /l/ non suivi d'une voyelle cinq fois (au lieu que les douze vers des trois premières strophes n'offrent aucun /n/ ni aucun /l/ dans des positions analogues). Au niveau des voyelles, la plus insistante dans le couplet est le /ɛ/, qui apparaît six fois (3 + 3). La suite des trois monosyllabes qui comportent un /ɛ/ interne : *heaven* /hɛvn/ - *men* /mɛn/ - *hell* /hɛl/, décrit l'iconographie verticale et le développement chronologique de l'histoire; l'affinité du premier substantif avec le second est soulignée par le /n/ final, son affinité avec le troisième par le /h/ initial. Différents types de répétition, qu'ils s'accompagnent ou non d'une inversion, émergent dans le couplet : *well knowes - none knowes well* (cf. Kökeritz, p. 122, 232, sur la prononciation identique de « known » et « none » (no:n)); $_1$*All this the* - $_2$*the* [...] *this hell* (lð.ð - ð.ð.l); $_1$*well*, $_2$*To* - $_2$*that leads* (lt - tl); $_2$*shun the* - *heaven that* (nð - nð).

X. CENTRE CONTRE CADRE.

Il est important de noter que les deux derniers vers du second quatrain diffèrent des six vers précédents aussi bien que des six vers suivants, et constituent un distique central *sui generis* qui se compose du septième vers centripète et du premier vers centrifuge. Chacun des six vers initiaux met en jeu un parallélisme grammatical entre ses deux hémistiches : des mots de la même catégorie grammaticale apparaissent deux fois avec la même fonction syntaxique : I$_1$ *of Spirit, of shame* [d'Esprit, de pudeur]; $_2$*in action, till action* [en acte, jusqu'à l'acte]; I$_{3,4}$ suites d'adjectifs juxtaposées; II$_1$ *Injoyd, dispised* [savourée, dédaignée]; $_2$*hunted, had* [poursuivie, saisie]. Les vers centraux sont dépourvus de tout parallélisme de ce type, interne au vers; et en particulier II$_4$ est construit sur cinq formes grammaticales totalement dissemblables. Ce distique, par surcroît, contient la seule comparaison, et par suite, du point de vue de la syntaxe, le seul exemple de construction comparative *(as...)* [comme...]. Les six derniers vers du sonnet reviennent au parallélisme grammatical (morphologique, et, excepté en III$_2$ et IV$_2$, syntaxique) qui caractérisait les six premiers : III$_1$ *in pursut*, *in possession* [en la chasse, en la prise]; $_2$*having*, *to have* (!) [saisissant, de saisir]; $_3$*A blisse*, *a wo* [une félicité, une calamité]; $_4$*a joy*, *a dreame* [une saveur, un rêve]; IV$_1$ *knowes*, *knowes* [sait, sait]; $_2$*the heaven*, *to this hell* (!) [le ciel, à cet enfer]. Dans chacun des douze vers de ce cadre, une similarité sémantique relie les mots en parallèle et souligne la divergence entre ces régularités qui se retrouvent dans chacun de ces vers pris individuellement, et le caprice de la comparaison qui s'étend sur deux vers, dans le distique central.

Le nombre inégal des vers dans les quatre strophes — $3 \times 4 + 1 \times 2$ — appelait deux sortes d'oppositions dans l'organisation grammaticale du sonnet : d'un côté, un contraste appuyé entre le couplet et les quatrains, et, par ailleurs, un semblant de distique central, encadré, de part et d'autre, par deux sixains. Des correspondances signifiantes, sur les plans thématique, morphologique, syntaxique, et paronomastique (voir plus haut, Sections 4, 6 et 9), lient l'un à l'autre ces deux groupes de deux vers, qui sont les points nodaux de l'ensemble du poème.

XI. ANAGRAMMES?

Dans quelques-uns des sonnets de Shakespeare (134-136), son prénom, Will, est introduit en manière de calembour, ce qui suggère la question, à titre d'hypothèse de travail : sa signature n'est-elle pas anagrammisée dans le sonnet 129, de telle sorte que la remarque du poète : « chaque mot prononce presque mon nom » (Sonnet 76), puisse être, au pied de la lettre, appliquée au poème. Ce sont surtout les lettres et les sons du premier vers qui semblent propres à enfermer le nom de famille du poète, orthographié, à la manière de l'époque, *Shakspere*, *Shakspeare*, *Shackspeare*, *Shaxpere* (cf. Kökeritz, p. 177) : I$_1$ *expence* (xp) *of Spirit* (sp.r) *shame* (sha); tandis que le couplet final, avec son /w/, présent trois fois, et plus précisément les mots *well* (w.ll) *yet* (y) *men* (m), pourrait faire allusion, secrètement, à *William*. Étant donné que dans ses jeux de mots, Shakespeare était enclin à établir une équation entre les mots *will* et *well* (cf. Kökeritz, p. 153 s.), la totalité du couplet final pourrait — peut-être! — dissimuler un second mode de lecture, à la fois facétieux et autobiographique : « All this <is> the world Will knows, yet none knows Will to shun the heaven that leads men to this hell ». [Tout cela <c'est> le monde que Will connaît, pourtant nul ne connaît Will pour un homme susceptible de fuir le ciel qui mène les hommes à cet enfer]. L'omission du verbe-copule serait en harmonie avec les ellipses mises en œuvre dans le reste du sonnet; en outre, la contraction de « this is » en « this » était courante à l'époque de Shakespeare (cf. Partridge, p. 25).

XII. QUESTIONS EN GUISE DE CONCLUSION.

Après une étude attentive du Sonnet 129 de Shakespeare, avec sa surprenante structuration, à la fois externe et interne, accessible à n'importe quel lecteur un peu sensible et dépourvu de préjugés, on peut se demander s'il est encore possible de soutenir avec John Crowe Ransom que, loin d'être un véritable sonnet, c'est seulement un poème de quatorze vers, « sans la moindre organisation logique », hormis le fait qu'il se conclut par un petit couplet (p. 535). Ou bien acceptera-t-on les allégations de J.M. Robertson, quand il parle d'« impuissance verbale », ou de « violence faisant bon marché de toute justesse psychologique, et pourtant fléchissant, au grand dam de l'ensemble de l'argumentation, dans un passage comme *past reason hated* »? Est-il recevable d'affirmer que « le fléchissement réapparaît au moment où *a very wo* s'affadit en *a dreame* pour les besoins de la rime » (p. 219)? Il y a plus : comment un chercheur consciencieux, au fait de la poétique shakespearienne, de ses schèmes grammaticaux, de sa technique en matière de rime, pourrait-il concéder à Edward Hubler que « la position, à un anticlimax, de *not to trust* est entièrement commandée par la rime » (1952, p. 35), ou que ce poème, en dépit du schéma de ses rimes, « n'est pas écrit en quatrains » (1959, p. 72)? Un examen minutieux du sonnet ne se dresse-t-il pas à l'encontre de la thèse de C.W.M. Johnson qui veut que l'image *a swollowed bayt* implique « hostilité et défiance mutuelle entre les partenaires de l'acte luxurieux » (alors que « elle » n'est l'objet dans le sonnet d'aucune mention ni même d'aucun sous-entendu), et que ces vers fassent allusion « aux effets de la ‘ vérole ’ »? En fin de compte, est-il possible, à un lecteur qui accorde attention à la poésie de Shakespeare et à ses « figures de construction grammaticale » (selon les termes de Puttenham), d'admettre la manière dont R. Levin explique ce poème (p. 179), et notamment de reconnaître dans l'enchaînement des strophes le rétablissement progressif qui succède à l'« amer dégoût d'une expérience sexuelle récente », peu à peu « s'effaçant de la mémoire du locuteur » et l'amenant à une « vue plus favorable de la luxure »?

Une saine réaction contre des interprétations aussi abusives, aussi simplistes, aussi appauvrissantes, des propres termes de Shakespeare, et en particulier contre une modernisation excessive de sa ponctuation, a mené Laura Riding et Robert Graves à l'extrême opposé. Si trop souvent les éditeurs et les commentateurs ont eu tendance, inconsciemment, à ramener la poétique élizabéthaine à une poétique victorienne, les auteurs de l'essai « William Shakespeare et E.E. Cummings » ont été portés, en revanche, à combler le fossé entre ces deux poètes, qui sont pourtant si dissemblables par le sens de leur quête et de leur idéal. Les recherches des dernières décades ont démontré le rôle signifiant des ambiguïtés fantaisistes dans l'œuvre de Shakespeare, mais il y a une distance infranchissable de sa pratique du calembour et de ses jeux à double entente, à l'hypothèse d'une liberté et d'une multiplicité indéfinies de la charge sémantique, telle qu'elle est attribuée au sonnet 129 par les critiques ci-dessus nommés. Une étude objective de la langue et de l'art littéraire de Shakespeare, dont ce poème offre un exemple privilégié, révèle une unité incontestable, irrécusable, de son cadre thématique et compositionnel. L'opposition, parfaitement claire, entre une joie attendue, à l'avance et un simulacre attardé, après coup (III_4) ne saurait être interprétée comme une joie « qui se fait désirer par l'entremise du rêve dont se berce la luxure »; elle ne saurait non plus admettre « légitimement » des sens accessoires de ce genre : avant qu'une joie puisse être attendue, il faut qu'il y ait, en arrière-plan, un rêve, une joie qui s'est perdue par le réveil »; ou bien : « avant qu'une joie puisse être attendue, il faut qu'elle se présente, à l'arrière-plan, comme un rêve » (p. 72); etc., etc. Qu'aucun de ces sens supposés puisse rencontrer la plus légère confirmation dans la poésie de Shakespeare, « si éloignée de la variation et du changement subit » (Sonnet 76), le fait peut et doit être établi par une analyse structurale du texte et de la texture poétique, dans l'entrelacs de tous ses fils.

Traduit de l'anglais par
ANDRÉ JARRY

RÉFÉRENCES

Barber (C. L.), « An Essay on the Sonnets », *The Sonnets of Shakespeare*, éd. par F. Fergusson (New York, 1960).
Bentham (J.), *Theory of Fictions*, éd. par C. K. Ogden (Londres, 1932).
Brentano (F.), *Psychologie vom empirischen Standpunkt*, t. II (Hambourg, 1959), Anhang.

Bush (D.) et Harbage (A.) (éd.), *Shakespeare's Sonnets* (Baltimore, 1961).
Christophersen (P.), *The Articles; a Study of their Theory and Use in English* (Copenhague, 1939).
Halliday (M. A. K.), « Class in Relation to the Axes of Chain and Choice in Language », *Linguistics*, 1963, 2.
Hubler (E.), *The Sense of Shakespeare's Sonnets* (Princeton Univ. Press, 1952).
Hubler (E.) (éd.), Shakespeare's *Songs and Poems* (New York, 1959).
Jespersen (O.), « Notes on Meter » dans son livre *Linguistica* (Copenhague, 1933).
Johnson (C. W. M.), « Shakespeare's Sonnet CXXIX », *The Explicator*, VII, no. 6 (Avril 1949),
Kökeritz (H.), *Shakespeare's Pronunciation* (New Haven, 1953).
Landry (H.), *Interpretations in Shakespeare's Sonnets* (Univ. of Calif. Press, 1964).
Levin (R.), « Sonnet CXXIX as a " Dramatic " Poem », *The Shakespeare Quarterly*, XVI (1965).
Mahood (M. M.), *Shakespeare's Wordplay* (Londres, 1957).
Miriam Joseph (Sister), *Shakespeare's Use of the Arts of Language* (New York, 1947).
Partridge (A. C.), *Orthography in Shakespeare and Elizabethan Drama* (Londres, 1964).
Peirce (C. S.) et Noyes (J. B.), « Shakespearian Pronunciation », *The North American Review*, XCVIII (1864), p. 203.
Puttenham (G.), *The Arte of English Poesie* (rééd. à Londres, 1869).
Ransom (J. C.), « Shakespeare at Sonnets », *Southern Review*, III (1938).
Riding (Laura) et Graves (R.), « William Shakespeare and E. E. Cummungs » dans leur livre *A Survey of Modernist Poetry* (New York, 1928).
Robertson (J. M.), *The Problems of the Shakespeare Sonnets* (Londres, 1926).
Rollins (H. E.) (éd.), *A New Variorum Edition of Shakespeare — The Sonnets*, t. I (Philadelphia et Londres, 1944).
Sapir (E.), *Totality*. Language Monographs, VI (Baltimore 1930).
Smith (Barbara H.) (éd.), *William Shakespeare — Sonnets* (New York, 1969).
Strang (Barbara), *Modern English Structure* (New York, 1968).
Wyndham (G.) (éd.), *The Poems of Shakespeare* (Londres, 1898).
Yngve (V. H.), « The Depth Hypothesis », *Proceedings of Symposia in Applied Mathematics*, XII (Amer. Mathem. Soc., 1961).

Sur l'art verbal des poètes-peintres Blake, Rousseau et Klee[a]

A Meyer Schapiro

I. UN DES CHANTS D'EXPÉRIENCE.

> Pas une ligne n'est tracée sans intention...
> si Poésie n'admet nulle Lettre qui soit
> Insignifiante ainsi Peinture n'admet nul
> Grain de Sable ou Brin d'Herbe Insignifiant
> et moins encore quelque Insignifiante
> Tache ou Marque.
>
> W. Blake, *Vision du Jugement Dernier.*

INFANT SORROW

$_1$My mother groand! my father wept.
$_2$Into the dangerous world I leapt :
$_3$Helpless, naked, piping loud :
$_4$Like a fiend hid in a cloud.

$_5$Struggling in my fathers hands :
$_6$Striving against my swadling bands :
$_7$Bound and weary I thought best
$_8$To sulk upon my mothers breast.

Traduction littérale

$_1$Ma mère gémit! mon père pleura.
$_2$Dans le monde dangereux je bondis :
$_3$Impuissant, nu, criaillant fort :
$_4$Comme un démon caché dans un nuage.

$_5$Luttant dans les mains de mon père :
$_6$Me débattant contre mes langes :
$_7$Lié et las je trouvai mieux
$_8$De bouder sur le sein de ma mère.

L'orthographe et la ponctuation de ces vers suivent strictement le texte *gravé* par William Blake (illustration en hors-texte entre les

a. « On the verbal art of William Blake and other poet-painters », *Linguistic Inquiry*, I (1970), 1, p. 3-23.

pages 384 et 385) dans ses *Songs of Experience* (1794), texte qui se retrouve identique dans les exemplaires anciens des Bibliothèques Houghton et Widener de Harvard University, comme dans l'édition fac-similé des *Songs of Innocence and of Experience* publiée par Trianon Press à Londres et à Beccles (s.a.).

Les deux quatrains du poème apparaissent nettement divisés en quatre distiques. Plus particulièrement, les deux vers de chaque distique sont liés par une rime dont la structure diffère selon que le distique occupe un rang impair ou pair. Dans les distiques impairs, les mots rimants appartiennent à la même catégorie morphologique, se terminent par le même suffixe consonantique inflectionnel et ne s'accordent pas par leurs phonèmes prévocaliques : $_1$*wep-t* : $_2$*leap-t*, $_5$h*and-s* : $_6$b*and-s*. Cette construction formelle des rimes impaires souligne par sa similitude l'orientation sémantique divergente des deux quatrains, et notamment le contraste conceptuel entre les prétérites initiaux et les inanimés qui dominent le second quatrain et qui représentent, *nota bene*, les seuls pluriels du poème. La rime grammaticale se trouve ici combinée à un profond parallélisme des vers liés par la rime. Le troisième distique est composé de deux propositions strictement symétriques : $_5$*Struggling in my fathers hands* : $_6$*Striving against my swadling bands*. Dans le premier, les deux propositions coordonnées du vers initial, seuls hémistiches parallèles de tout le poème — $_1$*My mother groand! my father wept* — trouvent leur écho dans la troisième : $_2$*I leapt*. Par contraste avec les distiques impairs, les rimes paires rapprochent des mots grammaticalement dissemblables : dans les deux cas, un adjectif rime avec un substantif inanimé, et la structure phonétique du premier apparaît tout entière incluse dans le second : $_3$*loud* : $_4$*cloud*, $_7$*best* : $_8$*breast*.

Ainsi, les rimes paires, non grammaticales par elles-mêmes, sont manifestement grammaticales dans leur juxtaposition. Plus précisément, elles affirment la parenté des deux images terminales — $_4$*a cloud* (un nuage), métaphore du placenta, et $_8$*breast* (sein) — deux liens successifs entre l'enfant et sa mère.

Les huit vers de ce poème construisent un réseau de correspondances grammaticales étroites et efficaces. Les quatre distiques de l'octastique peuvent se diviser en deux couples de trois manières différentes, qui correspondent aux trois types de rimes à l'intérieur d'un quatrain. Les deux couples de distiques successifs — les deux *antérieurs* (I-II) du premier quatrain (vers 1-4) et les deux *postérieurs* (III-IV) du second quatrain (vers 5-8) — sont comparables aux rimes « accouplées » (ou rimes « plates ») *aabb*. La relation entre les distiques *impairs* (I et III : vers 1-2 et 5-6) et *pairs* (II et IV : vers 3-4 et 7-8) est analogue à celle des rimes « alternées » *abab*. Enfin, l'opposition des distiques *extérieurs* (I et IV : vers 1-2 et 7-8) et *intérieurs* (II et III : vers 3-6) équivaut à celle des rimes « embrassées » *abba*. Ces trois types de correspondances grammaticales apparaissent distinctement en interrelation dans *Infant Sorrow*. Un isomérisme — nombre égal de composantes équivalentes — reste sous-jacent à la corrélation des distiques et présente deux variétés significatives. Une symétrie *globale* mettant en équation les deux distiques d'une classe et les deux de la classe opposée, à savoir I + II = III + IV ou I + III = II + IV ou I + IV = II + III, diffère d'une symétrie *sectionnelle* mettant en équation les distiques à l'intérieur de chacune des classes opposées, à savoir I = III et II = IV ou I = IV et II = III.

Ici, dans chaque cas de symétrie globale entre les distiques antérieurs et postérieurs, une des deux autres correspondances — extérieur/intérieur ou impair/pair — est également globale et supporte l'équilibre des quatrains : elle assigne la même somme d'unités grammaticales similaires aux deux couples d'opposés (c'est-à-dire aux couples entiers impairs et pairs ou extérieurs et intérieurs), alors que l'autre présente une symétrie sectionnelle et assigne un nombre analogue d'entités grammaticales similaires aux deux distiques d'un seul et même couple.

Outre le rôle structural essentiel qu'assument ainsi les distiques entiers, le rôle autonome de chaque vers dans le quatrain doit être pris aussi en considération. Par exemple, les deux vers extérieurs, marginaux de chaque quatrain comme de l'octastique entier révèlent des correspondances particulières.

En rappelant que l'Invention et l'Identité sont toutes deux « Objets d'Intuition », Blake nous fournit une clé essentielle à la compréhension du réseau poétique de ses vocables. Chacun des deux quatrains comprend cinq noms et cinq formes verbales. Ces cinq noms sont distribués d'une manière égale dans les quatre lignes de chaque strophe :

$_1$*mother, father*	=	2	=	$_5$*fathers hands*
$_2$*world*	=	1	=	$_6$*bands*
$_3$	=	∅	=	$_7$
$_4$*fiend, cloud*	=	2	=	$_8$*mothers breast*

Dans cette distribution des noms les trois corrélations structurelles des distiques se révèlent incluses.

I	3	3	III
II	2	2	IV

La symétrie globale entre les distiques antérieurs et postérieurs (I + II = III + IV = 5) s'accompagne d'une même symétrie globale entre les distiques extérieurs et intérieurs (I + IV = II + III = 5) et d'une symétrie sectionnelle entre les distiques impairs et pairs (I = III = 3; II = IV = 2). Cette symétrie sectionnelle n'est pas cantonnée aux distiques entiers; elle s'applique également aux vers qui les constituent : 1) dans les distiques impairs le premier vers comprend deux noms et le second n'en comprend qu'un, 2) dans les distiques pairs le premier vers ne comprend aucun nom et le second en comprend deux. Par là se trouve précisée l'homogénéité des distiques impairs et des pairs, leurs opposés, aussi bien que la différence entre ces deux classes. Quant aux vers marginaux des deux quatrains, ils diffèrent de tous les autres dans le poème : chacun d'eux comprend un couple de noms : $_{1}$*mother*, *father*; $_{4}$*fiend*, *cloud*; $_{5}$*fathers hands*; $_{8}$*mothers breast*.

Les dix noms du poème sont divisés en deux groupes égaux : cinq animés et cinq inanimés. Les premiers sont cantonnés dans les quatre vers marginaux des deux quatrains. La distribution de ces animés et inanimés dans les deux distiques antérieurs (premier quatrain) et postérieurs (second quatrain) comme, en outre, dans les extérieurs et intérieurs, obéit au principe de l'antisymétrie :

distiques antérieurs	: 3 animés,	2 inanimés	
– extérieurs	: 3 –	2	–
– postérieurs	: 2 –	3	–
– intérieurs	: 2 –	3	–

Un traitement spatial oppose ainsi, manifestement, inanimés et animés. Les inanimés restent constamment liés à des prépositions locatives, alors que, des cinq animés, quatre sont utilisés sans préposition et un avec une préposition équationnelle : $_{4}$*Like a fiend* [comme un démon].

Deux épithètes émergent du poème. Elles se rencontrent toutes deux au deuxième vers de chaque quatrain et relèvent de constructions syntaxiques semblables : $_{2}$*Into the dangerous world I leapt*; $_{6}$*Striving against my swadling bands*. Conjointement à tous les autres déterminants prépositifs — formes possessives des noms et pronoms, articles définis et indéfinis — elles accomplissent visiblement un dessein de symétrie. Ces déterminants, en effet, apparaissent deux fois dans chaque vers des deux quatrains, à l'exception des vers pénultièmes : $_{1}$*My*, *my*; $_{2}$*the dangerous*;$_{3}$ ∅ ; $_{4}$*a*, *a*; $_{5}$*my fathers*; $_{6}$*my swadling*; $_{7}$∅ ; $_{8}$*my mothers*. Six d'entre eux appartiennent au premier quatrain, six au second; parallèlement, le même nombre appartient aux distiques extérieurs et intérieurs. Les distiques impairs comptent quatre déterminants prépositifs (2 + 2) contre deux (2 + ∅) dans les distiques pairs.

Par comparaison avec les dix noms, les dix formes verbales présentent des similitudes et des divergences significatives dans leur distribution à travers les quatre distiques :

I	3	2	III
II	2	3	IV

Nous retrouvons ici la même symétrie globale entre les distiques antérieurs et postérieurs (I + II = III + IV = 5), mais le traitement des corrélations extérieur/intérieur et impair/pair apparaît diamétralement opposé dans les séries nominales et verbales. Dans celles-ci la distribution fait apparaître une symétrie globale entre les distiques impairs et pairs (I + III = II + IV = 5) et une symétrie sectionnelle dans les distiques extérieurs et intérieurs (I = IV = 3; II = III = 2). Cette symétrie s'applique et aux distiques et à chaque vers. Dans les distiques extérieurs le premier vers comprend deux formes verbales $_1$*groand*, *wept*; $_7$*bound*, *thought*) et le second une ($_2$*leapt*; $_8$*to sulk*) — dans les distiques intérieurs, chaque vers n'en comprend qu'une ($_3$*piping*, $_4$*hid*; $_5$*struggling*, $_6$*striving*).

On notera une différence sensible entre la symétrie globale des constituants extérieurs/intérieurs et celle des constituants impairs/pairs. La première suggère une figure close; la seconde, une chaîne ouverte à son extrémité. Le poème de Blake associe celle-là aux noms et celle-ci aux verbes, et il faudrait ici rappeler qu'Edward Sapir définissait sémantiquement les noms comme « existants » et les verbes comme « occurrents ».

Le participe passif apparaît une fois dans chaque distique pair ($_4$*hid*, $_7$*bound*). Aucun transitif ne se rencontre parmi les formes verbales actives. A la voix active le premier quatrain compte trois formes conjuguées et une non conjuguee alors que le second présente la relation antisymétrique d'une forme conjuguée et de trois non conjuguées. Les quatre formes conjuguées sont des prétérites. Un très net contraste se dessine entre les distiques intérieurs, où trois gérondifs constituent la seule forme verbale, et les extérieurs qui ne possèdent aucun gérondif mais comprennent cinq verbes proprement dits (quatre formes conjuguées et un infinitif). Dans les deux quatrains le distique intérieur est subordonné au vers contigu du distique extérieur : les vers 3 et 4 au deuxième vers de l'octastique, et les vers 5 et 6 au deuxième vers à partir de la fin.

Les prépositions, elles, font pendant aux verbes dans la symétrie globale de leur distribution. Des six prépositions du poème, trois appartiennent aux distiques antérieurs ($_2$*into*, $_4$*like*, *in*), trois aux postérieurs ($_5$*in*, $_6$*against*, $_8$*upon*), et parallèlement trois aux distiques impairs et trois aux pairs, alors que chaque distique extérieur en utilise une, et chaque intérieur, deux.

Cet impressionnant équilibre grammatical, entre les éléments corrélatifs du poème, en construit et en rehausse le développement dramatique. Les quatre seules propositions indépendantes, avec les quatre seuls prédicats conjugués et les quatre seuls sujets grammaticaux — deux pronominaux et deux nominaux — sont cantonnées dans les distiques extérieurs. Alors que la proposition pronominale, avec le sujet à la première personne, apparaît dans les deux quatrains — dans les vers contigus au premier et au dernier de l'octastique ($_{2}$*I leapt*; $_{7}$*I thought*) — les deux sujets nominaux détachent le premier vers du reste du poème, et Blake le termine justement par un point. L'*Infant* (le nouveau-né), héros du titre, et les deux autres *dramatis personae* sont présentés par rapport à l'émetteur du message : *I*, *my mother*, *my father*. Les deux noms, accompagnés de leurs déterminants, reparaissent dans le second quatrain, cependant, pour y subir une transformation syntaxique et sémantique révélatrice : les sujets grammaticaux se changent en compléments possessifs rattachés aux objets indirects, gouvernés à leur tour par une forme verbale subordonnée. Les deux éléments qu'unissait l'octosyllabe initial se sont disjoints. Le premier vers du second quatrain s'achève sur la même évocation paternelle qu'au vers correspondant du premier quatrain : $_{1}$*my father wept*; $_{5}$*my fathers hands*; mais la vision originelle du père en pleurs cède à la double image d'une lutte filiale contre les mains paternelles (*fathers hands*) et contre les langes étouffants (*swadling bands*), les forces hostiles qui guettent l'enfant dès qu'il bondit *into the dangerous world*.

Les premiers mots — $_{1}$*My mother* — reparaissent une fois à la fin — $_{8}$*my mothers breast* — et, comme le sujet *I* [je] des deuxième et septième vers, révèlent une symétrie en miroir. Le premier de ces deux pronoms est suivi d'un couple de semi-prédicats, $_{3}$*Helpless*, *naked*, alors que le second est précédé d'un couple syntaxiquement analogue : $_{7}$*Bound and weary*. La position et la structure chiasmique de ce couple préservent donc le principe de la symétrie spéculaire. Le participe *Bound* l'emporte sur son antonyme *naked*, et l'impuissance originelle tourne à l'épuisement. Les criailleries (*piping loud*) du nouveau-né, qui supplantaient le gémissement profond de la mère, cèdent devant un urgent besoin de silence : $_{7}$*I thought best* $_{8}$*To sulk upon my mothers breast*. Ainsi, l'exode hors de la mère présage le retour à elle, un nouvel asile, une nouvelle protection, un nouvel écran contre le monde ($_{4}$*hid in*, caché dans - $_{8}$*to sulk upon*, bouder sur).

Les brouillons d'un plus long poème de l'auteur (cf. Erdman, 1965, p. 719-721) ont été réduits à ces huit premières lignes dans les *Chants d'Expérience*. La recherche sur la texture verbale de ces deux quatrains corrobore et renforce l'intuition finement exprimée par J. Bronowski (1965, p. 161) : « Toute la progression se love en puissance dans la faiblesse première. » L'examen de cet octastique, de sa ciselure comme de son extraordinaire charpente grammaticale, peut illustrer et préciser une autre conclusion pertinente de la même monographie : « L'imagination de Blake est celle d'un peintre, étonnante par sa profondeur géométrique ». (p. 139).

A cet égard, il me semble opportun de réaffirmer l' « analogie remarquable entre *le rôle de la grammaire en poésie et*, chez le peintre, les règles de la composition fondées sur un ordre géométrique latent ou manifeste, ou au contraire sur une révolte contre tout agencement géométrique » (cf. Jakobson, 1968, p. 605 [ici même, p. 227]). En particulier, les mots-directeurs, les propositions principales et les motifs saillants, qui remplissent ici les distiques extérieurs divergents, se détachent contre les contenus accessoires et subordonnés qui remplissent les distiques intérieurs contigus, à peu près comme les lignes convergent à l'arrière-plan d'une perspective picturale.

La géométrie relationnelle ferme et plastique de l'art verbal de Blake assure un dynamisme surprenant au développement du thème tragique. Les couples d'opérations *antisymétriques* soulignés ci-dessus et le contraste catégoriel des deux rimes grammaticales parallèles accentuent la tension entre la nativité et l'expérience du monde qui lui succède. En termes linguistiques, cette tension s'établit entre la suprématie initiale des sujets animés et des verbes d'action conjugués et la prévalence, qui suit, d'inanimés utilisés comme objets indirects de gérondifs, purs verbaux dérivés de verbes d'action et subordonnés à la seule forme conjuguée *thought* dans son sens rétréci de désir caché.

Quant à la ponctuation de Blake, sa particularité tient à l'usage des deux points. Dans *Infant Sorrow* ils signalent la division des distiques intérieurs en leurs vers constituants et dissocient ces distiques intérieurs des extérieurs. Chacun des vers intérieurs contenant une construction gérondive s'achève par deux points et est séparé par deux points de la proposition antécédente de la même phrase.

Le motif croissant de la lassitude, de la résignation s'incarne aussi, de façon saisissante, dans le cours rythmique du poème. L'octosyllabe initial est le plus symétrique des huit vers. Il consiste en deux propositions coordonnées tétrasyllabiques marquant entre elles une pause que le texte de Blake rend par un point d'exclamation. Une pause secondaire, facultative, s'insère entre le sujet et le prédicat des deux propositions juxtaposées. De ces pauses contrastées la dernière

INFANT SORROW
My mother groand! my father wept.
Into the dangerous world I leapt:
Helpless, naked, piping loud:
Like a fiend hid in a cloud.
Struggling in my fathers hands:
Striving against my swadling bands:
Bound and weary I thought best
To sulk upon my mothers breast.

précède la syllabe finale du vers : ₁*My mother groand! my father | wept*. Au vers suivant, qui conclut le premier distique impair, la pause syntaxique intérieure se produit avant la syllabe pénultième (6 + 2), et à chaque vers l'intervalle entre la finale et cette pause interne devient d'une syllabe plus long, jusqu'à ce que le dernier vers du second distique impair fixe cette pause après la deuxième syllabe (2 + 6). Ainsi le balancement le plus large que prenne le vers (₂*Into the dangerous world | I leapt*) se change graduellement en l'espace le plus court, le plus restreint (₆*Striving | against my swadling bands*).

Chaque quatrain inclut deux octosyllabes ïambiques et deux heptasyllabes trochaïques. On observe la coupe ïambique dans les deux vers marginaux de l'octastique, tous deux évoquant *my mother*, et dans le vers final des deux distiques impairs, caractérisés chacun par un élan opposé : dans le premier cas vers le « dangereux » environnement; dans le second, loin de lui. La longueur identique de ces deux vers corrélatifs confère une puissance particulière au double contraste entre leur phrasé rythmique et leur orientation sémantique. L'idée de salut *upon my mothers breast* [sur le sein de ma mère] comme riposte à l'image des détestables *swadling bands* [langes] renforce l'association entre les deux vers pairs du second quatrain dans leur identité rythmique : ₆*Striving | against my swadling bands* et ₈*To sulk | upon my mothers breast*. Le vers intermédiaire qui ouvre le dernier distique pair partage, comme on l'a vu, plusieurs traits structuraux avec le vers initial du premier distique pair et en répète le dessin trochaïque avec sa pause médiane (4 + 3).

Dans les vers ïambiques la pause essentielle, sinon unique, tombe toujours avant un temps faible. Dans les trochaïques, elle se produit avant un temps fort ou, exceptionnellement, avant un temps faible assumé par une syllabe accentuée (₄*Like a fiend | hid in a cloud*). La distribution des pauses dans cet octastique de Blake en illustre, elle aussi, la fascinante symétrie. Dans notre diagramme ci-dessous, les chiffres suivis d'un point indiquent l'ordre des huit vers; la verticale voisine en indique le début et la verticale oblongue à droite, la fin. Les syllabes du vers, de sa fin vers son commencement, sont désignées en haut par la rangée horizontale des chiffres. L'oblique marque la tendance régressive que présente la disposition des pauses à l'intérieur des vers et donc, dans le dernier distique, des pauses précédant les vers.

Comme lui-même l'affirme dans le Prologue à « Jérusalem », le

Ci-contre, *le Rêve* du Douanier Rousseau. Nous remercions le Museum of Modern Art de New York pour cette reproduction, et pour nous avoir permis de l'utiliser comme illustration. Nous remercions aussi le Conservateur adjoint, Betsy Jones, pour ses précieuses informations.

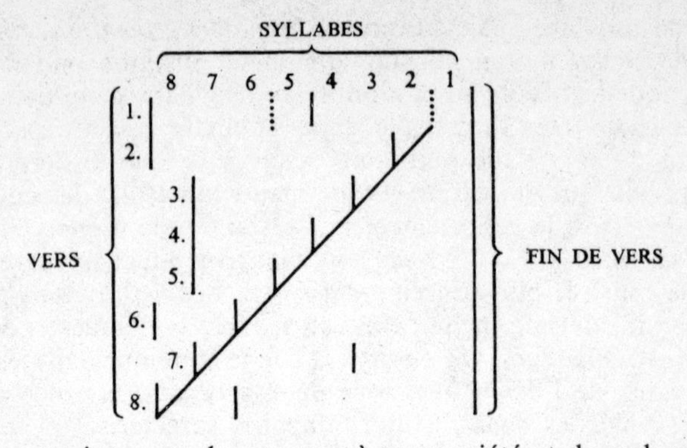

poète a bien atteint « en chaque vers à une variété et de cadences et de nombre de syllabes ».

L'heptasyllabe initial de chaque distique pair est lié à l'octosyllabe qui termine le distique impair précédent au moyen d'une allitération portant sur les deux derniers mots (₂L*eapt* - ₃L*oud*; ₆B*ands* - ₇B*est*) et par une affinité paronomastique entre le dernier mot du vers et le premier du suivant (₂L*eapt* - ₃*h*ELP*less*; ₆B*a*ND*s* - ₇B*ou*ND). Dans un distique les vers sont parisyllabiques au premier quatrain, imparisyllabiques au second. L'allitération est formée de deux mots dans le premier cas, de trois dans l'autre : ₁W*ept* - ₂W*orld*; ₃L*oud* - ₄L*ike*; ₇B*ound* - B*est* - ₈B*reast*. L'allitération qui entrelace les vers parallèles au début du second quatrain produit un croisement des deux mots suivants dans l'antécédent d'une triple chaîne : ₅STR*ugg*LING - ₆STR*i*-*v*ING - SW*ad*LING. La similitude des groupes consonantiques contrebalance la distribution divergente des temps forts et faibles dans les deux gérondifs qui s'affrontent, et dont l'un commence un vers trochaïque (₅*Struggling in*), l'autre un ïambique (₆*Striving against*).

A la limite des deux quatrains les vers contigus, parisyllabiques, des deux distiques intérieurs, l'un pair et le suivant impair, révèlent une multiple parenté dans leur texture sonore : ₄F*ie*ND - H*i*D IN - ₅IN *my* F*athers* H*a*NDS. A peine le quatrième vers, seule comparaison de tout le poème, introduit-il un héros mythique (le démon) que par une sorte de « fondu » cinématographique l'image adverse des mains tyranniques du père perce sous la première « projection », et que s'affirme ainsi nettement la métamorphose : le soi-disant héros surnaturel (₄*Like a fiend hid in a cloud*) s'avère en fait une victime (₅*Struggling in my fathers hands*).

Les huit vers d'*Infant Sorrow* répondent ainsi remarquablement à ce que Gerard Manley Hopkins entend par « figures de grammaire » et « figures de son », et c'est à leur symétrie éloquente comme à leurs tangibles interrelations, pénétrées d'un symbolisme transparent, que cette histoire ingénue et succincte doit en majeure partie sa force de suggestion et sa puissance mythologique.

Le Douanier Rousseau a été comparé à Blake; on a même prétendu qu'il en était proche (cf. Frye, 1965 [1], p. 105). Un octastique du peintre français va servir de nouvel exemple.

II. APPENDICE POÉTIQUE D'HENRI ROUSSEAU A SON DERNIER TABLEAU.

> J'ai conservé ma naïveté... Je ne pourrai maintenant changer ma manière que j'ai acquise par un travail opiniâtre.
> Henri Rousseau à André Dupont, *1er avril 1910.*

Peu avant sa mort (2 septembre 1910), le Douanier Rousseau exposa une unique peinture, *le Rêve*, au Salon des Indépendants (18 mars—1er mai de la même année) et écrivit à Guillaume Apollinaire : « J'ai envoyé mon grand tableau, tout le monde le trouve bien, je pense que tu vas déployer ton talent littéraire et que tu me vengeras de toutes les insultes et affronts reçus » (11 mars 1910 : cf. Apollinaire, 1913, p. 56). L'article commémoratif d'Apollinaire, « Le Douanier », rappelle que Rousseau n'avait jamais oublié son jeune amour pour une Polonaise, Yadwigha (= Jadwiga) « qui lui inspira Le Rêve, son chef-d'œuvre », aujourd'hui au Musée d'Art Moderne de New York, et parmi les quelques tentatives poétiques du peintre (« gentils morceaux de poésie ») son « Inscription pour le Rêve » complète l'essai d'Apollinaire (*ibid.*, t. II, p. 65) :

$_1$Yadwigha dans un beau rêve
$_2$S'étant endormie doucement
$_3$Entendait les sons d'une musette
$_4$Dont jouait un charmeur bien pensant.
$_5$Pendant que la lune reflète
$_6$Sur les fleuves, les arbres verdoyants,
$_7$Les fauves serpents prêtent l'oreille
$_8$Aux airs gais de l'instrument.

Arsène Alexandre raconte dans son interview avec le peintre (*Comædia*, 1er mars 1910) : « Rousseau me fit lire sur une petite planchette dorée, semblable à un feuillet de manuscrit thibétain, l' « explication » du tableau, qu'il avait préparée pour accrocher sous le cadre [...] — Il faut, n'est-il pas vrai ?, me dit-il, une explication aux tableaux. Les gens ne comprennent pas toujours ce qu'ils voient. »

Tout en acceptant l'objection de l'interlocuteur auquel les tableaux de Rousseau « parurent toujours clairs », le peintre insista : « C'est toujours mieux avec quelques vers. »

L'octastique cité par Apollinaire et le texte identique dans l'ouvrage de W. Uhde (1911) diffèrent de celui qu'on trouve dans l'interview d'Alexandre par le seul mot *fleurs* substitué aux *fleuves* dans le sixième vers, et cette déviation fait une entorse à la syntaxe et au sens du troisième distique. Dans le *Catalogue de la 26ᵉ Exposition* de la *Société des artistes indépendants* (Paris, 1910, p. 294), la référence à Rousseau : « *4468 le Rêve* » est accompagnée des mêmes vers, imprimés cependant avec de grossières erreurs et distorsions, par exemple *Yadurgha* au lieu de *Yadwigha*, de sorte que la version imprimée ci-dessus nous apparaît toujours comme la seule valable.

Les quatre vers pairs, « masculins », du poème s'achèvent sur une seule et même voyelle nasale, alors que les quatre impairs, « féminins », se terminent par une syllabe fermée dont une variété brève ou longue de [ε] forme le noyau. Parmi les rimes approximatives qu'offrent ces deux séries, celles qui lient ensemble les deux distiques intérieurs (les vers 3-4 avec les vers 5-6) et, à leur tour, les rimes des deux distiques extérieurs (les vers 1-2 avec les vers 7-8) révèlent une similitude supplémentaire entre les mots rimants par comparaison avec ceux des quatrains : dans les distiques extérieurs l'identité complète des voyelles syllabiques est renforcée par une consonne prévocalique servant de support ($_1$RÊ*ve* - $_7$*o*RE*ille*; $_2$*douce*MENT - $_8$*instru*MENT) et dans les distiques intérieurs cette même identité vocalique est secondée par la consonne postvocalique des rimes féminines ($_3$*mus*ETTE - $_5$*refl*ÈTE) ou par la frappante identité grammaticale des mots porteurs de la même rime masculine ($_4$*pensant* - $_6$*verdoyants*, les deux seuls participes du poème).

Souligné ainsi par les rimes, l'octastique présente une très nette division en distiques extérieurs (I, IV) et intérieurs (II, III). Chacun de ces deux couples de distiques comprend un nombre égal de noms, six, divergeant de même façon en quatre masculins et deux féminins. Dans chacun, le vers initial et le vers final comprennent deux noms : un féminin et un masculin dans les vers initiaux ($_1$*Yadwigha*, *rêve*; $_3$*sons*, *musette*) et deux masculins dans les vers terminaux ($_8$*airs*, *instrument*; $_6$*fleuves*, *arbres*). La symétrie globale révélée par les noms des distiques extérieurs et intérieurs ne trouve aucun support dans la distribution entre distiques impairs et pairs ou antérieurs et postérieurs; mais les deux distiques intérieurs comprennent le même nombre de noms, trois, en symétrie spéculaire (II : $_3$*sons*, *musette*, $_4$*charmeur*; III : $_5$*lune*, $_6$*fleuves*, *arbres*) et par conséquent la relation entre les noms des distiques impairs et pairs (sept à cinq) est précisément la même que la relation entre les noms des distiques postérieurs et antérieurs.

Chacun des deux quatrains comprend une phrase contenant elle-même deux sujets et deux verbes conjugués. Chaque distique de l'octastique renferme un sujet, alors que dans la distribution des verbes conjugués (trois à un) les distiques pairs sont aux impairs dans la même relation que les intérieurs aux extérieurs.

Les sujets des distiques extérieurs appartiennent aux deux propositions principales du poème, tandis que les deux sujets des distiques intérieurs font partie des propositions subordonnées. Les sujets principaux se trouvent en début de vers ($_1$*Yadwigha* dans un beau rêve; $_7$*Les fauves serpents*), contrastant ainsi avec la position différée des subordonnées ($_4$Dont jouait *un charmeur*; $_5$Pendant que *la lune*). Les sujets féminins apparaissent dans les distiques impairs, les masculins dans les distiques pairs. Aussi dans chaque quatrain le premier sujet est-il féminin, le deuxième masculin : $_1$*Yadwigha* - $_4$*charmeur*; $_5$*lune* - $_7$*serpents*. Et en conséquence, les deux distiques antérieurs (premier quatrain) où le genre féminin caractérise le sujet principal *Yadwigha* et le masculin le sujet subordonné *charmeur*, s'opposent diamétralement aux distiques postérieurs (second quatrain) où le sujet principal *serpents* est masculin et le sujet subordonné *lune*, féminin. Également, dans les distiques antérieurs le genre personnel (humain) distingue les sujets grammaticaux ($_1$*Yadwigha*, $_4$*charmeur*), alors qu'on ne relève dans les distiques postérieurs que des sujets non personnels ($_5$*lune*, $_7$*serpents*).

Ces données peuvent se résumer en un diagramme où l'italique désigne les positions des quatre sujets dans la composition de l'octastique, et le romain leurs propriétés grammaticales :

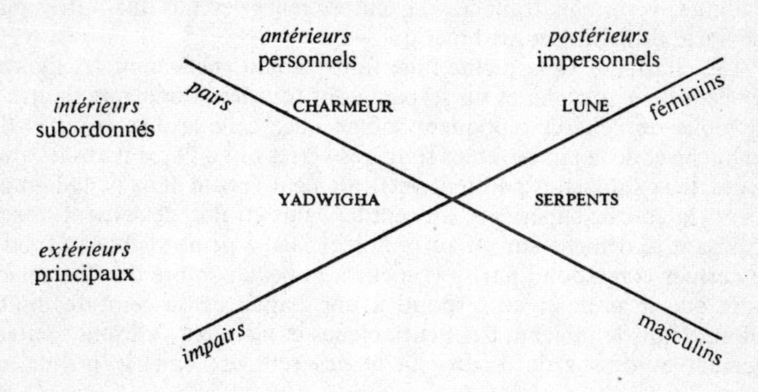

Cette distribution des quatre sujets grammaticaux se trouve correspondre à la disposition *relative* de leurs référents picturaux dans la toile d'Henri Rousseau (illustration en hors texte) :

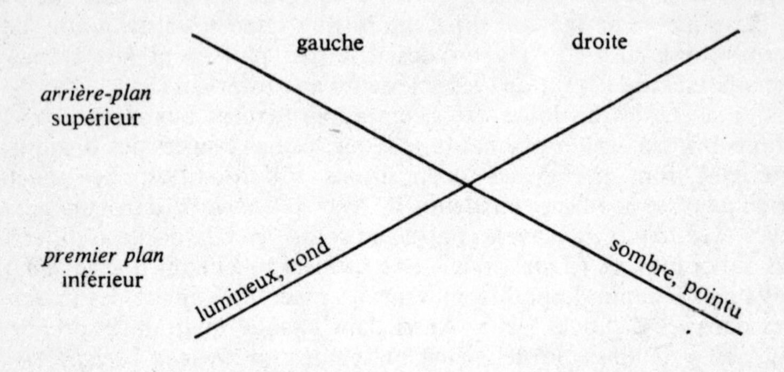

Les *figures picturales* du premier plan sont rendues dans le poème par la *position des sujets* dans les distiques extérieurs, divergents, alors que les figures de l'arrière-plan, raccourcies et surélevées dans le tableau, sont rendues par les sujets subordonnés assignés aux distiques intérieurs, convergents. En un essai pénétrant publié en préface à l'exposition Henri Rousseau de la Galerie Sidney Janis (New York, 1951) et où il étudie « Le rôle du temps et de l'espace dans l'œuvre du Douanier Rousseau », Tristan Tzara souligne la pertinence et la particularité de « la perspective telle que Rousseau l'a conçue » et notamment le trait qui caractérise ses grandes compositions : une suite de mouvements décomposés « en éléments indépendants, véritables tranches de temps, reliés les uns aux autres par une sorte d'opération arithmétique ».

Si le charmeur et la pleine lune font face au spectateur, les figures en profil de Yadwigha et du serpent sont tournées l'une vers l'autre : les replis de celui-ci répondent même chez celle-là aux courbes de la hanche et de la jambe, et les fougères vertes qui jaillissent au-dessous de ces deux sinuosités pointent verticalement vers le flanc de la femme et vers la courbe supérieure du reptile. Mais en fait, ce serpent mince et luisant se détache sur un autre noir, épais, à peine visible au fond ; ce dernier correspond par sa couleur à la peau sombre du Charmeur, alors que le premier correspond à une bande de sa ceinture multicolore. Dans le tableau, des fleurs bleues et violettes s'élèvent semblablement au-dessus de Yadwigha et des reptiles; dans le poème, ce sont deux constructions parallèles qui relient ces reptiles à l'héroïne : [3]*Entendait les sons d'une musette* et [7]*prêtent l'oreille* [8]*Aux airs gais de l'instrument.*

A cet égard, quelques questions intéressantes se posent touchant les genres grammaticaux. Aux deux sujets féminins du poème le tableau répond par deux traits évidents, caractéristiques de Yadwigha et de la lune : leur pâleur différente contrastant avec les couleurs profondes de l'entour, particulièrement du charmeur et des reptiles — et la rondeur semblable de la pleine lune et du sein de la femme contrastant avec le corps pointu du serpent lumineux et la flûte du Charmeur. La « sexuisemblance » des genres masculin et féminin, éprouvée par tout francophone, a été analysée lucidement et exhaustivement par J. Damourette et E. Pichon dans le premier volume de leur œuvre historique, *Des mots à la pensée — Essai de grammaire de la langue française* (Paris, 1911-1927), chapitre IV :

> Tous les substantifs nominaux français sont masculins ou féminins : c'est là un fait incontestable et incontesté. L'imagination nationale a été jusqu'à ne plus concevoir de substances nominales que contenant en elles-mêmes une analogie avec l'un des deux sexes; de sorte que la sexuisemblance arrive à être un mode de classification générale de ces substances (§ 302)... Elle a dans le parler, donc dans la pensée, de chaque Français un rôle de tout instant (§ 306)... Cette répartition n'a évidemment pas un caractère purement intellectuel. Elle a quelque chose d'affectif... La sexuisemblance est tellement nettement une comparaison avec le sexe que les vocables français féminins en arrivent à ne pouvoir au figuré être comparés qu'à des femmes (§ 307)... Le répartitoire de sexuisemblance est le monde d'expression de la personnification des choses (§ 309).

Il est intéressant de noter que, dans le poème de Rousseau, les quatre féminins sont liés aux quatre vers impairs. Ils ouvrent le vers lorsqu'ils fonctionnent comme sujets grammaticaux, et le ferment lorsqu'ils agissent comme termes secondaires dans les distiques pairs.

L'association impérative du féminin et des vers impairs réclame une interprétation. La tendance à différencier les formes féminines et masculines par la fermeture et l'ouverture en fin de mot (cf. Damourette et Pichon, § 272) crée un lien entre la syllabe terminale du vers, close ou ouverte, et le genre. Le terme « rimes féminines », si populaire qu'il figure dans les manuels français élémentaires, a pu aussi favoriser la distribution des noms féminins parmi ces vers.

Dans le poème de Rousseau, la répartition des genres est soumise à un principe dissimilatif. L'objet le plus proche du verbe appartient au genre opposé à celui du sujet d'une proposition donnée, et s'il existe plus loin un autre terme subordonné, soit adverbal, soit adnominal, il conserve le genre du sujet. De cette façon le rôle des genres dans le poème se trouve particulièrement intensifié : $_1$*Yadwigha* (fém.)... $_3$*Entendait les sons* (masc.) *d'une musette* (fém.); $_4$*Dont* (se rapportant à *musette*, fém.) *jouait un charmeur* (masc.); $_5$*la lune* (fém.) *reflète*$_6$... *les arbres* (masc.); $_7$*Les fauves serpents* (masc.) *prêtent l'oreille* (fém.) $_8$*Aux airs gais* (masc.).

Le premier plan, dans la toile comme dans le poème, appartient à Yadwigha et aux reptiles. On est tenté d'évoquer *Eve*, un tableau un peu antérieur, avec son prodigieux duo de profils : la femme nue et le serpent (cf. Vallier, 1970, Pl. XXV). Cette hiérarchie des *dramatis personae* a été cependant négligée par les critiques. Ainsi, dans son éloge du 18 mars 1910 (1960, p. 76) : « De ce tableau se dégage de la beauté », Apollinaire voit bien une femme nue sur un sofa, entourée d'une végétation tropicale avec singes, oiseaux de paradis, lion, lionne et Nègre jouant de la flûte, « personnage de mystère »; mais il ne fait même pas mention de la lune ni des serpents. De même, Jean Bouret (1961, p. 50) restreint son étude de la composition dans *le Rêve* au joueur de flûte, au tigre (?), à l'oiseau et à la femme allongée. Ces observateurs, en somme, s'arrêtent à la partie gauche, la plus large du tableau, sans passer à la droite, plus petite, c'est-à-dire au sujet du second quatrain. Dans l'examen visuel de l'œuvre, le stade initial procède naturellement du côté gauche — « cette femme endormie sur ce canapé » qui se voit en rêve transportée « dans cette forêt, entendant les sons de l'instrument du charmeur », selon l'explication même que le peintre donne de son œuvre (Apollinaire, 1913, p. 57). De Yadwigha et du mystérieux charmeur le foyer se déplace alors vers le second volet du diptyque, séparé du premier par une fleur bleue sur une longue tige, faisant pendant à celle qui se trouve à gauche de l'héroïne. L'ordre narratif, la reconnaissance successive et la synthèse de cette toile, *le Rêve* (cf. A. Luria : *Les Fonctions corticales supérieures chez l'homme et leur dérèglement dans les lésions locales du cerveau*, Moscou, 1962), trouvent leur nette correspondance dans la transition du premier quatrain, avec ses deux imparfaits parallèles — ou prétérites présents, suivant la terminologie de L. Tesnière — ($_3$*entend*AIT - $_4$*jou*AIT) aux deux présents rimants du second quatrain ($_5$*refl*ÈTE - $_7$*pr*ÊTENT) et dans la substitution de purs articles définis ($_5$*la lune*, $_6$*les fleuves*, *les arbres*, $_7$*les serpents*, *l'oreille*, $_8$*aux airs*, *l'instrument*) aux indéfinis qui, à la seule exception de $_3$*les sons*, dominent le quatrain précédent ($_1$*un rêve*, $_3$*une musette*, $_4$*un charmeur*).

Dans la composition poétique comme dans la picturale, *l'action* dramatique *est engendrée* par les quatre sujets grammaticaux et leurs quatre référents visuels. Comme on l'a souligné plus haut, tous quatre sont liés mutuellement selon trois contrastes binaires, exprimés lumineusement par le peintre-poète, et qui transforment ce quatuor insolite en six couples opposés déterminant et diversifiant l'intrigue verbale et graphique. Dans l' « Inscription », chacun de ces quatre sujets est doté d'un autre caractère catégoriel qui le met en contraste avec ses trois correspondants : *Yadwigha* est le seul nom propre du poème, *un charmeur* le seul appellatif personnel, *les serpents* le seul pluriel animé, et *la lune* le seul inanimé. Cette diversité s'accompagne d'une même différence dans les articles : l'article zéro signalant le nom propre, l'indéfini *un*, suivi du pluriel *les*, et le féminin *la* du défini.

Un jeu multiple de similitudes et de divergences concurrentes sous-tend donc et vivifie ce *Rêve* écrit et peint sous toutes ses facettes : le silence de la nuit illuminée interrompu par les airs que joue un charmeur sombre; l'enchantement du clair de lune et les charmes de la musique; les deux auditeurs de la mélopée magique, la femme et le serpent, à la fois étrangers et s'attirant l'un l'autre; le reptile, tentateur légendaire du sexe faible, mais victime constante du charmeur de serpents; le contraste maximal et en même temps la mystérieuse affinité entre la pâle Yadwigha sur son sofa démodé et le flûtiste tropical, bienveillant dans sa forêt vierge; et par-dessus tout cela, aux yeux du locataire du 2 *bis* rue Perrel, la fascination également exotique du sorcier africain et de l'enchanteresse polonaise au nom extraordinaire.

Quant au lion escorté d'une lionne et omis dans le poème, il appartient dans le tableau au triangle du joueur de flûte et, comme Jean Bouret *(loc. cit.)* l'a remarqué, en représente le « sommet » pointé vers le bas. Cette gueule frontale semble bien être un double du charmeur qui se tient debout au-dessus d'elle, comme l'oiseau de trois quarts au-dessus de Yadwigha semble être un double de la rêveuse. Mais dans cette comparaison entre la toile et le poème de Rousseau, il va de soi que notre attention s'est surtout concentrée sur leur commun dénominateur, aisément isolable en dépit des traits divergents, par exemple de ces fleuves qui, dans le poème, reflètent les arbres, ou de l'abondance zoologique dans le tableau.

Comme l'*Infant Sorrow* de Blake, l'octastique du Douanier Rousseau, afin d'assurer la cohésion de ses distiques expressément différenciés, les relie par de solides attaches phonologiques entre les vers pairs et les impairs qui leur succèdent : $_2$*setã̄ tã̄d*ɔrmi dusm*ã̄t* $_3$*ã̄tã̄dɛ*

/; / $_4$*pãsã* $_5$*pãdã* /. En outre, les deux derniers distiques sont unis par une texture sonore des plus tangibles : $_6$*les* FL*eu*V*es* - $_7$*Les* F*au*V*es* (avec deux voyelles arrondies correspondantes); $_6$S*u*R... *les a*RBR*es* - $_7$S*e*RP*ents* PR*êtent* (où le phonème /R/ alterne avec les sifflantes et les occlusives labiales).

Dans ma conclusion naturelle je ne puis que suivre Vratislav Effenberger (1963), lorsque ce spécialiste tchèque de l'œuvre de Rousseau la définit comme « un signe de symbiose croissante entre peinture et poésie ». La même observation, à propos de Paul Klee, formulée par Carola Giedion-Welcker (1946) — chez cet artiste « le poète est inséparable du peintre » —, nous invite à poursuivre cette étude par celle d'un des vestiges poétiques de Klee.

III. L'OCTASTIQUE DE PAUL KLEE.

> Langage sans raison... L'inspiration a-t-elle des yeux, ou est-elle somnambule?
> L'œuvre d'art comme acte. Division des orteils en trois : 1 + 3 + 1.
>
> Journal de Klee, 1901 (n°s 183, 310).

Le poème du peintre, daté de 1903, touchant les bêtes, les dieux et les hommes, écrit, selon les habitudes de l'auteur, sans aucun arrangement vertical des vers, révèle néanmoins une division rythmique fort précise en huit vers de deux hémistiches. Le second hémistiche des premier et troisième vers comporte trois accents fortement marqués, et tous les autres n'en comportent que deux. En fait, l'auteur lui-même sépare les vers de ce poème en espaçant entre eux les intervalles, particulièrement lorsque ces vers ne sont pas isolés l'un de l'autre par un signe de ponctuation (cf. le manuscrit autographe reproduit par le fils du peintre, Felix Klee, 1960, p. 56) :

$_1$Zwei Bérge gíbt es / auf dénen es héll ist und klár,
$_2$den Bérg der Tíere / und den Bérg der Gö́tter.
$_3$Dazwíschen aber líegt / das dä́mmerige Tál der Ménschen.
$_4$Wenn éiner éinmal / nach óben síeht,
$_5$erfásst ihn áhnend / eine únstillbare Séhnsucht,
$_6$íhn, der wéiss, / dass ér nicht wéiss
$_7$nach íhnen die nicht wíssen, / dass síe nicht wíssen
$_8$únd nach íhnen, / die wíssen dass sie wíssen.

Traduction littérale

$_{1}$Il est deux montagnes / où il fait lumineux et clair
$_{2}$La montagne des bêtes / et la montagne des dieux.
$_{3}$Mais entre elles s'étend / la sombre vallée des hommes.
$_{4}$Lorsqu'une fois l'un d'eux / regarde vers le haut,
$_{5}$Le saisit en présage / une nostalgie inextinguible,
$_{6}$Lui qui sait / qu'il ne sait pas
$_{7}$De ceux qui ne savent pas / qu'ils ne savent pas
$_{8}$Et de ceux / qui savent qu'ils savent.

La ponctuation de Klee dans ce manuscrit révèle entre les deux derniers vers une différence significative quant au phrasé rythmique : $_{7}$*nach ihnen die nicht wissen, dass sie nicht wissen* et $_{8}$*und nach ihnen, die wissen dass sie wissen*, où la virgule indique la place variable de la frontière entre les hémistiches. Ainsi la lecture *únd nach íhnen, / die wíssen dass sie wíssen*, avec l'accent sur la conjonction antithétique, apparaît comme la seule correcte.

La transcription de ce poème dans l'édition F. Klee (1957, n° 539 et 1960, p. 56) réforme malheureusement la ponctuation de l'artiste en fonction des normes orthographiques. Dans la première de ces publications l'octastique apparaît imprimé comme de la prose, alors qu'il se trouve dans la seconde artificiellement fragmenté en douze vers : ainsi certains hémistiches sont traités comme des vers séparés et, par surcroît, le proclitique initial du second hémistiche est assigné à la fin du premier — exemple :

Dazwischen aber liegt das
dämmerige Tal der Menschen.

A l'exception du solennel hémistiche amphibrachique, le deuxième du premier vers — *auf dénen es héll ist und klár* — les vers de ce poème présentent un rythme dissyllabique à prédominance ïambique. Le premier hémistiche, dipodique en six vers et tripodique en deux, perd son temps fort initial en deux cas : $_{6}$*íhn, der wéiss*; $_{8}$*únd nach íhnen.* Le second, de deux, trois ou quatre doubles pieds, commence par un temps faible après une césure masculine (vers 3 et 6), alors qu'après une césure féminine il commence soit par un temps fort, préservant ainsi l'uniformité métrique du vers entier ($_{2}$*den Bérg der Tíere / und den Bérg der Gö́tter*; $_{5}$*erfásst ihn áhnend / eine únstillbare Séhnsucht*); soit par un temps faible, atteignant ainsi à l'autonomie de sa propre structure ïambique ($_{4}$*Wenn éiner éinmal / nach óben síeht*; cf. vers 7 et 8).

Trois génitifs pluriels, les seuls noms animés du poème — $_{2}$*der Tiere, der Götter*, $_{3}$*der Menschen* — désignent ses héros triadiques.

Le principe ternaire, en partie lié à cette trichotomie thématique et en partie autonome, règne dans l'octastique entier. Les poème comprend trois phrases (1-2; 3; 4-8) qui, à leur tour, comprennent trois propositions indépendantes avec trois verbes conjugués : $_1$*gibt*, $_3$*liegt*, $_5$*erfasst*, tous trois situés avant le sujet, par contraste avec les prédicats des propositions subordonnées. L'accusatif pluriel $_1$*Berge* est suivi de la double apposition $_2$*Berg... Berg*, et le pronom relatif $_1$*denen* des deux articles apparentés $_2$*den... den*. Trois neutres avec trois prédicats finis — $_1$*gibt es*, *es hell ist*, $_3$*liegt das* — ouvrent le poème. Les domiciles des triples héros — $_2$*Berg der Tiere*, *Berg der Götter* et $_3$*Tal der Menschen* — se trouvent associés à trois adjectifs : $_1$*hell klar*, $_3$*dämmerige*, et les images contrastées qui terminent les deux premières phrases sont soulignées par des combinaisons paronomastiques : $_2$*Berg der Götter* (erg-erg); $_3$*dämmerige... der Menschen* (dem.r-derm). La troisième phrase, elle aussi, est pleine de répétitions ternaires : $_4$*einer*, *einmal*, $_5$*eine*; $_4$*nach*, $_7$*nach*, $_8$*nach*; $_6$*ihn*, *der weiss*, *dass er* nicht *weiss*, $_7$*ihnen die* nicht *wissen*, *dass sie* nicht *wissen*, $_8$*ihnen*, *die wissen dass sie wissen* — où la négation *nicht* se trouve soigneusement distribuée trois fois dans les sixième et septième vers. La triple apparition de la conjonction $_1$, $_2$, $_8$ *und* est liée à une correspondance entre la première et la dernière phrase : l'accusatif $_1$*Berge*, suivi en apposition de deux accusatifs pléonastiques reliés par *und*, a pour pendant l'accusatif $_5$*ihn* et son apposition pléonastique $_6$*ihn* suivie de deux datifs $_7$*nach ihnen...* $_8$*und nach ihnen*.

Un dessin spatial, purement métaphorique, d'une facture biblique, sous-tend le poème entier :

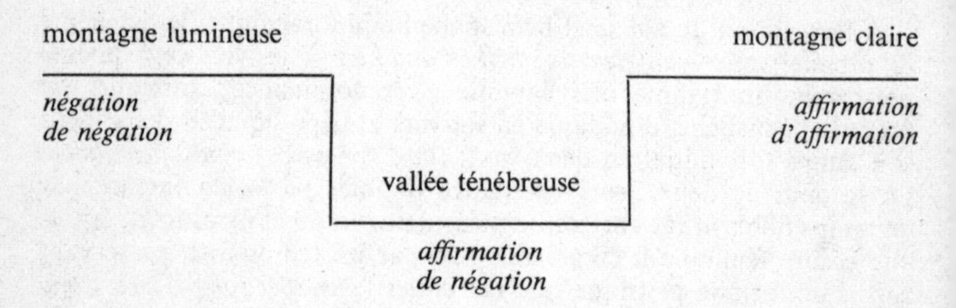

La vallée représente ici le seul lieu de l'insoluble antinomie entre les deux contraires : la conscience même de l'inconscience qui sans doute renvoie à son double contraire et tragique : l'inconscience même de la conscience.

La tripartition thématique de l'octastique superpose ainsi une structure symétrique à sa division syntaxique en trois phrases inégales de deux, un et cinq vers. Les trois premiers vers du poème dépeignent le statut permanent, quasi matériel, des héros : le distique extérieur, initial (vers 1 et 2) est consacré aux bêtes et aux dieux, alors que le troisième vers traite des hommes. Parallèlement, les trois derniers vers du poème caractérisent le statut permanent, mais mental, de ces héros : le distique extérieur, final (vers 7 et 8) est consacré aux bêtes et aux dieux, alors que le troisième vers à partir de la fin (vers 6) traite des hommes. Des trois sections, celle du centre (vers 4 et 5) peut être définie comme dynamique : elle concerne en effet le processus actif qui se déroule — ici encore, de façon permanente — dans « la sombre vallée des hommes ». Chacune de ces sections est signalée par un monosyllabe à la fin du vers qui la commence ($_1$*klar*, $_4$*sieht*, $_6$*weiss*), alors que les cinq autres vers du poème s'achèvent sur un paroxyton.

Puisque les deux vers de la section médiane (4 et 5), joints aux deux adjacents (3 et 6), sont centrés sur les hommes, ces quatre vers intérieurs peuvent, d'un certain point de vue, être considérés comme un tout, opposé au thème dominant des distiques extérieurs. Les vers-frontières (3 et 6) sont marqués par un monosyllabe accentué à la fin de leur premier hémistiche (deux formes verbales parallèles : $_3$*liegt*, $_6$*weiss*), alors que les deux couples de vers qui les entourent présentent une césure féminine. Sous leur forme grammaticale, ces vers 3 et 6 occupent une position manifestement transitoire : chacun d'eux est fondamentalement apparenté au distique extérieur contigu, mais en même temps ils ne laissent pas de partager certains traits formels avec les deux vers du centre.

Ce distique central, le plus dramatique du poème, est doté de verbes d'action ($_4$*nach oben sieht*, $_5$*erfasst*) par opposition aux verbes d'état des vers 1 à 3 et aux *verba sciendi* des vers 6 à 8. Le nom abstrait $_5$*Sehnsucht* contraste avec les six substantifs concrets des trois vers précédents comme avec l'absence de tout nom dans les trois suivants. Les composants de *Sehnsucht* sont reliés l'un au verbe *sehnen*, et l'autre, selon l'étymologie populaire, au verbe *suchen*. Le vers entier présente ainsi ostensiblement une tendance verbale : à côté du verbe transitif *erfasst* et de son objet direct *ihn*, il renferme un gérondif *ahnend* et un adjectif déverbatif *unstillbare*. La proposition introduite par l'adverbe de temps $_4$*Wenn*, comparée aux propositions relatives des deux autres sections, souligne la primauté du verbe dans les vers médians. L'hexasyllabe, à vocation verbale, qui conclut le distique central — $_5$*erfasst ihn áhnend / eine únstillbare Séhnsucht* — contraste en particulier avec le vers de cinq pieds, purement nominal, qui clôt le premier distique — $_2$*den Bérg der Tíere* / *und der Bérg der Götter* — ces deux vers apparaissant comme les seuls intégralement ïambiques avec terminaisons féminines aux deux hémistiches. Le trio indéfini $_4$*einer-einmal* - $_5$*eine* contraste, lui, avec les deux chaînes de « déterminés » : $_1$*denen* - $_2$*den* - *der* - *den* - *der* - $_3$*dazwischen* - *das* - *der* (y compris l'allitératif *dämmerige*) dans la première section, et $_6$*der* - *dass* - $_7$*die* - *dass* - $_8$*die* - *dass* dans le dernier tercet. L'attaque vocalique *ein*, trois fois répétée, se trouve renforcée par les syllabes analogues qui commencent les mots voisins — $_4$*einer*, *einmal... oben...* $_5$*erfasst ihn ahnend eine unstillbare...* — tandis que les terminaisons de ce distique produisent une triple allitération de sifflantes : $_4$*sieht* - *Sehnsucht*.

Avec le vers de transition qui le précède le distique central partage les seuls sujets nominaux et les seules épithètes de l'octastique; soit dit en passant, ces deux adjectifs tétrasyllabiques dans les seuls hémistiches tétrapodiques — $_3$*dämmerige* et $_5$*unstillbare* — sont les vocables les plus longs du texte entier. Les seuls noms au nominatif liés à ces adjectifs se réfèrent indirectement aux hommes, et forment la contrepartie des trois accusatifs nominaux du distique initial qui se réfèrent, eux, aux bêtes et aux dieux. En outre, le genre même oppose le sombre $_3$*Tal*, seul nom neutre du poème, et surtout l'affective $_5$*Sehnsucht*, seul féminin, aux cinq noms masculins du distique initial, comme si cette différence était chargée de confirmer la spécificité des problèmes et des errements humains. En général, les oppositions de contraires et d'éléments contradictoires sont beaucoup plus caractéristiques de la texture grammaticale, chez Klee, que les correspondances numériques entre les différentes sections.

Avec le vers de transition qui le suit le distique central partage les seuls pronoms masculins singuliers ($_4$*einer*; $_5$*ihn*; $_6$*ihn*, *der*, *er*) et l'absence en lui de tout pluriel contraste avec les nombreux pluriels nominaux, pronominaux, verbaux des autres vers. Cette curieuse solitude, esquissée graphiquement dans l'acmé du poème de Klee, trouve son préambule dans les notations qui le précèdent immédiatement dans le Journal (n° 538) : « ... se régler totalement sur soi-même, se préparer à l'isolement le plus grand. Haine de la reproduction (excès de sensibilité éthique) ».

Les trois vers de la fin, strictement relationnels et réflexifs, présentent trois variétés de double hypotaxe. Ils consistent en neuf pronoms, six formes du verbe « savoir », trois accompagnées et trois non accompagnées du négatif *nicht*, et six conjonctions et prépositions, qui mettent fin au réseau métaphorique des deux sections précédentes, avec leurs verbes et leurs inanimés de convention figurative. Le lecteur est ici convié à progresser de visions spatiales vers de rigoureuses abstractions spirituelles.

En accord avec la nostalgie que le distique final traduit envers les habitants des deux montagnes, *auf denen es hell ist und klar*, ou plutôt avec le dernier effort vers les hauteurs de la méditation abstraite, les sept accents forts de ces deux vers terminaux tombent tous sur la voyelle aiguë et diffuse /i/ : $_{7}$*nach íhnen die nicht wíssen, dass síe nicht wíssen* $_{8}$*únd nach íhnen, die wíssen dass sie wíssen*. De même, dans les trois vers de la première section, c'est /i/ qui porte le dernier accent du premier hémistiche. Des trente-quatre accents forts de l'octastique, trente-trois tombent sur des voyelles palatales (c'est-à-dire aiguës) et treize notamment sur /i/. Les quatre diphtongues /ai/ avec leur terminaison aiguë renforcent à leur tour la couleur « brillante » du poème de Klee, qui manifestement évite de faire porter l'accent sur les voyelles vélaires arrondies et ne tolère que deux /u/ et un /o/.

1re phrase	bêtes et dieux			1. distique 2. initial	I	
2e phrase			condamnation	3.	statut extériorisé	
3e phrase	hommes	réclusion		4. distique 5. central	II mouvement	imagerie
hommes en relation avec les bêtes et les dieux				6.	III	
	bêtes et dieux			7. distique 8. final	statut interne	abstraction

Cette étonnante union de transparence radieuse, de savante simplicité et d'imbrication multiforme permet, chez Klee, au peintre comme au poète, de déployer une harmonieuse combinaison de procédés, surprenants par leur variété, aussi bien sur un morceau de toile que dans les quelques lignes d'un Journal. Le schéma de la page 399 résume ces arrangements rivaux, binaires et ternaires, de thèmes ou de procédés grammaticaux qui confèrent à cette miniature verbale sa profondeur et sa monumentalité, et qui semblent illustrer chez Klee la dialectique de la polarité artistique, avec son sens aigu des corrélations du dynamique et du statique, du brillant et du profond, de l'intensif et de l'extensif, des concepts *grammaticaux* et *géométriques* et, pour finir, de la règle et de son dépassement, toutes choses que l'artiste consigne en ce Journal de 1908 (n° 832) :

> Que l'action se déroule d'une manière extraordinaire et non selon la règle. L'action est aoristique, elle doit se détacher sur fond de permanence. Si je veux agir en clair, ce fond doit rester sombre. Si je veux agir en sombre, cela présuppose un fond clair. L'effet de l'action augmente selon que l'intensité est plus forte et l'étendue plus restreinte, mais étant donné que le fond présente une intensité plus faible et une plus vaste étendue... Sur fond moyen de permanence une double action serait possible, vers le clair ainsi que vers le sombre.

Traduit de l'anglais par
JEAN PARIS

RÉFÉRENCES

Apollinaire (Guillaume), éditeur de *les Soirées de Paris*, III, n° 20, 15 janvier 1913 (en fait 1914) (Paris, 1913).
Apollinaire (Guillaume), *Chroniques d'Art* (Paris, 1960).
Bouret (Jean), *Henri Rousseau* (Neuchâtel, 1961).
Bronowski (J.), *William Blake and the Age of Revolution* (New York, 1965).
Effenberger (Vratislav), *Henri Rousseau* (Prague, 1963).
Erdman (D. V.), éditeur de *The Poetry and prose of William Blake* (New York, 1965).
Frye (Northrop), *Fearful Symmetry : A Study of William Blake* (Boston, 1965).
Giedion-Welcker (Carola), *Anthologie des Abseitigen* (Berne, 1946).
Jakobson (Roman), « Poetry of Grammar and Grammar of Poetry », *Lingua*, XXI (1968) [ici-même, p. 219-233].
Klee (Felix), éditeur des *Tagebücher von Paul Klee 1898-1918* (Cologne, 1957).
Klee (Felix), éditeur des *Gedichte von Paul Klee* (Zurich, 1960).
Tzara (T.), « Le Rôle du temps et de l'espace dans l'œuvre du Douanier Rousseau », *Art de France*, II (1962).
Uhde (W.), *Henri Rousseau* (Paris, 1911).
Vallier (Dora), *Tout l'œuvre peint de Henri Rousseau* (Paris, 1970).

« Les chats » de Charles Baudelaire[a]

$_1$Les amoureux fervents et les savants austères
$_2$Aiment également, dans leur mûre saison,
$_3$Les chats puissants et doux, orgueil de la maison,
$_4$Qui comme eux sont frileux et comme eux sédentaires.

$_5$Amis de la science et de la volupté,
$_6$Ils cherchent le silence et l'horreur des ténèbres;
$_7$L'Érèbe les eût pris pour ses coursiers funèbres,
$_8$S'ils pouvaient au servage incliner leur fierté.

$_9$Ils prennent en songeant les nobles attitudes
$_{10}$Des grands sphinx allongés au fond des solitudes,
$_{11}$Qui semblent s'endormir dans un rêve sans fin;

$_{12}$Leurs reins féconds sont pleins d'étincelles magiques,
$_{13}$Et des parcelles d'or, ainsi qu'un sable fin,
$_{14}$Étoilent vaguement leurs prunelles mystiques [1].

Si l'on en croit le feuilleton *le Chat Trott* de Champfleury, où ce sonnet de Baudelaire fut publié pour la première fois (*le Corsaire*, numéro du 14 novembre 1847), il aurait été déjà écrit au mois de mars 1840, et — contrairement aux affirmations de certains exégètes — le texte du *Corsaire* et celui des *Fleurs du Mal* coïncident mot à mot.

Dans la répartition des rimes, le poète suit le schéma *aBBa CddC eeFgFg* (où les vers à rimes masculines sont symbolisés par des majuscules et les vers à rimes féminines par des minuscules). Cette chaîne de rimes se divise en trois groupes de vers, à savoir deux quatrains et un sizain composé de deux tercets, mais qui forment une certaine unité, puisque la disposition des rimes est régie dans les

1. Baudelaire, *Œuvres complètes*. Texte établi et annoté par Y.-G. Le Dantec, édition révisée, complétée et présentée par Claude Pichois, Bibliothèque de la Pléiade (Paris, 1961), p. 63 s.

a. *L'Homme*, II (1962), p. 5-21. Écrit en collaboration avec Claude Lévi-Strauss.

sonnets, ainsi que l'a fait voir Grammont, « par les mêmes règles que dans toute strophe de six vers [1] ».

Le groupement des rimes, dont le sonnet cité, est le corollaire de trois lois dissimilatrices : 1) deux rimes plates ne peuvent pas se suivre; 2) si deux vers contigus appartiennent à deux rimes différentes, l'une d'elles doit être féminine et l'autre masculine; 3) à la fin des strophes contiguës les vers féminins et masculins alternent : $_{4}$*sédentaires* - $_{8}$*fierté* - $_{14}$*mystiques*. Suivant le canon classique, les rimes dites féminines se terminent toujours par une syllabe muette et les rimes masculines par une syllabe pleine, mais la différence entre les deux classes de rimes persiste également dans la prononciation courante qui supprime l'*e* caduc de la syllabe finale, la dernière voyelle pleine étant suivie de consonnes dans toutes les rimes féminines du sonnet *(austères - sédentaires, ténèbres - funèbres, attitudes - solitudes, magiques - mystiques)*, tandis que toutes ses rimes masculines finissent en voyelle *(saison - maison, volupté - fierté, fin - fin)*.

Le rapport étroit entre le classement des rimes et le choix des catégories grammaticales met en relief le rôle important que jouent la grammaire ainsi que la rime dans la structure de ce sonnet.

Tous les vers finissent en des noms, soit substantifs (8), soit adjectifs (6). Tous ces substantifs sont au féminin. Le nom final est au pluriel dans les huit vers à rime féminine, qui tous sont plus longs, ou bien d'une syllabe dans la norme traditionnelle, ou bien d'une consonne post-vocalique dans la prononciation d'aujourd'hui, tandis que les vers plus brefs, ceux à rime masculine, se terminent dans les six cas par un nom au singulier.

Dans les deux quatrains, les rimes masculines sont formées par des substantifs et les rimes féminines par des adjectifs, à l'exception du mot clé $_{6}$*ténèbres* rimant avec $_{7}$*funèbres*. On reviendra plus loin sur le problème général du rapport entre les deux vers en question. Quant aux tercets, les trois vers du premier finissent tous par des substantifs, et ceux du deuxième par des adjectifs. Ainsi, la rime qui lie les deux tercets, la seule rime homonyme ($_{11}$*sans fin* - $_{13}$*sable fin*), oppose au substantif du genre féminin un adjectif du genre masculin — et, parmi les rimes masculines du sonnet, c'est le seul adjectif et l'unique exemple du genre masculin.

Le sonnet comprend trois phrases complexes délimitées par un point, à savoir chacun des deux quatrains et l'ensemble des deux tercets. D'après le nombre des propositions indépendantes et des formes verbales personnelles, les trois phrases présentent une pro-

1. M. Grammont, *Petit traité de versification française* (Paris, 1908), p. 86.

gression arithmétique : 1) un seul verbe conjugué *(aiment)* ; 2) deux *(cherchent, eût pris)* ; 3) trois *(prennent, sont, étoilent)*. D'autre part, dans leurs propositions subordonnées les trois phrases n'ont chacune qu'un seule verbe conjugué : 1) *qui... sont;* 2) *s'ils pouvaient;* 3) *qui semblent.*

La division ternaire du sonnet implique une antinomie entre les unités strophiques à deux rimes et à trois rimes. Elle est contrebalancée par une dichotomie qui partage la pièce en deux couples de strophes, c'est-à-dire en deux paires de quatrains et deux paires de tercets. Ce principe binaire, soutenu à son tour par l'organisation grammaticale du texte, implique lui aussi une antinomie, cette fois entre la première section à quatre rimes et la seconde à trois, et entre les deux premières subdivisions ou strophes de quatre vers et les deux dernières strophes de trois vers. C'est sur la tension entre ces deux modes d'agencement, et entre leurs éléments symétriques et dissymétriques que se base la composition de toute la pièce.

On observe un parallélisme syntactique net entre le couple des quatrains d'une part, et celui des tercets de l'autre. Le premier quatrain ainsi que le premier tercet comportent deux propositions dont la seconde — relative, et introduite dans les deux cas par le même pronom *qui* — embrasse le dernier vers de la strophe et s'attache à un substantif masculin au pluriel, lequel sert de complément dans la proposition principale *($_{3}$Les chats, $_{10}$Des... sphinx)*. Le deuxième quatrain (et également le deuxième tercet) contiennent deux propositions coordonnées dont la seconde, complexe à son tour, embrasse les deux derniers vers de la strophe (7-8 et 13-14) et comporte une proposition subordonnée, rattachée à la principale par une conjonction. Dans le quatrain, cette proposition est conditionnelle *($_{8}$S'ils pouvaient)* ; celle du tercet est comparative *($_{13}$ainsi qu'un)*. La première est postposée, tandis que la seconde, incomplète, est une incise.

Dans le texte du *Corsaire* (1847), la ponctuation du sonnet correspond à cette division. Le premier tercet se termine par un point, ainsi que le premier quatrain. Dans le second tercet et dans le second quatrain, les deux derniers vers sont précédés d'un point-virgule.

L'aspect sémantique des sujets grammaticaux renforce ce parallélisme entre les deux quatrains d'une part, et entre les deux tercets de l'autre.

1) *Quatrains*	II) *Tercets*
1. premier	1. premier
2. deuxième	2. deuxième

Les sujets du premier quatrain et du premier tercet ne désignent que des êtres animés, tandis que l'un des deux sujets du deuxième quatrain, et tous les sujets grammaticaux du deuxième tercet, sont des substantifs inanimés : 7*L'Érèbe*, 12*Leurs reins*, 13*des parcelles*, 13*un sable*. En plus de ces correspondances pour ainsi dire horizontales, on observe une correspondance qu'on pourrait nommer verticale, et qui oppose l'ensemble des deux quatrains à l'ensemble des deux tercets. Tandis que tous les objets directs dans les deux tercets sont des substantifs inanimés (9*les nobles attitudes*, 14*leurs prunelles*), le seul objet direct du premier quatrain est un substantif animé (3*Les chats*) et les objets du deuxième quatrain comprennent, à côté des substantifs inanimés (6*le silence et l'horreur*), le pronom *les*, qui se rapporte aux chats de la phrase précédente. Au point de vue du rapport entre le sujet et l'objet, le sonnet présente deux correspondances qu'on pourrait dire diagonales : une diagonale descendante unit les deux strophes extérieures (le quatrain initial et le tercet final) et les oppose à la diagonale ascendante qui, elle, lie les deux strophes intérieures. Dans les strophes extérieures, l'objet fait partie de la même classe sémantique que le sujet : ce sont des animés dans le premier quatrain (*amoureux*, *savants* - *chats*) et des inanimés dans le deuxième tercet (*reins*, *parcelles* - *prunelles*). En revanche, dans les strophes intérieures, l'objet appartient à une classe opposée à celle du sujet : dans le premier tercet l'objet inanimé s'oppose au sujet animé (*ils* [= chats] - *attitudes*), tandis que, dans le deuxième quatrains, le même rapport (*ils* [= chats] - *silence*, *horreur*) alterne avec celui de l'objet animé et du sujet inanimé (*Érèbe* - *les* [= chats]).

Ainsi, chacune des quatre strophes garde son individualité : le genre animé, qui est commun au sujet et à l'objet dans le premier quatrain, appartient uniquement au sujet dans le premier tercet; dans le deuxième quatrain, ce genre caractérise ou bien le sujet, ou bien l'objet; et, dans le deuxième tercet, ni l'un ni l'autre.

Le début et la fin du sonnet offrent plusieurs correspondances frappantes dans leur structure grammaticale. A la fin ainsi qu'au début, mais nulle part ailleurs, on trouve deux sujets avec un seul prédicat et un seul objet direct. Chacun de ces sujets, ainsi que l'objet, possède un déterminant (*Les amoureux fervents*, *les savants austères* - *Les chats puissants et doux*; *des parcelles d'or*, *un sable fin* - *leurs prunelles mystiques*), et les deux prédicats, le premier et le dernier dans le sonnet, sont les seuls à être accompagnés d'adverbes, tous deux tirés d'adjectifs et liés l'un à l'autre par une rime assonancée : 2*Aiment également* - 14*Étoilent vaguement*. Le second prédicat du sonnet et l'avant-dernier sont les seuls à avoir une copule et un attribut, et dans les deux cas, cet attribut est mis en relief par une rime interne : ₄Qui comme *eux* sont fril*eux*; ₁₄Leurs *reins* féconds sont p*leins*. En général, les deux strophes extérieures sont les seules riches en adjectifs : neuf dans le quatrain et cinq dans le tercet, tandis que les deux strophes intérieures n'ont que trois adjectifs en tout *(funèbres, nobles, grands)*.

Comme nous l'avons déjà noté, c'est uniquement au début et à la fin du poème que les sujets font partie de la même classe que l'objet : l'un et l'autre appartiennent au genre animé dans le premier quatrain, et au genre inanimé dans le second tercet. Les êtres animés, leurs fonctions et leurs activités, dominent la strophe initiale. La première ligne ne contient que des adjectifs. Parmi ces adjectifs les deux formes substantivées qui servent de sujets — *Les amoureux* et *les savants* — laissent apparaître des racines verbales : le texte est inauguré par « ceux qui aiment » et par « ceux qui savent ». Dans la dernière ligne de la pièce, c'est le contraire; le verbe transitif *Étoilent*, qui sert de prédicat, est dérivé d'un substantif. Ce dernier est apparenté à la série des appellatifs inanimés et concrets qui dominent ce tercet et le distinguent des trois strophes antérieures. On notera une nette homophonie entre ce verbe et des membres de la série en question : */etɛ̃sɛlə / - / e d*e par*sɛlə / - / et*wa*lə /*. Finalement, les propositions subordonnées, que les deux strophes médianes contiennent dans leur dernier vers, renferment chacun un infinitif adverbal, et ces deux compléments d'objet sont les seuls infinitifs de tout le poème : $_8$*S'ils pouvaient... incliner;* $_{11}$*Qui semblent s'endormir*.

Comme nous l'avons vu, ni la scission dichotomique du sonnet, ni le partage en trois strophes, n'aboutissent à un équilibre des parties isométriques. Mais si l'on divisait les quatorze vers en deux parties égales, le septième vers terminerait la première moitié de la pièce, et le huitième marquerait le début de la seconde. Or, il est significatif que ce soient ces deux vers moyens qui se distinguent le plus nettement, par leur constitution grammaticale, de tout le reste du poème.

Ainsi, à plusieurs égards, le poème se divise en trois parties : le couple moyen et deux groupes isométriques, c'est-à-dire les six vers qui précèdent et les six qui suivent le couple. On a donc une sorte de distique inséré entre deux sizains.

Toutes les formes personnelles des verbes et des pronoms, et tous les sujets des propositions verbales, sont au pluriel dans tout le sonnet, sauf dans le septième vers — *L'Érèbe les eût pris pour ses coursiers funèbres* — qui contient le seul nom propre du poème, et le seul cas où le verbe conjugué et son sujet sont tous les deux au singulier. En outre, c'est le seul vers où le pronom possessif *(ses)* renvoie au singulier.

La troisième personne est l'unique personne usitée dans le sonnet. L'unique temps verbal est le présent, sauf au septième et au huitième vers où le poète envisage une action imaginée *($_{7}$eût pris)* sortant d'une prémisse irréelle *($_{8}$S'ils pouvaient)*.

Le sonnet manifeste une tendance prononcée à pourvoir chaque verbe et chaque substantif d'un déterminant. Toute forme verbale est accompagnée d'un terme régi (substantif, pronom, infinitif), ou bien d'un attribut. Tous les verbes transitifs régissent uniquement des substantifs *($_{2-3}$Aiment... Les chats; $_{6}$cherchent le silence et l'horreur; $_{9}$prennent... les... attitudes; $_{14}$Étoilent... leurs prunelles)*. Le pronom qui sert d'objet dans le septième vers est la seule exception : *les eût pris.*

Sauf les compléments adnominaux qui ne sont jamais accompagnés d'aucun déterminant dans le sonnet, les substantifs (y compris les adjectifs substantivés) sont toujours déterminés par des épithètes (par ex. $_{3}$*chats puissants et doux*) ou par des compléments *($_{5}$Amis de la science et de la volupté)*. C'est encore dans le septième vers qu'on trouve l'unique exception : *L'Érèbe les eût pris.*

Toutes les cinq épithètes dans le premier quatrain *($_{1}$fervents, $_{1}$austères, $_{2}$mûre, $_{3}$puissants, $_{3}$doux)* et toutes les six dans les deux tercets *($_{9}$nobles, $_{10}$grands, $_{12}$féconds, $_{12}$magiques, $_{13}$fin, $_{14}$mystiques)* sont des adjectifs qualificatifs, tandis que le second quatrain n'a pas d'autres adjectifs que l'épithète déterminative du septième vers *(coursiers funèbres)*.

C'est aussi ce vers qui renverse l'ordre animé-inanimé, gouvernant le rapport entre le sujet et l'objet dans les autres vers de ce quatrain, et qui reste, dans tout le sonnet, le seul à adopter l'ordre inanimé-animé.

On voit que plusieurs particularités frappantes distinguent uniquement le septième vers, ou bien uniquement les deux derniers vers du second quatrain. Cependant, il faut dire que la tendance à mettre en relief le distique médian du sonnet est en concurrence avec le principe de la trichotomie asymétrique — qui oppose le second quatrain entier au premier quatrain d'une part, et au sizain final de l'autre, et qui crée de cette manière une strophe centrale, distincte à plusieurs points de vue des strophes marginales. Ainsi, nous avons fait remarquer que le septième vers est le seul à mettre le sujet et le prédicat au singulier, mais cette observation peut être élargie : les vers du second quatrain sont les seuls qui mettent au singulier, ou bien le sujet, ou bien l'objet; et si, dans le septième vers, le singulier du sujet *(L'Érèbe)* s'oppose au pluriel de l'objet *(les)*, les vers voisins renversent ce rapport, en employant le pluriel pour le sujet, et le singulier pour l'objet *($_{6}$Ils cherchent le silence et l'horreur; $_{8}$S'ils pouvaient...*

incliner leur fierté). Dans les autres strophes l'objet et le sujet sont tous les deux au pluriel ($_{1-3}$*Les amoureux... et les savants... Aiment... Les chats;* $_{9}$*Ils prennent... les... attitudes;* $_{13-14}$*Et des parcelles... Étoilent... leurs prunelles)*. On notera que, dans le second quatrain, le singulier du sujet et de l'objet coïncide avec l'inanimé, et le pluriel avec l'animé. L'importance des nombres grammaticaux pour Baudelaire devient particulièrement notable, en raison du rôle que leur opposition joue dans les rimes du sonnet.

Ajoutons que, par leur structure, les rimes du second quatrain se distinguent de toutes les autres rimes de la pièce. Parmi les rimes féminines celle du second quatrain, *ténèbres - funèbres*, est la seule qui confronte deux parties du discours différentes. En outre, toutes les rimes du sonnet, sauf celles du quatrain en question, présentent un ou plusieurs phonèmes identiques qui précèdent, immédiatement ou à quelque distance, la syllabe tonique, d'ordinaire munie d'une consonne d'appui : $_{1}$*savants* *austères* - $_{4}$sédent*aires*, $_{2}$*m*ûre *saison* - $_{3}$*maison*, $_{9}$att*itudes* - $_{10}$sol*itudes*, $_{11}$*un* rêve *s*ans *fin* - $_{13}$*un* *s*able *fin*, $_{12}$étinc*elles* *m*ag*iques* - $_{14}$prun*elles* *m*yst*iques*. Dans le deuxième quatrain, ni le couple $_{5}$volup*té* - $_{8}$fier*té*, ni $_{6}$*té*n*èbres* - $_{7}$fu*nèbres*, n'offrent aucune responsion dans les syllabes antérieures à la rime propre. D'autre part, les mots finaux du septième et du huitième vers allitèrent : $_{7}$*f*unèbres - $_{8}$*f*ierté, et le sixième vers se trouve lié au cinquième : $_{6}$*té*nèbres répète la dernière syllabe de $_{5}$volup*té* et une rime interne — $_{5}$*science* - $_{6}$*silence* — renforce l'affinité entre les deux vers. Ainsi, les rimes elles-mêmes attestent un certain relâchement de la liaison entre les deux moitiés du second quatrain.

Ce sont les voyelles nasales qui jouent un rôle saillant dans la texture phonique du sonnet. Ces voyelles « comme voilées par la nasalité », suivant l'expression heureuse de Grammont [1], sont d'une haute fréquence dans le premier quatrain (9 nasales, de deux à trois par ligne) et surtout dans le sizain final (22 nasales, avec une tendance montante le long du premier tercet — $_{9}$3 - $_{10}$4 - $_{11}$6 : « Qui *sem*blent s'*en*dormir d*ans* *un* rêve s*ans* f*in* — et avec une tendance descendante le long du second — $_{12}$5 - $_{13}$3 - $_{14}$1). En revanche, le second quatrain n'en a que trois : une par vers, sauf au septième, l'unique vers du sonnet sans voyelles nasales; et ce quatrain est l'unique strophe dont la rime masculine n'a pas de voyelle nasale. D'autre part, dans le second quatrain, le rôle de dominante phonique passe des voyelles aux phonèmes consonantiques, en particulier aux liquides. Seul le second quatrain montre un excédent de phonèmes liquides, à savoir

1. M. Grammont, *Traité de phonétique* (Paris, 1930), p. 384.

23, contre 15 au premier quatrain, 11 au premier tercet, et 14 au second. Le nombre des /r/ est identique à celui des /l/ dans les quatrains (19), mais légèrement inférieur dans les tercets. Le septième vers, qui n'a que deux /l/ contient cinq /r/, c'est-à-dire plus que ne compte aucun autre vers du sonnet : L'É*r*èbe les eût p*r*is pour ses cou*r*siers funèbres. On se rappellera que, selon Grammont, c'est par opposition à /r/ que /l/ « donne l'impression d'un son qui n'est ni grinçant, ni raclant, ni raboteux, mais au contraire qui file, qui coule,... qui est limpide [1] ».

Le caractère abrupt de tout /r/ et particulièrement du r français, par rapport au *glissando* du /l/ ressort nettement de l'analyse acoustique de ces phonèmes dans l'étude récente de Mlle Durand [2], et le recul des /r/ devant les /l/ semble accompagner le passage du félin empirique à ses transfigurations fabuleuses.

Les six premiers vers du sonnet sont unis par un trait réitératif : une paire symétrique de termes coordonnés, liés par la même conjonction *et* : $_1$*Les amoureux fervents et les savants austères;* $_3$*Les chats puissants et doux;* $_4$*Qui comme eux sont frileux et comme eux sédentaires;* $_5$*Amis de la science et de la volupté*, binarisme des déterminants, formant un chiasme avec le binarisme des déterminés dans le vers suivant — $_6$*le silence et l'horreur des ténèbres* — qui met fin à ces constructions binaires. Cette construction commune à presque tous les vers de ce « sizain » ne réapparaît plus à la suite. Les juxtaposés sans conjonction sont une variation sur le même schème : $_2$*Aiment également, dans leur mûre saison* (compléments circonstanciels parallèles); $_3$*Les chats..., orgueil...* (substantif apposé à un autre).

Ces paires de termes coordonnés et les rimes (non seulement extérieures et soulignant des rapports sémantiques, telles que $_1$*austères* - $_4$*sédentaires*, $_2$*saison* - $_3$*maison*, mais aussi et surtout intérieures), servent à cimenter les vers de cette introduction : $_1$*amoureux* - $_4$*comme eux* - $_4$*frileux* - $_4$*comme eux;* $_1$*fervents* - $_1$*savants* - $_2$*également* - $_2$*dans* - $_3$*puissants;* $_5$*science* - $_6$*silence.* Ainsi tous les adjectifs caractérisant les personnages du premier quatrain deviennent des mots rimants, à une seule exception : $_3$*doux.* Une double figure étymologique liant les débuts de trois vers — $_1$*Les amoureux* - $_2$*Aiment* - $_5$*Amis* — concourt à l'unification de cette « similistrophe » à six vers, qui commence et finit par un couple de vers dont les premiers hémistiches riment entre eux : $_1$*fervents* - $_2$*également;* $_5$*science* - $_6$*silence.*

1. *Traité de phonétique*, p. 388.
2. M. Durand, « La spécificité du phonème. Application au cas de R/L », *Journal de Psychologie*, LVII (1960), p. 405-419.

$_3$*Les chats*, objet direct de la proposition qui embrasse les trois premiers vers du sonnet, devient le sujet sous-entendu dans les propositions des trois vers suivants *($_4$Qui comme eux sont frileux; $_6$Ils cherchent le silence)*, en nous laissant voir l'ébauche d'une division de ce quasi-sizain en deux quasi-tercets. Le « distique » moyen récapitule la métamorphose des chats : d'objet (cette fois-ci sous-entendu) au septième vers *(L'Érèbe les eût pris)*, en sujet grammatical, également sous-entendu, au huitième vers *(S'ils pouvaient)*. A cet égard le huitième vers se raccroche à la phrase suivante *($_9$Ils prennent)*.

En général, les propositions subordonnées postposées forment une sorte de transition entre la proposition subordonnante et la phrase qui suit. Ainsi, le sujet sous-entendu « chats » du neuvième et du dixième vers fait place à un renvoi à la métaphore « sphinx » dans la proposition relative du onzième vers *(Qui semblent s'endormir dans un rêve sans fin)* et, par conséquent, rapproche ce vers des tropes servant de sujets grammaticaux dans le tercet final. L'article indéfini, complètement étranger aux dix premiers vers avec leurs quatorze articles définis, est le seul admis dans les quatre derniers vers du sonnet.

Ainsi, grâce aux renvois ambigus des deux propositions relatives, celle du onzième et celle du quatrième vers, les quatre vers de clôture nous permettent d'entrevoir le contour d'un quatrain imaginaire qui « fait semblant » de correspondre au véritable quatrain initial du sonnet. D'autre part, le tercet final a une structure formelle qui semble reflétée dans les trois premières lignes du sonnet.

Le sujet animé n'est jamais exprimé par un substantif, mais plutôt par des adjectifs substantivés dans la première ligne du sonnet *(Les amoureux, les savants)* et par des pronoms personnels ou relatifs dans les propositions ultérieures. Les êtres humains n'apparaissent que dans la première proposition, où le double sujet les désigne à l'aide des adjectifs verbaux substantivés.

Les chats, nommés dans le titre du sonnet, ne figurent en nom dans le texte qu'une seule fois — dans la première proposition, où ils servent d'objet direct : $_1$*Les amoureux... et les savants...* $_2$*Aiment...* $_3$*Les chats*. Non seulement le mot « chats » ne réapparaît plus au cours du poème, mais même la chuintante initiale /ʃ/ ne revient que dans un seul mot : $_6$/ilʃɛrʃə/. Elle désigne, avec redoublement, la première action des félins. Cette chuintante sourde, associée au nom des héros du sonnet, est soigneusement évitée par la suite.

Dès le troisième vers, les chats deviennent un sujet sous-entendu, qui est le dernier sujet animé du sonnet. Le substantif *chats* dans les rôles de sujet, d'objet, et de complément adnominal, est remplacé par les pronoms anaphoriques $_{6,8,9}$*ils*, $_7$*les*, $_{8,12,14}$*leur(s)*; et ce n'est qu'aux chats que se rapportent les substantifs pronominaux *ils* et *les*. Ces formes accessoires (adverbales) se rencontrent uniquement dans le deux strophes intérieures, dans le second quatrain et dans le premier tercet. Dans le quatrain initial c'est la forme autonome $_{4}$*eux* (bis) qui leur correspond, et elle ne se rapporte qu'aux personnages humains du sonnet, tandis que le dernier tercet ne contient aucun substantif pronominal.

Les deux sujets de la proposition initiale du sonnet ont un seul prédicat et un seul objet; c'est ainsi que $_{1}$*Les amoureux fervents et les savants austères* finissent, $_{2}$*dans leur mûre saison*, par trouver leur identité dans un être intermédiaire, l'animal qui englobe les traits antinomiques de deux conditions, humaines mais opposées. Les deux catégories humaines s'opposent comme : sensuel/intellectuel, et la médiation se fait par les chats. Dès lors, le rôle de sujet est implicitement assumé par les chats, qui sont à la fois savants et amoureux.

Les deux quatrains présentent objectivement le personnage du chat, tandis que les deux tercets opèrent sa transfiguration. Cependant, le second quatrain diffère fondamentalement du premier et, en général, de toutes les autres strophes. La formulation équivoque : *ils cherchent le silence et l'horreur des ténèbres* donne lieu à une méprise évoquée dans le septième vers du sonnet, et dénoncée dans le vers suivant. Le caractère aberrant de ce quatrain, surtout l'écart de sa dernière moitié et du septième vers en particulier, est accentué par les traits distinctifs de sa texture grammaticale et phonique.

L'affinité sémantique entre *L'Érèbe* (« région ténébreuse confinant à l'Enfer », substitut métonymique pour « les puissances des ténèbres » et particulièrement pour *Érèbe*, « frère de la Nuit ») et le penchant des chats pour *l'horreur des ténèbres*, corroborée par la similarité phonique entre /tenɛbrə/ et /erɛbə/ a failli associer les chats, héros du poème, à la besogne horrifique des *coursiers funèbres*. Dans le vers insinuant que *L'Érèbe les eût pris pour ses coursiers*, s'agit-il d'un désir frustré, ou d'une fausse reconnaissance? La signification de ce passage, sur laquelle les critiques se sont interrogés[1], reste à dessein ambiguë.

Chacun des quatrains et des tercets cherche pour les chats une nouvelle identification. Mais, si le premier quatrain a lié les chats à deux types de condition humaine, grâce à leur fierté ils parviennent à rejeter la nouvelle identification tentée dans le deuxième quatrain, qui les associe à une condition animale; celle de coursiers placés dans un cadre mythologique. Au cours de toute la pièce, c'est l'unique

1. Cf. *L'Intermédiaire des chercheurs et des curieux*, LXVII, col. 338 et 509.

équivalence rejetée. La composition grammaticale de ce passage, qui contraste nettement avec celle des autres strophes, trahit son caractère insolite : mode irréel, manque d'épithètes qualificatives, un sujet inanimé au singulier, dépourvu de tout déterminant, et régissant un objet animé au pluriel.

Des oxymores allusifs unissent les strophes. $_{8}$*S'ils pouvaient au servage incliner leur fierté*, — mais ils ne « peuvent » pas le faire, parce qu'ils sont véritablement $_{3}$*puissants*. Ils ne peuvent pas être passivement $_{7}$*pris* pour jouer un rôle actif, et voici qu'activement ils $_{9}$*prennent* eux-mêmes un rôle passif, parce qu'ils sont obstinément sédentaires.

$_{8}$*Leur fierté* les prédestine aux $_{9}$*nobles attitudes* $_{10}$*Des grands sphinx*. Les $_{10}$*sphinx allongés* et les chats qui les miment $_{9}$*en songeant* se trouvent unis par un lien paronomastique entre les deux participes, seules formes participiales du sonnet : /ãsɔ̃ʒã/ et /alɔ̃ʒe/. Les chats paraissent s'identifier aux sphinx qui, à leur tour, $_{11}$*semblent s'endormir*, mais la comparaison illusoire, assimilant les chats sédentaires (et implicitement tous ceux qui sont $_{4}$*comme eux*), à l'immobilité des êtres surnaturels, gagne la valeur d'une métamorphose. Les chats et les êtres humains qui leur sont identifiés se rejoignent dans les monstres fabuleux à tête humaine et à corps de bête. Ainsi, l'identification rejetée se trouve remplacée par une nouvelle identification, également mythologique.

$_{9}$*En songeant*, les chats parviennent à s'identifier aux $_{10}$*grands sphinx*, et une chaîne de paronomases, liées à ces mots clés et combinant des voyelles nasales avec les constrictives dentales et labiales, renforce la métamorphose : $_{9}$*en songeant* /ãsõ../ - $_{10}$*grands sphinx* /...ãsfɛ̃../ - $_{10}$*fond* /fõ/ - $_{11}$*semblent* /sã.../ - $_{11}$*s'endormir* /sã....../ - $_{11}$*dans un* /.ãzœ̃/ - $_{11}$*sans fin* /sãfɛ̃/. La nasale aiguë /ɛ̃/ et les autres phonèmes du mot $_{10}$*sphinx* /sfɛ̃ks/ continuent dans le dernier tercet : $_{12}$*reins* /.ɛ̃/ - $_{12}$*pleins* /..ɛ̃/ - $_{12}$*étincelles* /..ɛ̃s.../ - $_{13}$ainsi /ɛ̃s/ - $_{13}$*qu'un sable* //kœ̃s.../.

On a lu dans le premier quatrain : $_{3}$*Les chats puissants et doux, orgueil de la maison*. Faut-il entendre que les chats, fiers de leur domicile, sont l'incarnation de cet orgueil, ou bien est-ce la maison, orgueilleuse de ses habitants félins, qui comme l'Érèbe, tient à les domestiquer? Quoi qu'il en soit, la $_{3}$*maison* qui circonscrit les chats dans le premier quatrain se transforme en un désert spacieux, $_{10}$*fond des solitudes*, et la peur du froid, rapprochant les chats $_{4}$*frileux* et les amoureux $_{1}$*fervents* (notez la paronomasie/fɛrvã/ - /frilø/) trouve un climat approprié dans les solitudes austères (comme sont les savants) du désert torride (à l'instar des amoureux fervents) entourant les sphinx. Sur le plan temporel, la $_{2}$*mûre saison*, qui rimait avec $_{3}$*la maison* dans le premier quatrain et se rapprochait d'elle par la signification, a trouvé une contrepartie nette dans le premier tercet : ces deux groupes visiblement parallèles ($_{2}$*dans leur mûre saison* et $_{11}$*dans un rêve sans fin*) s'opposent mutuellement, l'un évoquant les jours comptés et l'autre, l'éternité. Ailleurs dans le sonnet, il n'y a plus de constructions, ni avec *dans*, ni avec aucune autre préposition adverbiale.

Le miracle des chats domine les deux tercets. La métamorphose se déroule jusqu'à la fin du sonnet. Si, dans le premier tercet, l'image des sphinx allongés dans le désert vacillait déjà entre la créature et son simulacre, dans le tercet suivant les êtres animés s'effacent derrière des parcelles de matière. Les synecdoques remplacent les chats-sphinx par des parties de leur corps : $_{12}$*leurs reins*, $_{14}$*leurs prunelles.* Le sujet sous-entendu des strophes intérieures redevient complément dans le dernier tercet : les chats apparaissent d'abord comme un complément implicite du sujet — $_{12}$*Leurs reins féconds sont pleins* —, puis, dans la dernière proposition du poème, ce n'est plus qu'un complément implicite de l'objet : $_{14}$*Étoilent vaguement leurs prunelles.* Les chats se trouvent donc liés à l'objet du verbe transitif dans la dernière proposition du sonnet, et au sujet dans l'avant-dernière qui est une proposition attributive. Ainsi s'établit une double correspondance, dans un cas avec les chats, objet direct de la première proposition du sonnet, et, dans l'autre cas, avec les chats — sujet de la seconde proposition, attributive elle aussi.

Si, au début du sonnet, le sujet et l'objet étaient également de la classe de l'animé, les deux termes de la proposition finale appartiennent tous les deux à la classe de l'inanimé. En général, tous les substantifs du dernier tercet sont des noms concrets de cette classe : $_{12}$*reins*, $_{12}$*étincelles*, $_{13}$*parcelles*, $_{13}$*or*, $_{13}$*sable*, $_{14}$*prunelles*, tandis que dans les strophes antérieures, tous les appellatifs inanimés, dans les adnominaux, étaient des noms abstraits : $_{2}$*saison*, $_{3}$*orgueil*, $_{6}$*silence*, $_{6}$*horreur*, $_{8}$*servage*, $_{8}$*fierté*, $_{9}$*attitudes*, $_{11}$*rêve*. Le genre féminin inanimé, commun au sujet et à l'objet de la proposition finale — $_{13-14}$*des parcelles d'or... Étoilent... leurs prunelles* — contre balance le sujet et l'objet de la proposition initiale, tous les deux au masculin animé — $_{1-3}$*Les amoureux... et les savants... Aiment... Les chats.* Dans tout le sonnet $_{13}$*parcelles* est l'unique sujet au féminin, et il contraste avec le masculin à la fin du même vers, $_{13}$*sable fin*, qui, lui, est le seul exemple du genre masculin dans les rimes masculines du sonnet.

Dans le dernier tercet, les parcelles ultimes de matière prennent tour à tour la place de l'objet et du sujet. Ce sont ces parcelles incandescentes qu'une nouvelle identification, la dernière du sonnet, associe avec le $_{13}$*sable fin* et transforme en étoiles.

La rime remarquable qui lie les deux tercets est l'unique rime homonyme de tout le sonnet et la seule, parmi ses rimes masculines, qui juxtapose des parties de discours différentes. Il y a une certaine symétrie syntactique entre les deux mots qui riment, puisque tous les deux terminent des propositions subordonnées, l'une complète et l'autre elliptique. La responsion, loin de se borner à la dernière syllabe du vers, rapproche étroitement les lignes toutes entières : $_{11}$*sãblə sãdɔr*mir dãnzœ̃ rɛvə *sã fɛ̃*/ - $_{13}$/par*sɛlə dɔr* ɛ̃si kœ̃ *sablə fɛ̃*/. Ce n'est pas par hasard que précisément cette rime, unissant les deux tercets, évoque *un sable fin* en reprenant ainsi le motif du désert, où le premier tercet a placé *un rêve sans fin* des grands spinx.

$_{2}$*La maison*, circonscrivant les chats dans le premier quatrain, s'abolit dans le premier tercet où règnent les solitudes désertiques, véritable maison à l'envers des chats-sphinx. A son tour, cette « non-maison » fait place à la multitude cosmique des chats (ceux-ci, comme tous les personnages du sonnet, sont traités comme des *pluralia tantum*). Ils deviennent, si l'on peut dire, la maison de la non-maison, puisqu'ils renferment, dans leurs prunelles, le sable des déserts et la lumière des étoiles.

L'épilogue reprend le thème initial des amoureux et des savants unis dans *Les chats puissants et doux*. Le premier vers du second tercet semble donner une réponse au vers initial du second quatrain. Les chats étant $_{5}$*Amis... de la volupté*, $_{12}$*Leurs reins féconds sont pleins*. On est tenté de croire qu'il s'agit de la force procréatrice, mais l'œuvre de Baudelaire accueille volontiers les solutions ambiguës. S'agit-il d'une puissance propre aux reins, ou d'étincelles électriques dans le poil de l'animal? Quoi qu'il en soit, un pouvoir *magique* leur est attribué. Mais le second quatrain s'ouvrait par deux compléments coordonnés : $_{5}$*Amis de la science et de la volupté*, et le tercet final se rapporte, non seulement aux $_{1}$*amoureux fervents*, mais également aux $_{1}$*savants austères*.

Le dernier tercet fait rimer ses suffixes pour accentuer le rapport sémantique étroit entre les $_{12}$*étin c e l l e s*, $_{13}$*par c e l l e s d'or* et $_{14}$*pru n e l l e s* des chats-sphinx d'une part, et d'autre part, entre les étincelles $_{12}$*magi q u e s* émanant de l'animal et ses prunelles $_{14}$*myst i q u e s* éclairées d'une lumière interne, et ouvertes au sens caché. Comme pour mettre à nu l'équivalence des morphèmes, cette rime, seule dans le sonnet, se trouve dépourvue de la consonne d'appui, et l'allitération des /m/ initiaux juxtapose les deux adjectifs. $_{6}$*L'horreur des ténèbres* se dissipe sous cette double luminescence. Cette lumière est reflétée sur le plan phonique par la prédominance des phonèmes au timbre clair dans le vocalisme nasal de la strophe finale (7 palataux contre 6 vélaires), tandis que dans les strophes antérieures, ce sont les vélaires qui ont manifesté une grande supériorité numérique (16 contre 0 dans le premier quatrain, 2 contre 1 dans le second, et 10 contre 5 dans le premier tercet).

Avec la prépondérance des synecdoques à la fin du sonnet, qui substituent les parties au tout de l'animal et, d'autre part, le tout de l'univers à l'animal qui en fait partie, les images cherchent, comme à dessein, à se perdre dans l'imprécision. L'article défini cède à l'indéfini, et la désignation que donne le poète à sa métaphore verbale — $_{14}$*Étoilent vaguement* — reflète à merveille la poétique de l'épilogue. La conformité entre les tercets et les quatrains correspondants (parallélisme horizontal) est frappante. Si, aux limites étroites dans l'espace (*$_{3}$maison*) et dans le temps (*$_{2}$mûre saison*), imposées par le premier quatrain, le premier tercet répond par l'éloignement ou la suppression des bornes (*$_{10}$fond des solitudes, $_{11}$rêve sans fin*), de même, dans le second tercet, la magie des lumières irradiées par les chats triomphe de *$_{6}$l'horreur des ténèbres*, dont le second quatrain avait failli tirer des conséquences trompeuses.

En rassemblant maintenant les pièces de notre analyse, tâchons de montrer comment les différents niveaux auxquels on s'est placé se recoupent, se complètent ou se combinent, donnant ainsi au poème le caractère d'un objet absolu.

D'abord les divisions du texte. On peut en distinguer plusieurs, qui sont parfaitement nettes, tant du point de vue grammatical que de celui des rapports sémantiques entre les diverses parties du poème.

Comme on l'a déjà signalé, une première division correspond aux trois parties qui se terminent chacune par un point, à savoir, les deux quatrains et l'ensemble des deux tercets. Le premier quatrain expose, sous forme de tableau objectif et statique, une situation de fait ou admise pour telle. Le deuxième attribue aux chats une intention interprétée par les puissances de l'Érèbe, et, aux puissances de l'Érèbe, une intention sur les chats repoussée par ceux-ci. Ces deux parties envisagent donc les chats du dehors, l'une dans la passivité à laquelle sont surtout sensibles les amoureux et les savants, l'autre dans l'activité perçue par les puissances de l'Érèbe. En revanche, la dernière partie surmonte cette opposition en reconnaissant aux chats une passivité activement assumée, et interprétée non plus du dehors, mais du dedans.

Une seconde division permet d'opposer l'ensemble des deux tercets à l'ensemble des deux quatrains, tout en faisant apparaître une relation étroite entre le premier quatrain et le premier tercet, et entre le second quatrain et le second tercet. En effet :

1. L'ensemble des deux quatrains s'oppose à l'ensemble des deux tercets, en ce sens que ces derniers éliminent le point de vue de l'observateur (*amoureux*, *savants*, puissance de *l'Érèbe*), et situent l'être des chats en dehors de toutes limites spatiales et temporelles.

2. Le premier quatrain introduisait ces limites spatio-temporelles *(maison, saison)*; le premier tercet les abolit *(au fond des solitudes, rêve sans fin)*.

3. Le second quatrain définit les chats en fonction des ténèbres où ils se placent, le second tercet en fonction de la lumière qu'ils irradient *(étincelles, étoiles)*.

Enfin, une troisième division se surajoute à la précédente, en regroupant, cette fois dans un chiasme, d'une part le quatrain initial et le tercet final, et d'autre part les strophes internes : second quatrain et premier tercet : dans le premier groupe, les propositions indépendantes assignent aux chats la fonction de complément, tandis que les deux autres strophes, dès leur début, assignent aux chats la fonction de sujet.

Or, ces phénomènes de distribution formelle ont un fondement sémantique. Le point de départ du premier quatrain est fourni par le voisinage, dans la même maison, des chats avec les savants ou les amoureux. Une double ressemblance découle de cette contiguïté *(comme eux, comme eux)*. Dans le tercet final aussi, une relation de contiguïté évolue jusqu'à la ressemblance : mais, tandis que dans le premier quatrain, le rapport métonymique des habitants félins et humains de la maison fonde leur rapport métaphorique, dans le dernier tercet, cette situation se trouve, en quelque sorte, intériorisée : le rapport de contiguïté relève de la synecdoque plutôt que de la métonymie propre. Les parties du corps du chat *(reins, prunelles)* préparent une évocation métaphorique du chat astral et cosmique, qui s'accompagne du passage de la précision à l'imprécision *(également - vaguement)*. Entre les strophes intérieures, l'analogie repose sur des rapports d'équivalence, l'un rejeté par le deuxième quatrain (chats et *coursiers funèbres*), l'autre accepté par le premier tercet (chats et *sphinx*), ce qui amène, dans le premier cas, à un refus de contiguïté (entre les chats et l'Érèbe) et, dans le second, à l'établissement des chats *au fond des solitudes*. On voit donc qu'à l'inverse du cas précédent, le passage se fait d'une relation d'équivalence, forme renforcée de la ressemblance (donc une démarche métaphorique) à des relations de contiguïté (donc métonymiques) soit négatives, soit positives.

Jusqu'à présent, le poème nous est apparu formé de systèmes d'équivalences qui s'emboîtent les uns dans les autres, et qui offrent dans leur ensemble l'aspect d'un système clos. Il nous reste à envisager un dernier aspect, sous lequel le poème apparaît comme système ouvert, en progression dynamique du début à la fin.

On se souvient que, dans la première partie de ce travail, on avait mis en lumière une division du poème en deux sizains, séparés par un distique dont la structure contrastait vigoureusement avec le reste. Or, au cours de notre récapitulation, nous avions provisoirement laissé cette division de côté. C'est qu'à la différence des autres, elle nous semble marquer les étapes d'une progression, de l'ordre du réel (premier sizain) à celui du surréel (deuxième sizain). Ce passage s'opère à travers le distique, qui, pour un bref instant et par l'accumulation de procédés sémantiques et formels, entraîne le lecteur dans un univers doublement irréel, puisqu'il partage avec le premier sizain le caractère d'extériorité, tout en devançant la résonance mythologique du second sizain :

<table>
<tr><th>vers 1 à 6</th><th>vers 7 et 8</th><th>vers 9 à 14</th></tr>
<tr><td colspan="2">extrinsèque</td><td>intrinsèque</td></tr>
<tr><td>empirique</td><td colspan="2">mythologique</td></tr>
<tr><td>réel</td><td>irréel</td><td>surréel</td></tr>
</table>

Par cette brusque oscillation, et de ton, et de thème, le distique remplit une fonction, qui n'est pas sans évoquer celle d'une modulation dans une composition musicale.

Le but de cette modulation est de résoudre l'opposition implicite ou explicite depuis le début du poème, entre démarche métaphorique et démarche métonymique. La solution apportée par le sizain final consiste à transférer cette opposition au sein même de la métonymie, tout en l'exprimant par des moyens métaphoriques. En effet, chacun des deux tercets propose des chats une image inversée. Dans le premier tercet, les chats primitivement enclos dans la maison en sont, si l'on peut dire, extravasés pour s'épanouir spatialement et temporellement dans les déserts infinis et le rêve sans fin. Le mouvement va du dedans vers le dehors, des chats reclus vers les chats en liberté. Dans le second tercet, la suppression des frontières se trouve intériorisée par les chats atteignant des proportions cosmiques, puisqu'ils recèlent dans certaines parties de leur corps (*reins* et *prunelles*) le sable du désert et les étoiles du ciel. Dans les deux cas, la transformation s'opère à l'aide de procédés métaphoriques. Mais les deux transformations ne sont pas exactement en équilibre : la première tient encore de l'apparence *(prennent ... les ... attitudes ... qui semblent s'endormir.)* et du rêve *(en songeant ... dans un rêve ...)*, tandis que la seconde clôt véritablement la démarche par son caractère affirmatif *(sont pleins ... Étoilent)*. Dans la première, les chats ferment les yeux pour s'endormir, ils les tiennent ouverts dans la seconde.

Pourtant, ces amples métaphores du sizain final ne font que transposer, à l'échelle de l'univers, une opposition qui était déjà implicitement formulée dans le premier vers du poème. Les « amoureux » et les « savants » assemblent respectivement des termes qui se trouvent entre eux dans un rapport contracté ou dilaté : l'homme amoureux est conjoint à la femme, comme le savant l'est à l'univers; soit deux types de conjonction, l'une rapprochée, l'autre éloignée [1]. C'est le même rapport qu'évoquent les transfigurations finales : dilatation des chats dans le temps et l'espace, constriction du temps et de l'espace dans la personne des chats. Mais, ici encore et comme nous l'avons déjà remarqué, la symétrie n'est pas complète entre les deux formules : la dernière rassemble en son sein toutes les oppositions : les reins féconds rappellent la *volupté* des amoureux, comme les prunelles, la *science* des savants; *magiques* se réfère à la ferveur active des uns, *mystiques* à l'attitude contemplative des autres.

Deux remarques pour terminer.

Le fait que tous les sujets grammaticaux du sonnet (à l'exception du nom propre *L'Érèbe*) soient au pluriel, et que toutes les rimes féminines soient formées avec des pluriels (y compris le substantif *solitudes*), est curieusement éclairé (comme d'ailleurs l'ensemble du sonnet) par quelques passages de *Foules* : « Multitude, solitude : termes égaux et convertibles par le poète actif et fécond... Le poète jouit de cet incomparable privilège, qu'il peut à sa guise être lui-même et autrui... Ce que les hommes nomment amour est bien petit, bien

1. M. E. Benveniste, qui a bien voulu lire cette étude en manuscrit, nous a fait observer qu'entre « les amoureux fervents » et « les savants austères », la « mûre saison » joue aussi le rôle de terme médiateur : c'est, en effet, dans leur « mûre saison » qu'ils se rejoignent pour s'identifier, « également », aux chats. Car, poursuit M. Benveniste, rester « amoureux fervents » jusque dans la « mûre saison » signifie déjà qu'on est hors de la vie commune, tout comme sont les « savants austères » par vocation : la situation initiale du sonnet est celle de la vie hors du monde (néanmoins la vie souterraine est refusée), et elle se développe, transférée aux chats, de la réclusion frileuse vers les grandes solitudes étoilées où science et volupté sont rêve sans fin.

A l'appui de ces remarques, dont nous remercions leur auteur, on peut citer certaines formules d'un autre poème des *Fleurs du Mal* : « Le savant amour... fruit d'automne aux saveurs souveraines » (L'Amour du mensonge).

restreint, et bien faible, comparé à cette ineffable orgie, à cette sainte prostitution de l'âme qui se donne tout entière, poésie et charité, à l'imprévu qui se montre, à l'inconnu qui passe [1]. »

Dans le sonnet de Baudelaire, les chats sont initialement qualifiés de *puissants et doux* et le vers final rapproche leurs prunelles des étoiles. Crépet et Blin [2] renvoient à un vers de Sainte-Beuve : « ... l'astre puissant et doux » (1829), et retrouvent les mêmes épithètes dans un poème de Brizeux (1832) où les femmes sont ainsi apostrophées : « Êtres deux fois doués! Êtres puissants et doux! »

Cela confirmerait, s'il en était besoin, que pour Baudelaire, l'image du chat est étroitement liée à celle de la femme, comme le montrent d'ailleurs explicitement les deux poèmes du même recueil intitulés « Le Chat », à savoir le sonnet : « Viens, mon beau chat, sur mon cœur amoureux » (qui contient le vers révélateur : « Je vois ma femme en esprit ... ») et le poème « Dans ma cervelle se promène... Un beau chat, fort, doux... » (qui pose carrément la question, « est-il féc, est-il dieu? »). Ce motif de vacillation entre mâle et femelle est sous-jacent dans « Les Chats », où il transparaît sous des ambiguïtés intentionnelles *(Les amoureux... Aiment... Les chats puissants et doux...; Leurs reins féconds...)*. Michel Butor note avec raison que, chez Baudelaire « ces deux aspects : féminité, supervirilité, bien loin de s'exclure, se lient [3] ». Tous les personnages du sonnet sont du genre masculin, mais *les chats* et leur *alter ego les grands sphinx*, participent d'une nature androgyne. La même ambiguïté est soulignée, tout au long du sonnet, par le choix paradoxal de substantifs féminins comme rimes dites masculines [4]. De la constellation initiale du poème, formée par les

1. Ch. Baudelaire, *Œuvres*, t. II, Bibliothèque de la Pléiade (Paris, 1961), p. 243 s.
2. Ch. Baudelaire, *Les Fleurs du Mal*. Édition critique établie par J. Crépet et G. Blin (Paris, 1942), p. 413.
3. M. Butor, *Histoire extraordinaire, essai sur un rêve de Baudelaire* (Paris, 1961), p. 85.
4. Dans la plaquette de L. Rudrauf, *Rime et sexe* (Tartu, 1936), l'exposé d'une « théorie de l'alternance des rimes masculines et féminines dans la poésie française » est « suivi d'une controverse » avec Maurice Grammont (p. 47 s.). Selon ce dernier, « pour l'alternance établie au XVIe siècle et reposant sur la présence ou l'absence d'un *e* inaccentué à la fin du mot, on s'est servi des termes rimes *féminines* et rimes *masculines*, parce que l'*e* inaccentué à la fin d'un mot était, dans la grande majorité des cas, la marque du féminin : un petit chat/une petite chatte ». On pourrait plutôt dire que la désinence spécifique du féminin l'opposant au masculin contenait toujours « l'*e* inaccentué ». Or, Rudrauf exprime certains doutes : « Mais est-ce uniquement la considération grammaticale qui a guidé les poètes du XVIe siècle dans l'établissement de la règle d'alternance et dans le choix des épithètes « masculines » et « féminines » pour désigner les deux sortes de rimes? N'oublions pas que les poètes de la Pléiade écrivaient leurs strophes en vue du

amoureux et les savants, les chats permettent, par leur médiation, d'éliminer la femme, laissant face à face — sinon même confondus — « le poète des Chats », libéré de l'amour « bien restreint », et l'univers, délivré de l'austérité du savant.

---

chant, et que le chant accentue, bien plus que la diction parlée, l'alternance d'une syllabe forte (masculine) et d'une syllabe faible (féminine). Plus ou moins consciemment, le point de vue musical et le point de vue sexuel doivent avoir joué un rôle à côté de l'analogie grammaticale... » (p. 49).

Étant donné que cette alternance des rimes reposant sur la présence ou l'absence d'un *e* inaccentué à la fin des vers a cessé d'être réelle, Grammont la voit céder sa place à une alternance des rimes finissant par une consonne ou par une voyelle accentuée. Tout en étant prêt à reconnaître que « les finales vocaliques sont toutes masculines » (p. 46), Rudrauf est, en même temps, tenté d'établir une échelle à 24 rangs pour les rimes consonantiques, « allant des finales les plus brusques et les plus viriles aux plus fémininement suaves » (p. 12 s.) : les rimes à une occlusive sourde forment l'extrême pôle masculin (1°) et les rimes à une spirante sonore le pôle féminin (24°) de l'échelle en question. Si l'on applique cette tentative de classement aux rimes consonantiques des « Chats », on y observe un mouvement graduel vers le pôle masculin qui finit par atténuer le contraste entre les deux genres de rimes : $_1$*austères* - $_4$*sédentaires* (liquide : 19°); $_6$*ténèbres* - $_7$*funèbres* (occlusive sonore et liquide : 15°); $_9$*attitudes* - $_{10}$*solitudes* (occlusive sonore : 13°; $_{12}$*magiques* - $_{14}$*mystiques* (occlusive sourde : 1°).

Une microscopie du dernier « Spleen » dans *les Fleurs du mal*[a]

La grammaire, l'aride grammaire elle-même, devient quelque chose comme une sorcellerie évocatoire ; les mots ressuscitent, revêtus de chair et d'os, le substantif dans sa majesté substantielle, l'adjectif, vêtement transparent qui l'habille et le colore comme un glacis, et le verbe, ange du mouvement, qui donne le branle à la phrase.

BAUDELAIRE, L'Homme-Dieu.

Le dernier des quatre poèmes intitulés « Spleen » et inclus dans le cycle « Spleen et Idéal », partie inaugurale des *Fleurs du Mal*, révèle comme tant d'autres pièces de Baudelaire la « sorcellerie évocatoire » de son œuvre, « même au point de vue supérieur de la linguistique », suivant les propres termes du poète *(« Pierre Dupont »)*. Voici la rédaction de 1861 qui diffère sur quelques points du texte de l'édition originale des *Fleurs du Mal* (1857) et surtout des épreuves de cette première publication du poème.

I $_1$Quand le ciel bas et lourd pèse comme un couvercle
$_2$Sur l'esprit gémissant en proie aux longs ennuis,
$_3$Et que de l'horizon embrassant tout le cercle
$_4$Il nous verse un jour noir plus triste que les nuits;

II $_1$Quand la terre est changée en un cachot humide,
$_2$Où l'Espérance, comme une chauve-souris,
$_3$S'en va battant les murs de son aile timide
$_4$Et se cognant la tête à des plafonds pourris;

III $_1$Quand la pluie étalant ses immenses traînées
$_2$D'une vaste prison imite les barreaux,
$_3$Et qu'un peuple muet d'infâmes araignées
$_4$Vient tendre ses filets au fond de nos cerveaux,

IV $_1$Des cloches tout à coup sautent avec furie
$_2$Et lancent vers le ciel un affreux hurlement,
$_3$Ainsi que des esprits errants et sans patrie
$_4$Qui se mettent à geindre opiniâtrement.

a. *Tel Quel*, 1967, 29, p. 12-24.

V $_1$— Et de longs corbillards, sans tambours ni musique,
$_2$Défilent lentement dans mon âme; l'Espoir,
$_3$Vaincu, pleure, et l'Angoisse atroce, despotique,
$_4$Sur mon crâne incliné plante son drapeau noir.

Le poème, composé de cinq quatrains, se conforme déjà au futur appel de Verlaine : « Préfère l'impair » (1882). Les trois strophes *impaires*, opposées aux deux strophes *paires*, comprennent le quatrain central (III) et les deux quatrains *extérieurs* du poème, c'est-à-dire l'initial (I) et le final (V), ceux-ci opposés aux trois strophes *intérieures* (II-IV). La strophe centrale se trouve en rapports de similitude et de contraste, d'une part avec les deux strophes *antérieures* (I, II) et de l'autre avec les deux strophes *postérieures* (IV, V); et ces deux paires de strophes, à leur tour, tout à la fois convergent et divergent dans leur texture grammaticale et lexicale.

Chacune des trois strophes impaires — « Plus vague et plus soluble dans l'air » — comporte une référence à la première personne. C'est là que l'on décèle, selon les termes de Baudelaire *(Réflexions sur quelques-uns de mes contemporains)*, « une manière lyrique de sentir » : désormais « le poète lyrique trouve occasion de parler de lui-même ». Quatre pronoms de la première personne, dont un substantif (I$_4$*nous*) et trois adjectifs (III$_4$*nos;* V$_2$, $_4$*mon*) apparaissent dans les strophes impaires, tandis que les deux strophes paires en sont complètement dépourvues. A ces quatre pronoms de la première personne, deux au pluriel et deux au singulier, les mêmes strophes impaires opposent également quatre pronoms de la troisième, dont deux, à leur tour, sont au pluriel et deux au singulier, et dont l'un de nouveau est substantif (I$_4$*il*), vis-à-vis de trois adjectifs (III$_1$, $_4$*ses;* V$_4$*son*). Des deux *ses* dans III, ainsi que des deux *mon* dans V, le premier se rapporte à un substantif féminin (*traînées*, *âme*) et le second à un masculin *(filets, crâne)*. Le passage du double pluriel *nos* (à proprement parler, pluriel de l'adjectif pronominal possessif à la première personne du pluriel) au double singulier *mon* (ou plus précisément, singulier de l'adjectif pronominal possessif à la première personne du singulier) matérialise le processus graduel d'une mise au point.

Dans les strophes impaires, les pronoms de la troisième personne ne se rapportent qu'à des sujets hostiles : I$_4$*il* au *ciel bas et lourd*, III$_1$*ses* à *la pluie*, III$_4$*ses* à *un peuple muet d'infâmes araignées*, et V$_4$*son* à *l'Angoisse atroce*. La syntaxe de ces strophes établit entre les pronoms, de ceux de la première personne à ceux de la troisième, un ordre de dépendance de l'inférieur au supérieur : I$_4$*Il nous* (sujet-complément indirect); dans les strophes III et V, les possessifs de la troisième personne se rapportent aux compléments directs et ceux de la première aux circonstanciels : III$_4$*Vient tendre ses filets au fond de nos cerveaux;* V$_4$*Sur mon crâne incliné plante son drapeau noir.* L'importance que Baudelaire attribue à cette classe grammaticale se reflète dans son témoignage : « c'est une chose douloureuse de voir un poète... supprimer... les adjectifs possessifs » *(Réflexions).*

Dans « Spleen », une chaîne de correspondances phoniques accompagne et met en relief le jeu des pronoms personnels et possessifs. Ainsi le mot *nous* (I$_4$) inaugure une triple allitération de *n* initiaux suivis d'une voyelle ou semi-voyelle arrondie : *Il* N*ous verse un jour* N*oir|plus triste que les* N*uits//*. La combinaison d'un *a* nasal avec la sifflante initiale du pronom est réitérée dans III$_1$ *étal*AN*t ses imm*EN*ses*, tandis que dans III$_4$, S*es* allitère avec C*erveaux*. Les pronoms *mon* et *son* du cinquième quatrain sont anticipés par des syllabes apophoniques avec *a* nasal : IV$_2$ LANC*ent* (avec métathèse), $_3$*err*AN*ts* [ãz] SAN*s*; V $_1$SAN*s*, $_4$SON; IV $_2$*hurle*MEN*t*, $_4$*opiniâtre*MEN*t*, V $_2$*lente*MEN*t dans* MON *âme*, $_4$MON. La séquence *lentement dans mon âme*, avec quatre voyelles nasales et trois *m*, produit un son assombri et voilé, ainsi du reste que toute la strophe finale qui présente la plus forte accumulation de voyelles nasales (I : 10, II : 10, III : 9, IV : 8, V : 13) et rend leur effet particulièrement sensible au moyen de paronomases : $_1$LONG*s*, $_2$LEN*tement*, $_3$L'AN*goisse* (sur le plan morphonologique, le *g* de *L'Angoisse* se trouve confronté au *g* virtuel de *long*; cf. le féminin *longue* et *long ennui*).

Du fait de leur caractère plus lyrique, les strophes impaires présentent un nombre élevé de qualificatifs. Quatre substantifs dans chacun de ces quatrains sont directement munis d'adjectifs ou de participes : I : *ciel*, *esprit*, *ennuis*, *jour;* III : *traînées*, *prison*, *peuple*, *araignées;* V : *corbillards*, *Angoisse*, *crâne*, *drapeau.* La distribution de tous les qualificatifs directs (non-prépositionnels) — adjectifs, participes attachés aux noms en fonction d'épithètes et finalement adverbes de manière (« modes of existence and occurrence » suivant la définition pénétrante d'Edward Sapir) — est parfaitement symétrique : chacune des deux strophes paires en contient trois (II : *humide*, *timide*, *pourris;* IV : *affreux*, *errants*, *opiniâtrement*), chacune des strophes extérieures, six (I : *bas*, *lourd*, *gémissant*, *longs*, *noir*, *triste;* V : *longs*, *lentement*, *atroce*, *despotique*, *incliné*, *noir*) et la strophe centrale, cinq (III : *étalant*, *immenses*, *vaste*, *muet*, *infâmes*). Les participes épithètes apparaissent uniquement dans les quatrains impairs, un par strophe (I : *gémissant*, III : *étalant*, V : *incliné*).

A propos des deux épithètes du quatrain initial, reprises par le quatrain final avec le même nombre et le même genre grammatical, on se souviendra que, suivant les *Réflexions* de Baudelaire, un mot répété semble dénoncer « un dessein déterminé » du poète : I$_2$*longs ennuis*, V$_1$*longs corbillards;* I$_4$*jour noir*, V$_4$*drapeau noir*. L'un des effets tirés par le poète « d'un certain nombre de mots diversement combinés » (cf. *Prométhée délivré*) est particulièrement palpable : contrairement à la première strophe, la finale assigne ces adjectifs à des noms concrets, spatiaux, désignant des objets humains et fonctionnant en tant que tropes. On notera également que les seules doubles épithètes adjectives de toute la pièce en déterminent le premier et le dernier sujet grammatical : I$_1$*le ciel bas et lourd*, V$_3$*l'Angoisse atroce, despotique*.

Deux syllabes accentuées — la finale d'une épithète et l'initiale d'un prédicat dissyllabique — se rencontrent à la coupe du premier et aussi du dernier vers : I$_1$*lourd|pèse*, V$_4$*incliné|plante* (avec une allitération des deux verbes : P*èse*-P*lante*).

Les trois quatrains intérieurs, plus mobiles que les deux extérieurs, se distinguent de ces derniers par l'emploi de périphrases verbales dans la proposition finale : II$_3$*S'en va battant...* $_4$*Et se cognant;* III$_4$*Vient tendre;* IV$_4$*Qui se mettent à geindre*.

Si l'on compare les deux quatrains antérieurs aux deux quatrains postérieurs on découvre une répétition partielle de mots, qui soustend la composition de l'ensemble. La première strophe du couple antérieur comporte au second vers le mot *l'esprit* (I$_2$), qui se trouve transposé en pluriel et personnifié à l'avant-dernier vers de la première des strophes postérieures : IV$_3$*des esprits*. Les éléments associés du contexte renforcent cette corrélation entre I$_2$*l'esprit gémissant* et IV$_3$*des esprits*, $_4$*Qui se mettent à geindre*. Un rapport similaire s'établit entre les deuxièmes strophes de ces deux couples : II$_2$*l'Espérance*, V$_2$*l'Espoir*, deux synonymes apparentés, tous deux pourvus d'une majuscule. En outre, une attraction paronymique relie les deux paires l'une à l'autre. De même on lit dans « Le Goût du Néant » :

> Morne *esprit*, autrefois amoureux de la lutte,
> L'*Espoir*, dont l'*éper*on attisait ton ardeur,
> Ne veut pas t'enfourcher!

La première partie du « Voyage » se termine par l'évocation des voluptés « dont l'esprit humain n'a jamais su le nom », et la seconde passe à l'image de « l'Homme, dont jamais l'espérance n'est lasse ». Le second vers des deux strophes extérieures de « Spleen » offre une correspondance phonique très nette : I$_2$*Sur l'espr*IT *gémiss*ANT|*en proie...*, V$_2$*Déf*IL*ent lentem*ENT|*dans mon âme; l'Espoir*//, ou L'ESPOIR, *vaincu et pleurant*, (V$_2$), émerge comme un croisement phonico-sémantique entre L'ESPRIT et PROIE. On retiendra le beau précepte de Saussure invitant le lecteur à saisir les correspondances « hors de l'ordre dans le temps qu'ont les éléments » (v. *Mercure de France*, 1964, p. 254 s.) et l'on notera que dans la série *l'esprit*, *l'Espérance*, *des esprits*, *l'Espoir*, ce sont les deux termes extrêmes, appartenant aux strophes extérieures, qui manifestent un accord grammatical complet pour le genre, le nombre et l'article.

Sur est la première et la dernière préposition à apparaître dans « Spleen », c'est-à-dire dans la proposition liminaire et la proposition terminale, mais nulle part ailleurs : I$_1$ |*pèse...* $_2$*Sur l'esprit gémissant*, V$_2$ *Sur mon crâne incliné|plante...* Une symétrie en miroir *(mirror symmetry)* relie les deux constructions.

La pression vaste, massive et lourde venue d'en-haut et l'intrusion au-dedans forment le thème des strophes impaires, et les mots subsidiaires servant à représenter cette pénétration sont ou bien *au fond de*, locution favorite de Baudelaire (cf. la *Concordance* de R. F. Cargo), ou bien la préposition *dans :* III$_4$*Vient tendre ses filets au fond de nos cerveaux;* V$_2$*Défilent lentement dans mon âme.* Les épreuves donnent un texte différent : *Passent en foule au fond de mon âme.* Le poète a remplacé finalement le calembour *filets-foule*, « une analyse phonico-poétique », selon les termes de Saussure, par une « analyse grammatico-poétique », c'est-à-dire par la figure étymologique *filets-défilent.* Au lieu de répéter la locution prépositive *au fond de* (III$_4$), le poète a introduit la préposition synonyme *dans* (V$_2$). La substitution de l'épithète *infâmes* pour *horribles* dans la version finale de « Spleen » III$_3$*Et qu'un peuple muet d'infâmes araignées* — épaissit l'image de ce « peuple » en renforçant l'accumulation des labiales continues (surtout sourdes), qui, d'après Grammont, « ne peuvent exprimer qu'un souffle mou et sans bruit ou accompagné d'un bruit extrêmement sourd » : III$_4$V*ient tendre ses* F*ilets au* F*ond de nos cer*V*eaux.* Dans les deux vers suivants, l'image du fracas rompant le silence est accompagnée d'une triple combinaison expressive de labiales continues avec la vibrante *r* (cf. III$_4$*ce*RV*eaux//*) : IV$_1$*Des cloches tout à coup| sautent avec* FuR*ie//* $_2$*Et lancent* VeRs *le ciel|un a*FF*reux hu*R*lement.* Le phonème *f*, cinq fois répété dans les quatre vers III$_3$ - IV$_2$, ne se retrouve pas ailleurs, à l'exception des deux figures étymologiques rattachées au vers III$_4$ *filets* - V$_2$*Défilent* et *au fond* - II$_4$*plafonds.* Tous les autres mots en *f* figurant sur les épreuves et, pour une part, dans l'édition de 1857, ont été remplacés : I$_4$*fait* par *verse*, V$_2$*au fond de* par *dans* et V$_3$*Fuyant* par *vaincu.*

Les quatre compléments prépositionnels que nous venons de relever dans les strophes impaires sont étroitement liés sur le plan sémantique : I$_2$*Sur l'esprit*, III$_4$*au fond de nos cerveaux*, V$_2$*dans mon âme*, $_4$*Sur mon crâne*. Quant au sens des mots subsidiaires et à la place du complément dans le vers (début du premier ou du second hémistiche), les deux termes extrêmes de la série décrite contrastent avec les deux termes moyens. D'autre part le sens du complément et sa place dans la strophe (second vers du premier ou du deuxième distique), unissent les deux termes impairs de la série et les opposent aux termes pairs. Le caractère spirituel des uns et la nature concrète des autres se rattachent à la tendance manifeste d'appliquer le complément « d'ordre abstrait » au sujet désignant « un être matériel », en évitant la combinaison des compléments concrets avec les sujets de même ordre — principe énoncé par le poète lui-même à propos de l'épithète (*Fusées*, VI) — : cf. I *ciel - esprit*, III *peuple - cerveaux*, V *corbillards - âme; Angoisse - crâne*.

Chacune des deux relations qui s'établissent, entre les termes de cette série quadripartite trouve un support dans la répartition des propositions renfermant les quatre compléments. Les propositions attachées aux distiques impairs alternent régulièrement avec celles des distiques pairs (I_{1-2}, III_{3-4}, V_{1-2}, V_{3-4}) et en même temps, les correspondances reliant entre eux respectivement termes extrêmes et termes moyens impliquent une symétrie en miroir :

I 1er distique et III 2e d., en comptant à partir du début.
V 2e distique et V 1er d., en comptant à partir de la fin.

Une fois de plus, on peut déceler la marque de cette conviction du poète : « le charme infini et mystérieux... tient à la régularité et à la symétrie, qui sont un des besoins primordiaux de l'esprit humain, au même degré que la complication et l'harmonie » (*Fusées*, XXII).

Une poussée par saccades, dirigée de bas en haut, est la réponse antithétique donnée par des strophes paires au mouvement oppressif, dirigé de haut en bas, qui régit les strophes impaires. Si *le ciel* (I_1) représente le point de départ dans le groupe impair, c'est l'image de *la terre* (II_1) qui inaugure le groupe pair.

Il suffit de confronter les premières strophes du couple antérieur et postérieur pour découvrir l'orientation diamétralement opposée des quatrains pairs et impairs : I_1 LE CIEL (sujet) *bas et lourd pèse...||* $_2$SUR L'ESPRIT (complément circonstanciel)... $_3$*et...* $_4$*nous* VERS*e;* IV $_1$*Des cloches tout à coup|sautent avec furie||* $_2$*Et lancent* VERS LE CIEL (complément circonstanciel)|*un affreux hurlement,||* $_3$*Ainsi que* DES ESPRITS (sujet)|. Des deux métaphores parallèles, II_1 *un cachot humide* et III_2 *une vaste prison*, la première amène l'image de l'Espérance s'efforçant de s'envoler II_4 *Et se cognant la tête à des plafonds pourris*, tandis que l'autre aboutit à un nouveau parallélisme, celui des barreaux et des filets tendus par les araignées III$_4$ *au fond de nos cerveaux.* Le contraste des mots apparentés II$_4$ *plafonds* et III$_4$ *fond* met à nouveau en relief la différence de perspective entre les strophes voisines.

Des deux substantifs concrets de genre animé figurant dans le poème, celui de la strophe impaire désigne les *infâmes araignées* dressant un guet-apens et celui de la strophe paire, *une chauve-souris* cherchant à s'évader ou, selon l'image rapportée à l'Espoir dans la première rédaction de « Spleen », *Fuyant vers d'autres cieux* (solution ensuite abandonnée). Les motifs zoomorphes font tous deux usage de consonnes continues réitérées. Ainsi le lien entre le sujet et le prédicat est marqué par un « jeu phonique » : II$_2$ *chauVe-Souris//* $_3$*s'en Va.* La « réversibilité » des phonèmes est un procédé familier de l'art poétique de Baudelaire : cf. *Autour des* VERts *tapis| des visages sans* lÈVRes// (« Le Jeu »). Mais dans le « Spleen » c'est le seul cas où les chuintantes et les sifflantes soient accumulées; elles contrastent avec l'encadrement labial de *peuple muet* et anticipent le susurrement du chéiroptère aux « ailes timides » : II $_1$*la terre est* CHanGée *en un ca*CHot *humide,//* $_2$*Où l'Espéran*Ce *comme une* CHauve-Souris//.

L'expansion et la dilatation des formes verbales conjuguées se trouvent atténuées dans les quatrains pairs, si on les compare aux strophes impaires. Celles-ci ne connaissent que l'actif, tandis que dans les deux strophes paires, on rencontre de plus des verbes à la voix passive (II$_1$ *est changée*) et réfléchie (II$_3$ *s'en va,* IV$_4$ *se mettent*). On notera également le « réfléchi indirect » dans II$_4$ *Et* SE *cognant la tête|* en contraste avec I$_4$ *Il* NOUS *verse un jour noir|*. Le régime direct du verbe conjugué désigne toujours un objet visuel dans les strophes impaires qui cherchent à amortir tout élément sonore (III$_4$ *peuple* MU*et|*, V$_1$ *sans tambours ni* MU*sique//*, avec une allitération soulignant l'affinité des deux images); en revanche l'unique régime direct du verbe conjugué dans les strophes paires vise un effet auditif : IV$_2$ *lancent... un affreux hurlement.* L'idée de l'étendue dans l'espace et dans le temps pénètre tous les quatrains impairs : I $_2$*longs ennuis//*, $_3$*de l'horizon|embrassant tout le cercle//;* III $_1$*étalant|ses immenses traînées//*, $_2$*vaste prison|* (contrastant avec l'étroitesse du *cachot humide* II$_1$), $_4$*Vient tendre ses filets|*, V $_1$*longs corbillards|...* $_2$*Défilent lentement|*. Cette idée durative et continue est inconnue aux strophes paires qui confèrent plutôt une valeur inchoative et intermittente à leurs périphrases verbales (II $_3$*S'en va battant les murs* $_4$*Et se cognant la tête,* IV$_4$ *Qui se mettent à geindre|*), ainsi qu'à l'adverbe IV$_1$ *tout à coup* (« temps point » suivant l'analyse des adverbes par Tesnière) accouplé avec le verbe *sautent.* Quant à *lancent* (IV$_2$), ce verbe offre à Marouzeau l'exemple d'une « action envisagée comme limitée à son stade initial » *(Lexique de la terminologie linguistique)*. Le traitement du trope au début du deuxième quatrain porte également la marque de l'idée inchoative; la métaphore se déploie en métamorphose : II$_1$ *la terre est changée|en un cachot humide//*. Même l'épithète IV$_3$ *errants* exhibe un caractère discontinu.

Les strophes impaires, d'un thème extensif, se divisent premièrement en propositions coordonnées, par contre chacune des strophes paires, au dessin sémantique ascendant, forme une hypotaxe étagée : II $_2$OU *l'Espérance*, COMME|*une chauve-souris,//* $_3$*S'en va*... et IV $_4$AINSI QUE des esprits| $_4$QUI *se mettent*... La ligature *comme* est commune aux deux strophes antérieures (cf. I$_1$ *pèse comme un couvercle//*, mais uniquement dans les quatrains pairs la comparaison elliptique — p. ex. *comme* (le ferait) *une chauve souris* — fait partie d'une double hypotaxe, et la ligature porte un accent emphatique : II$_2$ *comme*| situé en fin d'hémistiche et IV$_3$ *Ainsi que*, le premier trisyllabe du vers.

Il est particulièrement significatif que les pronoms de la première personne, figurant dans tous les quatrains impairs et la désignant comme victime des forces hostiles, disparaissent dans les quatrains pairs.

Dans son sonnet intitulé « Le Couvercle », Baudelaire récapitule le « dictionnaire » de « Spleen » : l'homme « sur *terre* », « que son petit *cerveau* soit actif ou soit lent », regarde « avec un œil tremblant » « *le Ciel!* ce *mur* de caveau qui l'étouffe, *plafond... Le Ciel! couvercle noir...* ». Les deux attitudes envers le firmament — l'une inspirant les strophes impaires, et l'autre reflétée dans les strophes paires de « Spleen » — sont explicitement caractérisées dans « Le Couvercle » où *le Ciel* apparaît en même temps comme « terreur du libertin » et inversement « *espoir* du fol ermite ». Dans un autre sonnet, celui qui précède les quatre Spleens et s'intitulait d'abord « Le Spleen », puis finalement « La Cloche Fêlée », l'image de « la cloche au gosier vigoureux qui... jette fidèlement son cri religieux » se trouve nettement opposée à l'âme fêlée du poète, dont « la voix affaiblie semble le râle épais d'un blessé qu'on oublie... et qui meurt, sans bouger ». La haine et le mépris de cet appel religieux le font rebaptiser en *un affreux hurlement* (« Spleen », IV$_2$), et les êtres hostiles évoqués dans les deux strophes voisines sont à leur tour munis d'une épithète strictement péjorative (III$_3$ *infâmes araignées* et V$_3$ *Angoisse atroce*), tandis que les deux strophes antérieures sont exemptes de pareils adjectifs. Dans les trois syntagmes cités, le déterminé et le déterminant sont expressivement cimentés par un double début vocalique, avec un *a* à la tête d'un des mots dans chaque paire; de même les deux termes associés aux cloches hurlantes — IV$_3$ E*sprits* E*rrants* — sont dépourvus de consonne initiale.

Dans le quatrain central, comprenant la dernière partie de la triple protase (I$_1$ *Quand le ciel...* $_3$*Et que...*, II$_1$ *Quand la terre...*, III $_1$*Quand la pluie...* $_3$*Et qu'un...*), la gradation ascendante des tropes atteint son climax. Le premier et le dernier participes actifs — I$_2$ L'*es*PRI*t g*É*mis*-SAN*t*| et III$_1$ L*a* PL*u*I*e* É*tal*AN*t*| — sont tous deux suivis dans le vers subséquent d'une inversion expressive, qui n'apparaît pas autrement dans le poème, le complément adnominal étant placé avant le régime direct dont il dépend : I$_3$ *Et que de l'horizon|embrassant tout le cercle||;* III$_2$ *D'une vaste prison|imite les barreaux||*. Le terme figuré *vaste p*RISON répond au terme propre *ho*RIZON et tous deux sont liés par une rime dissyllabique de quatre phonèmes, de toutes les rimes de « Spleen », la plus « puissamment colorée », selon l'expression de Baudelaire (*Prométhée délivré*), et différant des rimes finales par son parallélisme syntaxique, combiné à une discordance des genres, qui tous deux font écho au genre du sujet : I $_3$*l'horizon* - $_4$*Il;* III $_1$*la pluie* - $_2$*prison*.

La nouveauté qu'introduit le premier distique de la strophe centrale consiste en l'inversion de l'ordre hiérarchique entre les termes propres et figurés. D'après les vers III$_{1-2}$, c'est *la pluie étalant ses immenses traînées* qui *imite les barreaux* d'une prison, de sorte que le plan métaphorique sert de modèle au plan factuel. Déjà la seconde strophe, transformant la terre en un cachot, avait mis les deux plans au même niveau, et l'élévation ultérieure du plan métaphorique est accomplie dans la strophe suivante. Le second distique achève d'intérioriser le symbole de la geôle cosmique, en identifiant, par une juxtaposition, les barreaux de cette vaste prison avec une toile d'araignée tendue *au fond de nos cerveaux*. Toute limite et toute différence entre la « terreur du mystère » qui enveloppe l'univers et le mystère qui se reflète dans notre pensée sont supprimées : le macrocosme et le microcosme « se confondent dans une ténébreuse et profonde unité », suivant le langage des « Correspondances ».

Il n'est pas surprenant que, dans la strophe centrale, le substantif soit mis en relief et apparaisse dans toute sa « majesté substantielle », doté d'un adjectif « qui l'habille et le colore ». Tous les substantifs de cette strophe, hormis III$_1$ *la pluie*, sujet initial, sont munis de déterminants — épithètes ou compléments adnominaux —. Ce quatrain compte trois compléments de ce genre, qui ne se rencontrent nulle part ailleurs dans le poème, sauf au vers cité de la première strophe, qui est étroitement lié au vers correspondant de la troisième (I$_3$-III$_2$). Dans le quatrain central, les trois compléments adnominaux sont tous à leur tour pourvus d'adjectifs préposés, soit nominaux soit pronominaux : III $_2$*D'une vaste prison*|, $_3$*d'infâmes araignées||*, $_4$*de nos cer-*

veaux//. C'est le quatrain central qui possède le maximum d'épithètes préposées et de compléments directs. Tous les compléments qui sont pla és en fin de vers (III $_{1}$*traînées*, $_{2}$*barreaux*, $_{3}$*araignées*, $_{4}$*cerveaux*) et les compléments directs indépendamment de leur position sont au pluriel, nombre dont la valeur est manifestement augmentative.

Les vers intérieurs du quatrain central, soit les deux lignes médianes de tout le poème, énoncent la transformation de la première métaphore, barreaux de la prison cosmique, en une seconde métaphore, filets tendus par les araignées dans nos cerveaux. Seuls de tout le poème, ces deux vers contiennent un paroxyton à l'intérieur de chaque hémistiche, et par suite de la tension qui s'établit entre le profil accentuel du vers et sa segmentation, ils se détachent nettement de tout leur contexte : III $_{2}$*D'une vas*TE *prison*| *imi*TE *les barreaux,*// $_{3}$*Et qu'un peup*LE *muet*|*d'infâ*MEs *araignées*//. Si l'on prête attention à la distribution des classes grammaticales transitoires, c'est-à-dire les formes verbales sans flexion personnelle *(verbum infinitum)* et les adjectifs adverbialisés qui ne comportent pas l'expression du nombre, on relève dans la première moitié de « Spleen » cinq participes actifs : (I $_{2}$*gémissant*, $_{3}$*embrassant;* II $_{3}$*battant* $_{4}$*cognant;* III$_{4}$ *étalant*) et dans la seconde moitié, une paire d'infinitifs (III$_{4}$ *tendre;* IV$_{4}$ *geindre*) suivis de deux adverbes (IV$_{4}$ *opiniâtrement;* V$_{2}$ *lentement*) et finalement deux participes désormais passifs (V $_{3}$*vaincu*, $_{4}$*incliné*), tandis que les deux vers médians sont dépourvus de toute forme transitoire.

Après avoir discuté les dichotomies symétriques de « Spleen » (strophes paires et impaires, centrale et périphériques, antérieures et postérieures, intérieures et extérieures, initiale et finale), il faut aborder la bipartition syntaxique du poème, divisé entre les trois premiers quatrains comportant les propositions subordonnées et les deux dernières strophes, composées de propositions indépendantes. Le début de ce dernier couple est marqué — de même que le début et la fin du poème (I$_{1}$ et V$_{4}$) — par la rencontre frappante de deux accents à la coupe : IV$_{1}$ *Des cloches tout à* COUP|SAU*tent avec furie*//.

Les deux parties, d'étendue inégale, manifestent un équilibre surprenant dans la répartition des catégories grammaticales. Ainsi les trois premières strophes, avec leur *Quand* ternaire, comprennent six formes verbales personnelles (deux par strophe) et les deux dernières également six (trois par strophe), toutes les douze au présent. Chacune des deux parties contient quatre fois la conjonction *et* (I$_{1,3}$, II$_{4}$, III$_{3}$; IV$_{2,3}$, V$_{1,3}$) dont deux (appartenant aux strophes impaires : I$_{3}$, III$_{3}$; V$_{1,3}$) introduisent une nouvelle proposition. Malgré les modifications apportées à la cinquième strophe au cours des versions successives, le nombre des conjonctions est demeuré intact.

Dans les deux dernières strophes, le pluriel est représenté par quatre substantifs (y compris trois sujets) et quatre verbes ; en revanche dans les trois premières, tous les sujets et prédicats sont au singulier, et le pluriel des substantifs recouvre seulement neuf membres secondaires de la phrase. Les rimes comportent huit formes du pluriel dans les trois premiers quatrains et aucune dans les dernières strophes. Le contraste est particulièrement vif entre les strophes limitrophes des deux parties : aux cinq compléments, seuls noms à être au pluriel dans la troisième strophe, la quatrième oppose également cinq formes du pluriel, mais ce sont trois prédicats et deux sujets.

Dans la première partie du poème, tous les sujets principaux, c'est-à-dire ceux qui n'appartiennent pas à une proposition dépendant d'une autre proposition de la même strophe, sont au singulier. Du point de vue de la signification que le poème assigne à ces substantifs, ils appartiennent tous à la sous-classe matérielle des noms définis par Otto Jespersen comme mots « massifs » *(mass-words)* ou « non-comptables » *(uncountables)*, qui, dans leur valeur sémantique donnée, n'admettent que le singulier (I$_1$ *ciel;* II$_1$ *terre;* III $_1$*pluie*, $_3$*peuple*). Ces singuliers ensuite font place à des pluriels désignant une série indéfinie d'outils manufacturés (IV$_1$ *des cloches;* V$_1$ *de longs corbillards*), remplacés à leur tour par le singulier obligatoire de la sous-classe immatérielle des mots non-comptables, conformément au sémantisme que leur impose un contexte qui exclut l'idée de multiplicité (V $_2$*Espoir*, $_3$*Angoisse*). Ce sont donc deux catégories des non-comptables qui gouvernent le gros du poème.

Les substantifs qui fonctionnent comme sujets principaux dans la structure syntaxique de chaque strophe sont au nombre de quatre dans chacune des deux parties, et les huit sujets se répartissent en quatre paires dont les deux termes sont intimement unis. L'identité du nombre et l'opposition des genres caractérisent chacune de ces paires : I$_1$ *le ciel*, II$_1$ *la terre*, qui diffèrent en outre par la voix du prédicat, active/passive. Le sujet de la proposition subordonnée dans la deuxième strophe, II$_2$ *l'Espérance*, en harmonie aussi avec sa métaphore — *une chauve-souris* —, suit le genre du sujet principal, et la personnification de ce nom abstrait est un procédé familier à Baudelaire : « O toi qui de la Mort, ta vieille et forte amante, // Engendras l'Espérance, — une folle charmante! // (« Les Litanies de Satan »). Les deux paires moyennes inversent l'ordre des genres : III $_1$*La* PL*uie*, $_3$*un* PeuPL*e*, avec un rapprochement paronymique des deux termes — l'un propre et l'autre figuré, — qui témoignent de la tendance à différencier les deux plans par l'usage des articles : défini pour les termes propres, indéfini pour les tropes (cf. I$_1$ *le ciel - un couvercle;* II$_1$ *la terre -*

un cachot, $_2$*l'Espérance - une chauve-souris;* III$_1$ *la pluie - une vaste prison);* IV$_1$ *Des* C*loches*, V$_2$ *de longs* C*orbillards* avec une allitération des vélaires et une contiguïté traditionnelle entre la sonnerie des cloches et le convoi funèbre. Le sujet de la proposition subordonnée, *esprits* (IV$_3$) s'accorde pour le nombre avec les deux sujets principaux et anticipe le genre de *corbillards*. La dernière paire revient à l'ordre initial des genres : V$_2$ *l'Esp*OI*r*, $_3$*l'Ang*OI*sse*, marqués d'une majuscule et liés tous les deux par un début vocalique et par une assonance dans leur dernière syllabe. « Angoisse et vif espoir » (« Le Rêve d'un Curieux ») sont voisins et antipodes tout à la fois dans l'œuvre de Baudelaire. Le facteur funeste — masculin au début du poème (I$_1$ *ciel*) change en un féminin dans l'épilogue (V$_3$ *l'Angoisse*), tandis que le sort tragique auparavant assigné aux féminins (II $_1$*la terre*, $_2$*l'Espérance*) choisit finalement un sujet masculin (V$_2$ *l'Espoir*).

Le même principe de dissimilation que l'on observe dans la répartition des genres et des articles perce parfois également dans le traitement des nombres (par exemple II $_3$*S'en va battant les murs* (pl.)|*de son aile timide* (sg.!)// $_4$*Et se cognant la tête* (sg.)|*à des plafonds pourris* (*pl.*!)//). La structure des dix rimes de « Spleen » est soumise à son tour à un processus dissimilatoire. Dans cinq cas, les substantifs et dans un cas les adjectifs riment entre eux; trois fois l'adjectif et une fois l'adverbe rime avec le substantif, dans deux rimes les genres et dans une rime les nombres divergent, mais ce qui reste constamment dissemblable, c'est la fonction syntaxique des mots rimant.

Le caractère brusque (le *tout à coup*) de l'apodose se trouve nettement exprimé dans la structure phonique de la quatrième strophe avec ses « écroulements de vers ». Ainsi les rencontres heurtées des deux *t* au début et à la fin du quatrain : IV $_1$*Des cloches* TOUT *à coup*| *sau*T*en*T avec *furie*//, $_4$*Qui se me*TT*en*T *à geindre opiniâtrement//;* ainsi encore cet adverbe embrassant tout entier le dernier hémistiche de la strophe, suscitant un calembour bizarre (IV $_3$*s*ANS PATRIE//, $_4$*opin*IATR*em*ENT) et, seul de tous les mots invariables, s'imposant à la rime.

Le vers initial des strophes impaires, répondant aux strophes paires qui les précèdent, se distingue des autres vers par une marche régulièrement anapestique : III$_1$ *Quand la plu*IE *étal*ANT|*ses imm*ENS*es traîn*ÉES*//;* V$_1$ *Et de l*ONG*s corbill*A*rds,*|*sans tamb*OU*rs* ni *mus*I*que//.* Dans le vers V$_1$, ce schéma est particulièrement net, puisque tous les accents à l'intérieur du vers sont portés par des oxytons; tandis que III$_1$ contient le paroxyton *immenses*. La cinquième strophe inaugure manifestement la seconde phrase du poème, composée de trois propositions indépendantes et nettement séparée de ce qui précède par le seul point et le seul tiret de tout le texte.

Dès le premier vers de « Spleen », le ciel bas et lourd, pesant comme un couvercle, éveille immédiatement une association conventionnelle avec le tombeau, mais le poème développe une autre chaîne de métaphores, tout à fait différente : un cachot humide, aux murs et plafonds pourris, une vaste prison à barreaux. Toutefois « Le Couvercle » de Baudelaire use des mêmes métaphores, rapportées au ciel, pour en assigner le mur et le plafond au « caveau » cosmique qui étouffe l'homme, « en quelque lieu qu'il aille ». Bien que les *plafonds pourris* auxquels l'Espérance se cogne la tête puissent faire songer le lecteur plutôt à un cimetière, c'est seulement dans la strophe finale que la prétendue prison « se transforme en tombeau », suivant la formule suggérée par Baudelaire dans l'avant-dernier « Spleen ».

Quand le locuteur, signalé par les possessifs de la première personne du singulier, surgit dans la strophe finale de « Spleen », la symbolique funèbre se superpose à celle du cachot. C'est *dans mon âme* que le Te Deum des cloches évoqué par l'avant-dernier quatrain se trouve réinterprété comme un glas suivi d'un défilé silencieux des voitures mortuaires. Le vers v_1 — *Et de longs corbillards, sans tambours ni musique* — répète en la variant la construction IV_3 *Ainsi que des esprits errants et sans patrie.* Les deux quatrains postérieurs sont les seuls à faire usage de la préposition anéantissante *sans.* Tout — expliquera le poète en renvoyant à Emmanuel Swedenborg — « dans le *spirituel* comme dans le *naturel*, est significatif, réciproque, converse, correspondant » *(Réflexions)*. Dans la première proposition du dernier quatrain, le spirituel, l'âme du monologueur devient le lieu d'un cortège funèbre, concret et multiple. Le moi, présenté dans son intériorité spirituelle réapparaît matérialisé et perçu de l'extérieur : v_4 *Sur mon crâne incliné|* — incliné en signe de résignation ou bien dans l'affaissement qui précède la mort? Le crâne, synecdoque de la tête, anticipe le squelette dénudé d'un cadavre, alors que le sujet, *Angoisse*, nom abstrait personnifié, par contraste avec les *corbillards* de la première proposition, appartient à la sphère du spirituel. Or l'action de ce sujet abstrait, ainsi que l'objet direct qu'elle régit, sont en revanche tout à fait concrets : v_3 *l'Angoisse|atroce, despotique,||* $_4$*Sur mon crâne incliné| plante son drapeau noir*, emblème de deuil. La réversibilité des deux rapports converses demeure. L'effroyable vision des funérailles mondiales dans l'âme de l'individu se fond avec l'image de cet individu rendant l'âme dans l'effroi du monde.

Entre les deux propositions marginales de l'épilogue, une troisième s'intercale, qui répond au deuxième quatrain, c'est-à-dire à la seconde des trois propositions coordonnées composant la protase de la première phrase du poème : cette seconde proposition du quatrain final décrit le sort de l'Espérance-Espoir, qui, vaincu, s'ensevelit au sein de l'univers après avoir tragiquement échoué dans sa vaine tentative de battre la voûte céleste de son aile timide, manquant de hardiesse. Placé entre *corbillards* et *Angoisse*, le nom *Espoir* partage le masculin du premier sujet et le singulier du second. Cette proposition, dépourvue, ainsi que la deuxième strophe, de tout renvoi à la première personne, n'est guidée que par le concept abstrait et impersonnel de l'Espoir. Cette abstraction universalisée sépare fondamentalement les deux propositions qui saisissent le double aspect du moi, le spirituel et le naturel. La proposition que nous traitons, seule de tout le poème à présenter un enjambement à la limite de deux distiques et à produire deux brefs rejets (V $_2$*Défilent lentement|dans mon âme; l'Espoir,|* $_3$*Vaincu, pleure, et l'Angoisse|atroce, despotique//*), se détache par une asyndète de la proposition introspective qui la précède; cette dernière au contraire débute par un *Et* (V$_1$) qui forme une « jonction anaphorique » entre les deux phrases indépendantes. Comme le fait observer Tesnière dans son remarquable ouvrage sur les *Éléments de syntaxe structurale*, « il n'en reste pas moins que les deux phrases se trouvent toujours un peu jonctées par ce lien, si lâche soit-il ». En outre la présence de la conjonction devant la première proposition du quatrain final, et son absence après celle-ci unissent étroitement les termes de la paire *cloches — corbillards* et les séparent de la paire suivante *Espoir — Angoisse*. Ainsi une symétrie en miroir relie les trois propositions coordonnées de la strophe finale avec les trois propositions coordonnées de la protase : I $_2$*Sur l'esprit gémissant,* $_4$*nous verse un jour noir;* II$_2$ *l'Espérance;* III$_4$ *Vient tendre ses filets|au fond de nos cerveaux//* — V 1re proposition : *dans mon âme*, 2e : *l'Espoir*, 3e : *Sur mon crâne incliné plante son drapeau noir*. Ces deux trinômes sont séparés l'un de l'autre par l'apodose de la période initiale, c'est-à-dire par la quatrième strophe dont la proposition principale comporte un prédicat dédoublé et signale un paroxysme du mouvement ascendant : IV $_1$*sautent...* $_2$*Et lancent*. L'autre strophe paire offre un trait en partie similaire — un dédoublement des participes dans la proposition subordonnée à la proposition principale du quatrain en question, subordonnée à son tour : II$_1$ *|Quand...,//* $_2$*Où...* $_3$*S'en va battant...* $_4$*Et se cognant...*

On distingue dans cette pièce ainsi que dans « Les chats », sonnet du même recueil, plusieurs divisions du texte « qui sont parfaitement nettes tant du point de vue grammatical que de celui des rapports sémantiques entre les diverses parties du poème ». Parmi ces principes rivaux qui régissent les différents classements des strophes dans le « Spleen » une trichotomie symétrique confronte le quatrain central avec deux quatrains préposés et deux postposés, en établissant une équivalence entre les deux strophes antérieures et les deux strophes postérieures (2/2). Cette trichotomie (2 + 1 + 2) implique d'autre part une disparité entre les strophes paires et impaires mutuellement opposées (2/3).

Une dichotomie asymétrique est basée sur l'opposition syntaxique des premières trois strophes *subordonnées* aux deux dernières qui sont indépendantes (3/2).

Les trois premières strophes présentent en même temps trois propositions *coordonnées* correspondant aux trois propositions coordonnées de la cinquième strophe (3/1), tandis que la quatrième strophe, l'apodose, — la seule strophe du poème dépourvue de propositions coordonnées, et la seule faisant emploi des verbes coordonnés à l'intérieur d'une proposition — forme la partie centrale de cette trichotomie asymétrique (3 + 1 + 1).

Une autre dichotomie encore moins symétrique que la première se surajoute aux classements précédents : le texte comporte deux *phrases*, l'une de quatre et l'autre d'une seule strophe (4/1), la seule strophe du poème privée de propositions subordonnées soit explicites, soit elliptiques. De ces quatre principes de composition chaque aspect subséquent augmente la portée du quatrain épilogue qui finit par devenir l'équivalent de tout le quatuor antérieur.

Le dégoût de la vie ou le rejet de l'être, impliqués dans le monosyllabe étranger qui sert de titre au poème, ont trouvé leur dénouement inéluctable dans les tropes funèbres de la strophe finale, où les *longs ennuis* s'emparant de l'esprit sont métamorphosés en *longs corbillards* peuplant *mon âme*, et le *jour noir* que nous verse un ciel oppressant se change en un *drapeau noir* que l'angoisse mortelle plante *sur mon crâne*. On se rappellera l'avis de Baudelaire sur les comparaisons, métaphores et épithètes poétiques, puisées « dans l'inépuisable fonds de l'universelle analogie » *(Réflexions)*.

Quatre poèmes dans les *Fleurs du Mal* portent le même titre *Spleen*, sans que le mot, avec son phonétisme, quelque peu étranger au français (qui demande une prothèse vocalique), apparaisse dans le texte. Or le dernier poème portant ce titre fait à ce « mot-thème » de nettes allusions et l'anagrammatise progressivement, en répétant surtout les diphones *sp*, *pl* et, avec un échange des liquides, le triphone *spr* : I $_{2}$*e*SPRI*t*, $_{4}$PL*us;* II $_{2}$*Espérance*, $_{4}$PL*afonds;* III $_{1}$PL*u*I*e*, $_{2}$PRI*son*, $_{3}$*peu*PL*e;* IV$_{3}$ *e*SPRI*ts;* V $_{2}$L'*ES*P*oir*, $_{3}$PL*eure*, *de*SP*otique*. Quant au dernier vers, il ébauche un anagramme du vocable tout entier : V$_{4}$ *sur mon crâ*NE *inc*LINÉ PL*ante* S*on dra*P*eau* N*oir*. Le premier et le troisième poèmes portant ce même titre offrent dans leur premier vers des mots faisant allusion au consonantisme de *Spleen*. Le sonnet LXXV, $_{1}$ PL*uviose*, *irrité contre la ville entière;* $_{11}$ *Cependant qu'en un jeu* PL*ein de sales* parfums. LXXVII $_{1}$*Je su*I*s comme le roi d'un* P*ays* PL*uvieux*. Le deuxième « Spleen » commence par le vers $_{1}$*J'ai* PL*us de* S*ouvenirs que si j'avais mille ans* et continue d'insister ensuite sur le même diphone : $_{1}$PL*ein*, $_{13}$PL*aintifs*| $_{19}$ *Désormais tu n'es* PL*us*|.

Des préoccupations anagrammatiques touchant le mot-titre d'un poème sont loin d'être exceptionnelles chez Baudelaire. Ainsi « Le Gouffre », poème dont l'importance dans l'œuvre du poète fut relevée par Pierre Guiraud, répète le mot *gouffre* dans le premier vers du sonnet et en reprend les phonèmes à partir du second quatrain : $_{5}$ *part*OU*t la p*RO*Fondeur*, *la* GR*ève*//, $_{6}$ *a*FFR*eux*, $_{7}$ *Su*R *le* F*ond*, $_{8}$ *multi*-FOR*me*, $_{9}$ GR*and t*ROU//, $_{10}$ *ho*RR*eu*R, OÙ//, $_{11}$ F*enêt*R*es*//, $_{12}$ *touj*OUR*s*, $_{14}$ *Nomb*R*es*, *Êt*R*es*//.

La « fureur du jeu phonique », telle que l'a définie Ferdinand de Saussure dans sa lettre à Meillet, et l'entrelacement insolite des significations formelles, grammaticales, donc abstraites, ne peuvent pas ne pas jouer un rôle primordial dans l'œuvre du poète qui prit la langue et l'écriture « comme opérations magiques, sorcellerie évocatoire » et proclama le dessin arabesque « le plus idéal de tous » (*Fusées*, VI, XVII). Dans son étude magistrale sur l'œuvre d'Eugène Delacroix et d'accord avec les vues du peintre lui-même, Baudelaire tout en reconnaissant la qualité dramatique du sujet dans l'art, confesse que la ligne, avec ses inflexions, est à même de le pénétrer « d'un plaisir tout à fait étranger au sujet » et qu'une figure bien dessinée « ne doit son charme qu'à l'arabesque qu'elle découpe dans l'espace ». Il exalte la noblesse de l'abstraction contenue dans la ligne et la couleur de l'artiste. Évidemment la grammaire de la poésie a dû captiver « l'homme de lettres » (*Fusées*, VI) qui rejetait comme signe de faiblesse maladive tout « enthousiasme qui s'applique à autre chose que les abstractions [1] ».

1. Je suis heureux d'avoir pu discuter à Grenoble et à Nice les premières ébauches de cette étude avec des chercheurs experts tels que M. et Mme René Gsell, M. Pierre Guiraud et M. Marcel Ruff, et d'avoir pu consulter les notes suggestives présentées au sujet de « Spleen » par M. Yves Le Hir dans ses *Analyses stylistiques* (Paris, 1965).

Ma reconnaissance est due à M. J. C. Milner pour l'aide amicale qu'il m'a prêtée à l'occasion de ce travail et pour ses fines remarques linguistiques. Je tiens à mentionner de plus que celui-ci entrevoit ingénieusement une allusion anagrammatique au *Désespoir* dans la seconde épithète de l'*Angoisse*, l'adjectif V$_{3}$ *Despotique*; de fait cette épithète occupe la même place finale que l'antonyme de l'Angoisse, l'*Espoir*, dans le vers précédent, les deux paronymes supprimant la conjonction et offrant les seuls cas d'asyndète dans les strophes du poème.

Analyse du poème « Revedere » de Mihail Eminescu[a]

Le poème de Mihail Eminescu intitulé *Revedere*, daté de 1879, est écrit sous forme de dialogue.

1« Codrule, codrutule,	1« Forêt, mignonne forêt,
2Ce mai faci, drăgutule,	2Comment vas-tu, ma jolie,
3Că de cînd nu ne-am văzut,	3Car depuis que nous ne nous sommes pas vus
4Multă vreme au trecut,	4Bien de temps s'est écoulé
5Si de cînd m-am-depărtat	5Et depuis que je me suis éloigné
6Multă lume am îmblat. »	6Bien des lieues j'ai parcourues. »
7« Ia eu fac ce fac de mult	7« Vois, je fais mêmes choses toujours
8Iarna viscolu-l ascult,	8En hiver j'écoute la bise
9Crengile-mi rupîndu-le,	9Qui mes douces branches brise
10Apele-astupîndu-le,	10Qui les vives eaux arrête
11Troienind cărările	11Et recouvre les sentiers
12Si gonind cîntările;	12Et en chasse les chansons.
13Si mai fac ce fac de mult,	13Et je fais mêmes choses toujours
14Vara doina mi-o ascult	14En été, j'écoute la doïna;
15Pe cărarea spre izvor	15Sur les layons de la source
16Ce le-am dat-o tuturor,	16Qu'à tout venant j'ai offerts,
17Împlîndu-si cofeile	17Les femmes la chantent pour moi
18Mi-o cîntă femeile. »	18En remplissant leurs cruches. »
19« Codrule cu rîuri line,	19« Forêt aux calmes rivières,
20Vreme trece, vreme vine,	20Que le temps passe ou revienne,
21Tu din tînăr precum esti	21Toi, aussi jeune que tu sois,
22Tot mereu întineresti. »	22A rajeunir, sans cesse, pourvois. »
23« Ce mi-i vremea, cînd de veacuri	23« Eh! qu'importe pour moi le temps Puisque, des siècles durant,
24Stele-mi scînteie pe lacuri,	24Les étoiles brillent dans mes eaux,
25Că de-i vremea rea sau bună,	25Et qu'il fasse mauvais ou beau,

a. *Cahiers de linguistique théorique et appliquée*, I (1962), p. 47-54. Écrit en collaboration avec B. Cazacu.

26Vîntu-mi bate, frunza-mi sună;	26Le vent souffle, la feuille chante,
27Si de-i vremea bună, rea,	27Et qu'il fasse beau ou mauvais
28Mie-mi curge Dunărea.	28Le Danube coule à mon gré.
29Numai omu-i schimbător,	29Il n'y a que l'homme de changeant
30Pe pămînt rătăcitor,	30Dans ce grand monde mouvant.
31Iar noi locului ne tinem,	31Tandis que nous autres eûmes
32Cum am fost asa rămînem :	32Place à nous et restâmes ce que nous fûmes :
33Marea si cu rîurile,	33La mer et ses rivières,
34Lumea si pustiurile,	34La terre et ses déserts,
35Luna si cu soarele,	35La lune et le soleil,
36Codrul cu izvoarele. »	36La forêt et ses sources. »

A deux reprises le poète s'adresse à la forêt et chaque fois elle lui répond. Chacun de ces deux échanges comporte 18 vers différemment répartis entre les deux interlocuteurs. Dans le premier cas l'allocution du poète, composée de six vers, est suivie d'une réplique de la forêt, qui est deux fois plus longue.

Cette réplique se divise en deux périodes, chacune de six vers et introduite par une ligne similaire : 7« Ia eu fac ce fac de mult » — 13« Si mai fac ce fac de mult ». La première moitié du poème présente en fait une structure ternaire : elle comprend trois séries de trois distiques aux rimes plates *(aabbcc)*. Du point de vue métrique et grammatical, chacun de ces sizains se décompose en deux parties, dont l'une contient un seul distique, et l'autre deux.

Revedere est écrit en dimètres [1] trochaïques et la première moitié du poème n'en présente que la variété catalectique. Celle-ci apparaît sous deux formes nettement distinctes. Une forme de type oxytonique, qui porte l'accent grammatical sur la septième syllabe, accentue également la troisième syllabe et parfois aussi la première (60 %), plus rarement la cinquième (20 %). L'autre forme est de type proparoxytonique, qui ne comporte pas d'accent grammatical sur la septième syllabe, mais par contre accentue toujours la cinquième syllabe et souvent aussi la première (70 %), mais assez rarement la troisième (près de 30 %). Par conséquent, ce sont les ictus pairs qui se trouvent renforcés dans le type oxytonique *(Pe carárea spre izvór / Ce le-am dát-o tuturór)* et les ictus impairs dans le type proparoxytonique *(Lúna si cu soárele, / Códrul cu izvoárele)*. Le vers à deux accents prédomine dans le type proparoxytonique (85 % des cas), alors que le vers du type oxytonique présente souvent trois accents (53 %), parfois

1. Nous employons le terme *dimètre* consacré dans la versification classique. Il faut souligner qu'en réalité il s'agit de vers comprenant quatre « pieds », qu'on pourrait désigner aussi sous le nom de tétramètres.

même quatre (13 %). Le premier distique du sizain initial du poème appartient au type proparoxytonique, et les deux distiques qui suivent forment un quatrain oxytonique. Par contre, le second sizain qui introduit la réplique de la forêt au poète, commence par un distique oxytonique, suivi d'un quatrain proparoxytonique. Le troisième sizain, qui termine la harangue de la forêt, reprend le distique proparoxytonique et le quatrain oxytonique de l'allocution du poète, mais cette fois dans un ordre renversé.

La composition grammaticale de ces trois sizains correspond à leur bipartition métrique. Ainsi l'invocation, qui forme le distique initial ($_{1-2}$), est suivie d'un quatrain ($_{3-6}$) dont les deux derniers vers correspondent aux deux premiers par leur composition syntaxique et lexicale :

> $_{3}$Că de cînd nu ne-am văzut / $_{4}$Multă vreme au trecut.
> $_{5}$Si de cînd m-am depărtat / $_{6}$Multă lume am îmblat.

Dans le second sizain, les formes conjuguées ($_{7-8}$) ainsi que les débuts allitérants *(Ia eu... Iarna)* des deux premiers vers s'opposent aux quatre vers suivants avec leurs quatre gérondifs ($_{9-12}$).

Le distique final du troisième sizain ($_{17-18}$) diffère du quatrain précédent ($_{13-16}$) par le genre, le nombre et la personne de ses termes principaux. La seconde moitié du poème se divise également en trois phases complexes, dont la première, une nouvelle intervention du poète, est limitée à un seul quatrain ($_{19-22}$), et les deux périodes suivantes, l'une de six vers ($_{23-28}$) et l'autre de huit ($_{29-36}$) contiennent la réponse ultime de la forêt. Les trois parties de ce deuxième entretien forment donc une progression arithmétique — 4 : 6 : 8. Chacune des deux périodes du discours de la forêt se subdivise en deux sections. Le sizain du début de la seconde réponse de la forêt, de même que celui qui introduit la première réplique, comporte un distique ($_{23-24}$) et un quatrain cimenté par le parallélisme syntaxique et lexical de ses deux moitiés ($_{25}$*Ca de-i vremea rea sau buna...* $_{27}$*Si de-i vremea buna, rea...*).

Le parallélisme de tous les quatre vers qui terminent le poème ($_{33-36}$) les oppose aux quatre vers précédents. Cette division de la dernière période en deux quatrains est soutenue par le caractère proparoxytonique du dernier quatrain, qui le distingue du quatrain antérieur et évoque une correspondance entre la fin du poème et son début : $_{1}$*Codrule, codrutule* — $_{36}$*Codrul cu izvoarele*. Quant aux autres vers de la seconde moitié de *Revedere*, leurs variations métriques ne suivent pas la fragmentation syntaxique du texte.

Tous ces vers portent l'accent sur la septième syllabe (à l'exception de la ligne $_{28}$*Mie-mi curge Dunarea*, liée à $_{27}$ par une rime trisyllabique :

$_{27}$*Si de-i vremea, buna, rea*). Mais parmi ces vers, dix offrent la variété acatalectique du dimètre trochaïque, inconnue dans la première moitié du poème (19 — 20, 23 — 26, 31 — 34). Ces octosyllabes se distinguent par une tendance prononcée pour l'accentuation grammaticale des ictus impairs, ainsi que pairs (on y trouve 50 % des vers à trois et 37 % à quatre accents) : $_{25}$ *Ca de-i vremea rea sau buna* / $_{26}$ *Vîntu-mi bate, frunza-mi suna*. La composition du poème peut être illustrée par le schéma suivant :

$$(2 + 4) + (2 + 4) + (4)2) + 4 + (2 + 4) + (4 + 4).$$

Cette architectonique du poème nous permet d'analyser et d'interpréter la répartition des diverses catégories grammaticales servant au développement du thème lyrique. Ce sont les parallélismes syntaxiques à l'intérieur des distiques et des quatrains qui rendent les catégories en question particulièrement sensibles aux lecteurs de cette œuvre.

Le mot *vreme* « temps » est le pivot du poème. Il y apparaît six fois, dont trois dans les allocutions du poète (4, 20 bis) et trois dans le discours de la forêt (23, 25, 27). Le caractère très général et inéluctable de ce concept se trouve souligné par l'emploi constant du substantif *vreme* sans article, dans les allocutions du poète (par ex. *Vreme trece, vreme vine*), tandis qu'il est toujours pourvu d'article dans le langage de la forêt. De même *lume*, conçu comme itinéraire du poète et couplé avec *vreme* dans le quatrain de la première apostrophe à la forêt ($_{6}$*Multa lume am îmblat*) trouve son contraire dans le quatrain final énoncé par la forêt, où l'article défini est joint au même nom pour évoquer l'image concrète de l'univers et de ses déserts ($_{34}$*Lumea si pustiurile*). D'ailleurs le manque d'article est une marque générale qui différencie les discours du poète de ceux de la forêt.

Dans ses pénétrantes *Études sur le temps humain* (1949), Georges Poulet a mis en relief l'angoisse traditionnelle inspirée par l'intervalle entre le passé et le présent. C'est ce sentiment aigu qui saisit le poète lors du revoir, $_{3-6}$« Car depuis que nous ne nous sommes pas vus, / Bien de temps s'est écoulé / Et depuis que je me suis éloigné, / Bien des lieues j'ai parcourues ».

Mais la question du changement dans le temps, sous-entendue dans la formule stéréotypée que le poète adresse à la forêt — « Que fais-tu à présent » ($_{2}$*Ce mai faci*) — se trouve instamment rejetée par cette dernière : « Eh bien, ce que je fais, moi je le fais depuis longtemps » ($_{7}$*Ia eu fac ce fac de mult*), « Et ce que je fais à présent, je le fais depuis longtemps », ($_{13}$*Si mai fac ce fac de mult*). Ainsi le présent atemporel s'introduit dans le poème, pour y servir de leitmotiv grammatical.

La forêt reste passive, écoutant tantôt la chanson des femmes qui remplissent leurs cruches, tantôt le tourbillon de neige qui recouvre les sentiers et en chasse les chansons. Aucune alternance des saisons ne peut rien changer à cette éternelle continuité. Le poète opiniâtre s'efforce de trouver dans ce va-et-vient du temps ($_{20}$*Vreme trece, vreme vine*) le miracle du rajeunissement de la nature, mais la forêt riposte à ce mythe humain : « qu'importe pour moi le temps » ($_{23}$*Ce mi-i vremea*). Que le temps soit mauvais ou bon ($_{25}$*Ca de-i vremea rea sau buna*) et qu'il fasse bon ou mauvais temps ($_{27}$*Si de-i vremea buna rea*), la permanence des choses reste inébranlable, selon la dernière partie de ce discours et du poème entier : $_{29-32}$« Seul l'homme est changeant / Dans ce monde mouvant; / Quant à nous, nous gardons la même place. / Nous restons tels que nous avons été ».

Le poète cherche à communier avec la nature et il l'anthropomorphise en s'adressant à la forêt à l'aide de vocatifs (1, 2, 19), de formes verbales (2, 21, 22) et pronominales (21) de la deuxième personne. Il s'efforce de la rendre plus proche, plus humaine, en la comblant de diminutifs caressants (1, 2) et d'épithètes flatteuses : $_{2}$*dragutule*, $_{21}$*tînar*, dont la première donne lieu à une paronomase frappante entre le déterminant *dragutule* et son déterminé *codrutule* : /*dr. g*/ — /*k. dr*/. Par contre, le langage de la forêt exclut le vocatif et aussi les verbes ou les pronoms de la deuxième personne.

Tandis qu'on ne trouve pas de forme pronominale de la première personne dans les apostrophes du poète, le « moi », qui leur reste étranger, apparaît, en revanche, dans le vocabulaire de la « mignonne forêt » *(codrutule)*. Son premier discours commence précisément avec le nominatif emphatique « moi » *(eu)*, tandis que le datif du même pronom *mi* (le « datif éthique ») apparaît dans la seconde partie du premier discours de la forêt ($_{14}$*Vara doina mi-o ascult*) et puis cimente toute la première partie de son second discours *Ce* ($_{23}$*mi-i...* — $_{24}$*Stelemi...* — $_{26}$*Vîntu-mi... frunza-mi*); et c'est sous forme redoublée qu'il termine cette partie ($_{28}$*Mie-mi curge Dunarea*). Tout se passe « à mon gré », comme nous l'annoncent tous ces propos égocentriques.

A la forme dialoguée des allocutions du poète, la forêt répond par des monologues impassibles qui ne tiennent compte ni de l'interlocuteur, ni d'aucun individu en général. Qu'importe pour elle la variabilité du temps ou de la race humaine? L'interlocuteur du poète ne désigne celui-ci ni par un verbe, ni par un vocatif, ni par un pronom. Il n'a recours qu'au terme le plus générique, « l'homme » *(omu-)*, et ceci uniquement pour dénoncer le monde humain temporel, changeant et mouvant, comme seule exception ($_{29}$*Numai omu-i*) à l'ordre cosmique atemporel et permanent. Les mots étroitement liés l'un à l'autre dans *Revedere* — *om* et *vreme* — amènent le jeu des /*m*/ réitérés :

$_{3}$*ne-a*M... / $_{4}$M*ulta vre*M*e* .../ $_{5}$M-AM... / $_{6}$M*ulta lu*M*e a*M *î*M*blat* / ... $_{25}$*vre*M*ea* / $_{26}$*Vîntu*-Mi... *frunza*-Mi... / $_{27}$*vre*M*ea*... / $_{28}$M*ie*-M*i*... / $_{29}$*Nu*-M*ai o*M*u-i schi*M*bator*/. Tous les phonèmes de *vreme* sont sujets aux répétitions expressives : $_{20}$VREME TRE*C*E, VREME V*in*E... / $_{21}$*p*RE*C*U*M*... / $_{22}$MERE*u întin*ERES*ti*.

La première personne du pluriel figure au début du poème, dans la première allocution du poète ($_{3}$*nu ne-am vazut*) et réapparaît ensuite vers la fin (31, 32), dans trois formes verbales et dans le pronom emphatique *noi*. Mais tandis que dans l'apostrophe du poète à la forêt tous les deux s'y trouvaient inclus, le « nous » de la forêt exclut le poète et l'homme en général. C'est à juste raison que Tudor Vianu traduit ce *noi* par « nous autres ». Tous les huit substantifs du quatrain final qui spécifient le contenu du *noi* appartiennent au genre inanimé En outre, parmi les 35 substantifs qu'on trouve dans le poème, il n'y pas un seul nom du genre animé non personnel, et seulement deux noms du genre personnel, situés dans la dernière partie de chacun des deux monologues de la forêt. Ce sont respectivement le singulier masculin $_{29}$*omul* et le pluriel de la forme correspondante féminine $_{18}$*femeile*.

La rigueur de la sélection des substantifs d'après leur genre grammatical est encore accrue si l'on remarque que, de tous les noms d'objets inanimés, les seuls substantifs au masculin que contiennent les propositions du poème sont le soleil ($_{35}$*soarele*) et la forêt ($_{36}$*codrul*) dans le dernier distique de *Revedere*, et les formes vocatives de ce dernier nom au début des deux apostrophes du poète (1, 19).

Non seulement l'unique véritable personnage du poème n'est ni nommé, ni désigné, mais encore l'inventaire nominal de *Revedere* se trouve réduit à tout ce qui est dans le contraste le plus évident avec le héros, à l'exception de deux termes génériques, mentionnés chacun une fois : l'inventaire en question est limité à la catégorie inanimée et, sauf pour les lignes périphériques du poème, il exclut le genre masculin. Les objets que la forêt nomme apparaissent sans épithètes dans ses monologues ; elle oppose ainsi $_{33}$*rîurile* tout court aux $_{19}$*rîuri line* du poète ; de même $_{34}$*lumea* à $_{6}$*multa lume*, $_{36}$*codrul* à $_{1-2}$*codrule... dragutule*.

La sélection des catégories grammaticales dont l'auteur fait usage. peut s'étendre à tout le poème ou peut être restreinte à certaines portions mises en opposition avec d'autres. Ainsi, comme nous l'avons déjà remarqué, dans les deux moitiés de *Revedere*, la première partie, l'apostrophe du poète à la forêt, se distingue essentiellement sous plusieurs rapports des monologues de la forêt. Mais la distribution différente des diverses catégories dans le texte ne se borne pas au contraste entre les discours du poète et de la forêt. La comparaison des deux monologues de la forêt révèle quelques particularités significatives dans la composition de chacun de ces deux discours et, d'autre part, leur subdivision en deux parties et la composition globale de chacune des deux moitiés du poème exigent une analyse comparée sur le plan grammatical.

Quant au système du verbe, le poème entier impose certaines limitations dans le choix des catégories morphologiques. Ainsi, l'emploi des formes verbales est restreint au mode indicatif, au présent et au passé composé. La deuxième personne ne se rencontre pas au pluriel; et, au singulier, elle n'est employée que dans les apostrophes du poète où elle s'entremêle, chose typique pour ces invocations, avec les autres personnes verbales.

La première personne du pluriel signale l'ouverture du poème (3) et sa fin (31-33), dont la correspondance formelle met en relief leur contraste sémantique. Le passé composé, à son tour, lie le début (3-6) avec la fin (32), ainsi que le caractère purement nominal du premier vers et du dernier quatrain (33-36), mais de nouveau les similitudes formelles révèlent une divergence sémantique : dans l'apostrophe initiale du poète les formes du passé marquent l'intervalle temporel, tandis que la réplique finale de la forêt, en confrontant des verbes synonymes au présent et au passé, affirme l'identité des deux temps. De même le vocatif du premier vers, c'est-à-dire l'appel affectif de l'homme à l'univers, offre une tragique dissonance avec le renvoi nominal du dernier quatrain à un univers inanimé et inhumain.

Les formes du passé et les phrases nominales sont choisies pour encadrer le poème et aussi pour délimiter ses deux moitiés. Le motif du sentier offert à « n'importe qui » débute par un vers purement nominal (15) et par un verbe au passé composé (16), aboutit à l'image des femmes qui chantent ($_{18}$*cînta* au présent) en remplissant leurs cruches et ensuite cède la place à la seconde apostrophe du poète : « Forêt aux calmes rivières » ($_{19}$*Codrule cu rîuri line*). Ce passage est le seul où la leçon de la forêt s'humanise et s'adoucit, de sorte que le poète reprend le motif des cours d'eau pour tenter un nouvel appel.

Au bout du premier monologue les deux variétés du passé et la troisième personne du pluriel finissent par se substituer au présent et à la première personne du singulier, qui dominaient jusqu'ici dans le discours. Le second monologue renverse cet ordre et crée, par contraste au premier discours, une sorte de chiasme. Les vers descriptifs du premier monologue terminent, et ceux du second recommencent, à la troisième personne du pluriel — la personne qu'on chercherait vainement dans les apostrophes lyriques du poète ($_{18}$Mi-o *cînta* femeile — $_{24}$Stele-mi *scînteie*). C'est la troisième personne qui s'impose ensuite et qui, dans la première partie du second monologue, sert à passer en revue d'une part les éléments immuables et gracieux de la nature, et de l'autre le genre humain mouvant et hanté par le temps. L'ordre des nombres (singulier — pluriel) reste celui du premier monologue, mais l'ordre des personnes est inverse. La première personne du pluriel s'empare de la seconde partie du monologue et termine le poème par une fière et ferme déclaration sur l'immuabilité cosmique. L'antinomie est mise à nu ; l'effort du héros pour trouver une langue commune avec la nature a échoué ; et le dialogue s'interrompt.

La structure grammaticale du poème de Bertolt Brecht « Wir sind sie »[a]

Nulle part ne sont violées les mystérieuses lois d'interférence, d'entrecroisement et de syncope, grâce auxquelles, dans l'œuvre poétique, le sens intérieur et la structure grammaticale de la phrase se donnent la réplique; nulle part non plus on n'entend une musique secrète aussi exaltante que dans ces vers, par exemple ceux de la Mère *et de* la Décision...

ARNOLD ZWEIG, 1934.

Voici les mots dont le poète Bertolt Brecht usa pour plaider la légitimité spécifique de ses vers, sur le plan grammatical : « *Ego, poeta Germanus, supra grammaticos sto.* » C'est à juste titre que A. N. Kolmogorov a caractérisé la structure grammaticale de la poésie comme une des dimensions de celle-ci vraiment par trop négligée. Certes, parmi les chercheurs en littérature des différents pays, langues, courants et générations, il se trouve toujours des gens pour voir dans l'analyse structurale d'un texte en vers une criminelle irruption de la linguistique dans une zone interdite, mais il y a aussi des chercheurs en linguistique, se rattachant à diverses écoles, qui excluent de prime abord le langage poétique du cercle des thèmes intéressant la linguistique. C'est précisément l'affaire des troglodytes, que de demeurer troglodytes.

Notre livre *la Poésie de la grammaire et la Grammaire de la poésie*[b] se clôt sur des tentatives d'analyse grammaticale de poèmes du XIVe au XXe siècle, écrits dans diverses langues; la dernière étude traite d'un poème que B. Brecht (1898-1956) écrivit en 1930. A l'origine, ce poème était contenu dans sa pièce didactique *Die Massnahme* [*la Décision*] (cf. Brecht, *Versuche* I-12, Cahier I-4, dans la réédition berlinoise de 1963 [trad. fr. in B. Brecht, *Théâtre complet*, t. VII, Paris, L'Arche, 1959, p. 227-262]), mais fut publié ensuite de façon

a. « Der grammatische Bau des Gedichts von B. Brecht " Wir sind sie " », *Beiträge zur Sprachwissenschaft, Volkskunde und Literaturforschung* (Steinitz-Festschrift, Berlin, 1965), p. 175-189.

b. A paraître dans les *Selected Writings* de Roman Jakobson, éd. Mouton, La Haye.

indépendante dans le recueil poétique *Lieder Gedichte Chöre (Chansons, poèmes, chœurs)* (Paris, 1934 [trad. fr. in *Poèmes*, t. III, Paris, 1966, p. 63]) :

I 1 Wer aber ist die Partei?
2 Sitzt sie in einem Haus mit Telefonen?
3 Sind ihre Gedanken geheim, ihre Entschlüsse unbekannt?
4 Wer ist sie?

II 5 Wir sind sie.
6 Du und ich und ihr — wir alle.
7 In deinem Anzug steckt sie, Genosse, und denkt in deinem Kopf.
8 Wo ich wohne, ist ihr Haus, und wo du angegriffen wirst, da kämpft sie.

III 9 Zeige uns den Weg, den wir gehen sollen, und wir
10 Werden ihn gehen wie du, aber
11 Gehe nicht ohne uns den richtigen Weg
12 Ohne uns ist er
13 Der falscheste.
14 Trenne dich nicht von uns!
15 Wir können irren, und du kannst recht haben, also
16 Trenne dich nicht von uns!
17 Dass der kurze Weg besser ist als der lange, das leugnet keiner

IV 18 Aber wenn ihn einer weiss
19 Und vermag ihn uns nicht zu zeigen, was nützt uns seine Weisheit?
20 Sei bei uns weise!
21 Trenne dich nicht von uns!

Traduction littérale.

I 1 Mais qui est le parti?
2 Siège-t-il dans une maison avec des téléphones?
3 Ses pensées sont-elles secrètes, ses décisions inconnues?
4 Qui est-il?

II 5 Nous le sommes.
6 Toi, et moi, et vous — nous tous.
7 C'est dans ton vêtement qu'il se niche, camarade, et il pense dans ta tête.
8 Là où j'habite, est sa maison, et là où tu es attaqué, il combat.

III 9 Montre-nous le chemin que nous devons prendre et nous
10 Le prendrons comme toi, mais
11 Ne prends pas sans nous le droit chemin
12 Sans nous il est
13 Le plus tortueux.
14 Ne te sépare pas de nous!
15 Nous pouvons errer, et tu peux être dans le vrai, aussi
16 Ne te sépare pas de nous!
17 Que le court chemin soit préférable au long, nul ne le conteste

IV $_{18}$Mais si quelqu'un le connaît
$_{19}$Et n'est pas capable de nous l'indiquer, à quoi nous sert sa science?
$_{20}$Partage ta science avec nous!
$_{21}$Ne te sépare pas de nous!

Dans l'édition parisienne susnommée, le poème est titré d'après la première strophe interrogeante : *Wer aber ist die Partei?* et dans l'anthologie berlinoise de Brecht *Hundert Gedichte* [*Cent poèmes*] (1951) d'après la première ligne-réponse de la deuxième strophe : *Wir sind sie*. Le poème date de l'apogée de sa création, qui coïncide approximativement avec la quatrième dizaine d'années de sa vie et avec la quatrième décennie de notre siècle : cette période est inaugurée par *l'Opéra de quat'sous* (1928) ainsi que par *Grandeur et Décadence de la ville de Mahagony* (1928-1929), et clôturée par deux drames non moins significatifs, *la Vie de Galilée* (1938-1939) et *Mère Courage et ses enfants* (1939).

Dans cette même période de recherche combative « dans des circonstances difficiles », surgit l'ouvrage de Wolfgang Steinitz sur le *Parallélisme dans la poésie populaire finno-carélienne* [1]. La « grammaire du parallélisme », audacieuse façon de poser le problème, a reçu pour la première fois, dans cet ouvrage, un début de solution scientifique. Le parallélisme grammatical sert de moyen canonique dans la tradition finno-carélienne, soigneusement explorée par Steinitz, et de façon très générale dans le folklore ouralien et altaïque, mais aussi dans de nombreuses autres aires de la poésie mondiale; par exemple, il fait corps avec le principe intangible de la poétique paléo-chinoise, il est à la base du vers cananéen et surtout du vers biblique ancien. Mais même dans les systèmes de versification où le parallélisme grammatical ne figure pas au nombre des règles obligatoires, le rôle cardinal qu'il joue dans la construction et dans la composition des vers est absolument indiscutable. Les thèses programmatiques du chercheur demeurent valables pour toutes les formes poétiques : « L'étude du parallélisme verbal devra s'orienter dans diverses directions. Tantôt il s'agira des relations *de contenu* dans les paires de mots : selon quelles lois (psychologiques) se produit la mise en parallèle. Ensuite : quel genre de concordance *formelle* règne entre les mots (ou éléments) parallèles. Très important également apparaît l'établissement des catégories *grammaticales* mises

1. Wolfgang Steinitz, *Der Parallelismus in der finnisch-karelischen Volksdichtung*, FF Communications nº 115 (Helsinki, 1934).

en parallèle. Enfin, il faut explorer les catégories conceptuelles parallèles et les relations qui existent entre parallélisme verbal et allitération » (*op. cit.*, p. 179; les italiques sont dans l'original).

Ces problèmes surgissent au cours d'une lecture attentive du poème de Brecht *Wir sind sie*, exemple-type de ces innovations artistiques du poète, qui furent clairement décrites dans son article « Über reimlose Lyrik mit unregelmäßigen Rhythmen » [« Sur la poésie en vers libres à rythme irrégulier »] (*Das Wort*, 1939, aujourd'hui également dans *Versuche* 27/32, Cahier 12, Berlin, 1961, p. 137-143). La suppression de la rime et de la norme métrique fait que l'architectonique grammaticale du vers ressort dans tout le poème avec une particulière netteté. Dans les commentaires qu'on a faits sur la création poétique chez Brecht, ses moyens artistiques préférés — contraste entre phrases de même espèce, parallélisme, répétition, inversion — ont été confrontés à la réponse instructive qu'il donna à un journaliste demandant quel livre avait eu le plus d'influence sur le poète; ce fut : « Vous allez rire — la Bible! » (*Die Dame*, Berlin, 10.1.1928).

Le poème reproduit ci-dessus est composé de quatre strophes correspondant au nombre des « quatre agitateurs » dans la pièce didactique de Brecht; ceux-ci répètent devant le tribunal du « chœur de contrôle » leur entretien avec le « jeune camarade » qu'ils ont exécuté : « Ils se placent trois d'un côté et un en face : l'un des quatre joue le rôle du jeune camarade. » La première strophe reproduit les paroles du jeune camarade, les trois autres sont mises dans la bouche des agitateurs : à cet égard, d'après les indications de l'auteur, « le texte des trois agitateurs peut être réparti entre eux » (p. 354). La longueur des quatre strophes est différente : à deux quatrains (I, II) succède un huitain (III) et une strophe de cinq vers (IV). En raison de la ponctuation de Brecht, fantaisiste et d'une logique importune, les strophes ayant le plus petit nombre de vers, c'est-à-dire les deux premières, contiennent chacune quatre phrases, tandis que les strophes à plus de quatre vers, c'est-à-dire les deux dernières, en contiennent chacune trois. Aux quatre phrases interrogatives de la première strophe, qui occupent chacune un vers, répond la deuxième strophe avec des phrases affirmatives qui, à leur tour, occupent chacune un vers. La troisième strophe comme la quatrième se terminent chacune par deux phrases exclamatives, cependant que la phrase interrogative de la quatrième strophe fait écho aux quatre phrases interrogatives de la première. La première phrase de la troisième strophe, de son côté, est par sa forme affirmative, étroitement apparentée aux quatre phrases affirmatives de la deuxième strophe. C'est dans cet assemblage syntaxique, et également dans toute une série d'autres particularités grammaticales, que se manifeste la composition close du poème. Le schéma suivant reproduit les équivalences syntaxiques dans les strophes :

I	????	II	. . . .
IV	?!!	III	. !!

Les Archives B. Brecht à Berlin ont aimablement mis à notre disposition le même texte dans deux variantes distinctes, qui avaient apparu au cours du travail de Brecht sur sa pièce *la Décision* (la première variante porte la référence 460/33, la seconde la référence 401/32-33). Une comparaison des deux variantes ainsi qu'une confrontation entre la version adoptée dans le texte imprimé de la pièce didactique et la rédaction définitive du poème recueilli dans le volume *Chansons, Poèmes et Chœurs*, montrent que le découpage phrastique originel du texte se distingue fortement de la rédaction ultérieure. Dans les deux variantes des Archives Brecht comme dans le texte imprimé de la pièce didactique, au bout du vers *‚In deinem Anzug steckt sie, Genosse, und denkt in deinem Kopf*, on ne trouve pas encore de point, cependant que Brecht, de façon très générale, omet avec obstination la virgule en fin de vers. Dans la version manuscrite la plus ancienne, la forme du vers 18 était à l'origine : « aber *wer weiss ihn? und* wenn ihn einer weiss », mais les mots du manuscrit dactylographié imprimés ici en italiques, ont été ensuite biffés de la main même de l'auteur. Dans le texte originel, la répartition des phrases dans les strophes offrait l'aspect suivant :

I	????	II	. . .
IV	??!!	III	. !!

Le dénominateur commun des strophes I et II pourrait, en conséquence, être énoncé de la façon suivante : toutes les phrases comprennent un vers chacune et sont, à l'intérieur de chaque strophe, du même type syntaxique; les strophes III et IV se terminent chacune par deux phrases exclamatives; les strophes I et IV contiennent quatre phrases chacune, les strophes II et III chacune trois phrases; en dehors des deux phrases exclamatives qui clôturent la troisième comme la quatrième strophe, toutes les phrases de la première et de la quatrième strophe sont des phrases interrogatives, toutes celles de la deuxième et de la troisième sont des phrases affirmatives.

Non seulement la répartition des types de phrases grammaticalement distincts, mais encore et surtout la répartition des catégories grammaticales à l'intérieur des quatre strophes montre sans équivoque que le poème est articulé en deux paires de strophes, une paire initiale et une paire finale. Les concordances grammaticales entre les deux strophes, à l'intérieur de chacune de ces paires, peuvent être considérées comme des « équivalences intra-pariales ». On trouve de ces équivalences aussi bien dans la paire initiale que dans la paire finale. D'autre part on peut établir des propriétés grammaticales communes à deux strophes faisant partie de paires différentes, en d'autres termes des « équivalences inter-pariales ». Il est significatif que le poème *Wir sind sie* ne connaisse à proprement parler aucune concordance grammaticale entre les deux strophes impaires et entre les deux strophes paires, tandis que d'autre part des traits communs relient la deuxième strophe à la troisième, et la première à la quatrième. Cela signifie que les deux paires de strophes, dans ce poème, sont reliées entre elles non par une symétrie directe, mais par une symétrie « en miroir », les quatre strophes constituant une totalité grammaticale close : la première strophe est en corrélation avec la deuxième, la deuxième avec la troisième, la troisième avec la quatrième et la quatrième avec la première. Les équivalences grammaticales entre la strophe initiale et la strophe finale sont, dans ce qui suit, caractérisées comme *périphériques*, celles entre la deuxième strophe et la troisième comme *centrales*. Si l'on compare la répartition des phrases globales dans les strophes de rédaction différente, il ressort que le texte primitif favorisait les équivalences inter-pariales, tandis que la rédaction définitive accorda la prééminence aux équivalences intra-pariales.

Le passage ci-dessous, qui succède à l'entretien reproduit au début de cet article, entre le « jeune camarade » et les agitateurs, le chœur *Lob der Partei* [*Eloge du parti*], est destiné, en même temps que les autres tirades du chœur de contrôle, à jouer dans la pièce de Brecht un rôle purement organisateur, stratégique. Ceci est, une fois encore, en rapport avec la volonté du poète d' « éviter une bigarrure mélodique » (p. 352). L'effort en vue de donner une forme univoque à ce choral se révèle dans un parallélisme canonique, véritablement biblique, qui constitue la base des quatre premiers distiques, sur les six que compte ce panégyrique :

$_1$Der Einzelne hat zwei Augen
$_2$Die Partei hat tausend Augen.
$_3$Die Partei sieht sieben Staaten
$_4$Der Einzelne sieht eine Stadt.
$_5$Der Einzelne hat seine Stunde
$_6$Aber die Partei hat viele Stunden.
$_7$Der Einzelne kann vernichtet werden
$_8$Aber die Partei kann nicht vernichtet werden.

Traduction littérale.

$_{1}$L'individu a deux yeux
$_{2}$Le parti a un millier d'yeux.
$_{3}$Le parti voit sept états
$_{4}$L'individu voit une cité.
$_{5}$L'individu a son heure
$_{6}$Mais le parti a de nombreuses heures.
$_{7}$L'individu peut être anéanti
$_{8}$Mais le parti ne peut être anéanti.

Sans parler de la rigoureuse symétrie grammaticale et lexicale, disons que chaque paire de vers est étroitement soudée par un triple écho phonique : $_{1}$EInzelne - ZWEI - $_{2}$PartEI; $_{1}$AUgen - $_{2}$tAUsend - AUgen; $_{3}$PartEI - EInzelne - EIne; $_{3}$SIEht - SIEben - $_{4}$SIEht; $_{5}$EInzelne - SEIne - $_{6}$PartEI; $_{7}$verNICHTet - $_{8}$NICHT - verNICHTet.

Le poème *Wir sind sie*, qui précède le panégyrique dans la pièce, mais qui dans le recueil *Chansons*, *Poèmes*, *Chœurs* le *suit* immédiatement, utilise de façon extrêmement concrète, malgré tout le caprice de sa composition, la juxtaposition de constructions syntaxiques semblables, et ceci en exploitant un matériau lexical analogue :

$_{1}$Wer aber ist die Partei?
$_{4}$Wer ist sie?
$_{3}$Sind ihre Gedanken geheim,
ihre Entschlüsse unbekannt?
$_{7}$In deinem Anzug steckt sie, Genosse,
und denkt in deinem Kopf.
$_{8}$Wo ich wohne, ist ihr Haus,
und wo du angegriffen wirst, da kämpft sie.

Le texte est « broché » de manifestations de parallélisme aussi typiques que, par exemple, la répétition de mots isolés ou de groupes de mots entiers (p. ex. $_{14,\ 16,\ 21}$*Trenne dich nicht von uns!*) ou l'utilisation des différents membres d'un paradigme ou encore les différentes formes obtenues à partir d'une seule et unique racine : $_{2}$*in einem Haus* - $_{8}$*ihr Haus;* $_{9,\ 11}$*den Weg* - $_{17}$*der Weg;* $_{9,\ 15}$*wir* - $_{11,\ 12}$*ohne uns* - $_{14,\ 16}$*von uns;* $_{9}$*gehen sollen* - $_{10}$*werden gehen* - $_{11}$*gehe;* $_{9}$*zeige* - $_{19}$*zu zeigen;* $_{3}$*Gedanken* - $_{7}$*denkt;* $_{11}$*richtigen* - $_{15}$*recht haben;* $_{18}$*weiss* - $_{19}$*Weisheit* - $_{20}$*weise.*

Le polyptote comme la dérivation mettent d'autant plus en relief les catégories grammaticales : si bien que la répartition de celles-ci devient un élément primordial dans l'ensemble du poème.

Dans le texte complet, qui contient 142 mots, le rapport quantitatif entre les diverses classes de mots présente une série de propriétés caractéristiques. Le poème contient 13 substantifs et 40 substantifs pronominaux, puis 8 adjectifs et juste autant d'adjectifs pronominaux, auxquels s'ajoutent 7 formes d'articles (une forme *zéro* d'article indéfini ne fait pas partie des mots effectivement présents que nous avons comptés). En face des 6 adverbes pronominaux, les adverbes nominaux manquent complètement. Les verbes sont représentés par 20 verbes lexicaux et par 13 verbes formels, qui se distinguent des premiers non seulement par leur structure sémantique et par leur fonction syntaxique, mais aussi par des propriétés spécifiques dans le paradigme du présent : $_{1,\,4,\,12,\,17}$*ist;* $_{3,\,5}$*sind;* $_{20}$*sei;* $_{8}$*wirst;* $_{10}$*werden;* $_{9}$*sollen;* $_{15}$*kannst;* $_{15}$*können;* $_{19}$*vermag*. Si on ajoute aux 61 pronoms (en incluant les 7 articles) les 13 verbes formels et les 27 « particules » (prépositions, conjonctions, particules modales), il s'ensuit que 101 mots, soit plus de 70 % du total des mots du poème, font partie de la catégorie des mots formels, grammaticaux (les *mots-outils* [a] de Greimas [1]). Tandis que dans les mots lexicaux (*mots-pleins* [b]) les morphèmes radicaux ont une signification lexicale, et par contre tous les autres morphèmes (affixes) une signification grammaticale, formelle, les mots formels, eux, qu'ils soient composés d'un ou de plusieurs morphèmes, ne possèdent aucun morphème à signification lexicale, si bien que tout morphème présent possède uniquement une signification formelle [2]. Un mot formel ne donne aucune caractéristique concrète, matérielle, il ne nomme ni ne décrit aucun phénomène, quel qu'il soit; il se contente d'indiquer les relations qui existent entre les phénomènes, et de les déterminer. De façon significative, les noms de ce poème cèdent le pas aux pronoms, qui établissent la liaison entre le phénomène dénoté, d'une part, le contexte et l'acte de parole d'autre part. C'est évidemment dans ce style pro-

1. A. J. Greimas, « Remarques sur la description mécanographique des formes grammaticales », *Bulletin d'information du Laboratoire d'analyse lexicologique*, II (1960).

2. A. M. Pechkovski a clairement esquissé la définition de la nature de la pronominalité : « Il apparaît ainsi que la nature paradoxale de ces mots résulte de l'absence de toute signification lexicale; leur signification fondamentale (celle de la racine) est formelle, tout comme l'est la signification additive (celle du suffixe). On a, pour ainsi dire, " forme sur forme ". On comprend que ce groupe de mots (qui existent dans toutes les langues et qui, bien entendu, sont partout infiniment moins nombreux que les autres mots) occupent une situation tout à fait particulière; ... ils sont foncièrement grammaticaux puisque leur signification est exclusivement formelle et puisque la signification des racines est la plus générale et la plus abstraite de toutes les significations grammaticales. » (*Russkij sintaksis v nauchnom osveshchenii*, Moscou, 1956[7], p. 155.)

a. En français dans le texte.

b. En français dans le texte.

nominal que se manifeste de la façon la plus flagrante, cette visée du parler qui entretient les plus étroits rapports avec l'expérience théâtrale de Brecht, et qu'il a décrite dans son article « Über reimlose Lyrik mit unregelmäßigen Rhythmen » : « Je pensais sans cesse au parler. Et je m'étais forgé, pour le parler (que ce soit celui de la prose ou celui du vers) une technique bien précise. Je la nommai gestuelle. Ce qui signifiait que la parole devait suivre totalement le « gestus » de la personne en train de parler » (p. 139).

Dans la langue, c'est la nature déictique du pronom qui se rapproche le plus du geste, et ce n'est certes pas un hasard si l'auteur cite huit vers de Lucrèce, contenant 16 pronoms, comme un exemple évident de richesse en éléments gestuels. Songeons seulement à ces vers de Brecht, de bout en bout pronominaux, dont celui du milieu est employé comme titre facultatif de tout le poème. Ces trois lignes sont constituées par treize mots formels, dont neuf pronoms :

> $_{4}$Wer ist sie?
> $_{5}$Wir sind sie.
> $_{6}$Du und ich und ihr — wir alle.

On peut s'attendre que les nombreux pronoms du poème « *Wer aber ist die Partei?* » mais surtout les 38 formes personnelles et les formes possessives correspondantes, soit 51 % de tous les mots déclinables, jouent un rôle absolument essentiel dans la construction du poème comme dans son déroulement dramatique.

C'est aux équivalences intra-pariales qu'il faut rapporter l'apparition de la forme féminine *sie* et du possessif correspondant *ihr*, limités à la première et à la deuxième strophe : ces deux strophes contiennent chacune quatre occurrences, dans chacune des deux strophes deux de ces occurrences figurent dans un vers, cependant que deux autres vers contiennent chacun une occurrence. Ce n'est que dans la troisième et dans la quatrième strophe que surgissent des pronoms personnels à des cas obliques : cinq fois *uns* dans la troisième et quatre fois dans la quatrième, deux fois *dich* dans la troisième et une fois dans la quatrième. Les deux premières strophes contiennent 15 substantifs pronominaux au nominatif et pas un seul à un cas oblique. Dans les strophes III et IV, le pronom *der*, *die*, *das* rattache la proposition principale à la proposition subordonnée, dans le vers initial : $_{9}$*Zeige uns den Weg*, DEN *wir gehen sollen* et $_{17}$*Dass der kurze Weg besser ist als der lange*, DAS *leugnet keiner*.

Pour ce qui concerne les équivalences inter-pariales, on fera observer ici que le nominatif des pronoms personnels et possessifs de la 1re et de la 2e personne manque dans les strophes I et IV, cependant que le pronom *du* apparaît deux fois dans chacune des strophes II et III, le pronom *wir* deux fois dans II et trois fois dans III, mais les pronoms *ich*, *ihr* et *dein* exclusivement dans la strophe II. De plus, le pronom interrogatif ne se montre que dans les strophes périphériques : deux fois (au nominatif) *wer* dans I et une fois (à l'accusatif) *was* dans IV. Enfin, la présence de l'indéfini *einer* dans IV doit être interprétée comme l'écho de l'article indéfini dans I, où se présentent la forme *ein* et la forme zéro du pluriel ($_{2}$*in einem Haus mit Telefonen*).

Le poème contient 13 substantifs, parmi lesquels l'apostrophe *Genosse*, qui se situe en dehors de la phrase, est seule à illustrer la catégorie de l'animé. Sur les 12 substantifs restants, quatre se présentent au nominatif dans la première paire de strophes, deux dans la deuxième paire, et un nombre égal (4 + 2) à un cas pourvu d'une marque, c'est-à-dire oblique. Parmi eux, trois substantifs abstraits ($_{3}$*Gedanken*, *Entschlüsse*, $_{19}$*Weisheit*) et un collectif ($_{1}$*Partei*), seulement au nominatif; notons qu'ils appartiennent exclusivement aux strophes périphériques, tandis que les noms de choses, non animés proprements dits, ou bien n'apparaissent qu'en liaison prépositionnelle au datif et que dans la première paire strophique, ou bien encore apparaissent d'abord à un cas oblique, et reçoivent la forme du nominatif en passant dans la strophe suivante : c'est l'image statique de la paire initiale $_{2}$*in einem Haus* - $_{8}$*ist ihr Haus*, et l'image dynamique de la paire finale $_{9}$*den Weg*, $_{11}$*den richtigen Weg* - $_{17}$*der kurze Weg*. On notera également, en passant, que les substantifs féminins ne se trouvent que dans les phrases interrogatives des strophes périphériques : $_{1}$*Die Partei?/* - $_{19}$*Weisheit?/*.

Quant aux substantifs pronominaux de la 3e personne, chacun se rapporte sans exception à un substantif non animé : *sie* = die Partei, *er* = der Weg. Conjointement avec le pronom interrogatif $_{1,\,4}$*wer* qui ouvre le texte, l'emploi de l'anaphorique $_{2,\,4}$*sie* (et de *ihre*) pour le substantif *Partei* prépare le passage à la catégorie de l'animé, passage accompli dès le début de la deuxième strophe par la mise au même niveau de *sie* et de *wir* et par le refoulement du premier pronom par le second dans les deux strophes finales. La force de persuasion d'une telle métamorphose s'appuie sur le rapprochement synecdochique de ce *sie* avec les pronoms personnels proprement dits au singulier : $_{7}$*In deinem Anzug steckt sie, Genosse, und denkt in deinem Kopf./Wo ich wohne, ist ihr Haus, und wo du angegriffen wirst, da kämpft sie.*

Ce n'est que dans la première strophe qu'il y a des substantifs au pluriel : $_{2}$*mit Telefonen*, $_{3}$*Gedanken*, *Entschlüsse*. Ces pluriels préparent pour ainsi dire la place au pluriel des pronoms personnels, place qu'ils leur livrent ensuite dans les strophes II à IV. Si on excepte le mot isolé $_{6}$*ihr*, le pronom *wir* englobe ici non seulement le locuteur *ich* et l'interlocuteur immédiat *du*, mais aussi une pluralité d'interlocuteurs anonymes - *ihr*. Une implication réciproque relie de façon décisive les formes *du* (II-III) et *dich* (III-IV) aux formes *wir* (II-III) et *uns* (III-IV). Le *ich* requiert la collaboration du *du* dans le même vers : $_{6}$*Du und ich...*, $_{8}$*Wo ich... und wo du...* Dans la deuxième strophe, le *ich* comme le *du* sont des parties du collectif *wir alle*; en outre, *wir* est ici au même rang que chacune de ces parties, bien plus : *wir* est une partie inséparable tant du *ich* que du *du*. Mais si dans cette strophe le *du* est une *pars pro toto* et le *wir* un *totum pro parte*, cette relation se modifie brutalement dans les strophes qui suivent : le lien interne, synecdochique, se transmue d'un coup en une affinité métonymique, externe, et s'élève aux dimensions d'un conflit tragique entre l'individu et le collectif : on en arrive à la « trahison », selon le titre donné par Brecht à toute la scène contenant ces vers. Le *wir* inclusif, qui englobe l'interlocuteur, est relayé par le *wir* exclusif, qui s'oppose à la deuxième personne [1]. L'instabilité sémantique et la contradiction interne, propriétés inhérentes au pronom personnel de la 1re personne du pluriel, devient un leitmotiv dans le *Lied des Kulis* [*Chanson du coolie*], que Brecht avait à l'origine (1930) inséré dans sa pièce didactique *Die Ausnahme und die Regel* [*l'Exception et la règle*] (cf. *Versuche*, 22-23-24, Cahier 10, Berlin, 1961, p. 156 [trad. fr. in *Théâtre complet*, t. I, 1959], mais qui fut par la suite édité à part, sous le titre éloquent : *Lied vom ich und wir* [*Chanson du moi et du nous*] (cf. *Gedichte*, Frankfurt a. Main, 1961, p. 211 [trad. fr. in *Poèmes*, t. III, 1966, p. 200]. La strophe finale de cette chanson met à nu la thématique pronominale, métalinguistique :

Wir und ich : ich und du	(Nous et moi : moi et toi
das ist nicht dasselbe.	ce n'est pas pareil.
Wir erringen den Sieg	Nous remportons la victoire
Und du besiegst mich.	Et tu triomphes de moi.)

1. Dans l'adaptation du dialogue pour la scène, la relation mutuelle entre le *du* et le *wir*, entre le « jeune camarade » et les « quatre agitateurs », est soulignée de façon très suggestive par les directives de l'auteur : « Chacun des quatre acteurs doit avoir au moins une fois l'occasion de montrer le comportement du jeune camarade : aussi chaque acteur doit-il jouer une des quatre scènes principales où figure le jeune camarade » (p. 534). Cette permutation élève le rôle des embrayeurs (shifters), tenu dans la langue, au premier chef, par les pronoms personnels, au rang de procédé artistique; cf. notre étude *Shifters, verbal categories, and the Russian verb* (Cambridge, Mass., 1957), ch. 1, § 5 [trad. fr. *Essais de linguistique générale* (Paris, 1963), p. 176-196].

Les formes *du* et *wir* passent de la deuxième strophe dans la troisième, mais en dehors du nominatif, cas unique des pronoms personnels dans les deux strophes initiales, apparaissent dans la troisième strophe l'accusatif ${}_{14,\,16}$*dich* à côté du nominatif ${}_{10,\,15}$*du*, et la forme accusatif-datif ${}_{9,\,11,\,12,\,14,\,16}$*uns* à côté du nominatif ${}_{9bis,\,15}$*wir*; de plus, un nouveau motif central - *der Weg* - reçoit ici une dénotation anaphorique au nominatif ${}_{12}$*er* et à l'accusatif ${}_{10}$*ihn*. C'est ainsi que les participants pronominaux au sujet du poème apparaissent pour la première fois, dans la troisième strophe, dans le rôle des objets de l'action. Il faut souligner que, sur les huit verbes lexicaux de la troisième strophe, six régissent l'accusatif, et dans la quatrième strophe, tous les cinq le font, tandis que dans les deux strophes initiales on ne trouve ni un accusatif ni un datif sans préposition, et la construction transitive est remplacée par une forme passive : ${}_{8}$*wo du angegriffen wirst*. Aux tours prépositionnels des strophes initiales, toute dynamique fait défaut : ${}_{2}$*in einem Haus mit Telefonen*, ${}_{7}$*in deinem Anzug... in deinem Kopf*. En face de cela, dans les deux strophes finales, presque toutes les formes fléchies sont comprises dans le motif ablatif de la séparation : ${}_{11}$*Gehe nicht ohne uns;* ${}_{12}$*ohne uns;* ${}_{14,\,16,\,21}$*Trenne dich nicht von uns*. Dans les deux strophes initiales, on ne rencontre aux cas obliques que des substantifs, et qui plus est, seulement en liaison avec des prépositions, tandis que dans les deux strophes finales, ce sont exclusivement les pronoms qui se combinent à des prépositions.

Les questions et les réponses des deux strophes initiales s'occupent des relations internes entre les phonèmes, indépendamment de leur développement ultérieur et de leurs possibles conséquences finales sur le plan pratique; dans la troisième strophe, en revanche, les deux foyers du schéma - *du* et *wir* exactement comme la résultante des deux forces - *er*, à savoir le chemin objet de la quête - sont donnés successivement selon deux « perspectives en raccourci » distinctes. Le thème des conflits et de leur dépassement devient de plus en plus pressant. Dans la strophe finale, le nominatif autarcique des trois pronoms disparaît complètement et cède sa place en totalité aux formes obliques ${}_{21}$*dich*, ${}_{18}$*ihn* et ${}_{19bis,\,20,\,21}$*uns*. Et si le *sie* de ${}_{4}$*Wer ist sie*, accentué, impersonnel et anaphorique, est relayé dans la deuxième strophe par le *Wir* personnel, d'autre part, dans la quatrième strophe, le *du* personnel est remplacé de façon polémique par le nominatif dépersonnifiant ${}_{18}$*einer*.

On rattachera également aux innovations qui distinguent nettement les strophes initiales des strophes finales, des rapprochements syntaxiques, la confrontation de deux éléments soudainement séparés : *wir*/ $_{10}$*Werden ihn gehen wie du* ou bien de deux chemins opposés, dont « nous » revendiquons l'un, et dont « tu » revendiques l'autre : $_{17}$*der kurze Weg besser ist als der lange.* Soit dit en passant, on lit dans le texte imprimé de la pièce didactique *wie der lange*, et cette forme en langue familière reliait syntaxiquement la seconde comparaison à la première.

Du caractère imagé des strophes initiales, on passe dans les strophes suivantes à un franc assaut où les répliques se multiplient comme des traits. A la succession passive de verbes au mode indicatif, non marqué, dans les deux strophes initiales, font contrepoids, dans les strophes finales (outre cinq formes à l'indicatif) six formes à l'impératif et cinq groupes « verbe modal + infinitif » : $_{9}$*gehen sollen*, $_{10}$*werden gehen*, $_{15}$*können irren*, *kannst recht haben*, $_{19}$*vermag zu zeigen.* D'une manière générale, les deux strophes finales sont caractérisées par le degré de saturation dans les catégories marquées : ce sont les modes et les cas pourvus d'une marque, de même que les 20 formes plurielles des pronoms personnels, alors qu'on n'en trouve que trois dans les deux strophes initiales. Il est révélateur que le verbe formel *werden*, qui apparaît dans les deux strophes intérieures, constitue dans la deuxième strophe (avec le participe) la diathèse, dans la troisième strophe par contre (avec un infinitif) une forme modale : $_{8}$*angegriffen wirst* / $_{10}$*werden gehen.*

Parallèlement à l'impératif et aux autres formes modales marquées, des propositions négatives, étrangères à la première et à la deuxième strophe, font leur entrée dans le texte. La négation *nicht* figure cinq fois dans les strophes finales. Au surplus, apparaissent dans la quatrième strophe le pronom négatif $_{17}$*keiner* et la question rhétorique $_{19}$*was nützt uns* au sens de « cela ne nous sert à rien ».

Toutes les dénotations pronominales des personnages sont accompagnées d'échos amplificateurs dans le contexte du poème. C'est pourquoi la forme $_{2}$*Ist sie* de la première copie (460/33) a été d'abord conservée dans le second manuscrit, tapé à la machine, et ensuite biffée pour être remplacée par une nouvelle version, écrite au crayon : *Sitzt sie.* Telle est donc la rédaction définitive des deux strophes initiales : $_{2}$SI*tzt* SIE - $_{3}$SI*nd* - $_{4}$SIE/ - $_{5}$SI*nd* SIE/ - $_{7}$SIE - $_{8}$SIE. Il est caractéristique que le groupement *Wir sind sie*, qui ouvre la deuxième strophe, soit reçu par le lecteur allemand comme une infraction à la norme syntaxique, et que dans les strophes qui suivent, la disparition de *sie* s'accompagne de la disparition de *sind.* Le pronom $_{5}$*wir* est accordé par l'assonance au $_{1}$*Wer* de la première strophe. La question $_{4}$*Wer ist sie*? qui clôt la première strophe, est relayée au seuil de la deuxième strophe par les phonèmes et les formes parallèles de la réponse $_{5}$*Wir sind sie.*

L'identité du contexte au point de vue grammatical et phonologique est soulignée par les répétitions *wir* - ₆*Du und* ICH *und* IHR - *w*IR *alle*/ ₈WO - WO*hne* - WO - WIR*st*. La troisième strophe crée une étroite liaison allitérative entre les mots *wir* et *Weg*, dont le second passe aussi dans la strophe suivante, de telle sorte que les deux strophes sont prises dans un réseau de consonnes initiales identiques : ₉W*eg* - W*ir* - W*ir*/ - ₁₀W*erden* - W*ie* - ₁₁W*eg*/ - ₁₅W*ir* - ₁₇W*eg* - ₁₈W*enn* - W*eiss*/ ₁₉W*a*S - W*ei*S*heit*/ - ₂₀W*eise*. La forme pronominale oblique *uns*, qui traverse les deux strophes finales, est préparée et étayée par la répétition de la conjonction assonante *und* : ₆UN*d* - UN*d* - ₇UN*d* - ₈UN*d* - ₉UN*s* - UN*d* - ₁₁UN*s* - ₁₂UN*s* - ₁₄UN*s* - ₁₅UN*d* - ₁₆UN*s*/ - ₁₇UN*d* - UN*s* - UN*s* - ₂₀UN*s* - ₂₁UN*s*/.

Le soupçon à l'égard des demeures du parti et du caractère mystérieux de ses aspirations et de ses arrêts, soupçon qui se fait entendre dans les questions pressantes de la première strophe, est contré de la façon la plus catégorique par les assonances de la strophe suivante : ₁...*die Partei?* ₂...IN EINEM *Haus...?*/ ₃GEDANKEN GE*h*EIM, ... *unbe*KANNT? ₇-IN DEINEM AN*zug st*ECKT *sie*, GEN*osse*, *u*ND DENKT IN DEINEM K*o*PF./ ₈...ANG*egriffen* ... KÄMPFT. Ce n'est pas « in einem » Haus (dans une maison), mais « in deinem » Anzug (dans ton vêtement) et « in deinem » Kopf (dans ta tête) que se niche et que pense le parti, selon la réponse apportée par le singulier vers conatif de la deuxième strophe; notons que le *d* allitérant du pronom de la deuxième personne traverse cette strophe et les suivantes : ₆*Du* - ₇*deinem* - *denkt* - *deinem* - ₈*du* - *da* - ₉*den Weg* - *den* - ₁₀*du* - ₁₁*den* - ₁₃*Der* - ₁₄*dich* - ₁₅*du* - ₁₆*dich* - ₁₇*Dass der* - *der* - *das* - ₂₁*dich*.

La chaîne de diphtongues identiques (*Part*EI - *in* EI*nem* - *geh*EI*m*) qui renferment les allusions du jeune camarade à l'aliénation du parti, est contrebalancée par la double confirmation du lien inviolable qui existe entre lui et le parti : ₇*in d*EI*nem* etc.

Le contraste *einem* - *deinem* des strophes initiales trouve sa réplique dans le contraste inverse de la strophe finale ₁₇*keiner* - ₁₈*einer*. Si le parti, qui procède du *sie* sans visage de la première strophe, se transforme ensuite en un *wir* pluriel et personnel, à l'opposé le *du* personnel des deux strophes centrales est remplacé par un *einer* indéterminé, dévalorisant. Ce n'est que dans les strophes paires qu'on rencontre des pronoms universels : le positif *alle* dans II et le négatif *keiner* dans IV — ce qui est bien l'unique exemple d'une symétrie directe dans les paires strophiques du poème, si on laisse de côté l'alternance des cas marqués dans les strophes impaires avec le nominatif des mêmes noms dans les strophes paires qui les suivent (voir ci-dessus).

Cependant, en opposition à la solidarité de *wir* et de *alle* dans la deuxième strophe, les pronoms *keiner* et *einer*, dont Peirce rangeait le premier dans les *universal selectives* et le second dans les *particular selectives* [1], créent une profonde antinomie. Le différend entre le jeune camarade et le parti, qui dans la première strophe avait provoqué la question sur l'aliénation du parti, amène en fin de compte la fatale conclusion sur l'aliénation du camarade lui-même. Le pronom *keiner*, mis en relief par un chiasme allitératif - $_{17}$*Dass der* K*urze Weg besser ist als der* L*ange, das* L*eugnet* K*einer* — d'autre part le pronom *einer* et le possessif correspondant *seine*, ces trois nominatifs pronominaux confèrent à toute la strophe un leitmotiv diphtongal univoque : $_{17}$LEU*gnet k*EI*ner*/ - $_{18}$EI*ner w*EI*ss*/ - $_{19}$ZEI*gen - s*EI*ne W*EI*sheit*/ $_{20}$*S*EI *b*EI *uns* WEI*se!*/ [2]. Dans chacun de ces quatre vers retentit, sous le dernier accent tonique, la même diphtongue, qui récupère le son double de la coda du premier vers : *Wer aber ist die Part*EI*?* et cette même diphtongue accompagne ensuite le développement du même thème dans la réplique adressée par le chœur de contrôle, « *Lob der Partei* » : $_{1}$*Der* EI*nzelne hat zw*EI AU*gen*/ $_{2}$*Die Part*EI *hat t*AU*send* AU*gen*/ $_{3}$*Die Part*EI - $_{4}$*Der* EI*nzelne* - EI*ne* - $_{5}$*Der* EI*nzelne - s*EI*ne* - $_{6}$*die Part*EI - $_{7}$*Der* EI*nzelne* - $_{8}$*die Part*EI.

Cette généralisation de la diphtongue /ai/ dans la dernière syllabe accentuée des quatre premiers vers de la strophe IV du poème *Wir sind sie* n'appartient qu'à la rédaction finale : au vers 20, les manuscrits antérieurs et le texte imprimé de la pièce didactique *la Décision* présentent un ordre des mots différent : *Sei weise bei uns!* Cette version préservait un strict parallélisme avec le vers qui suit : $_{21}$*Trenne dich nicht von uns!* et une nette et triple paronomase : $_{18}$*einer weiss*/ - $_{19}$*seine Weisheit*/ - $_{20}$*sei weise*... D'autre part, la rédaction finale renforce la dérivation en faisant se terminer les trois vers consécutifs par des mots apparentés et quasi homophones, et en mettant ainsi en relief l'élément médian et la coda centrale de toute la strophe de cinq vers.

$_{1}$*Die Partei*, le premier substantif du poème, et le dernier nom, $_{19}$*Weisheit*, tous deux au même cas, se distinguent aussi des autres

1. Charles Sanders Peirce, *Collected Papers*, t. II (Harvard University Press, 1932), p. 164.

2. Que la répartition des diphtongues, et particulièrement de la diphtongue /ai/ dans le poème *Wir sind sie* ne soit pas, tant s'en faut, aléatoire, c'est ce que montrent bien les données statistiques. Dans la quatrième strophe il y a, sur 41 syllabes, 10 diphtongues /ai/ et pour préciser, trois diphtongues sur les cinq syllabes du vers 20, alors que trois de ces diphtongues apparaissent en tout et pour tout sur les 38 syllabes de la première strophe; la deuxième strophe, composée de 45 syllabes, ne présente que deux diphtongues, la troisième strophe contient une diphtongue unique, et ceci dans la première des 56 syllabes de la strophe.

substantifs par l'identité du genre, font tous deux se terminer le vers sur la même diphtongue, et se trouvent tous deux à la fin d'une question : la première et la dernière question de tout le texte, celle sur le Parti, qui agite tant le renégat (₁*Wer ist die Partei?)* et celle posée au nom du parti à l'adresse du renégat qui ergote. Des noms abstraits relient le troisième vers de la strophe initiale au troisième vers de la strophe finale. La strophe d'introduction pose la question des desseins secrets du parti : ₃*Sind ihre Gedanken geheim, ihre Entschlüsse unbekannt?* La strophe finale y réagit avec une question à laquelle il avait été répondu par avance, savoir si la clairvoyance de desseins individuels cachés est de quelque utilité pour la communauté : ₁₉*was nützt uns seine Weisheit?*

Les lois d'interférence et d'entrecroisement auxquelles se réfère Arnold Zweig dans l'épigraphe, sont illustrées de façon éclatante, si l'on examine le poème étudié ici. L'architectonique grammaticale du poème associe deux principes structuraux : celui de la répartition du poème en deux paires de strophes, c'est-à-dire, une double dichotomie, avec un autre principe, qui, à la différence du précédent, ne présuppose aucune multiplicité, et par suite, joue le rôle d'un principe centralisateur. Les première, deuxième et quatrième strophes contiennent chacune quatre propositions élémentaires indépendantes avec un verbe fini, cependant que la troisième strophe contient quatre propositions élémentaires de ce type dans la première phrase globale (vers III-1 à III-5) et quatre dans les deux phrases globales qui suivent (vers III - 6 à III - 8). Ainsi, le poème se décompose en cinq groupes syntaxiques symétriques pourvus chacun de quatre propositions élémentaires indépendantes. Ce n'est que dans les trois derniers groupes qu'apparaissent des propositions à l'impératif, deux sur les quatre propositions indépendantes de chaque groupe : la première et la troisième proposition dans le troisième groupe, la première et la quatrième dans le quatrième groupe, la troisième et la quatrième dans le cinquième groupe :

1 ist - sitzt - sind - ist
2 sind - steckt und denkt - ist - kämpft
3 *zeige* - werden gehen - *gehe nicht* - ist
4 *trenne dich nicht* - können - kannst - *trenne dich nicht*
5 leugnet - nützt - *sei* - *trenne dich nicht*

Il faut signaler qu'à l'origine (dans le manuscrit 401/33) le quatrième groupe était séparé du troisième par un blanc, mais une correction du poète a ensuite supprimé l'espace entre les vers 13 et 14.

Sur ces cinq groupes quaternaires, les trois groupes impairs sont caractérisés par la présence d'un *aber* adversatif, et ce n'est que dans ces groupes impairs qu'apparaît chaque fois à proximité immédiate de la conjonction, l'article défini. Cet article met en relief les deux substantifs centraux de tout le poème - *Partei* et *Weg* - et les soumet à la discussion. Au point de vue fonctionnel, l'article converge avec le pronom démonstratif analogue, en ceci, qu'il est sur le plan sémantique l'équivalent du latin *ille*. Dans la strophe initiale du poème *Wer aber ist die Partei?* le nom qui figure dans le titre est introduit par le nominatif de l'article défini, immédiatement à la suite de la question introductive se trouve la proposition interrogative parallèle du deuxième vers, qui contient deux articles indéfinis au datif : la forme *einem* et la forme zéro du pluriel : $_{2}$*Sitzt sie in einem Haus mit Telefonen?* Il est significatif que l'article indéfini marque justement cette question, qui est liquidée dans la strophe suivante : $_{8}$*Wo ich wohne, ist ihr Haus.*

En correspondance avec les trois articles grammaticaux du premier des groupes impairs, le second groupe impair (le groupe central) contient de son côté trois articles, mais cette fois trois articles définis de genre masculin : *Zeige uns* DEN *Weg.../ ...aber/ Gehe nicht ohne uns* DEN *richtigen Weg/ Ohne uns ist er/* DER *falscheste.*

Enfin il y a dans le troisième groupe impair un lien entre deux articles définis, qui se rapportent encore à *Weg*, et le *das*, qui leur est étymologiquement et fonctionnellement apparenté; et si, dans le groupe initial, la conjonction adversative précédait la série des trois articles, si dans le deuxième groupe elle s'intercalait entre eux, dans le groupe final la même conjonction est placée derrière la série en question : $_{17}$*Dass der kurze Weg besser ist als der lange, das leugnet keiner/ Aber...*

Il est surprenant que les formes adjectivales n'apparaissent que dans les groupes impairs : dans le premier et dans le cinquième se trouvent respectivement deux exemples en fonction prédicative - $_{3}$*sind geheim..., unbekannt* et $_{17}$*besser ist*, $_{20}$*sei bei uns weise;* dans le troisième et dans le cinquième, chaque fois deux antonymes en fonction d'épithète, d'abord avec un substantif explicite, ensuite avec un substantif implicite : $_{11}$*Gehe nicht ohne uns den richtigen Weg/* $_{12}$*Ohne uns ist er/* $_{13}$*Der falscheste* [Weg] et $_{17}$*Dass der kurze Weg besser ist als der lange* [Weg].

Il s'avère que, dans ce texte, la mise en valeur est très étroitement liée aux sections impaires, points nodaux de la controverse. Le second des trois groupes impairs, la section centrale de tout le poème, relie les quatre propositions élémentaires, alternativement jussives et déclaratives, en une seule phrase globale, la plus longue du poème. La proposition d'injonction négative, qui fait suite à la conjonction adversative et qui, encadrée par deux propositions affirmatives, occupe exactement le vers central du poème, est en même temps aussi son thème directeur central - GEHE NICHT OHNE UNS DEN RICHTIGEN WEG - tandis que les deux *aber* périphériques introduisent des propositions interrogatives symétriques.

Le jeu dialectique des antonymes fait de ce droit chemin, sans transition, le plus tortueux, *wenn ihn einer weiss/ Und vermag ihn uns nicht zu zeigen*. La didactique du poème est consciemment ambiguë, et renferme en elle un inéluctable conflit. Le doute - *wer weiss* - a été barré par l'auteur, et il semblait que fût imputée à la deuxième personne la connaissance du plus court, du plus sûr chemin, *den wir gehen sollen und wir werden ihn gehen*, dès qu'il nous sera indiqué. Il semblait qu'il s'agît là uniquement d'une chose : Ne va pas seul, mais indique-nous ton chemin assuré ! Les protagonistes de la pièce didactique donnent cependant à ces vers un sens profondément équivoque. Les mots : *Wir können irren und du kannst recht haben* sont interprétés par le jeune camarade littéralement comme : « Puisque j'ai raison, je ne peux céder ». Mais les conseillers du jeune camarade conçoivent leur propre exhortation « *zeige uns den richtigen Weg* » [montre-nous le droit chemin] comme un ordre « indique-nous, démontre-nous la droiture du chemin sur lequel tu t'es engagé » (*Versuche uns zu überzeugen*, [Essaie de nous convaincre]), et leur sévère jugement est formulé en ces termes : *Du hast uns nicht überzeugt* [Tu ne nous as pas convaincus].

Cette prière alléchante - *Zeige uns den Weg, den wir gehen sollen* - a en réalité le timbre d'une question paralysante - *sollen wir den gehen?* [Devons-nous le prendre?] - et le vœu solennel - *und wir/ Werden ihn gehen wie du* - se change en une implacable interdiction de poursuivre le chemin déjà emprunté. « Le sûr n'est pas sûr », dit le poète dans *Lob der Dialektik* [Éloge de la dialectique]. De la prémisse *Wir können irren, und du kannst recht haben* ne découle nullement l'acceptation de « ton droit chemin », mais bien l'ordre : *also/ Trenne dich nicht von uns!* Le voyageur, qui fait la sourde oreille à cette triple invite, est par là condamné sans retour : *Dann muss er verschwinden und zwar ganz* [Dans ce cas il doit disparaître, et complètement] (p. 347).

« Je n'ai pas considéré comme de mon devoir de neutraliser sur le plan formel toutes les disharmonies et toutes les interférences que je ressentais avec force », écrivit Brecht à propos des sources de sa poésie dramatique (*Über reimlose Lyrik...*, p. 138) : « Il s'agissait pour moi, comme on peut le constater dans les textes, non seulement d'une « nage à contre-courant » au point de vue formel, d'une protestation contre le poli et l'harmonie du vers conventionnel, mais déjà bel et bien de la tentative de montrer que les événements interhumains sont emplis de contradictions, traversés de luttes, nourris de violences. »

Traduit de l'allemand par
JEAN-PAUL COLIN

Les oxymores dialectiques de Fernando Pessoa[a]

No TEMPO em que festejavam o dia dos meus anos,
Eu era feliz e ninguém estava morto[1].

I

Depuis sa mort le 30 novembre 1935, on a de plus en plus fêté l'anniversaire de Fernando Pessoa. Alors qu'il était mort pratiquement inédit et inconnu, même dans sa patrie, aujourd'hui la célébration du quatre-vingtième anniversaire de sa naissance, le 13 juin 1888, dépasse largement les frontières des pays de langue portugaise.

Le nom de Fernando Pessoa exige d'être inclus dans la liste des grands artistes mondiaux nés au cours des années 80 : Stravinsky, Picasso, Joyce, Braque, Khlebnikov, Le Corbusier. Tous les traits typiques de cette grande équipe se retrouvent condensés chez le poète portugais. « La capacité extraordinaire de ces découvreurs à surmonter sans cesse leurs propres habitudes à peine acquises, jointe à un don sans précédent pour saisir et façonner à neuf n'importe quelle tradition ancienne, n'importe quel modèle étranger, sans sacrifier la marque de leur individualité personnelle dans la polyphonie étonnante de créations toujours nouvelles, est intimement liée à leur sentiment unique pour la tension dialectique entre les parties et le tout unificateur, ainsi qu'entre les parties conjuguées, en particulier entre les deux aspects de tout signe artistique, son signifiant et son signifié [2].»

Pessoa doit être rangé parmi les grands poètes de la « structura-

1. V. Fernando Pessoa, *Obra poética*, rééd. par Maria Aliete Dorez Galhoz (Rio de Janeiro, 1960), p. 343. A. Guibert, *Fernando Pessoa* (Paris, 1960), p. 160. [Au temps où l'on fêtait le jour de mon anniversaire, J'étais heureux et personne n'était mort].

2. V. R. Jakobson, *Selected writings*, t. I (La Haye, 1962), p. 632.

a. *Langages*, 1968, 12, p. 9-27. Écrit en collaboration avec Luciana Stegagno-Picchio.

tion » : selon son propre jugement, « dans ce qu'ils expriment ils sont plus complexes, parce qu'ils expriment en construisant, en architecturant, en structurant », et ce critère les situe avant les auteurs « privés des qualités qui font la complexité constructive » (lettre à Francisco Costa, 10 août 1925 [1]).

L'œuvre du poète portugais est un art « essentiellement dramatique » dont la complexité se trouve soumise à une structuration intégrale [2].

Les prétendues incohérences et contradictions dans les écrits de Pessoa reflètent en réalité le « dialogue interne » de l'auteur que celui-ci tente même de transformer en une complémentarité des trois poètes imaginaires; Alberto Caeiro et ses disciples Ricardo Reis et Alvaro de Campos — les « trois hypostases », comme les désigne Armand Guibert, traducteur et commentateur expert des textes de Pessoa — naquirent dans l'imagination du poète, qui dota chacun d'eux d'une biographie particulière et d'un cycle de poèmes très personnels par leurs tendances artistiques ainsi que par leur philosophie. De ces trois figures mythiques, Ricardo Reis et Alvaro de Campos, deux poètes antithétiques, paraissent à la fois embrasser et rejeter l'art poétique de leur maître, Alberto Caeiro, et tous les trois libèrent leur auteur, selon sa profession de foi « multilatéral à l'excès », de la tutelle exercée par son propre passé littéraire [3]. Les trois cycles en question occupent une place vaste et importante dans l'ensemble des écrits de Pessoa. Quelques mois avant son décès, le poète révéla dans une lettre à Adolfo Cassais Monteiro l'architectonique de ce drame à trois personnages; nous citons, d'après la traduction de Guibert, ce que celui-ci appelle « un des plus saisissants documents de toutes les littératures [4] » : « Je créai alors une coterie inexistante.

1. Guibert, p. 212 s. — C'est un concept qui revient souvent dans les méditations esthétiques de Pessoa. Dans un manuscrit de 1925 nous lisons qu'une œuvre vit en raison de sa construction : « Uma obra sobrevive em razao de sua construçao, porque, sendo a construçao o sumo resultado da vontade e da inteligência, apoia-se nas duas faculdades cujos princípios sao de todas as épocas, que sentem e querem da mesma maneira, embora *sintam* de diferentes modos. » *Páginas de estética e de teoria e critica literárias* (Lisbonne, 1966), p. 32. Cf. L. Stegagno-Picchio, « Pessoa, uno e quattro », *Strumenti critici*, I (1967), p. 379 et 386.

2. « Le point central de ma personnalité comme artiste c'est que je suis un poète dramatique; j'ai toujours, quand j'écris, l'exaltation intime du poète et la dépersonnalisation du dramaturge », *Páginas de doutrina estética* (Lisbonne, 1946), p. 226.

3. Lettre à Armando Cortes-Rodrigues : v. Guibert, p. 209. Cf. *Obra poética :* Poemas completos de Alberto Caeiro (p. 133-191); Odes de Ricardo Reis (p. 193-247); Poesias de Alvaro de Campos (p. 249-394).

4. Guibert, p. 26 s.

Je fixai tout cela en des gaufriers de réalité. Je graduai les influences, je connus les amitiés, j'entendis en moi les discussions et les divergences de points de vue, et en tout cela il me paraît que je fus, moi créateur de tout, de tous le moins présent. » Guibert insiste à juste titre sur l'impossibilité « de récuser en doute le ton d'assurance et d'authenticité d'un pareil témoignage ». Le récit du poète doit véritablement être pris à la lettre : « Après l'apparition d'Alberto Caeiro, je m'inquiétai de lui découvrir — instinctivement et subconsciemment — des disciples. J'arrachai à son faux paganisme le Ricardo Reis qui était latent et je lui trouvai un nom, je l'ajustai à lui-même parce qu'à ce point je le *voyais* déjà. » La signature du maître *Ca-eir-o* entre, avec deux métathèses, dans le prénom et le nom, « ajustés » pour désigner le disciple Ri*ca*rdo *Reis*, et parmi les onze lettres de cette trouvaille onomastique neuf (c'est-à-dire toutes excepté la consonne finale des deux thèmes) reproduisent celles de CAEIRO. « Tout d'un coup, par une dérivation opposée à celle de Ricardo Reis, voilà que surgit en moi un nouvel individu. D'un seul jet, à la machine à écrire, sans interruption ni rature, surgit l'*Ode triomphale* d'Alvaro de Campos — l'Ode avec ce titre et l'homme avec le nom qu'il porte. » — Au niveau anthroponymique cette « dérivation » donne aux deux prénoms *Al*berto et *Al*varo, ainsi qu'aux deux noms, *Ca*eiro *et Ca*mpos, la même paire de lettres initiales, tandis que le prénom du disciple, Alva*ro*, se termine par la même syllabe que le nom du maître Caei*ro*.

Cet envoi du 13 janvier 1935 fut écrit à la suite du recueil de vers *Mensagem* « Message » (décembre 1934), le seul livre portugais de Pessoa qu'il vit paraître. L'histoire des trois artistes imaginaires rendant leur créateur « de tout le moins présent » correspond de près au poème *Ulysses*, qui proclame la primauté et la vitalité du mythe par rapport à la réalité. Dans le *Message*, cette pièce de quinze vers chante Ulysse comme fondateur fabuleux de Lisbonne et de la nation portugaise et vante le caractère purement imaginaire de ses exploits; elle inaugure, malgré cette superposition du mythe à la vie réelle, l'histoire héroïque du Portugal, notamment elle se trouve suivie des nombreux poèmes glorifiant les hommes les plus fameux de la nation au long des siècles.

Voici le texte de ce poème, le premier dans le cycle héraldique *Os castellos* [*les Châteaux*] [1] :

1. *Obra poética*, p. 8. Dans notre analyse du texte, l'orthographe des citations est modernisée.

ULYSSES

I $_1$O MYTHO é o nada que é tudo.
$_2$O mesmo sol que abre os céus
$_3$É um mytho brilhante e mudo —
$_4$O corpo morto de Deus,
$_5$Vivo e desnudo.

II $_1$Este, que aqui aportou,
$_2$Foi por não ser existindo.
$_3$Sem existir nos bastou.
$_4$Por não ter vindo foi vindo
$_5$E nos creou.

III $_1$Assim a lenda se escorre
$_2$A entrar na realidade,
$_3$E a fecundal-a decorre.
$_4$Em baixo, a vida, metade
$_5$De nada, morre.

Traduction
(littérale dans la mesure du possible) :

I $_1$Le mythe est le rien qui est tout.
$_2$Le même soleil qui ouvre les cieux
$_3$Est un mythe radieux et muet —
$_4$Le corps mort de Dieu,
$_5$Vivant et dénudé.

II $_1$Celui-ci, qui débarqua ici,
$_2$Fut, puisqu'il n'a jamais existé.
$_3$Sans avoir existé, il nous combla.
$_4$Puisqu'il n'est pas arrivé, toujours il fut l'arrivant
$_5$Et nous créa.

III $_1$Ainsi la légende jaillit
$_2$En entrant dans la réalité,
$_3$Et en la fécondant elle s'écoule.
$_4$En bas, la vie, moitié
$_5$De rien, meurt.

II

Chacun des trois pentastiques du poème renferme deux rimes différentes dont l'une unifie les clausules des trois vers impairs et l'autre celles des deux vers pairs de la strophe. La clausule englobe les deux dernières voyelles du vers dont la première est accentuée. Toutes les consonnes qui suivent chacune de ces deux voyelles riment, selon la norme traditionnelle. Dans les cas d'absence de consonne entre les deux voyelles, la seconde voyelle est asyllabique : I $_2$*céus* - $_4$*Deus*, II $_1$*aportou* - $_3$*bastou* - $_5$*creou.* Comme seconde voyelle à la rime, tous les cinq vers à l'intérieur de chaque strophe emploient le même phonème dans ses variantes soit syllabiques, soit asyllabiques. Si la clausule est dépourvue de consonnes et si le phonème accentué est précédé d'une consonne, celle-ci participe à la rime. La première voyelle des rimes est arrondie (bémolisée) dans les vers impairs de toutes les strophes, non-arrondie dans les vers pairs.

De son début jusqu'à la clausule, le dernier vers de chaque strophe compte trois syllabes, tous les autres vers en comptent six. Ainsi chaque strophe comprend quatre vers complets suivis d'un vers tronqué. A la limite des mots toute union de deux voyelles dont au moins la première est inaccentuée subit une synalèphe, c'est-à-dire se trouve contractée en une seule syllabe par élision ou bien par fusion en une diphtongue. Cette règle traditionnelle réduit au minimum la présence des voyelles initiales non-précédées d'une consonne à l'intérieur du vers, et leur rareté rend particulièrement frappante l'apparition des initiales vocaliques au début du vers. La distribution des initiales vocaliques (V) et consonantiques (C) suit un dessin net et régulier :

	I	II	III
1.	V	V	V
2.	V	C	V
3.	V	C	V
4.	V	C	V
5.	C	V	C

On notera le parallélisme rigoureux des deux strophes marginales, le traitement identique du début de toutes les strophes (V V V) et la répartition antisymétrique des voyelles et consonnes initiales dans le cinquième vers des trois strophes (C V C) par rapport aux vers 2 - 4 (V C V). Les initiales consonantiques des vers sont sourdes dans la strophe centrale, sonores dans les deux autres strophes.

Le contraste entre la strophe centrale et les deux strophes marginales similaires se fait voir également dans la division syntaxique de chacun des trois pentastiques. La strophe centrale se partage en trois phrases : le vers médian de cette strophe et de tout le poème, II$_3$*Sem existir nos bastou*, forme une phrase à lui seul et se trouve encadré par deux phrases de deux vers. Chacune des deux strophes marginales se compose de deux phrases dont l'externe est plus brève que l'interne. Le deuxième vers du poème partage avec l'avant-dernier l'absence de pause syntaxique à la fin de la clausule : I $_2$*O mesmo sol que abre os céus* / $_3$*E um mito...;* III$_4$*Em baixo, a vida metade* / $_5$*De nada, morre.* Cette symétrie provoque une différence dans la longueur relative des deux phrases à l'intérieur de ces strophes : dans la première la phrase brève contient un seul vers ($_1$) et la longue quatre ($_2$ - $_5$), et le rapport analogue dans la troisième strophe oppose une phrase des trois vers initiaux ($_1$ - $_3$) à la phrase des deux vers subséquents ($_4$ - $_5$).

III

L'oxymore est la figure dominante de tout le poème, et cette alliance de mots présente deux variétés distinctes : un vocable est uni au terme contradictoire ou au terme contraire. La répartition de ces procédés dans le texte d'*Ulysses* est strictement symétrique.

La particularité de l'initiale dans les trois vers internes du second pentastique par rapport aux vers correspondants des deux autres strophes et aux deux vers externes du même pentastique trouve une analogie frappante dans la distribution des oxymores. Le troisième vers du pentastique central, autrement dit le vers médian du poème, et les deux vers adjacents sont les seuls à rapprocher deux termes verbaux : une structure positive subordonnée sous la forme d'un verbe au prétérit se trouve opposée à une structure négative subordonnée, à savoir à un infinitif muni d'une préposition : préposition privative par elle-même — *sem* dans le vers médian (II$_3$) ou bien suivie d'un préverbe négatif — *por não* dans les deux vers adjacents (II$_2$, $_4$). Le vers médian comporte une nuance concessive : « bien qu'il ne soit pas venu », tandis que les deux vers contigus forment des propositions nettement causales : « puisqu'il n'a point existé », « puisqu'il n'est pas arrivé ».

Quant aux significations lexicales des verbes confrontés, le poète proclame la nullité de l'existence phénoménale en faveur de l'être nouménal : II$_2$*Foi por não ser existindo;* donc *foi*, le prétérit du verbe *ser*, est superposé à *ser existindo*, construction qui réduit le même verbe « être » au rôle d'une copule soumise à son attribut, le gérondif d'une nuance durative *existindo*. On pourrait presque traduire : « être vivotant » et on noterait, avec Bachelard, que « tout n'est pas réel de la même façon » et que « l'existence n'est pas une fonction monotone » *(la Philosophie du non)*. Le passage du négatif au positif est renforcé dans le vers suivant par l'introduction d'un verbe concret et totalisant — $_3$*bastou* — et finalement par l'opposition des deux formes nominales, homonymes, du verbe *vir* « venir » : le même signifiant *vindo* dessert le participe passé et le gérondif : *har vindo*, infinitif du passé composé, et *foi vindo*, combinaison de la copule au prétérit avec le gérondif. La connotation d'une permanence mythique vient se superposer au démenti empirique d'un événement passager de jadis. Tout en gardant les composants grammaticaux du vers 2, le vers 4 — *foi-foi, por não ser-por não ter, (ser) existindo-(foi) vindo* — en renverse l'ordre et accentue le passage du négatif au positif en donnant au premier la position de protase et au second celle d'apodose.

Le héros de la strophe centrale, Ulysse, dont le débarquement légendaire à l'embouchure du Tage n'est dû qu'à un rapprochement paronomastique de son nom avec *Lisboa* et dont l'existence même garde un caractère mythique, s'était donné, suivant l'Odyssée, le nom de *Personne* (Οὖτις ἐμοί γ᾽ὄνομα). Il n'est désigné dans les vers de Pessoa que par un renvoi anaphorique (II *este*) au titre du poème. Le triple oxymore du pentastique en question culmine dans l'apothéose de la puissance paternelle attribuée à ce personnage physiquement absent et non existant : II$_5$*E nos creou.*

Le vers médian du poème concrétise et transpose en termes verbaux l'oxymore nominal du vers initial : le héros n'ayant pas existé, et ainsi n'étant qu'un *nada* « rien » au niveau historique, nous a pleinement comblé et donc fut un *tudo* « tout » au niveau surnaturel. En général les trois vers centraux avec leurs alliances de termes contradictoires font pendant aux deux extrémités du poème, le premier et le dernier vers. Ces vers centraux et marginaux sont les seuls à faire usage du négatif et à le confronter avec un terme positif, mais les types de négation diffèrent. La « négation nucléaire » faisant usage d'un substantif négatif — *nada* « rien » — caractérise les deux vers extrêmes d'*Ulysses*, tandis que les vers centraux recourent à la « négation connexionnelle » qui munit le verbe d'un marquant soustractif [1].

L'oxymore du vers liminaire — I$_1$*o nada qui é tudo* « le rien qui est tout » — subordonne formellement le terme positif au terme négatif; en revanche, du point de vue sémantique, c'est la totalité positive qui est superposée à la totalité négative. Dans le vers ultime du poème, le même substantif *nada* termine le syntagme — III$_4$*metade*, $_5$*de nada* « moitié de rien » — où le terme fractionnaire *metade* impliquant le concept d'un tout positif contredit le tout négatif de *nada* et donne à l'apposition le sens d'une hyperbole fantasque et morne. Un décalage identique entre la hiérarchie formelle et sémantique (la superposition sémantique du déterminant au déterminé) se montre à chacune

1. Cf. L. Tesnière, *Éléments de syntaxe structurale* (Paris, 1959), chap. 87 s.

des deux extrémités du poème, mais, d'autre part, la phrase finale renverse l'ordre interne de tous les oxymores antérieurs en imposant le passage du positif au négatif. Quant à la suite des termes dans la séquence, celle du début correspond à l'ordre du vers II$_4$ (négatif → positif), tandis que le vers II$_5$ et la fin du poème offrent l'ordre opposé (positif → négatif).

La confrontation des oxymores ainsi que de leurs composants dans les deux extrémités du poème d'une part et dans les deux vers adjacents au vers médian de l'autre met au jour une symétrie en miroir. Or les deux strophes marginales comportent deux autres oxymores, ceux-ci basés sur l'alliance des contraires et liés tous les deux au dernier couple de vers dans le pentastique, suivant le principe de symétrie directe. Soit dit en passant, le même couple de vers renferme dans les deux strophes marginales une apposition complexe. Mais quant à la succession des deux termes à l'intérieur de la figure et à leur hiérarchie sémantique ces deux oxymores à leur tour suivent le principe de symétrie en miroir. Tous les deux mettent en jeu les mêmes contraires : la vie et la mort [1].

Ainsi le corps mort de Dieu — I$_4$*corpo morto de Deus* — est déclaré vivant — I$_5$*vivo* — par une seconde épithète, cette fois-ci séparée du nom déterminé. C'est un exemple du mythe omnipotent, le lever du soleil ouvrant les cieux, qui s'unit, conformément à la symbolique ecclésiastique, à l'image de la résurrection. D'autre part, à la fin de la dernière strophe, la vie — III$_4$*vida* — reçoit le prédicat « meurt » — $_5$*morre*. La succession verbale *morto-vivo* associée au mythe céleste du passage de la mort à la vie est supplantée par l'ordre inverse *vida-morre* et le motif terrestre (III$_4$*em baixo* « en bas ») du triomphe de la mort sur la vie. Le trait caractéristique de tout le poème est une tension entre la négation et l'affirmation, et les contraires se transforment en termes contradictoires — la vie persistante et annihilée — et les termes négatifs des deux oxymores embrassés — *nada* et *morre* — se joignent pour conclure le vers final du poème. Ainsi le *nada* « néant » qui s'oppose à l'être métaphysique vient se substituer au « rien » en tant que manque d'existence physique évoqué dans la définition du mythe au début du poème.

1. Ce type d'oxymore remonte à la tradition médiévale; on en trouve de nombreux exemples chez Gottfried de Strasbourg, comme *sus lebet ir leben*, *sus lebet ir tot*, *sus lebent sie noch und sint doch tot*, *und ist ir tot der lebenden brot* : V. H. Scharschuch, *Germanische Studien*, CXCVII (Berlin, 1938), p. 19 s. Cf. « A vida nao concorda consigo própria porque morre. O paradoxo é a formula típica da Natureza. Por isso toda a verdade tem uma forma paradoxal » : F. Pessoa, *Páginas intimas e de auto-interprataçao* (Lisbonne, 1966), p. 124. Réponse à une enquête littéraire, 30 avril 1916.

Dans les oxymores de l'auteur les synonymes usuels se changent en antonymes, mais même la prétendue identité de son et de sens entre les éléments lexicaux des oxymores correspondants vire à l'équivoque, en accord avec l'art poétique de Pessoa qui recherche le double sens dans les mots courants et les dédouble en couples d'homonymes. Ainsi « être clochard et mendiant à ma manière, ce n'est pas être clochard et mendiant à la façon commune », etc. [1]. Autrement dit, les mots apparemment semblables ou quasi synonymes diffèrent dans leurs significations parce qu'ils prennent racine dans des idiomes divers bien qu'entremêlés dans notre emploi. En fait les oxymores de Pessoa confrontent et délimitent ces dialectes fonctionnels et les conceptions irréconciliables qu'ils reflètent.

Dans les trois strophes du poème la disposition des sept oxymores (2 + 3 + 2) qui se dessinent sur le fond des sept lignes dépourvues de cette figure (2 + 2 + 3) forme un ensemble fixe et proportionné :

	I	II	III
2	initial (A_1)		
2		prépositif (C_1)	
2		central (D)	
2 1	terminal du prologue (B_1)	postpositif (C^2)	terminal de l'épilogue (B^2) et final (A^2)

IV

Les trois strophes sont liées par une chaîne de correspondances phoniques qui accentuent et entrelacent les oxymores du poème. Ainsi le vers liminal *O* m*ito é o* nada *que é* t*u*d*o* trouve sa réplique dans les phonèmes, surtout consonantiques, de l'apposition finale — III$_4$m*e*t*a*d*e*, $_5$d*e* nada. Aux six /m/ des quatre premiers vers (I$_1$m*ito* - $_2$m*e*sm*o* - $_3$m*ito*-m*udo* - $_4$m*orto*) répondent les deux /m/ de la phrase finale (III$_4$m*etade*-m*orre*) séparés du quatrain initial par neuf vers dépourvus de ce phonème. La fin des deux strophes marginales varie l'ordre d'une suite similaire de phonèmes : I$_4$...*morto* de De*us*, $_5$Vi*vo e* de*s*n*u*d*o* - III $_4$...vid*a*, m*e*t*a*de $_5$De n*a*d*a*. La même figure saillante, connue sous l'étiquette *Dorica castra* [2], apparaît dans les

1. *Obra poética*, p. 414; Guibert, p. 16.
2. Cf. R. Godel, « Dorica castra : sur une figure sonore de la poésie latine », *To honor Roman Jakobson*, t. I (La Haye-Paris, 1967), p. 761 et s.

deux passages : I$_4$ de De*us* et III$_4$*meta*de $_5$De *nada* (avec les diverses variantes du même phonème /e/).

La facture phonique de toute la troisième strophe prépare la séquence du vers final — DE NADA — dont on entrevoit l'anagramme dans la forme II$_2$na *reali*dade et dans la répétition des syllabes *de* et *da*, celle-ci, précédée la plupart du temps d'un /n/ : $_1$*le*nda - $_3$*fecu*ndade*corre* - $_4$*vi*da-*meta*de.

La combinaison d'une occlusive labiale et d'un /r/ se réitère avec variations dans les trois vers internes de la première strophe : $_2$*a*br*e* - $_3$br*ilhante* - $_4$*co*rp*o*; ce nom et son épithète assonante — *corpo morto* — ont l'air de se croiser dans le premier verbe de la strophe centrale — $_1$*aportou* — qui participe de chacun d'eux dans sa texture phonique et dont la syllabe initiale réapparaît deux fois dans les oxymores de cette strophe : $_2$*por* - $_4$*por*. Un groupe de consonnes trois fois réitéré lie les deux premiers oxymores de la même strophe : $_2$*exis*t*indo* - $_3$*exis*t*ir* - *bas*t*ou;* enfin, pour terminer la liste des triples consonances, notons que le second terme du dernier oxymore de la première strophe — $_5$vi*vo* — partage sa syllabe accentuée avec celles du dernier oxymore de la seconde strophe : $_4$*Por não ter* v*indo foi* v*indo*. La phrase continue — $_5$*E nos creou* — et la conclusion qu'en tire le début de la troisième strophe, « Ainsi la légende jaillit », s'appuie de même sur cette phrase contiguë dans sa texture phonique : II $_4$*vi*nd*o* $_5$*E no*s cre*ou* - III $_1$*Assim a le*nd*a se* escorr*e*.

V

Les procédés analysés caractérisent *Ulysses* en tant que structure fermée avec un rapport ordonné entre le centre et les parties marginales du poème et les similarités manifestes entre les constituants marginaux. Or déjà les oxymores examinés et en particulier les phénomènes de symétrie en miroir, dans leur répartition, indiquent une différence significative entre les oxymores de la première strophe et ceux de la troisième, notamment le passage du négatif au positif au début et du positif au négatif à la fin du poème.

En fait, les phénomènes d'équilibre entre les trois strophes ne font que mettre en relief les traits particuliers de chaque pentastique et le jeu simultané des divergences et des convergences entre les trois strophes. Les tensions à l'intérieur de cette triade sont aussi complexes que les rapports entre les trois hétéronymes de Pessoa dans « l'œuvre Caeiro-Reis-Campos ».

C'est l'enchaînement des catégories morphologiques et des structures syntaxiques qui nous fait remarquer l'individualité prononcée de chaque strophe et dévoile la trame de l'œuvre entière, bien qu'on soit plutôt porté à prêter attention à d'autres procédés dans l'agencement des classes syntaxiques et morphologiques, notamment à ceux qui unifient le poème et en font une composition symétrique et close.

Ainsi chaque strophe contient un seul verbe transitif et ce verbe est accompagné d'un complément direct : I_2 *abre os céus*, II_5 *nos creou*, III_3 *a fecunda-la*. On notera la notion inchoative inhérente à chacun de ces verbes. Aux deux phrases et aux deux sujets grammaticaux de la strophe initiale correspond le même nombre de phrases et de sujets dans la strophe finale, tandis que dans la strophe centrale la somme des phrases augmente et celle des sujets diminue : 2 + 1 pour les unes, 2 — 1 pour les autres. Ce changement d'un plus en un moins peut être qualifié d'antisymétrie.

Dans la strophe centrale la phrase du vers médian partage certaines propriétés syntaxiques des deux vers adjacents étroitement liés l'un à l'autre dans leur composition grammaticale (v. ci-dessus). Or le parallélisme des deux phrases marginales de cette strophe va encore plus loin : le verbe *foi* ouvrant le second vers est précédé par un autre prétérit, II_1 *aportou*, et le même *foi* fermant l'avant-dernier vers est suivi par un prétérit ultérieur, II_5 *creou*. En somme, chaque vers de la strophe centrale contient un prétérit; l'une de ces cinq formes appartient à la phrase médiane, et deux à chacune des deux phrases marginales; les trois infinitifs subordonnés sont distribués parmi les trois phrases. Au contraire, dans chacune des strophes marginales, il n'y a que trois vers qui font place à des verbes ($\text{I}_{1,2,3}$, et $\text{III}_{1,3,5}$). Dans la première phrase de chacune de ces strophes le *verbum finitum* est représenté par deux exemples.

VI

La singularité grammaticale de chaque strophe et les rapports particuliers qu'elle a avec chacune des deux autres strophes font ressortir le mouvement dramatique du thème.

Le vocabulaire de la strophe initiale comprend les seuls adjectifs (cinq en tout) du poème et sept substantifs (plus le substantif pronominal I_1 *tudo*), contre cinq substantifs dans la strophe finale et aucun dans la strophe centrale. Les deux pronoms relatifs « restrictifs » — $_{1,2}$ *que* (notons l'absence de virgules!) — sont étroitement apparentés aux adjectifs. Comme chacune des strophes, la première a un seul verbe transitif. A l'exception de ce verbe (I_2 *abre*) l'unique forme verbale de la strophe est la copule *é* employée trois fois — $_{1\ (bis)}$, $_2$ — pour attacher un nom attributif au sujet.

A cet univers d'entités avec leurs caractères permanents la seconde strophe oppose une chaîne d'accidents et d'événements tour à tour niés et affirmés. Avec une maîtrise suprême, Pessoa construit les trois phrases de ce pentastique sans le concours d'un seul substantif ou adjectif. Cinq prétérits, trois infinitifs, deux gérondifs et un participe font le gros du lexique de cette strophe et, à l'exception de l'infinitif, ne se retrouvent pas ailleurs. Le verbe *ser* « être », réduit dans la strophe précédente au rôle d'une simple copule, sert dans la strophe centrale à désigner le fait d'être absolu et intégral — II_2 *foi* — et entre ensuite en une combinaison inusitée et captivante avec des gérondifs — II $_2$*não ser existindo*, $_4$*foi vindo.*

La seconde strophe se distingue non seulement par l'absence des substantifs et adjectifs et par l'abondance des formes verbales, mais aussi par des termes, qualifiés par Tesnière d'anaphoriques, qui renvoient à des données dépassant le contexte du poème [1]. Ainsi, rappelons que dans le vers — II_1 *Este, que aqui aportou* —, le pronom *este* «celui-ci » se rapporte non pas aux vers du poème mais à son titre *Ulysses*; la proposition relative introduite par le pronom *que* et mise entre virgules n'est pas « restrictive », de sorte que ce pronom anaphorique garde sa valeur d'allusion autonome au héros en question. L'adverbe *aqui* « ici » comporte un renvoi au nom de la ville *Lisboa* qui apparaît en tête du livre *Mensagem.* Enfin le pronom personnel *nos* — complément indirect devant le verbe intransitif II_3 *bastou* et complément direct devant le verbe transitif II_5 *creou* — implique à son tour une transgression des bornes du texte et notamment un renvoi à l'auteur et aux destinataires du message. Contrairement à tous ces anaphoriques, ceux de la strophe suivante — III $_1$*assim*, $_3$*a fecunda-la* — ne renvoient qu'au texte du vers antécédent. Notons aussi que dans la strophe centrale l'anaphorique s'unit à une désignation déictique des objets proches dans le temps et dans l'espace, de l'acte de l'énonciation. En d'autres mots, le mythe héroïque établit une proximité temporelle et spatiale entre le héros fabuleux d'une part et le poète avec son entourage de l'autre. Les trois vers impairs qui renferment les anaphoriques contrastent avec les deux vers pairs munis de la négation *não.*

Les pronoms de la seconde strophe répondent à l'interrogatif *quem* « qui? » et sont les seuls mots du poème qui désignent des êtres

1. Cf. Tesnière, chap. 42 s.

humains. Les pronoms des autres strophes ne se rapportent qu'à des inanimés et les noms qui peuplent ces deux strophes et qui portent le poids du thème poétique appartiennent tous au genre inanimé excepté le surnaturel I$_4$ *Deus*. Celui-ci sert à déterminer l'apposition jointe à l'attribut et donc occupe la place la plus subalterne parmi tous les constituants syntaxiques du poème : ... *sol ... e un mito ... — o corpo ... de Deus*.

Si le mythe de la première strophe est à tout jamais lié aux cieux *(ceus)*, celui *(este)* de la strophe centrale se trouve attaché au sol natal du poète en dépit des arguments empiriques que ces vers annulent. C'est à ce mythe que réagit le pentastique final en contemplant le rapport continu entre la légende et la réalité. L'une entre dans l'autre pour la féconder parce que la vie abandonnée à elle-même (ou peut-être toute vie en général?) est mise à mort.

A la prédominance des noms soit substantifs soit adjectifs dans la première strophe et au monopole des diverses formes verbales dans la seconde, la troisième répond par un nombre égal de substantifs et de verbes : cinq mots de chacune des deux classes, à savoir deux substantifs régis ($_2$*na realidade*, $_5$*de nada*) et trois indépendants $_1$*lenda*, $_4$*vida, metade*), deux infinitifs subordonnés ($_2$*entrar*, $_3$*fecundar*) et trois ormes conjuguées indépendantes $_1$*se escorre*, $_3$*decorre*, $_5$*morre*). La confrontation des substantifs et des verbes est particulièrement saisissante dans le dernier oxymore du poème, le seul à confronter deux parties du discours opposées, III $_4$*vida*... $_5$*morre* tandis que dans les oxymores antérieurs au *morre* on observe d'abord une alliance de deux termes similaires-attributs (I$_1$) ou épithètes (I$_{4-5}$), ensuite une confrontation de deux formes verbales (II$_{2,3,4}$) ou nominales (III $_4$*metade*, $_5$*De nada*) dont l'une est munie et l'autre dépourvue de préposition.

La haute puissance symbolique des catégories verbales dans le texte d'*Ulysses* est en rapport avec le nombre restreint de celles que le poème accepte et met en œuvre : sept présents et cinq prétérits parfaits à la troisième personne du singulier (en tout douze formes conjuguées ce qui correspond aux douze noms substantifs du poème), cinq infinitifs y compris un infinitif au prétérit, composé du verbe auxiliaire *ter* et du participe passé, et finalement deux gérondifs.

Le présent atemporel de la première strophe, remplacé par le prétérit dans l'histoire d'Ulysse, est repris dans la strophe finale. D'autre part, ce sont des verbes d'action qui défilent dans cette strophe en continuant la série entamée dans la strophe précédente, avec la même hiérarchie syntaxique des formes conjuguées et des infinitifs. Les quatre verbes d'action concentrés dans la première phrase de la strophe finale se rapportent tous au sujet III_1 *lenda*, tandis que c'est au sujet opposé, $_4$*vida*, que la seconde et dernière phrase lie le seul verbe d'état, $_5$*morre*.

Dans le choix des substantifs, cette strophe, consacrée à la vie d'ici-bas ($_4$*Em baixo*) diffère de la première strophe sous deux rapports. Dans celle-ci, à côté des noms abstraits, des mots concrets comme I_2*sol*, *céus*, $_4$*corpo*, jouent un rôle primordial, tandis que la strophe finale ne fait usage que de noms abstraits. Le masculin est le seul genre familier aux deux premières strophes; au contraire, dans les quatre vers complets de la strophe finale les quatre substantifs sont tous du genre féminin, et seul le substantif du vers tronqué III_5 *nada* « rien » est un masculin. Notons que le vers final du poème emprunte ce dernier substantif de tout le texte au vers initial et que c'est dans tout le poème le seul mot plein transféré d'une strophe à l'autre. D'ailleurs ce terme s'écarte des autres mots masculins du poème par sa forme distincte de la forme propre au masculin qu'on trouve, attestée dix-huit fois dans le texte d'*Ulysses*. Le contraste entre les noms féminins de la strophe finale et le masculin des strophes antérieures ressort particulièrement dans la substitution du fém. III_1 *lenda* « légende » au masc. $\text{I}_{1,3}$ *mito*. Cette disposition des genres dans le poème est trop ordonnée pour être fortuite mais, avant de hasarder une interprétation sémantique de l'état constaté, on notera un détail révélateur dans le traitement des substantifs masculins.

A l'exception de I_2 *céus* tous les substantifs du poème sont au singulier et aucun substantif masculin au singulier n'assume le rôle de complément verbal direct ou indirect, c'est-à-dire aucun d'eux n'est supposé de supporter une action dirigée vers lui. D'autre part cette fonction de complément verbal se trouve être remplie par des noms ou pronoms du genre féminin — III $_2$*A entrar na realidade*, $_3$*a fecunda-la* — et par des noms ou pronoms au pluriel — I_2 *abre os céus*, II_3 *nos* (complément indirect) *bastou*, $_5$*nos* (complément direct) *criou*. En portugais, le nom masculin au singulier est un substantif tout court tel quel, privé de toute marque supplémentaire, puisqu'il n'appartient ni au genre marqué ni au nombre marqué [1]. Dans le système

1. Cf. R. Jakobson, *Selected writings*, t. II (La Haye-Paris, 1968), p. 3 s., 136 s., 184 s., 187 s. et 213 : « Le féminin indique que, si le désigné est une personne ou se prête à la personnification [et dans le langage poétique tout désigné se prête à la personnification], c'est à coup sûr au sexe féminin que cette personne appartient (*épouse* désigne toujours la femme). Au contraire, la signification générale du masculin ne spécifie pas nécessairement le sexe : *époux* désigne ou bien, d'une manière restrictive, le mari (époux et épouse) ou bien, d'une manière généralisante, *l'un des deux époux*, *les deux époux*. »

symbolique du poème ce substantif est donc présenté comme indépendant de toute action extrinsèque et de toute interaction, indépendant enfin, comme le dira la deuxième strophe, du joug de l'existence effective. Mais dès que se produit l'accouplement de la réalité et du mythe, celui-ci perd sa pureté et dégénère en une légende qui n'est qu'une traduction du *mito brilhante e mudo* dans le langage commun. Le poète laisse à dessein ouverte la question de savoir si la vie ici-bas meurt malgré l'intervention de la légende ou bien faute de son intervention. Quoi qu'il en soit, *nada*, « le rien » du dernier vers, perd son opposé primitif, *tudo* « le tout ». La tension entre les deux conceptions de la vie est la dernière des antinomies dialectiques qui structurent le poème.

O mito é o nada que é tudo, et tout substantif non marqué faisant partie de la première strophe, tel que *sol* et *corpo de Deus*, est un mythe — *É um mito* —, donc ce qu'il présente, c'est précisément un rien qui est tout. Dans *Ulysses*, comme nous venons de le constater, les noms masculins au singulier ne rendent jamais l'objet d'une action, mais, ce qui est aussi significatif, ils n'apparaissent pas non plus dans le rôle d'agent. Les seules fonctions syntaxiques que le poème assigne aux substantifs non marqués sont ou bien celle de terme primaire — sujet ou nom attributif — dans une proposition d'équation (nom — copule *é* — nom) ou bien celle d'apposition jointe à l'un des deux termes primaires, ou enfin ces substantifs exercent la fonction d'une « subordonnée épithétique [1] » qui détermine l'apposition : I$_4$ *corpo morto de Deus*, III $_4$*vida, metade* $_5$*De nada.*

Dès qu'apparaît l'action avec sa marque temporelle, le prétérit, le substantif devient tabou et se voit supplanté dans la strophe centrale par des substituts anaphoriques; ensuite, quand l'activité se perpétue et se réalise au niveau inférieur, la strophe finale effémine les termes en jeu et se sert d'un enjambement abrupt pour aiguiser le double oxymore tragique qui met fin au poème :

> Em baixo, a vida, metade
> De nada, morre.

On se rappellera l'aversion du poète pour les choses littéraires « qui ne contiennent pas une fondamentale idée métaphysique, c'est-à-dire par où ne passe pas, ne fût-ce que comme un vent, une notion de la gravité et du mystère de la Vie [2] ».

1. V. Tesnière, chap. 65.
2. Lettre à Armando Cortes-Rodrigues : v. Guibert, p. 209.

VII

La grammaire des rimes reflète vivement la diversité ainsi que l'affinité des trois strophes. Dans les rimes du poème, les vers impairs d'une strophe n'usent jamais de la même classe de mots que les vers pairs. La table suivante illustre la distribution des catégories morphologiques dans les rimes des trois strophes :

STROPHE	VERS IMPAIRS	VERS PAIRS
I	pronom et adjectifs	substantifs
II	Verbes conjugués	formes nominales du verbe
III	Verbes conjugués	substantifs

Ainsi les vers impairs de la troisième strophe correspondent à ceux de la seconde et les vers pairs à ceux de la première. Or dans les deux cas l'affinité est contrecarrée par une divergence : la troisième strophe oppose le présent au prétérit de la seconde strophe et le genre féminin au masculin de la première strophe. Le passage des rimes nominales de la première strophe à la confrontation des rimes nominales et verbales dans la strophe finale est accompagné d'une extension des correspondances grammaticales dans la rime. La première ne demandait qu'une identité du genre, soutenue ou bien par l'égalité du nombre et la même désinence univocalique ou bien par le seul fait d'appartenir à la même partie du discours (I $_2$*céus* - $_4$*Deus*). La seconde strophe fait rimer les désinences à deux voyelles. Les rimes de la troisième strophe introduisent l'identité du morphème préposé à la désinence (suffixe dérivatif : III $_2$*realidade* - $_4$*metade*, ou racine : III $_1$*escorre* - $_3$ *decorre;* une fois de plus la terminaison du poème, III$_5$ *morre*, présente une exception.

On notera que les membres d'un oxymore ne riment jamais entre eux dans *Ulysses* et que la marche des rimes contrebalance celle des oxymores : au cours du poème les rimes, comme l'indique la table suivante, deviennent de plus en plus grammaticales, cependant que l'équivalence grammaticale entre les membres des oxymores, complète dans la première strophe, se dégrade ensuite et finit par se changer en une opposition du nom et du verbe :

	MORPHÈMES IDENTIQUES DANS LES RIMES	RAPPORTS GRAMMATICAUX ENTRE LES MEMBRES DE L'OXYMORE
I	désinences univocaliques	équivalence syntaxique et morphologique
II	désinences bivocaliques	parties du discours didentiques, fonctions syntaxiques différentes
III	désinences et morphèmes prédésinentiels dans deux paires de mots correspondants	opposition syntaxique et morphologique dans l'oxymore final

VIII

Il est difficile de trouver « plus de perfection et de soin dans l'élaboration [1] » d'une diversité rythmique conjointe à une rigoureuse unité du mètre que celle que déploie Pessoa sur cette brève étendue de quinze lignes à l'unisson de leur profil sémantique.

Dans les vers complets, la troisième et la sixième syllabe sont constamment atones; la quatrième, séparée par deux syllabes de la dernière syllabe accentuée, porte l'accent de mot sauf dans deux vers : I$_3$ *E um mito brilhante e mudo*, où l'accent de mot tombe sur la cinquième syllabe, et III$_2$ *A entrar na realidade*, où un seul mot avec son proclitique contient quatre syllabes prétoniques. La troisième et la sixième syllabe sont constamment atones. Quant au début du vers complet, la première syllabe est toujours atone dans les strophes marginales mais elle porte l'accent de mot dans les deux premiers vers de la seconde strophe. L'accent frappe la seconde syllabe dans les quatre vers complets de la première strophe et dans trois vers de la troisième strophe mais la même syllabe reste atone dans la seconde strophe. Ainsi les vers II$_{3,4}$ et III$_3$ ne contiennent que deux mots accentués.

On notera que chaque déviation rythmique trouve une correspondance partielle dans un des deux vers adjacents : l'accent qui dans I$_3$ frappe la cinquième *au lieu* de la quatrième syllabe est anticipé par le vers I$_2$, qui attache l'accent de mot à la cinquième et de plus à la quatrième syllabe (*O mesmo* sol *que(e)* abr *(e) os céus*); le vers III$_2$

1. Même lettre de F. Pessoa : v. Guibert, p. 207.

qui n'a que deux syllabes portant l'accent de mot correspond sous ce rapport au vers III_3.

Les vers complets présentent trois traitements différents des deux premières syllabes : l'accent de mot affecte A) la seconde, B) la première ou C) aucune des deux, La strophe initiale reste fidèle au type A; à côté de lui le type C apparaît une fois dans la strophe finale (III_3), tandis que la strophe centrale est la seule à proscrire le type A et à faire usage du type B ($\text{II}_{1,2}$) qui alterne avec le type C ($\text{II}_{3,4}$).

Une fois de plus nous observons la tendance à un parallélisme binaire des variétés rythmiques. Dans les deux premiers vers de la strophe centrale l'accent initial met en relief l'essence même du mythe héroïque, son sujet et son prédicat, tous les deux exprimés par des termes abstraitement grammaticaux : II $_1$*Este*... $_2$*Foi*. Le vers III_3 partage comme nous l'avons déjà indiqué, le trait caractéristique du vers antécédent, III_2 : chaque vers du couple ne comporte que deux accents de mot, de même que le second couplet de la strophe centrale, $\text{II}_{3,4}$; du point de vue de la structure verbale ces quatre vers se distinguent de tous les autres vers du poème : ils sont les seuls à commencer par un infinitif subordonné au verbe conjugué; ainsi *(assim)* la finalité affirmative des protases, III $_2$*A entrar na realidade*, $_3$*E a fecunda-la*, contre balance les protases circonstancielles et négatives des lignes $\text{II}_{3,4}$. L'individualité rythmique des strophes est due surtout aux coupes, endroits du vers où se disposent — obligatoirement ou de préférence — les limites des mots accentués (y compris leur entourage proclitique et enclitique). La table suivante illustre la distribution de ces coupes (|) et des syllabes sous accent de mot (—) et sans accent (∪) dans les vers d'*Ulysses* (les syllabes supprimées par la synalèphe sont naturellement omises dans le schéma) :

I

1. ∪ — ∪ | — ∪ | ∪ — ∪
2. ∪ — ∪ | — | — | ∪ —
3. ∪ — ∪ | ∪ — | ∪ — ∪
4. ∪ — ∪ | — | ∪ —
5. — | ∪ ∪ — ∪

II

1. — ∪ | ∪ — | ∪ ∪ —
2. — | ∪ ∪ — | ∪ ∪ — ∪
3. ∪ ∪ ∪ — | ∪ ∪ —
4. ∪ ∪ ∪ — ∪ | ∪ — ∪
5. ∪ ∪ ∪ —

III

1. ∪ — | ∪ — ∪ | ∪ — ∪
2. ∪ — | ∪ ∪ ∪ ∪ — ∪
3. ∪ ∪ ∪ — ∪ | ∪ — ∪
4. ∪ — | ∪ — ∪ | ∪ — ∪
5. ∪ — ∪ | — ∪

La voyelle accentuée de la rime n'est précédée d'une coupe ni dans les vers complets ni dans les vers tronqués du poème, à l'exception du dernier mot, III_5 *morre*, que ce découpage saccadé rend particulièrement expressif et oppose d'une façon frappante au segment final maximum doté de quatre syllabes prétoniques — III_2 *na realidade*.

Les vers complets de la strophe initiale ont toujours une coupe après la troisième et la septième syllabe et manifestent une prédilection pour des paroxytons à l'intérieur du vers (six parmi les huit mots suivis de l'une de ces deux coupes). Au contraire, dans la strophe centrale, la coupe ne précède jamais la quatrième syllabe mais la suit dans les trois premiers vers. Dans cette strophe quatre sur six accents intérieurs tombent sur la dernière syllabe du mot, et ces coupes masculines font ressortir le caractère masculin de la rime qui unit les vers impairs : II $_1$*aportou* - $_3$*bastou* - $_5$*creou*. Le monosyllabisme de la clausule l'emporte sur sa structure bivocalique.

La strophe finale n'a pas de coupe après la quatrième syllabe et dans les trois vers où cette syllabe porte l'accent la coupe suit la cinquième syllabe d'après le modèle de la strophe initiale. D'autre part, l'absence de coupe après la troisième syllabe oppose les deux strophes non initiales à l'initiale. A côté de ces caractères qui lient la troisième strophe à l'une des deux autres, la troisième strophe présente un trait qui n'est qu'à elle : quant l'accent est attaché à la deuxième syllabe, celle-ci se trouve suivie d'une coupe. Par conséquent, dans la strophe finale, les trois mots qui accentuent la deuxième syllabe du vers sont tous les oxytons, tandis que les trois accents de mot qui tombent sur la quatrième syllabe du vers appartiennent à des paroxytons. Le contraste entre les paroxytons de la première strophe et les oxytons de la seconde se change en une alternance régulière de ces deux types prosodiques à l'intérieur de la troisième strophe, qui synthétise les traits divergents des strophes antérieures.

La première strophe, consacrée à l'exaltation du Mythe, excelle par la netteté de son dessin métrique. C'est cet arrangement très distinct qui a dû inspirer l'harmonisation vocalique de toute la strophe. Les deux dernières voyelles des paroxytons initiaux forment un réseau de correspondances constantes avec les deux voyelles des rimes. Le phonème /u/ est ici la seule voyelle post-tonique à la fin et au début du vers. Les voyelles sous le premier et le dernier accent de mot dans les trois vers impairs de la strophe initiale réalisent les phonèmes /i/ et /u/, tous les deux diffus mais en même temps opposés l'un à l'autre par leur tonalité. Ces six mots se découpent sur le fond des vers pairs de la strophe qui ne tolèrent aucune voyelle diffuse dans leurs syllabes accentuées : $_1$ *mito - tudo*, $_3$ *mito - mudo*, $_5$ *vivo - desnudo*. Ils mettent en relief le premier substantif et le motif conducteur du poème, MITO, le seul terme lexical répété à l'intérieur d'une strophe et marqué de plus par un jeu d'interversion : $_1$ *O MITO é... que é...*, $_2$ *O... que...*, $_3$ *é um mito*. La triple alternance phonique extrait les mots les plus efficaces à l'exaltation du mythe qui est acclamé comme tout-puissant *(tudo)*, ineffable *(mudo)*, vital *(vivo)* et dénué de tout déguisement *(desnudo)*.

IX

L'étude d'*Ulysses* nous fait observer, sans même qu'il soit nécessaire de considérer d'autres exemples, ce que représente dans l'œuvre et dans la doctrine esthétique de Fernando Pessoa un vrai « poète de la structuration »; un tel poète lui paraît nécessairement plus *limité* que les poètes de la *variété* en ce qu'il exprime, ainsi que moins profond dans l'expression : par là même, il est plus complexe, parce qu'il exprime, selon les propres mots de l'auteur, « en construisant, en architecturant, en *structurant* » (voir ci-dessus).

Nada, le mot réitéré qui encadre les trois strophes d'*Ulysses*, nous laisse entrevoir la fermeté monolithe du principe architectural qui gouverne l'expression poétique de Pessoa. *Nada*, « rien », totalité négative, se trouve opposé à *tudo*, « tout », totalité positive, et ces deux quantificateurs totalisants sont opposés, à leur tour, à un quantificateur parcellant, *metade*, « moitié », et le contraste des deux genres, le masculin de *nada* et *tudo* en face du féminin de *metade*, vient renforcer cette opposition. Dans deux poèmes de Pessoa, écrits tous les deux en 1933, peu avant la composition du recueil *Mensagem*, on retrouve les trois mêmes personnages du drame, mais leurs rôles et leurs rapports mutuels semblent varier. Dans le sizain attribué à Ricardo Reis et daté du 14 février 1933 (période où Pessoa a souffert de graves troubles névrotiques), c'est l'entier, le tout, qui met le rien hors de jeu, et chaque parcelle incorpore le tout et se fond en lui :

PARA SER GRADE, sê inteiro : nada
Teu exagera ou exclui.
Sê todo em cada coisa. Põe quanto és
No mínimo que fazes.

[Pour être grand, demeure entier : rien
De toi n'exagère ni n'élimine.
Sois tout en chaque chose. Ce que tu es, mets-le
Dans le moindre de tes actes [1].]

Par contre, dans la strophe finale d'une poésie portant la date du 13 septembre 1933 et incluse dans le *Cancioneiro*, la réduction du tout *(tudo)* à sa moitié *(metade)* aboutit à l'image globale d'une métamorphose de l'infini *(infinito)* en un rien *(nada)* :

TUDO QUE FAÇO ou medito
Fica sempre na metade.
Querendo, quero o infinito.
Fazendo, nada é verdade.

[Tout ce que je fais ou médite
Reste toujours à l'état de moitié.
Quant au vouloir, je veux l'infini.
Quant au fait, rien n'est vrai [2].]

Au fond, ces trois drames du Tout, du Rien et de la Moitié sont des variations sur le même thème. « Je veux l'infini », le tout est la visée de « ce que je fais ou médite »; les cinq impératifs incantatoires du sizain cité veulent abolir le rien et intégrer le moindre *(minimo)* au tout; enfin, c'est le « qu'il en soit ainsi », la vérité intentionnelle du mythe qui, au début d'*Ulysses*, transforme le rien en un tout, tandis que les faits qui existent *in actu* parcellent, désintègrent, anéantissent le tout : *Fazendo, nada é verdade* [3].

1. *Obra poética*, p. 239. Guibert, p. 200.
2. *Obra poética*, p. 106.
3. Il nous reste l'agréable devoir d'exprimer notre reconnaissance à ceux qui nous ont assisté dans ce travail, à Haroldo de Campos, Joaquim Mattoso Câmara et Nicolas Ruwet.

Postscriptum

L'étude linguistique de la poésie est d'une double portée.

D'un côté, la science du langage, évidemment appelée à étudier les signes verbaux dans tous leurs arrangements et fonctions n'est pas en droit de négliger la *fonction poétique* qui se trouve coprésente dans la parole de tout être humain dès sa première enfance et qui joue un rôle capital dans la structuration du discours. Cette fonction comporte une attitude introvertie à l'égard des signes verbaux dans leur union du signifiant et du signifié et elle acquiert une position dominante dans le langage poétique. Celui-ci exige de la part du linguiste un examen particulièrement méticuleux, d'autant plus que le vers paraît appartenir aux phénomènes universaux de la culture humaine. Saint Augustin jugeait même que sans expérience en poétique on serait à peine capable de remplir les devoirs d'un grammairien de valeur.

D'autre part, toute recherche en matière de poétique présuppose une initiation à la science du langage, parce que la poésie est un art verbal et c'est donc l'emploi particulier de la langue qu'elle implique en premier lieu.

Or les linguistes qui se hasardent à étudier le langage poétique se heurtent à tout un arsenal d'objections de la part des critiques littéraires dont certains s'acharnent à contester le droit de la linguistique à l'exploration des questions de la poésie. Tout au plus proposent-ils d'assigner à cette science, par rapport à la poétique, le statut d'une discipline auxiliaire. Toutes ces démarches restrictives et prohibitives se fondent sur un préjugé périmé qui, soit enlève à la linguistique son objectif primordial, c'est-à-dire l'étude de la forme verbale par rapport à ses fonctions, soit accorde à l'analyse linguistique une seule des diverses fonctions du langage, à savoir la fonction référentielle.

D'autres préjugés dus à leur tour à la méconnaissance de la linguistique contemporaine et de ses visées amènent les critiques à de graves bévues. Ainsi l'idée que l'étude linguistique est enfermée dans les limites étroites de la phrase, et par conséquent rend le linguiste incapable d'examiner la composition des poèmes, se trouve contredite par l'analyse du discours comme l'une des tâches mises de nos jours au premier plan dans la science linguistique.

Ce sont les problèmes sémantiques qui à tous les niveaux du langage préoccupent à présent le linguiste, et s'il cherche « à décrire ce dont le poème est fait », la signification du poème ne présente qu'une partie intégrante de ce tout, et on se demande pourquoi le critique croit voir dans l'analyse sémantique d'un énoncé poétique une transgression de l'approche linguistique. Si le poème pose des questions qui dépassent sa facture verbale, nous entrons — et la science du langage nous en donne quantité d'exemples — dans un cercle concentrique plus vaste, celui de la sémiotique, dont la linguistique n'est qu'une partie foncière.

Finalement, l' « univers du discours », dans les termes de Ch. S. Peirce, c'est-à-dire le rapport entre le discours et ses circonstances, est un problème aigu qui regarde le texte poétique, ainsi que toutes les autres variétés du langage humain, et ce problème inévitable pour la compréhension du discours ne peut guère rester étranger et indifférent aux chercheurs fidèles à la devise : *linguistici nihil a me alienum puto*. Or, dans la tradition linguistique, même les composantes du discours telles que les mots ont été traitées en rapport avec les choses *(Wörter und Sachen)*.

La poétique peut être définie comme l'étude linguistique de la fonction poétique dans le contexte des messages verbaux en général et dans la poésie en particulier. La tendance « à définir un énoncé poétique comme anormal », bien qu'attribuée aux linguistes par le critique, n'est en réalité qu'un cas anormal, rare et passager au cours des millénaires que dure et s'accroît la science du langage.

La « littérarité » *(literaturnost')*, autrement dit, la transformation de la parole en une œuvre poétique, et le système des procédés qui effectuent cette transformation, voilà le thème que le linguiste développe dans son analyse des poèmes. Contrairement aux invectives soulevées par la critique littéraire, la méthode en question, nous mène vers une spécification des « actes littéraires » soumis à l'examen et ouvre en même temps la voie vers des généralisations qui s'imposent d'elles-mêmes.

Bien que la poétique qui interprète l'œuvre du poète à travers le prisme du langage et qui étudie la fonction dominante dans la poésie, représente par définition le point de départ dans l'explication des poèmes, il va de soi que leur valeur documentaire, soit psychologique ou psychanalytique, soit sociologique, reste ouverte à l'investigation des spécialistes dans les disciplines en question mais ils sont toutefois obligés de tenir compte du fait que la dominante pèse sur les autres fonctions de l'œuvre et que tous les autres prismes se trouvent subordonnés à celui de la texture *poétique* du *poème*. Cette tautologie garde toute son éloquence persuasive.

La poésie met en relief les éléments constructifs de tous les niveaux linguistiques, en commençant par le réseau des traits distinctifs et jusqu'à l'agencement du texte entier. Le rapport entre le signifiant et le signifié fonctionne à tous les niveaux linguistiques et acquiert une valeur particulière dans le vers où le caractère introverti de la fonction poétique atteint son apogée. C'est, pour le dire en termes baudelairiens, « une complexe et indivisible totalité », où tout demeure « significatif, réciproque, converse, *correspondant* » et où un croisement perpétuel du son et du sens établit entre les deux une connexion tantôt paronomastique et anagrammatique, tantôt figurative (parfois onomatopoétique).

Certains critiques témoignent d'une surdité pitoyable envers les figures phonico-sémantiques, en niant par exemple la correspondance frappante des six voyelles nasales accompagnées d'une sifflante qui percent à travers les deux strophes finales du dernier « Spleen » dans les *Fleurs du Mal* : IV$_2$*l*ANC*ent*, $_4$AINS*i*... *er*RANTS *et* SANS *patrie*, V$_1$SANS *tambours*, $_4$SON *drapeau*. Le même critique va jusqu'à abolir le motif conducteur du poème cité, combinaison dense et fantasque d'images symétriques avec des figures suffixales et flexionnelles, paronomases et séquences phoniques réitérées : I$_2$L'ESPRIT *gémi*SSANT EN PROIE, II$_2$L'ESP*ér*ANCE, *comme une chauve-sou*RIS — IV$_3$ESPRITS *err*ANTS *et* SANS *pat*RIE, V$_2$*Défılent lentem*ENT... L'ESPOIR *(*$_3$*Vaincu, pleure)*. Tandis que les chercheurs — tels que M. Bierwisch, M. Bloomfield, Ju. Lotman et I. A. Richards — réunissant une véritable maîtrise des matières linguistiques et littéraires, ont accueilli avec des considérations lucides les premiers pas vers une grammaire de la poésie, les critiques sans contact avec l'analyse structurale du langage s'efforcent de nous convaincre que « les méthodes strictes et rigoureuses » que le linguiste essaie d'introduire dans la poétique « ne pourraient jamais rendre compte du subtil et insaisissable *je ne sais quoi* dont on veut que la poésie soit faite. » Mais ce *je ne sais quoi* reste également insaisissable dans l'étude scientifique du langage ou de la société ou de la vie ou des mystères de la matière. Il est vraiment inutile d'opposer d'un air important le *je ne sais quoi* à l'approximation inéluctable des sciences.

Au cours de la dernière vingtaine d'années mes recherches dans le domaine de la poétique ont été concentrées principalement sur l'étude de ce que le poète Gerard Manley Hopkins a défini comme « figures de la grammaire » qui jusqu'au dernier temps sont restées le secteur le moins connu parmi les problèmes du langage. Aux monographies limitées aux questions de la rime ou des mètres, personne n'impute l'intention de borner la poétique à la métrique ou à l'art des rimes, pourtant quelques polémistes ont lancé la thèse gratuite que nos études consacrées à l'aspect grammatical des poèmes tiennent « à réduire la structure d'une œuvre littéraire à une mise en valeur des catégories grammaticales » et que nous attribuons « *tout* le pouvoir suggestif de la poésie aux corrélations entre les classes morphologiques et aux parallélismes ou contrastes syntaxiques ». La déclaration pléonastique d'un autre participant de ces débats est certes plus proche de la vérité : « Aucune analyse grammaticale d'un poème ne peut nous donner plus que la grammaire de la poésie. » Cependant le prétendu corollaire qu'il tire de cette thèse — « non-pertinence *(irrelevance)* de la grammaire » pour la poésie — est franchement erroné, bien qu'on cherche à le soutenir par l'assurance que « les écrivains se moquent des catégories ». Or c'est précisément Baudelaire qui répudia d'avance et sans équivoque cette argumentation développée à propos de son œuvre : *La grammaire, l'aride grammaire elle-même devient quelque chose comme une sorcellerie évocatoire.* Une caractérisation pénétrante des parties du discours conclut la profession de foi du poète : *Les mots ressuscitent revêtus de chair et d'os, le substantif, dans sa majesté substantielle, l'adjectif, vêtement transparent qui l'habille et le colore comme un glacis, et le verbe, ange du mouvement, qui donne la branle à la phrase.* L'auteur des *Fleurs du Mal* revient à plusieurs reprises à l'idée de la *sorcellerie évocatoire* exercée par le langage en général et le langage poétique en particulier : *Il y a dans le mot, dans le verbe, quelque chose de sacré qui nous défend d'en faire un jeu de hasard. Manier savamment une langue, c'est pratiquer une espèce de sorcellerie évocatoire.*

Ce veto réfléchi du poète à tout jeu de hasard supprime la conjecture puérile des critiques prétendant que « le poème peut contenir certaines structures qui ne jouent pas de rôle dans sa fonction et son effet comme œuvre littéraire ». L'analyse linguistique, tenant nécessairement compte de la diversité des fonctions verbales et par conséquent adaptée « à la spécificité du langage poétique », ne peut méconnaître les structures particulières qui le caractérisent. Dans ses vues Baudelaire, pour qui *les mots ont, en eux-mêmes et en dehors du sens qu'ils expriment* (c'est-à-dire de leur signification lexicale), *une beauté et une valeur propre*, est très proche d'un autre grand poète et théoricien du siècle dernier, G. M. Hopkins, qui a réussi à discerner la contribution poétique de la figure de grammaire : Celle-ci, dit-il, dans ses leçons de rhétorique données en 1873-4, peut être modelée de manière à être perçue *for its own sake and interest*, dépassant et laissant de côté les significations des mots.

La question de la pertinence relative des oppositions grammaticales du point de vue de leur rôle dans les textes analysés reçoit une réponse adéquate, à force d'observer systématiquement la répartition des opposés marqués et non marqués, leur accumulation et suppression par rapport aux différentes unités métriques, leurs limites et leur nombre, ainsi qu'aux rimes dans leur spécificité et diversité et, finalement, par rapport à tout le contour d'un poème donné.

Contrairement à ce que pense le critique sur la futilité de la tendance des analystes à attacher la distribution des catégories grammaticales « aux aspects les plus extérieurs du texte, et particulièrement à la versification », c'est grâce à ce genre de confrontations que le chercheur, d'emblée, parvient à échapper au danger d'un enregistrement aveugle, mécanique et arbitraire des oppositions grammaticales en jeu, et à saisir leur hiérarchie fonctionnelle dans l'œuvre poétique.

L'assertion téméraire d'un des critiques m'accuse d'avoir une opinion préconçue qui me pousse à ne faire attention qu'à certaines espèces de textes en négligeant le reste. Cependant mes essais et rapports sur la grammaire de la poésie reproduits dans le troisième volume de mes *Selected Writings* (à paraître) soumettent à une analyse détaillée maints poèmes, composés pour la plupart depuis le VIIIe jusqu'au XXe siècle en une quinzaine de langues, œuvres d'écoles et de traditions littéraires très variées et révélant une grande diversité de styles et de thèmes — religieux, philosophiques, méditatifs, érotiques, choral de guerre hussite, manifestes politiques, tels que les vers révolutionnaires d'Alexandre Radichtchev, bagnard russe de la fin du XVIIIe siècle, et de Bertolt Brecht, glorifiant le parti communiste. Dans ce répertoire de textes, les chants alternent avec les vers récités et le folklore avec les écrits.

La seule restriction que je me suis permise dans l'assortiment des textes concerne leur étendue : dans sa *Philosophie de la Composition*, E. A. Poe, expressément approuvé par Baudelaire, tire au clair le caractère particulier des pièces brèves qui nous permettent de garder à la fin d'une poésie la vive impression de son début et qui par conséquent nous rendent particulièrement sensibles au tout du poème et à la *totalité* de son effet. La synthèse simultanée accomplie par la mémoire immédiate d'une poésie courte détermine nettement ses lois de structuration et les distingue de celles qui sous-tendent l'*armature* des poèmes de longue dimension. La grammaire de la poésie épique qu'on pourrait comparer aux principes constructifs des grandes compositions musicales avec leurs leitmotivs qui transpercent l'œuvre, est un thème à part, et j'essaye de l'ébaucher en examinant les divers spécimens de ce genre poétique, par exemple les longs poèmes de Camoens, Pope et Pouchkine, ainsi que les *bylines* russes. Toute tentative d'analyser les fragments sans égard à l'ensemble du texte est aussi futile que l'étude des morceaux détachés d'une fresque, comme s'il s'agissait de peintures intègres et indépendantes.

Le caractère stable et obligatoire dont jouissent dans l'état donné d'une langue les significations grammaticales, comparé à l'acception lexicale des mots beaucoup plus vague et mobile, a été mis en lumière par Franz Boas et Edward Sapir. Cette stabilité trouve une confirmation frappante dans la grande force de résistance que manifestent les structures grammaticales aux contraintes que la poésie expérimentale impose au matériau verbal; par contre, le lexique et la phraséologie se plient aisément aux expériences osées de l'innovateur.

Comme le souligne Baudelaire, *l'ordre entre les mots* leur donne une *valeur irréfutable*. Les catégories grammaticales des mots (ou, selon la terminologie limpide des savants médiévaux, *modi significandi essentiales et accidentales*), ainsi que les fonctions syntaxiques de ces classes et sous-classes, forment, pour ainsi dire, l'ossature et la musculature de la langue; par conséquent, la texture grammaticale du langage poétique constitue une grande partie de sa valeur intrinsèque. Comme l'a fait apercevoir le mathématicien René Thom dans son livre fondamental sur la *Stabilité structurelle et morphogénèse* (1972), la science du langage avance vers une interprétation topologique des catégories grammaticales et de leurs fonctions qui réussit à dégager les équivalences pertinentes.

Aux invectives irréfléchies qui nous attribuent l'opinion spécieuse « que toute réitération ou contraste d'un concept grammatical est en fait un procédé poétique », je dois répliquer que dans la distribution des classes et sous-classes grammaticales toutes les accumulations et oppositions que nous fait observer un poème donné et qui sont nettement distinctes du langage quotidien et de la prose journalistique, judiciaire ou scientifique, comptent visiblement parmi les ressources du langage poétique. Dès que l'on confronte les différents phénomènes de cet ordre, on finit toujours par découvrir qu'ils sont relatifs les uns aux autres, et leur diverse signifiance dans le poème fait ressortir toute une échelle de valeurs.

L'analyse des poèmes met à nu une relation surprenante entre la disposition des catégories grammaticales et les corrélations métriques et strophiques et le critique, tout en devant reconnaître l'évidence d'une « actualisation linguistique » de ces catégories (ou plutôt *linguistic actualization*, comme le suggère la version anglaise), finit par se heurter à un dilemne illusoire : « Actualisations linguistiques et actualisations poétiques sont-elles coextensives? » Mais si cette organisation des parallélismes et contrastes grammaticaux qui est une propriété typique et spécifique de la poésie ne sert pas de procédé poétique, le linguiste a le droit de poser la question : à quelle fin cette *armature* est-elle introduite, scrupuleusement maintenue et remarquablement diversifiée par les poètes?

L'arrangement symétrique des oppositions grammaticales dans le poème tombe sous le sens, « mais en quoi cette symétrie contribue-t-elle à notre plaisir poétique? » — s'exclame l'un des sceptiques invétérés, auquel d'ailleurs Baudelaire a répondu d'avance en évoquant, d'accord avec Poe, d'une part *la régularité et la symétrie qui sont un des besoins primordiaux de l'esprit humain*, et d'autre part les courbes *légèrement difformes* qui se détachent sur le fond de cette régularité, *c'est-à-dire l'inattendu, la surprise, l'étonnement* qui constituent à leur tour *une partie essentielle* de l'effet artistique ou, en d'autres termes, *le condiment indispensable de toute beauté*. Or depuis une bonne cinquantaine d'années nos travaux de poétique ont toujours fait large emploi de ce *condiment* sous l'étiquette d' « attente trompée » (ou « anticipation déçue »).

Au critique enclin à négliger « le principe d'équivalence » dans l'œuvre imaginative et à la réduire aux « structures somptueusement asymétriques », la réponse anticipée de Baudelaire est, sans nul doute, la seule adéquate : *Vous n'entendez rien à l'architecture des mots, à la plastique de la langue*. En cherchant à relever dans l'œuvre du poète ce qui est, d'après le commentaire de Théophile Gautier, *son architectonique particulière, ses formules individuelles, sa structure reconnaissable, ses secrets de métier, son tour de main*, nous nous trouvons accusés par le critique précité de caresser secrètement, ou même ouvertement, le « rêve structuraliste », c'est-à-dire, *the perenially appealling fantasy of total control*, ce qui pourrait, insinue-t-il, « facilement servir aux ambitions politiques autoritaires ». Cette dénonciation antiscientifique nous rappelle *mutatis mutandis* celle d'un délateur pragois inculpant la linguistique structurale « de ne servir qu'à prolonger et justifier la domination de la bourgeoisie ». La remarque sarcastique de Nicolas Ruwet à propos de l'idéal imaginaire d'une poétique « capable d'engendrer mécaniquement des “ poèmes ” » est une heureuse repartie aux fantaisies néfastes du critique.

Le cadre des dessins grammaticaux soit itératifs, soit oppositionnels n'est, en dépit de tous les reproches, ni préconçu, ni « bâti *a priori* ». Trois principes fondamentaux servent à rapprocher et à diversifier les strophes des poèmes courts, mais la hiérarchie de ces principes diffère suivant les poèmes, leur style et genre et suivant l'individualité du poète ou de l'école poétique. Ces trois rapports entre les strophes se basent — d'une manière similaire aux trois variétés distributives des rimes — sur la successivité (cf. rimes accouplées *aa-bb*), l'alternance (cf. rimes croisées *ab-ab*) et l'encadrement (cf. rimes embrassées *ab-ba*).

Malgré toute l'incrédulité des critiques envers les affinités à distance, on ne peut qu'insister sur le fait évident que les rapports de conformité entre les strophes impaires opposés aux correspondances qui unissent les strophes paires sont l'un des procédés les plus répandus, et ces similitudes et contrastes tendent à embrasser les divers niveaux et aspects du langage — depuis la phonologie jusqu'à la sémantique et depuis les parallèles morphologiques et syntaxiques jusqu'aux correspondances lexicales. Ce qu'a dit Gautier à propos des rimes de Baudelaire vaut non seulement pour les rimes et non seulement pour l'art baudelairien, mais pour toute construction des vers : *Il aime l'harmonieux entre-croisement des rimes qui éloigne l'écho de la note touchée d'abord, et présente à l'oreille un son naturellement imprévu, qui se complétera plus tard comme celui du premier vers, causant cette satisfaction que procure en musique l'accord parfait.* La proportion, comme le souligne Hopkins, peut trouver son expression non seulement dans la continuité, mais également dans l'intervalle.

On a beau se méfier de la pertinence des pronoms dans la grammaire de la poésie, les strophes paires et impaires diffèrent fréquemment par l'opposition entre la présence dans l'un de ces deux groupes et l'absence dans l'autre des pronoms et des adjectifs possessifs se rapportant à la première et deuxième personne du singulier (comme dans le sonnet de du Bellay analysé ci-dessus) ou sans égard au nombre (comme dans le dernier « Spleen » des *Fleurs du Mal*), et ce contraste signale clairement une alternance approfondie de deux modes, l'un subjectif et l'autre détaché.

Le critique le plus chicanier et avouons-le, de loin le plus superficiel met en doute les affinités à distance. « Les équivalences établies sur la base de ressemblances purement syntaxiques » lui paraissent « particulièrement contestables ». A titre d'exemple il cite le parallèle que, selon les deux auteurs de l'essai sur « Les Chats », Baudelaire établit entre les deux vers qui concluent les strophes impaires du sonnet, son premier quatrain et son premier tercet. Ce sont les seules propositions relatives de tout le poème; les deux sont introduites par le pronom *qui*, et dans les deux cas ce pronom s'attache au complément de la proposition principale et se trouve suivi d'un verbe au pluriel.

Eh bien, *primo*, ce critique semble oublier non seulement le rôle primordial que les vers accordent au parallélisme grammatical, avant tout syntaxique, probablement dans la plupart des langues du monde, mais aussi le fait surprenant, mis en relief depuis un siècle et plus, par G. M. Hopkins : la même « figure de grammaire » exerce une fonction moins réglementée mais non moins importante dans notre poésie dépourvue du parallélisme canonique, et il cite à titre d'exemple *the intricacy of Greek or Italian or English verse*.

Secundo, la correspondance entre les deux strophes impaires trouve, comme nous l'avons indiqué, sa contrepartie dans le parallélisme également syntaxique qui unit les deux strophes paires.

Finalement, la similarité des deux strophes impaires, loin de se limiter à une « ressemblance purement syntaxique », supporte et renforce un double contraste sémantique. Sur le plan spatial ce contraste lie la fin du vers pénultième des deux strophes impaires : la *maison* qui circonscrit les chats se transforme en un désert spacieux, *fond des solitudes* et à la fin de deux vers adjacents des mêmes strophes impaires deux groupes de mots parallèles *(dans leur mûre saison — dans un rêve sans fin)* s'opposent mutuellement, cette fois-ci sur le plan temporel : « l'un évoquant les jours comptés et l'autre, l'éternité. » La restriction fait place à la dilatation.

La même critique nie les traits communs des strophes extérieures, I et IV, contrastant avec ceux qui unissent les deux strophes intérieures, II et III. Cependant l'analyse du sonnet « Les Chats », obtenue par les efforts conjugués de deux chercheurs, démontre une différence multiple entre les strophes extérieures et intérieures dans le répertoire des catégories grammaticales, dans leur agencement syntaxique et dans la charge sémantique de ces strophes. En particulier, nous avons noté la différence sensible entre ces deux espèces de strophes dans la structure des propositions munies d'un verbe transitif. Dans les strophes extérieures, ces propositions comportent un double sujet, et leur régime direct coïncide avec le sujet dans leur choix du genre animé ou inanimé, tandis que dans les strophes intérieures le sujet et le régime direct appartiennent à deux genres divers. Les infinitifs apparaissent uniquement dans les strophes intérieures et remplissent des fonctions parallèles. Les strophes extérieures opposent aux intérieures une richesse en adjectifs (9 + 5 contre 1 +2) ainsi que la présence de deux adjectifs adverbiaux, les seuls dans le sonnet et exerçant à leur tour des fonctions syntaxiques parallèles.

Le critique s'est surtout révolté contre notre observation sur le parallélisme frappant entre le dernier vers de la première strophe et le premier vers de la dernière : le second prédicat du sonnet et l'avant-dernier sont les seuls à contenir une copule et un attribut, et dans les deux cas cet adjectif suivi d'une césure est mis en relief à l'aide d'une rime interne (*Qui comme* EUX *sont fril*EUX — *Leurs* REINS *féconds sont p*LEINS). La réprimande du critique est une des nombreuses illustrations de son manque de connaissances dans la science du langage et du vers : « *plein* ne peut être séparé d'*étincelles*; *plein* est enclitique, ce qui annule pratiquement la rime. » Or « l'enclitique » désigne un mot atone s'appuyant sur le mot précédent porteur de l'accent, et l'auteur, dans la version française ainsi qu'anglaise de son article, confond le terme « enclitique » avec « proclitique », mot atone s'appuyant sur le mot accentué qui suit. Mais le mot *pleins* n'est ni enclitique ni proclitique, et bien qu'il appartienne au même « groupe de souffle » *(breath group)* que les deux mots qui suivent et dont le dernier porte un accent de phrase, néanmoins le complexe *sont pleins* forme à l'intérieur de ce groupe une subdivision *(speech measure)* à part, avec un accent sur le second mot *pleins*. La césure sépare ces deux « mesures » et la syllabe devant la césure porte invariablement l'accent métrique. Par conséquent, la rime interne basée sur l'accent à la fois métrique et syntagmatique peut même être qualifiée de saillante, d'autant qu'elle rencontre un support dans le rythme strictement ïambique de tout l'hémistiche *(Leurs reins / féconds / sont pleins)*, tandis que l'anapeste vient à l'appui de la rime parallèle *(Qui comme eux / sont frileux)*. Du reste, Baudelaire sépare les deux subdivisions d'un seul « groupe de souffle » non seulement à la césure mais aussi à la limite des vers *(l'étreinte || De l'irrésistible Dégout; il rompit un morceau || Du rocher)*.

Ce qui reste totalement incompréhensible au critique ou, suivant sa terminologie, aux *literary scholars of the humanist stripe*, quand ils abordent les problèmes du parallélisme, c'est le fait que la recherche de l'invariance, loin d'exclure les variations, implique tout au contraire leur présence efficace. L'intuition de Hopkins y voit même l'essence poétique de tout parallélisme : *Dans l'art nous aspirons à réaliser non seulement l'unité, la permanence des lois et l'équation, mais aussi à les faire accompagner d'une différenciation, variété et contraste; ce qui nous attire c'est la rime et non pas l'écho; ce n'est pas l'unisson mais l'harmonie.*

« Le parallélisme à distance » éveille la méfiance des polémistes portés à croire que les correspondances entre le début et la fin d'une poésie « ne peuvent absolument être perçues par le lecteur » et cependant l'art poétique connaît diverses compositions, du type rondeau, basées sur une liaison régulière entre la fin et le début de la pièce. Loin d'être une *chaîne de Markov*, autrement dit une suite d'occurrences dont la probabilité dépend de leur voisinage immédiat, le texte d'une poésie s'oppose résolument aux efforts du critique pour « respecter le sens unique » en suivant « le processus normal de lecture » et « percevoir le poème, comme l'impose sa configuration linguistique, en suivant la phrase, en commençant par le début », sans « utiliser la fin pour commenter le début ». Ces efforts contredisent le penchant spontané de Baudelaire pour le principe rétrospectif de la composition poétique professé par Edgar Poe et correspondant aux procédés connus dans la science du langage sous le nom d'assimilation et dissimilation régressives. En effet la configuration linguistique exige le recours à la fin de la phrase, pour assurer sa synthèse simultanée qui seule rend possible la perception et compréhension du tout. Rappelons la nécessité d'une attitude analogue à l'égard d'un texte musical.

Dans un sonnet, par exemple, la solidarité des strophes impaires en opposition aux paires et celle des strophes extérieures en opposition aux intérieures est souvent la plus forte, ce qui s'explique en partie par le fait que le rapport entre le couple des strophes impaires et celui des strophes paires (ou encore celui entre les couples de strophes extérieures et intérieures) est symétrique (sept vers contre sept), alors que le couple des deux quatrains oppose huit vers aux six des deux tercets.

Les grands maîtres du sonnet dans la poésie du siècle dernier, Baudelaire et Hopkins, ont naturellement évité dans leur création et conception de cette forme à la fois sévère et flexible le simplisme de nos juges. Sans se soucier de savoir si les procédés et les termes structuraux peuvent sembler prématurés ou éphémères, Hopkins eut à vingt ans le courage d'aborder les problèmes les plus embrouillés, tels que *la sturcture du vers* et *le principe du parallélisme* comme base de toutes les *propriétés structurales* de l'art verbal. Dans le « Platonic Dialogue » de cet étudiant génial, l'un des interlocuteurs pose la question — *Qu'est-ce que c'est donc qu'une unité structurale?* — et selon la réponse qui suit, *le sonnet en est un exemple.* Hopkins invite à étudier *le système des parallélismes* qui constituent un poème et *la subordination* qui les lie l'un à l'autre.

Étant donné le nombre inégal des vers dans les quatre strophes du sonnet, on y remarque souvent une tendance à opposer au moyen d'un système de correspondances et contrastes le septième et huitième vers, c'est-à-dire le centre du poème, aux six vers du début et aux six de la fin. Suivant les termes de Hopkins, cette trichotomie symétrique et distincte de l'arrangement des strophes peut être définie comme un *contrepoint*, accoutumé dans la composition du poème.

Bien que l'analyse des « Chats » nous fait apercevoir une correspondance étroite entre cette division tripartite et le profil sémantique du sonnet, notre critique s'y oppose gratuitement. Pourtant, un seul exemple suffit pour démontrer l'évidence du « sizain » initial qui dédouble le second quatrain. Rappelons qu'à l'intérieur du vers on rencontre cinq fois, et uniquement dans le sizain initial, la conjonction *et* dont quatre spécimens servent à ouvrir le second hémistiche. Dans tous les six vers la césure sépare deux termes syntaxiques juxtaposés, tandis que dans tous les vers suivants la césure signale un rapport de subordination, et en particulier dans le « distique » central c'est l'interconnection entre le second et le troisième actant dont les deux vers varient l'ordre. Cette différence de configurations syntaxiques entre les trois secteurs du sonnet diversifie les modulations prosodiques de leurs vers et détache le triptyque sémantique. La conviction extravagante du critique, que l'écrivain « n'a pas à sa disposition » le jeu des intonations, fait naturellement faillite, et une fois de plus le discuteur n'accorde aucun intérêt à la riche expérience linguistique.

Une poésie d'un nombre impair de strophes comme le dernier « Spleen » des *Fleurs du Mal* tend à faire ressortir la strophe centrale, et en effet, parmi les cinq quatrains du « Spleen », le troisième se distingue par son *mode de construction*, comme dit Baudelaire, des deux autres quatrains impairs, le premier et le dernier. L'un de toute une série des traits formels intimement liés au relief sémantique du poème et spécifiant sensiblement ses quatrains impairs, en comparaison avec les pairs, est le nombre supérieur des qualificatifs surtout dans les deux strophes extérieures, I et V. Ici le poète suit son propre memento : *La loi grammaticale nous enseigne à modifier le substantif par l'adjectif.* A côté des adjectifs, la classe des qualificatifs comporte les adjectifs adverbiaux et les adjectifs verbaux. Un critique m'accuse d'avoir été forcé d'assembler cette classe « afin d'obtenir la symétrie voulue », mais en assemblant et caractérisant précisément cette classe et en nommant ses composantes, ni Sapir, ni Tesnière, ni Dubois, ni d'autres linguistes n'ont voulu mettre tout leur zèle, selon l'expression du critique, à produire « un compte balancé » à l'égard des strophes du « Spleen ». Quant à moi, je n'ai rien ajouté à ce classement bien fondé. Le critique semble surtout choqué par l'adjonction d'un participe à ma liste des adjectifs verbaux — *la pluie étalant ses immenses traînées* — mais cet équivalent d'une proposition subordonnée relative n'est, comme le note Tesnière dans sa belle contribution à la syntaxe structurale du français, qu'un stade moins avancé de la translation du verbe en adjectif. En tout cas l'assurance du critique que l'exclusion de ce participe mettrait à bas la symétrie fictive est *toute fausse*, car chacune des deux strophes paires maintient le manimum (3), chacune des deux strophes extérieures, le maximum (6) et la strophe centrale, un nombre moyen des qualificatifs (soit 5, soit 4). La correspondance entre les strophes extérieures est aussi accentuée par l'emploi des adjectifs identiques : I et V — *longs*, *noir*.

Une allégation également erronée fut soulevée par ce critique contre mes observations sur les deux vers intérieurs du quatrain central, parallèles à plusieurs égards. Ces vers médians du poème déplorent deux images métaphoriques dont le *véhicule* est superposé à la *teneur*, selon l'heureuse expression établie par I. A. Richards. Le mouvement rythmique de ces deux vers est tout à fait similaire : dans les deux le premier hémistiche est anapestique, le secon ïambique, et chaque hémistiche débute par un paroxyton *(vaste, imite; peuple infâmes)*. Chacun des deux vers comporte deux substantifs dont l'un est le déterminé et l'autre le déterminant. Le reste des mots flexionnels est composé de trois adjectifs et un verbe, tandis que les autres vers, centripètes aussi bien que centrifuges, sont remplis de translations, procédé fondamental qui consiste, comme l'a défini Tesnière, « à transformer une espèce de mot en une autre espèce de mot » (les verbes en substantifs ou en adjectifs et les adjectifs en adverbes). La translation crée des maillons intermédiaires entre les parties du discours. Le problème de la translation reste incompris par notre critique, dont les vues linguistiques sont plus que nébuleuses. Il recourt à un argument bizarre en proposant de substituer dans la quatrième strophe l'adjectif adverbial *subitement* à l'adverbe *tout à coup* et de remplacer l'adjectif verbal dans la construction *errants et sans patrie* par un degré plus haut de l'adjectivation, *errant sans patrie*, ce qui à l'en croire, ne produira aucun effet *(any effect whatsoever)* sur le lecteur et ainsi prouvera toute la futilité de ma remarque sur l'absence de translations dans le « distique » central en contraste avec leur présence et fréquence dans la plupart des vers qui l'entourent.

Mais *primo*, la première de ces deux substitutions ne ferait que renforcer le contraste en question, et la seconde ne changerait rien au nombre des translations. *Secundo*, tout lecteur familier avec les lois de la versification française s'opposera dans les deux cas à l'addition d'une syllabe superflue qui estropie l'alexandrin.

La rime, que Hopkins à juste titre tient pour l'épitomé du système des parallélismes en poésie, implique infailliblement un rapport soit d'équivalence, soit de contraste entre le son et le sens, lexical aussi bien que grammatical. Dans la rime, ce système des rapports *(likeness tempered with difference)* devient particulièrement sensible. La question des divers degrés d'équivalence grammaticale entre les mots à la rime ressort distinctement dans les vers de Baudelaire. Ainsi, dans « Les Chats », les rimes des dix premiers vers confrontent une paire de substantifs ou d'adjectifs d'un même genre et nombre ou bien un substantif avec un adjectif du même nombre, mais la fonction syntaxique des mots confrontés reste toujours différente, tandis que les deux rimes croisées à la fin du sonnet contrastent entre elles, l'une grammaticale sous tous les rapports *(étincelles magiques — prunelles mystiques)* et l'autre qui rapproche deux homonymes divergents dans leur statut morphologique et syntaxique *(sans fin — sable fin)* Cf. un contraste analogue entre les rimes croisées dans les tercets du sonnet mis en tête des *Nouvelles Fleurs du Mal* (1866) : *se laisser charmer — apprendre à m'aimer*, et *les gouffres — Ame curieuse qui souffres*. Toutes les rimes d'un autre sonnet du même cycle, « Le Rebelle », confrontent le masculin avec le féminin et les substantifs avec des formes verbales; dans la rime finale qui unit les tercets le contraste grammatical culmine : *aux durables appas — Je ne veux pas* (substantif faisant paire avec un terme invariable).

Un poète, et Baudelaire en particulier, tend à rendre plus efficace une opposition grammaticale à force d'attacher les opposés catégoriels aux deux modèles conventionnels de la rime. Bien qu'à maintes reprises ce procédé soit mis en doute par les critiques, il suffit de jeter un coup d'œil sur la répartition des rimes dans les sonnets des *Fleurs du Mal* pour s'apercevoir de sa réalité incontestable. Ainsi, dans « Les Chats », les huit vers à rime féminine se terminent par des formes du pluriel, en contraste avec les six vers à rime masculine qui se terminent tous par un singulier. Le critique lançant une campagne à tout prix contre la grammaire de la poésie croit avoir découvert le secret de ces rimes féminines plurielles : « le *s* qui les termine rend la rime plus " riche " pour l'œil en augmentant le nombre de ses composants répétés ». Le lecteur est conjuré d'admettre qu'en ajoutant la lettre *s* à l'*e* muet, Baudelaire renforce l'individualité des rimes féminines, exigée par la convention.

Cependant ce qui compte dans les *Fleurs du Mal*, ce n'est pas la liaison du pluriel avec les rimes dites féminines mais seulement la mise en relief de l'opposition des deux nombres à l'aide de l'alternance obligatoire des rimes féminines et masculines, quelle que soit la sorte des rimes qui attire l'un de ces deux nombres. Ainsi le sonnet « A une dame créole », qui, d'après Champfleury, est chronologiquement proche des « Chats » et s'en trouve séparé par un seul poème dans la première édition des *Fleurs du Mal*, termine tous les vers masculins par des pluriels et tous les vers féminins, sauf la rime du dernier tercet, par des singuliers. Or les tercets de ce sonnet, l'antithèse sémantique de ses quatrains (I $_1$*Au pays parfumé que le soleil caresse* — III $_1$*Si vous alliez, Madame, au vrai pays de gloire*), sont les seuls à faire rimer un substantif avec un adjectif *(manoirs - noirs)*, le genre féminin avec le masculin *(retraites-poètes)*, et ce dernier pluriel, le seul exemple du genre masculin dans les rimes féminines du sonnet, est le seul mot terminal dans les quatorze vers de ce poème sans un /r/ adjacent à la voyelle accentuée de la rime (*caRESSE* - *empourpRés* - *paResse* - *ignoRés* - *enchanteResse* - *maniéRés* - *chasseResse* - *assuRés* - *gloiRe* - *LoiRe* - *manoiRs* - *retRaites* - poètes (!) - *noiRs*). Le rapport sémantique entre l'avant-dernier vers qui oppose les *poètes* avec leurs *mille sonnets* au *noirs* du pays parfumé est le vrai faîte de ce sonnet. — Citons également « Le mort joyeux » où toutes les rimes féminines sont liées au singulier et où les vers à rime masculine se terminent par des formes plurielles à l'exception d'un seul vers qui évoque le titre oxymore du sonnet et qui forme un oxymore le début du même tercet (III$_1$ *O vers!... sans yeux*,$_2$*Voyez venir à vous un mort libre et joyeux*). En outre cet adjectif terminal contraste avec le vocabulaire funèbre de toutes les rimes du poème.

L'emportement de la colère contre l'irruption des linguistes dans le sanctuaire de la poétique vient d'engager un journaliste à m'accuser d'avoir pris envers la grammaire de la poésie une attitude prétendament semblable à notre vue sur le fonctionnement des phonèmes. Dans notre aperçu de phonologue daté de 1955 et écrit en collaboration avec Morris Halle, le critique repère et s'efforce d'utiliser la note suivante : « Les phonèmes ne désignent qu'une pure altérité. Cette absence de désignation individuelle sépare les traits distinctifs, et leurs combinaisons en phonèmes, de toutes les autres unités linguistiques. » L'accusateur a véritablement réussi à m'attribuer juste le contraire de ma pensée. Depuis une quarantaine d'années j'ai toujours insisté et je continue de mettre l'accent sur la différence capitale qui oppose aux traits distinctifs et à leurs faisceaux toutes les unités supérieures du langage douées de leur signification individuelle et la gardant non seulement dans les conditions d'un choix possible entre deux catégories contraires, mais aussi dans des situations qui rendent obligatoire l'emploi d'une seule des deux. Les traits distinctifs perdent leur valeur d'altérité dès qu'ils apparaissent dans des entourages qui excluent la présence des traits contraires, tandis que les significations des catégories grammaticales, par exemple celles des cas de la déclinaison, restent toujours valides.

Il est curieux que le même critique qui m'accuse d'abaisser la valeur sémantique des faits poétiques et de les traiter à l'image des phonémes, se rallie d'autre part à ceux de nos contradicteurs, qui nous reprochent d'être séduits dans notre analyse des rimes par des « analogies irréfléchies » et « d'entasser sous la même étiquette » du pluriel les *pluralia tantum* comme *ténèbres* et des « pluriels emphatiques » tels que *solitudes*. Cependant, dès qu'on rejette les vues mécanistes qui n'attribuent au pluriel que la signification strictement numérique, on aperçoit tout naturellement la valeur augmentative de cette catégorie nettement *marquée* par opposition au singulier, soit qu'il s'agisse d'un nombre élevé, soit d'une profondeur ou étendue imposante. Ce genre d'emphase ressort dès que l'on confronte les *solitudes* avec le *désert* ou bien, suivant la suggestion du critique lui-même, le « sommet de l'échelle expressive », *ténèbres*, avec « l'échelon le plus bas », *obscurité*. La valeur générale propre au pluriel se trouve donc nettement maintenue dans tous ses spécimens, appuyés par les rimes de Baudelaire. L'idée d'une distinction sémantique entre les éléments grammaticaux obligatoires et facultatifs n'est qu'un préjugé enraciné et répandu qui demande à être combattu. *Une expression mystérieuse de la multiplication du nombre* ravit l'auteur des *Fusées* : « *Tout* est nombre. Le nombre est dans *tout*. »

Notons la question posée et l'incertitude témoignée par plus d'un critique : « Le lecteur est-il sensible à ces relations dont l'analyste se délecte? Je me permets d'en douter. » Or les sujets parlants emploient un système complexe de relations grammaticales inhérentes à leur langue sans être à même de les abstraire et définir, et cette tâche demeure réservée à l'analyse linguistique. Pareil aux auditeurs de la musique, le lecteur du sonnet se délecte de ses strophes et même s'il éprouve et sent la concordance des deux quatrains ou des deux tercets, aucun des lecteurs sans préparation spéciale ne serait en état de deviner les facteurs latents de cet accord, par exemple la correspondance rythmique surprenante entre les vers finals (l'un féminin et l'autre masculin) des quatrains ou bien entre les vers finals (l'un masculin et l'autre féminin) des tercets : I $_4$ *Qui comme eux | sont frileux || et comme eux | sédentaires* = II $_4$ *S'ils pouvaient | au servag(e) | incliner | leur fierté* = ∪∪- | ∪∪ - || ∪∪ - | ∪∪ - et d'autre part III $_3$ *Qui semblent | s'endormir || dans un rêve | sans fin* = IV $_3$ *Etoilent | vaguement || leur prunelles | mystiques* = ∪ -∪ | ∪∪ -|| ∪∪- ∪|∪ -.

Un « spécialiste de littérature » refusant aux linguistes le droit de soumettre « Les Chats » à une analyse structurale propose de substituer à cette méthode immanente (suivant Hopkins, *the verses stand or fall by their simple selves*) un bilan tiré des réactions massives au stimulus. Qui sont ces « lecteurs moyens » *(AR = average readers)* transformés en un « archilecteur » (selon le néologisme bâti d'après notre « archiphonème ») et recrutés par l'investigateur pour son sondage d'opinion? Ce sont, nous répond il, « mes étudiants ou ceux qu'un sort injuste a fait tomber dans mes filets ». L'intervalle de douze ou treize dizaines d'années entre l'enquête actuelle et les premiers lecteurs du sonnet nouveau-né n'ébranle pas la foi aveugle de l'enquêteur dans la précision maximum de son entreprise. Cependant Théophile Gautier, qui se trouve singulièrement joint au nombre des *AR* mais qui pourtant exprime un profond désaccord avec la tentative d'envisager « le poème comme réaction du lecteur », soutient que Baudelaire possède *le don de correspondance* et *qu'il sait découvrir par une intuition secrète des rapports invisibles à d'autres et rapprocher ainsi, par des analogies inattendues que seul le voyant peut saisir, les objets les plus éloignés et les plus opposés en apparence*. Peut-on élever les participants fortuits du sondage à la dignité des *voyants*? Ou doit-on déclarer le don de Baudelaire, son *intuition secrète des rapports invisibles à d'autres* pour un fait, selon l'expression du critique, « inaccessible au lecteur normal » et donc incapable d'établir « le contact entre la poésie et le lecteur »? Ou bien faut-il, peut-être, enlever à Gautier le droit d'admission dans les « filets » de l'enquêteur?

Ce dernier affirme qu'une description des *Fleurs du Mal* faite d'après sa méthode « constituerait assurément un progrès ». Voici donc quelques échantillons de l'*analyse* du sonnet fondée sur l'interrogatoire des informateurs. Rappelons d'abord que, suivant le beau résumé de Benveniste, *entre « les amoureux fervents » et « les savants austères » la « mûre saison » joue aussi le rôle de terme médiateur : c'est, en effet, dans leur mûre saison qu'ils se rejoignent pour s'identifier « également » au chat. Car rester « amoureux fervents » jusque dans la « mûre saison » signifie déjà qu'on est hors de la vie commune, tout comme sont les « savants austères » par vocation : la situation initiale du sonnet est celle de la vie hors du monde (néanmoins la vie souterraine est refusée), et elle se développe, transférée aux chats, de la réclusion frileuse vers les grandes solitudes où science et volupté sont rêve sans fin.*

La réprimande rigoriste de l'enquêteur nous annonce que « le savant frappé dans son savoir, dépouillé de sa sagesse, le savant anéanti, c'est le savant amoureux... Nous (!) tombons sur la médiocrité de *frileux* et *sédentaires* — on (!) est déçu et l'on (!) ne sait si l'on (!) doit rire ou s'irriter... *Frileux* est mesquin et " vieille fille "... Les savants, dans le contexte d'amoureux et mis en rapport avec eux, sont en danger de perdre leur dignité : leur mine austère ne nous (!) impressionne plus, maintenant que nous (!) les voyons comme des sédentaires frileux ».

L'enquêteur va jusqu'à trouver les « connotations dépréciatives ou condescendantes » dans le sujet *amoureux* au début du sonnet. Il parvient à dénicher « un brin de parodie » dans *l'orgueil de la maison* et compare le poète au « renard de La Fontaine, taillant ses flatteries à la mesure du corbeau ». L'évocation de l'Érèbe dans le nœud dramatique du sonnet incite de nouveau l'enquêteur, ou ses informateurs, à comparer Baudelaire « avec La Fontaine appelant un jardinier un prêtre de Flore et de Pomone ». En ripostant à notre examen de ces deux vers centraux du poème, le critique est amené à croire que « tout ce que nous avons, c'est l'affirmation que les chats et l'obscurité sont étroitement associés » et il se voit tenté de traduire le distique en langage familier *(common parlance)* : « Ce qu'ils aiment le noir! Ah! dis donc! *(They sure love the dark. Gee!)* ils pourraient être les chevaux noirs du Diable, sauf que... » Pourtant Théophile Gautier, coopté au sondage, nous a mis en garde contre *la répugnance des esprits diurnes et pratiques pour qui les mystères de l'Erèbe n'ont aucun attrait.* Les platitudes des *comics* que l'enquête de nos jours a tiré du sonnet ont été condamnées d'avance par Gautier comme *des dessins d'une trivialité bourgeoise* étrangers et inacceptables pour Baudelaire, qui, lui, *n'est jamais commun.*

Suivant le programme du sondage, « chaque point du texte qui arrête l' " archilecteur " *(superreader)* est considéré jusqu'à plus ample informé comme un composant de la structure poétique. » Or il faut avouer que les « lecteurs moyens » *(AR)* tombés sous la main de l'enquêteur se sont montrés lecteurs médiocres.

Quel est donc, se demande Baudelaire, *l'imbécile qui traite si légèrement le Sonnet et n'en voit pas la beauté pythagorique ? Parce que la forme est contraignante, l'idée jaillit plus intense... Il y a là la beauté du métal et du minéral bien travaillés. Avez-vous observé qu'un morceau de ciel, aperçu par un soupirail... donnait une idée plus profonde de l'infini qu'un grand panorama vu du haut d'une montagne ? Quant aux longs poèmes,... tout ce qui dépasse la longueur de l'attention que l'être humain peut prêter à la forme poétique n'est pas un poème.* Suivant les notes de Baudelaire, *un sonnet lui-même a besoin d'un plan, et la construction, l'armature, pour ainsi dire, est la plus importante garantie de la vie mystérieuse des œuvres de l'esprit.*

Notre essai sur « Les Chats » a fait observer que le motif de vacillation entre mâle et femelle est sous-jacent dans ce sonnet. L'épicène qui désigne indifféremment des êtres mâles ou femelles crée une fois de plus une divergence d'opinions entre l'enquêteur refusant d'admettre l'aspect féminin des « Chats » et Théophile Gautier, dont le commentaire du sonnet évoque leurs caresses *tendres, délicates, silencieuses, féminines.* Les critiques qui tiennent ces chats pour « des matous » et auquels l'idée d'ambiguïté « paraît battre certains records d'audace » se heurtent à l'observation de Benveniste sur l'oxymore *reins féconds* dont le substantif fait allusion au pouvoir du mâle et l'adjectif, au don de la femelle; l'alliance de mots, *puissants et doux*, fait pendant à cet oxymore final. Le critique qui nie la nature androgyne des sphinx, l'alter ego des chats dans le sonnet, et prétend que les romantiques « ont pratiquement abandonné le monstre grec à poitrine de femme », oublie que l'image *d'un Œdipe obsédé par d'innombrables Sphinx* évoquée par Baudelaire les cloue au mythe grec, et que, parmi les *œuvres d'une volupté profonde* que le poète admirait dans l'art du *grand peintre* Ingres, son fameux tableau d'Œdipe expliquant l'enigme centre l'image du Sphinx et le regard perçant du roi sur les seins splendides du monstre.

« L'Horloge », poème en prose, est convoqué par le même critique pour extirper les « rapprochements fallacieux » entre « Les Chats » et la féminité. Dans sa première version, publiée en 1857, ce poème ajoutait à la phrase liminaire — *Les Chinois voient l'heure dans l'œil des chats* — les mots — *moi aussi* — supprimés dans la seconde variante parue en 1861. Le paragraphe central du poème revenait au même pronom et commençait par les mots — *Pour moi, quand je prends dans mes bras mon bon chat, mon cher chat, qui est à la fois l'honneur de sa race, l'orgueil de mon cœur* — et ce n'est que la troisième version du poème (1862) qui finit par substituer à ce passage le texte suivant : *Pour moi, si je me penche vers la belle Féline, la si bien nommée, qui est à la fois l'honneur de son sexe, l'orgueil de mon cœur.*

Il est facile de reconnaître dans ces lignes un écho du sonnet où *les amoureux fervents... aiment... les chats... orgueil de la maison.* Le rapport substitutif entre *mon bon chat, mon cher chat,... l'honneur de sa race* et *la belle Féline, la si bien nommée,... l'honneur de son sexe* met à nu l'affinité des deux images et à la fois concrétise les méditations saccadées et révélatrices du poète sur *les voluptés* qui *sont même indépendantes du sexe... et du genre animal.*

Le critique attribue à l'auteur de « L'Horloge » une intention de s'écarter de son sonnet d'autrefois et veut nous assurer que dans ce poème en prose « l'élan mystique est nié, pour ainsi dire, par le style réaliste ». Un bel exemple de cette prétendue « négation » culmine cette œuvre.. *Au fond de ses yeux adorables* (du *bon chat* en 1857 et de *la belle Féline* en 1862) *je vois toujours l'heure distinctement, toujours la même, une heure vaste, solennelle, grande comme l'espace,* bref on y trouve la même dilatation spatio-temporelle que mettent en évidence les tercets du sonnet.

Le linguiste cherche à entrevoir l'essence *(the inscape)* de la poésie,

« l'idée sous-jacente » *(the underthought)* des poèmes d'accord avec l'épilogue de ce *madrigal emphatique*, comme le surnomme Baudelaire : *Et si quelque important venait me déranger..., si quelque... Démon du contre-temps venait me dire* : « *Que regardes-tu avec tant de soin? Que cherches-tu dans les yeux de cet être? Y vois-tu l'heure, mortel prodigue et fainéant?* » *je répondrais sans hésiter :* « *Oui, je vois l'heure; il est l'Éternité!* » [1].

1. Ce *Postscriptum* reprend et développe quelques thèses de mes conférences faites au Collège de France en décembre 1972. Les jugements critiques évoqués ci-dessus, qui commentent ou bien mettent en cause nos vues sur la grammaire de la poésie ou sur la poétique linguistique en général et qui pour la plupart envisagent les études de Jakobson, Lévi-Strauss et N. Ruwet sur quelques pièces des *Fleurs du Mal*, ont été émis et publiés par K. Baumgärtner, L. Bersani, L. Cellier, V. Chklovski, J. Culler, P. Delbouille, W. Delsipech, G. Durand, A. Fongaro, I.-M. Frandon, L. Goldmann & N. Peters, J. Guéron, W. Hendricks, J. Ihwe, M. Khraptchenko, R. Luporini, H. Markiewicz, G. Mounin, Anne Nicolas, J. Pellegrin, B. Porcelli, R. Posner, M. Riffaterre, le regretté Benvenuto Terracini, W. Weidle, R. Wellek, G. Wienold et S. Żółkiewski.

Ossabaw Island, janvier 1973.

Glossaire des noms propres

Ce glossaire réunit le minimum de renseignements biographiques sur les personnages historiques (principalement slaves) auxquels il est fait allusion dans les écrits de Roman Jakobson. En sont exclus les noms les plus célèbres (p. ex. Pouchkine, Gogol, etc.) ainsi que ceux qui ont été donnés simplement en référence.

Agrell, Sigurd (1881), slavisant suédois.

Andréiev, Léonide Nikolaévitch (1871-1919), romancier et dramaturge symboliste russe, célèbre par son goût pour les sujets grandiloquents.

Anitchkov, Evguéni Vassiliévitch (1866-1937), folkloriste russe, disciple de Vésélovski.

Annenkov, Pavel Vassiliévitch (1812-1887), homme de lettres russe, ami de Gogol et Biélinski, auteur de Mémoires célèbres et d'études sur Pouchkine.

Annenski, Innokenti Féodorovitch (1856-1909), poète russe, en marge du symbolisme.

Asséev, Nikolaï Serguéévitch (1889-1963), poète soviétique, membre du groupe futuriste et de celui du LEF (« Front gauche de l'art », groupe poétique animé par Maïakovski en 1922-1929).

Baratynski, Evguéni Abramovitch (1800-1844), poète russe, ami de Pouchkine.

Batiouchkov, Konstantine Nikolaévitch (1787-1855), poète russe qui a exercé une influence notable sur le jeune Pouchkine.

Becking, Gustav (1894-1945), musicologue, professeur à l'université allemande de Prague.

Benitski, Alexandre Pétrovitch (1780-1809), poète et écrivain russe, à tendance didactique.

Benveniste, Émile (1902-1976), linguiste français.

Biély Andreï (1880-1934), poète, romancier et critique, représentant du symbolisme russe.

Blok, Alexandre Alexandrovitch (1880-1921), poète russe, principal représentant du symbolisme.

Boas, Franz (1858-1942), linguiste et anthropologue américain.

Bogatyrev, Petr Grigoriévitch (1893-1971), folkloriste russe et soviétique, pionnier de l'analyse structurale et fonctionnelle des faits ethniques.

Brandt, Roman Féodorovitch (1853-1920), slavisant russe.

Brik, Osip Maximovitch (1888-1945), ami et inspirateur des formalistes, qui a laissé lui-même peu d'écrits théoriques.
Brioullov, Karl Pavlovitch (1799-1852), grand peintre académique russe.
Brioussov, Valéri Jakovlévitch (1873-1924), poète russe, animateur d'une des branches du symbolisme russe, auteur d'études sur la versification.
Broch, Olaf (1867-1961), phonéticien et slavisant norvégien.
Bühler, Karl (1879-1963), théoricien du langage et psychologue allemand.
Čapek, Karel (1890-1938), romancier et dramaturge tchèque.
Čapek-Chod, Karel Matej (1860-1927), romancier tchèque.
Carra, Carlo (1881), peintre italien, l'un des animateurs du mouvement futuriste, auteur d'écrits sur la peinture.
Čelakovský, František Ladyslav (1799-1852), poète et philologue tchèque, qui a contribué à la renaissance nationale par ses publications de textes folkloriques.
Chakhmatov, Alexeï Alexandrovitch (1864-1920), slavisant russe, spécialiste de la langue russe.
Chklovski, Viktor Vladimirovitch (1893), écrivain et critique littéraire soviétique, animateur du groupe des Formalistes russes, en particulier pendant sa première période (1915-1924).
Chtcherba, Lev Vladimirovitch (1880-1944), linguiste russe et soviétique, élève de Baudouin de Courtenay.
Cohen, Hermann (1843-1918), philosophe allemand, fondateur de l'école de Marbourg, d'obédience néo-kantienne.
Delvig, Anton Antonovitch (1798-1931), poète russe, ami de Pouchkine.
Derjavine, Gavrila Romanovitch (1743-1816), poète russe, représentant du classicisme.
Durdík, Jozef (1837-1902), philosophe et critique tchèque.
Durych, Jarosláv (1886-1962), écrivain et essayiste tchèque.
Eikhenbaum, Boris Mikhaïlovitch (1886-1959), critique littéraire soviétique, membre actif du « Formalisme russe ».
Erben, Karel Jaromir (1811-1870), poète et philologue tchèque, éditeur de chants populaires et de contes de fées.
Essénine, Sergueï Alexandrovitch (1895-1925), poète russe et soviétique, lié au départ au groupe imagiste; chantre de l'esprit paysan et de l'ivresse; termine sa vie par suicide.
Fédorov, Nikolaï (1828-1903), philosophe russe.
Fet, Afanassi Afanassiévitch (1820-1892), poète lyrique russe, qui a exercé une forte influence sur les symbolistes.
Frinta, Antonin (1884-1975), phonéticien et slavisant tchèque.
Gebauer, Jan (1838-1907), philologue tchèque, historien de la langue tchèque.
Gontcharov, Ivan Aléxandrovitch (1812-1891), écrivain réaliste russe dont le roman le plus célèbre s'intitule *Oblomov*.
Gorki, Maxime, pseudonyme de Alexeï Maximovitch Pechkov (1868-1936), écrivain russe et soviétique, fondateur du réalisme socialiste.
Goumilev, Nikolaï Stépanovitch (1885-1921), poète russe, chef de file de l'école acméiste, fusillé pour « activité contrerévolutionnaire ».

Grammont, Maurice (1866-1946), phonéticien et linguiste français.

Griboïedov, Alexandre Serguéévitch (1795-1829), poète et dramaturge russe, auteur de *le Malheur d'avoir trop d'esprit*. En 1822 il devient secrétaire diplomatique auprès du général A. P. Ermolov, commandant des armées russes dans le Caucase.

Hlaváček, Karel (1874-1898), poète tchèque, l'un des principaux représentants du symbolisme.

Hopkins, Gérard Manley (1844-1889), poète et théoricien anglais.

Ivanov, Viatcheslav Ivanovitch (1866-1949), poète russe, théoricien du symbolisme.

Jespersen, Otto (1860-1943), linguiste danois.

Jungman, Josef (1773-1847), poète et philologue tchèque.

Karamzine, Nikolaï Mikhaïlovitch (1766-1826), écrivain russe, créateur du style « sentimental » *(la Pauvre Liza)*.

Khlebnikov, Viktor Vladimirovitch, dit Vélimir (1885-1922), poète russe, chef de file du mouvement futuriste.

Khodassévitch, Vladislav (1886-1939), poète russe.

Kommissarjevskaïa, Véra Féodorovna (1864-1910), grande actrice de théâtre russe, qui a interprété aussi bien des pièces « réalistes » que « symbolistes ».

Korch, Féodor Evguéniévitch (1843-1915), linguiste et métricien russe.

Král, Josef (1853-1917), philologue classique tchèque.

Král', Janko (1822-1876), poète slovaque.

Kramskoï, Ivan Nikolaévitch (1837-1887), peintre russe, représentant du réalisme.

Kroutchenykh, Alexeï Elisséevitch (1886-1968), poète russe, un des membres les plus actifs du groupe futuriste.

Leskov, Nikolaï Semionovitch (1831-1895), écrivain réaliste russe, particulièrement attentif à la langue et aux mœurs populaires.

Lomonossov, Mikhaïl Vassiliévitch (1711-1765), poète, philosophe et savant russe, fondateur de la langue littéraire.

Lounatcharski, Anatoli Vassiliévitch (1875-1933), homme d'État soviétique, écrivain, commissaire de l'éducation, animateur de la culture soviétique.

Mácha, Karel Hynek (1810-1836), principal représentant du romantisme tchèque, auteur d'œuvres en prose et en vers, dont la plus célèbre est le long poème *Mai* (*Maj*, 1836).

Mandelstam, Osip Émélianovitch (1891-1938?), poète russe et soviétique, mort en déportation.

Marty, Anton (1847-1914), philosophe allemand, élève de Brentano, auteur d'ouvrages sur la philosophie du langage et la grammaire générale.

Miller, Vsévolod Féodorovitch (1848-1913), philologue russe, fondateur de l'école positiviste dans l'étude du folklore.

Němcová, Bożena, pseudonyme de Barbara Panklová (1820-1862), écrivain tchèque.

Neumann, Stanislav Kostka (1875-1947), poète et journaliste tchèque.

Nezval, Vitězslav (1900-1958), l'un des plus grands poètes tchèques du xxe siècle.

Ostrovski, Alexandre Nicolaévitch (1823-1886), écrivain russe, principal représentant du courant réaliste en dramaturgie.

Passy, Paul (1859-1939), phonéticien français.

Pechkovski, Alexandre Matvéévitch (1873-1933), linguiste russe, auteur de *Russkij sintaksis v nauchnom osveshchenii (la Syntaxe russe éclairée scientifiquement)*.

Potebnia, Alexandre Afanassiévitch (1835-1891), philologue russe et ukrainien, fondateur du courant psychologique dans la linguistique russe, dans la lignée de Humboldt et Steinthal, théoricien de la littérature.

Pougatchev, Emélian Ivanovitch (1742-1775), animateur de la plus grande révolte paysanne russe.

Puchmajer, Antonin Jaroslav (1769-1820), homme de lettres tchèque, éditeur d'Almanachs qui réunissent l'œuvre des poètes tchèques de l'époque.

Radichtchev, Alexandre Nikolaévitch (1749-1802), écrivain et homme de lettres russe, adversaire du pouvoir tsariste.

Remizov, Alexeï Mikhaïlovitch (1877-1957), écrivain russe, émigré depuis 1921 à Paris, dont les écrits se caractérisent par une stylisation des parlers populaires.

Repine, Ilia Efimovitch (1844-1930), peintre russe, le principal représentant de l'école réaliste.

Roubane, Vassili Grigoriévitch (1742-1795), écrivain russe, auteur d'épîtres à l'impératrice.

Roublev, André (ca. 1360-1430), peintre russe.

Ryléiev, Kondrati Féodorovitch (1795-1826), poète et révolutionnaire russe, pendu pour sa participation à la révolte des décembristes.

Sabina, Karel (1813-1877), poète et critique tchèque, ami et éditeur des œuvres posthumes de Mácha, également auteur de souvenirs sur lui.

Sapir, Edward (1884-1939), linguiste américain.

Saran, Franz (1866-1931), métricien allemand.

Sechehaye, Albert (1870-1946), linguiste suisse, élève de Saussure.

Selvinski, Ilia Lvovitch (1899), poète soviétique, animateur du groupe constructiviste dans les années vingt.

Šíma, Josef (1891-1971), peintre tchèque, proche du surréalisme.

Slonimski, Antoni (1895-1976), poète et écrivain polonais.

Speranski, Mikhaïl Nestorovitch (1863-1934), historien de la littérature russe, spécialiste du folklore.

Šrámek, Frána (1877-1952), écrivain tchèque, épigone du symbolisme.

Stuck, Franz (1863-1928), peintre allemand, célèbre pour ses tableaux allégoriques.

Stumpf, Carl (1848-1936), psychologue et musicologue allemand, élève de Brentano.

Tchaadaev, Petr Jakovlévitch (1794-1856), homme de lettres et idéologue russe, adversaire du régime tsariste, ami de Pouchkine.

Tioutchev, Féodor Ivanovitch (1803-1873), poète russe, estimé mais peu connu de son vivant, influence fortement la poésie symboliste.

Tomachevski, Boris Viktorovitch (1890-1957), historien et théoricien soviétique de la littérature, membre actif de l'école formaliste.

Tomíček, Jan Slavomír (1806-1866), critique tchèque, adversaire acharné de Mácha auquel il reproche l'absence de pathos patriotique.

Trédiakovski, Vassili Kirillovitch (1703-1769), poète et philologue russe, créateur de la nouvelle versification syllabotonique.

Troubetzkoy, Nikolaï Serguéévitch (1890-1938), grand linguiste russe, fondateur de la phonologie structurale, l'un des animateurs du Cercle linguistique de Prague.

Tyl, Josef Kajetán (1808-1856), écrivain tchèque de tendance nationaliste; auteur d'une biographie romancée de Mácha, *Rozervanec (L'Égaré)*.

Tynianov, Juri Nikolaévitch (1894-1943), l'un des principaux « formalistes russes », critique, historien de la littérature, écrivain.

Venevitinov, Dmitri Vladimirovitch (1805-1825), poète et philosophe russe, emprisonné après la révolte des décembristes.

Viazemski, Petr Andréévitch (1792-1878), poète et critique russe, ami de Pouchkine.

Vésélovski, Alexandre Nikolaévitch (1838-1906), historien russe de la littérature, spécialiste de la poétique du folklore.

Vinogradov, Viktor Vladimirovitch (1895-1969), linguiste et stylistien soviétique, proche pendant quelque temps des Formalistes.

Zamiatine, Evguéni Ivanovitch (1884-1937), écrivain soviétique, émigré depuis 1932, auteur de *Nous*, roman utopique et satirique.

Zieliński, Tadeusz (1859-1944), spécialiste polonais de philologie classique.

Table

REPRINT/AUBIN À LIGUGÉ (12-81)
D.L. 1er TR. 1973. Nº 3139-3 (L 14120)